D0418884

Het Eagleton zegel

ARJEN TERPSTRA

the house of books

Omslagontwerp en illustratie
Wil Immink Design
Omslagfoto's
Getty Images
Cartografie
Yde Bouma
Foto auteur
Frans Andringa
Opmaak binnenwerk
ZetSpiegel, Best

ISBN 978 90 443 2905 6
D/2010/8899/138
NUR 300

www.arjenterpstra.com
www.thehouseofbooks.com

Voor Tjarda, die de eagles liet vliegen

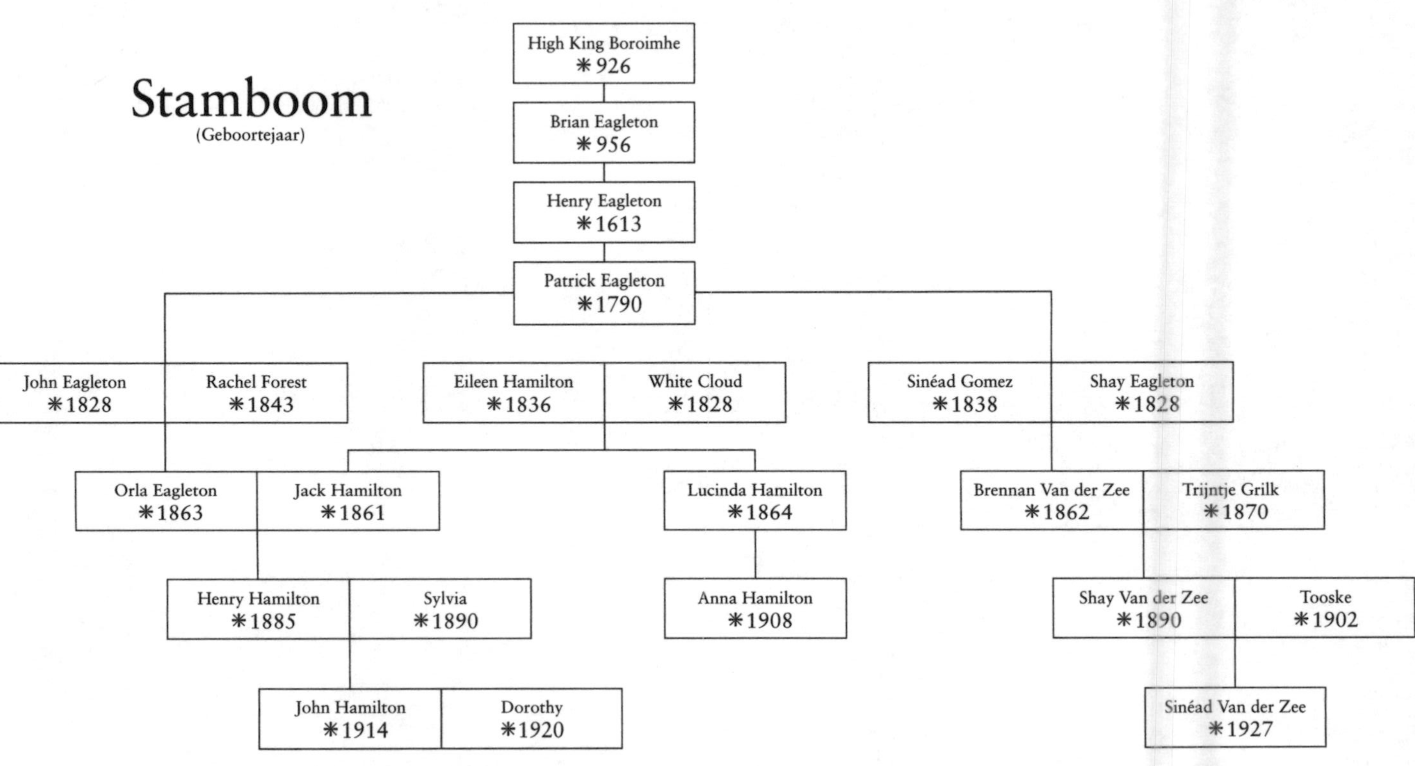
Stamboom
(Geboortejaar)
High King Boroimhe *926
Brian Eagleton *956
Henry Eagleton *1613
Patrick Eagleton *1790
John Eagleton *1828
Rachel Forest *1843
Eileen Hamilton *1836
White Cloud *1828
Sinéad Gomez *1838
Shay Eagleton *1828
Orla Eagleton *1863
Jack Hamilton *1861
Lucinda Hamilton *1864
Brennan Van der Zee *1862
Trijntje Grilk *1870
Henry Hamilton *1885
Sylvia *1890
Anna Hamilton *1908
Shay Van der Zee *1890
Tooske *1902
John Hamilton *1914
Dorothy *1920
Sinéad Van der Zee *1927

PROLOOG

Dingle Peninsula, Ierland, 1653

Plotseling kwam de volle maan tevoorschijn tussen draderige wolken die door het witte licht dreven. Vier monniken in lange donkergrijze pijen keken verstoord naar de hemel; het zou die nacht donker blijven, de maan nieuw. Ze stonden naast hoog oplaaiend vuur en een man met ontbloot bovenlijf sloeg met harde hamerslagen op rond metaal.

Opspattend vuur trok omhoog de koude lucht in en verlichtte een lange rij eagles die stil op de muren van het kasteel zaten. Verderop in het halfdonker staarde Henry Eagleton wijdbeens met zijn handen op zijn rug naar het glimmende lijf van de smid, waar het zweet vanaf gutste.

Het was 1653 en de laatste nacht van de Eagletons op het kasteel. Bijna zeshonderd jaar was het kasteel familiebezit geweest, totdat het door de Engelsen werd onteigend omdat de nieuwe wet van Cromwell bepaalde dat een katholieke Ier geen bezit meer mocht hebben.

Terwijl Henry Eagleton langzaam naar voren liep, besefte hij hoe zwaar het voor zijn nazaten zou worden om het voorouderlijke landgoed ooit weer in handen te krijgen en hij dacht aan zijn zonen en aan de zonen van zijn zonen. Plotseling herinnerde hij zich dat hij had gedroomd van zwetende snuivende paarden midden in oorlogsgeweld ver van Ierland vandaan, en van tot op het bot bevroren mensen op paarden, dolend door ijzig wit stil land. Deinende mensenmassa's, voortgedreven door honger, strompelend naar zee. De zonen van zijn zonen die vochten met de bezetters van zijn land. Oneindige oceanen naar het westen en naar het oosten zouden de Eagletons scheiden van Ierland en van elkaar.

De smid hield het ronde metaal hoog in de lucht en bekeek nauw-

keurig de ronding van de buitenste ring, waarna hij Henry Eagleton wenkte. Toen deze het metaal zag, leek hij meteen de eindeloze reis te voelen die in het zegel besloten lag.

De smid dompelde het roodgloeiende ijzer in een bak met heet vloeibaar wit metaal. Meteen kwamen de monniken naderbij terwijl hij met een grote tang het zegel omhoogtrok. Behoedzaam drukten ze alle vier hun stempel in de achterkant van het nog zachte metaal. De laatste monnik graveerde met een stalen pen Engelse en Ierse tekens op de voorkant.

Op de afbeelding van het zegel met de ineengedoken eagle in het midden, stond geschreven:

THE EAGLETON SEAL

En in de ring eromheen: By independency of Ireland the Bearer of this Seal shall be the owner of Eagleton Castle, Mount Eagle, Ireland 1653.

Henry keek naar het witglanzende zegel dat net op zijn hand paste. Hij keek naar het dunne Ierse schrift dat door de monniken was aangebracht. Op de achterkant leek een soort code gegraveerd waarvan hij de betekenis niet kende.

In de laatste nachtelijke uren droomde Henry opnieuw over zijn nazaten. Een soldaat in blauw uniform zat op een heuvel te midden van grijze doden en riep hem. Hij zag de wanhoop in de ogen van de hulpeloze soldaat. En later droomde hij van eagles, die krijsend in bundels van zwaaiend licht boven de oceaan vlogen op weg naar het oneindige westen. Vlak voordat hij wakker werd, zag hij mannen in een rij staan. De voorste, oud en met gebroken ogen, en daarachter anderen, in vage lijnen. Op het moment dat het beeld leek te vervagen zag hij plotseling hoe de laatste in de rij zijn hand ver naar voren strekte, langs de anderen heen, en probeerde hem aan te raken.

Hij werd wakker en langzaam drong tot hem door welke afschuwelijk lange reis het zegel in de komende eeuwen zou maken.

DE AANSLAG

Montana, 1955

Meestal werd de grote corral vlak buiten het kleine stadje gebruikt voor rodeowedstrijden. De verveloze houten tribunes aan weerskanten zaten vol mensen die joelden en schreeuwden. De geur van stierenstront hing overal in de lucht, al deden tientallen meisjes in korte witte plooirokken met hoge cowboylaarzen hun best om met bussen spray de geur te verdrijven.

Het was aan het eind van de middag en de zon stond al groot en goudgeel laag aan de horizon. Vlaggen van de staat Montana en de Verenigde Staten van Amerika wapperden overal aan hoge masten en bossen witte, rode en blauwe ballonnen dansten aan touwtjes in de lucht.

Het waren vandaag echter niet de cowboys en de stieren die de show stalen maar een stoet zwarte SUV's die met hoge snelheid in grote stofwolken kwam aanrijden.

De fanfare speelde midden in de corral het Amerikaanse volkslied toen de heren uitstapten. Uit de middelste auto stapte een knappe jongeman die zijn glanzend zwarte laarzen met zilveren gespen in het zand zette. Hij was gekleed in een donkerblauw pak en droeg een smetteloos wit katoenen overhemd van de fijnste soort. Zijn scherp getekende gezicht was licht getint. Hij had halflang, glanzend donkerblond haar en diepblauwe ogen, scherpe jukbeenderen en een hoog, iets achteroverlopend voorhoofd. Zijn grote gestalte stak bijna een halve kop boven zijn bodyguards uit. In één oogopslag nam hij de hele omgeving in zich op en hij wuifde met beide handen naar het joelende publiek. De bewegingen die hij maakte toen hij naar de verhoging midden in de corral liep, verraadden grote snelheid.

Op hetzelfde moment liep een jonge vrouw met lang krullend donkerrood haar behoedzaam onder de noordelijke tribune tussen de stalen draagbalken door. Ze droeg een grote weekendtas. Even bleef ze staan en zocht een plaats waar ze goed zicht had op het midden van de corral. Met half dichtgeknepen ogen keek ze om zich heen. Ze ritste de weekendtas open en haalde het geweer eruit. Daarna pakte ze de loop, schroefde het ronde staal op de Winchester 70, klikte voorzichtig de kijker op het geweer en keek opnieuw naar de verhoging in de corral.

Een man met een witte stetson en een bierbuik die ver over zijn brede riem hing, klom het podium op en liep naar de staande microfoon. Langzaam en met uithalen vertelde hij dat naast hem de toekomstige gouverneur van Montana stond. Hij vertelde dat de Republikeinse partij met deze kandidaat iemand had binnengehaald van uitzonderlijk kaliber. Deze toekomstige gouverneur zou ervoor zorgen dat de welvaart voor iedereen zou terugkeren in de staat Montana.

'Ladies and gentlemen, he is a real son of Montana and he is here today, mister John Hamilton, the next governor of the great state of Montana!'

Terwijl het publiek als een golf overeind kwam, vrouwen met witte doekjes zwaaiden en mannen met hun cowboyboots op de banken stampten, keek de jonge vrouw door de lens van de Winchester. Ze ging met één knie op de grond zitten en zette het geweer langzaam tegen haar schouder.

Door de kijker zag ze een van de bodyguards vlak achter John Hamilton behoedzaam de tribunes rondspeuren. Even bleven zijn ogen recht in de lens van de geweerkijker hangen.

Op het moment dat het stil werd en John Hamilton begon te spreken, sloeg een geweerkogel hem van de houten verhoging af. De bodyguard die achter hem stond, werd meegesleurd het zand in.

Stokstijf bleef ze staan en ze deed geen moeite om weg te komen. Het publiek stoof alle richtingen uit en bodyguards met getrokken revolvers vlogen naar voren in de richting waar het schot vandaan kwam. Ze stond met het geweer naast zich op de grond en keek toe hoe de mannen in donkere pakken en zwarte zonnebrillen tussen de banken klauterden en op haar afkwamen. Even was er verbazing in hun ogen toen ze de mooie vrouw zagen staan. Maar het volgende moment duwden ze haar met geweld omlaag en werd ze geboeid afgevoerd naar een van de auto's.

John Hamilton leefde nog en een arts deed zijn uiterste best om de bloeding van de verwoeste slagader in zijn dijbeen te stoppen.

THE HIGH KINGS

Ierland, 955

In 1315 kwam Edward Bruce, broer van de koning van Schotland, op verzoek van de koning van Cenél nEógain, Domhnall O'Neill, naar Ierland. O'Neill koesterde de hoop dat Edward de Engelse legers uit Ierland kon verdrijven zoals zijn broer in Schotland had gedaan. Edward Bruce werd in 1316 gekroond tot koning van Ierland onder de titel Ëadbhard I of Edward I. Dat gebeurde in Dún Dealgan waar hij zijn hoofdkwartier had gevestigd in aanwezigheid van de Schotse en Ierse legers. Aanvankelijk bestreed de nieuwe koning van Ierland met succes de Engelsen. Bij Connor, Cells en Arscoll, in county Kildare, sloeg hij vernietigend toe. Maar Edward Bruce slaagde er niet in om het belangrijke Dublin en Limerick te veroveren en werd gedwongen zich terug te trekken naar het noorden.

In de Battle of Faughart stonden de Schotse en Ierse legers tegenover een grote Engelse overmacht. Een Engelse ridder, sir John de Maupas, wachtte de slag niet af maar reed op zijn paard dwars door de Schotse linies heen, op zoek naar Edward Bruce. De mannen raakten in een tweegevecht en beiden stierven aan de zware verwondingen die ze elkaar hadden toegebracht. Edward Bruce, de nieuwe koning van Ierland, had nooit over het hele land geregeerd.

Niall Eagleton vocht samen met de Ieren aan de oevers van de rivier de Shannon in de buurt van Limerick tegen een zware Engelse overmacht toen hij het nieuws van de dood van Edward Bruce hoorde. De Engelse soldaten die het nieuws ook hadden vernomen, schreeuwden het uit van vreugde en stortten zich met ware doodsverachting op de uitgedunde gelederen van de Ieren, die massaal de bergen in vluchtten.

Niall Eagleton wist op zijn paard te ontkomen. Met grote snelheid reed hij langs de rivieroever, waar talloze lijken in het water dreven. Achter zich hoorde hij het geluid van opspattend water en toen hij omkeek, zag hij drie Engelse soldaten die hem achtervolgden. Niall trok een pijl uit zijn koker en schoot recht omhoog de lucht in. Vrijwel meteen verscheen een grote eagle aan de hemel. Even bleef het beest onder grijze lage wolken doodstil in de lucht hangen. De duikvlucht van de eagle was bijna niet te volgen en het volgende moment grepen wrede klauwen zich vast in het gezicht van de voorste Engelsman. Terwijl de soldaat zijdelings van zijn paard viel, hield de eagle hem vast, klapwiekend totdat de man in het ondiepe water viel. In de verwarring die ontstond, draaide Niall zijn paard razendsnel en schoot vanuit het water de tweede Engelsman van zijn paard. De soldaat die overbleef, aarzelde een moment maar vluchtte toen hij zag dat Niall zijn zwaard trok. Langzaam reed Niall naar de eagle die kalm op het gezicht van de soldaat zat. Een moment keken mens en vogel elkaar aan en toen sprong de eagle omhoog, spreidde zijn vleugels en vloog weg.

Niall Eagleton was de zevende afstammeling van Brian Boroimhe, zoon van Ceinneidigh, High King van Thomond, zoon van Lorcan MacCorc, zoon van Corc, zoon van Annluan, zoon van Mathgamhain, zoon van Toirrdhealbach, zoon van Cathal, zoon van Aodh Caomh, zoon van Conall, zoon van Eochaidh Bailldhearg, zoon van Fartjan Fionn, zoon van Blod, zoon van Cas, zoon van Conall Eachluaith, zoon van Ludhaidh Meann, zoon van Aonghus Tireach, zoon van Fear Corb, zoon van Mogh Corb, zoon van Cormac Cas, zoon van Oilill Olum.

High King Brian Boroimhe leefde achtentachtig jaar en vond de dood door de hand van de Deense admiraal Brodar op Goede Vrijdag 23 april 1014 tijdens de slag bij Clontarf. Hij was vier keer getrouwd geweest en had veel kinderen gekregen. Zijn vrouwen stierven jong en zijn kinderen zouden allen tijdens zijn leven in gevechten omkomen. Zijn eerste vrouw was Mór, dochter van Flan O'Hyne in Galway. King Brian trouwde voor de tweede keer met Eachraidh, dochter van Cearbhall. Maar een jaar voordat hij Eachraidh tot echtgenote nam, had King Brian een ontmoeting met Svanhildur, een prinses uit IJsland. Met een snel zeilschip was ze uit het noorden gekomen voor een bezoek aan High King Brian Boroimhe. Svanhildur kwam omdat ze IJsland wilde bevrijden van buitenlandse indringers en om de twistende adellijke families weer te verenigen. Brian nam haar mee naar Tara Hill, County Meath, de heilige zetel van de High Kings van Ierland. Bij de Stone of Destiny, waar de High Kings werden gekroond, bood ze hem het koningsschap van IJsland aan. De Ieren hadden IJsland als eerste bewoond en zij zouden het land kunnen bevrijden van vreemde mogendheden.

Ze zaten boven op de heuvel onder een zeldzaam warme zon en Brian keek naar het prachtige blanke gezicht van de prinses en haar bijna witblonde haar. Helblauwe ogen haakten in de zijne toen Svanhildur hem vroeg haar koning te worden. Brian zei dat hij niets liever wilde, maar dat hij Ierland nu niet kon verlaten omdat hij zelf problemen genoeg had met de Denen en de Engelsen. Ze bleven die middag boven op de heuvel zitten. De avond viel en hij vroeg of ze het koud had toen hij zag dat ze huiverde.

'In IJsland heeft niemand het koud,' zei ze. Maar Brian sloeg zijn wijde mantel om hen beiden heen.

Ze pakte plotseling zijn handen vast en keek hem opnieuw aan. 'What is the meaning of your name?' vroeg ze.

'Brian? Very great strength.'

Svanhildur bleef hem aankijken. 'I need your son,' zei ze tot zijn verbijstering.

Zijn sterke handen tilden haar op en droegen haar naar het zachte gras onder de bomen verderop op Tara Hill. Toen hij haar mooie naakte lichaam in het witte licht van de maan zag liggen, sloeg de wanhoop toe omdat ze slechts voor één nacht de zijne zou zijn. Hij had het gevoel eeuwig met zijn hoofd tussen de warmte van haar benen te willen blijven, totdat ze hem met haar koele handen omhoogtrok. Hun ogen en lichamen grepen zich in elkaar vast en in hun wrede en zachte liefdesspel rolden ze die nacht vanaf de top van de heuvel naar beneden waar de soldaten hen de volgende ochtend slapend vonden onder de wijde mantel, die was bedekt met dikke dauwdruppels.

Het zachte gepiep van een adelaarsjong maakte Brian wakker. Terwijl het witte donzen bolletje probeerde weg te kruipen, zag hij hoog aan de hemel twee eagles rondcirkelen. Een soldaat kwam naderbij, trok zijn zwaard en haalde met een geweldige slag uit, maar nog geen inch boven het eaglejong had Brian de arm van de soldaat in een ijzeren greep. 'Never kill an eagle in my kingdom,' zei hij dreigend.

De prinses ging met haar gevolg terug naar IJsland en Brian bleef achter met een hongerig krijsend eaglejong.

De volgende ochtend werd hij opnieuw vroeg wakker van vogelgekrijs. Ditmaal was het van de twee grote eagles, hoog in de lucht. Hij kwam uit zijn tent en zag dat het donzige eaglejong nog leefde. Verbaasd keek hij hoe het beestje, steeds opnieuw, zachtjes piepend met de kop omhoog kwam en probeerde vooruit te komen. Een stel soldaten kwam dichterbij. Brian keek omhoog naar de rondcirkelende eagles en weer naar het jong.

'Zadel mijn paard,' schreeuwde hij.

Met het jong warm weggestopt onder zijn kleren reed hij met twintig van zijn soldaten achter de beide eagles aan die naar het westen vlogen. Ze reden de hele dag en de hele nacht door en Brian keek voortdurend bezorgd naar zijn nieuwe kleine held. Pas de volgende avond kwamen ze bij Mount Eagle op Dingle Peninsula, waar Brian zag dat de eagles hem opwachtten op de rots.

'Ik denk dat daar een nest zit,' zei een van de soldaten.

Brian wilde het jong met alle geweld zelf terugbrengen en hij klom tegen de rots omhoog. Maar steeds gleed hij uit en na talloze pogingen hield hij halverwege de rots het donzige jong wanhopig in de lucht. Een van de eagles dook naar hem toe en griste het jong uit zijn hand. Brian viel vanaf de rots naar beneden en enkele van zijn mannen konden hun lachen niet inhouden. Maar ze waren stil toen de volgende dag een klein lam voor Brians tent lag. Niemand wilde geloven dat het door de eagles was gebracht, totdat Brian zijn mannen wees op de diepe sporen van eagleklauwen op de rug van het witte lam.

Een jaar later kwam Svanhildur opnieuw naar Ierland. Ditmaal had ze haar zoon van drie maanden op de arm. Ze stond al in het gangboord toen Brian met zijn mannen arriveerde om haar te verwelkomen. Toen hij het kind zag, stuurde hij iedereen weg.

'Your son,' zei ze.

Brian knikte. Hij stond op het punt om voor de tweede keer te trouwen. Ze stond daar ongenaakbaar op het scheepsdek van het houten schip. De grote IJslandse vlag klapperde in de wind.

'Waarom breng je je zoon naar Ierland?' vroeg hij.

'Omdat hij hier hoort. Op de dag dat hij werd geboren verscheen er uit het zuiden een grote eagle, die sinds die dag altijd in zijn buurt is. Elke keer als ik met mijn zoon naar buiten ga, schreeuwt het beest tegen me.'

'Dat zegt niks,' zei Brian.

'Zijn ogen zoeken steeds naar die vogel en ik wist vanaf het begin dat jouw zoon terug moest naar Ierland.'

'Hoe heb je hem genoemd?'

'Eagle, son of Brian.'

Brian keek naar de zee in de verte. De zon drong in felle stralen door de wolken heen. De wind ging steeds harder waaien. Hij zag zijn mannen nieuwsgierig vanaf een afstand toekijken wat er gaande was.

Brian ontstak in woede en brulde tegen zijn manschappen dat ze weg moesten gaan. Langzaam dropen ze af.

'Blijf bij me in Ierland,' zei hij tegen Svanhildur.

Ze zei niets en Brian stapte aan boord.

'Zeg dat je blijft en word mijn vrouw.'

Ze schudde haar hoofd en legde haar hand tegen zijn wang. 'Ik zou niets liever willen dan bij jou zijn, samen met onze zoon, maar ik heb een zware plicht te vervullen in mijn land.'

Voorzichtig legde ze haar zoon in Brians armen. 'Ga,' zei ze, 'en breng hem groot als een man.'

Terwijl ze beiden naar het jongetje keken, raakten hun gezichten elkaar aan.

Bijna wanhopig stapte Brian met zijn zoon van boord. Het jongetje met pikzwart haar en helblauwe ogen, keek nieuwsgierig en onbevreesd naar de man die hem vasthield. Brian bleef staan. De trossen werden losgegooid en de roeiers brachten het schip buitengaats. Hij bleef kijken totdat het schip niet meer dan een stip aan de horizon was. Later, toen hij op achtentachtigjarige leeftijd door het zwaard van de Deense Admiraal stierf, waren zijn laatste gedachten bij de IJslandse prinses die zijn hoofd nooit had verlaten.

Eagle, son of Brian kreeg nooit de naam van zijn vader. De familie beschouwde het kind als een bastaard. Brian bracht hem uiteindelijk naar de Aran Islands, waar zijn neef Cocran Cas chief was. Maar niet zonder zijn zoon te benoemen tot chief van het zuidwestelijke deel van Ierland en hem zijn voornaam te geven, zodat de zoon van de koning als Brian Eagleton door het leven ging.

Brian Eagleton werd door zijn stiefvader Cocran Cas op de Aran Islands als een echte man grootgebracht. Van jongs af aan werd hij gehard en getraind om te vechten. Cocran Cas leerde hem te vechten met zwaard en met pijl en boog. Ook leerde hij Brian alle geheimen om zijn tegenstanders met blote handen te verslaan. Maar hij bracht hem ook wijsheid bij en ruimhartigheid, want Cocran had in zijn leven gezien dat veel sterke mannen daar niet over beschikten.

De High King kwam naar de Aran Islands toen zijn zoon achttien jaar werd. Brian Eagleton keek vanaf het strand aan de oostkant van het eiland naar het schip dat met volle zeilen naderde met High King Brian Boroimhe op de boeg van het schip. Schurend kwam het vaartuig tot stilstand en Brian Eagleton zag hoe de grote brede man met wijd uitgespreide armen op hem af kwam. Hij werd door zijn vader vastgegrepen met een kracht alsof een stuk ijzer hem omklemde.

'My son.'

'My king,' zei Brian Eagleton zacht.

'No king! I am your father.'

Met grote passen liep hij het strand op naar Cocran, die hij in zijn omhelzing ook bijna verpletterde.

'Is hij een man geworden, Cocran?' vroeg Brian.

'Sterk als een Ier en hard als een IJslander. Hij verslaat elke man hier op de eilanden.'

Brian wendde zijn hoofd opzij naar zijn zoon. 'Dat zie ik, Cocran. Maar is hij ook een nobel man?'

'Hij heeft bijzondere eigenschappen, my King.'

'Ierse nobele eigenschappen?'

'Nou, dat weet ik niet,' zei Cocran aarzelend, die het explosieve karakter van de koning kende.

Brian keek hem vragend aan.

'Ik heb helaas niet het genoegen om Brians moeder te kennen,' ging Cocran verder, 'maar ik vermoed dat Brian meerdere eigenschappen heeft geërfd, als ik het zo mag zeggen.'

'Je bedoelt dat hij mijn kracht heeft en andere eigenschappen van zijn moeder?'

Cocran haalde diep adem: 'Ik vind hem vaak in kloosters waar hij oude documenten en manuscripten leest. Hij spreekt met eagles en vecht met elke man die hem uitdaagt.'

'Hij leest dus veel,' zei Brian cynisch.

'Het is iets meer dan dat,' zei Cocran, maar Brian beende al weg en kwam terug met een zwaard, omwikkeld met zacht leer.

'Dit zwaard is gemaakt door de beste smeden van Ierland. Ik denk dat er geen scherper metaal in het hele land te vinden is. Cocran zegt dat je boeken leest. Ik wil zien of je ook kunt vechten, want je draagt mijn naam. Ik schenk je dit zwaard als je je staande kunt houden!'

King Brian wikkelde langzaam het leer van het zwaard en het

glanzende brede metaal kwam tevoorschijn. Het handvat was sierlijk ingelegd met blauwe gladgeslepen stenen uit de heuvels in het noorden.

King Brian keek om zich heen en zag dat de eagle op een ra van de mast van het schip zat met gestreken vleugels.

'Jouw vogel?' vroeg hij.

Brian Eagleton knikte.

'Hij beschermt je?'

'Ja, maar alleen als ik in gevaar ben.'

King Brian overhandigde zijn zoon het zwaard met twee handen. Daarna trok hij zijn eigen zwaard. 'Als de eagle opvliegt, heb je verloren,' zei hij en haalde meteen met een machtige slag uit naar zijn zoon. Brian Eagleton, die de onverwachte harde klap nauwelijks kon opvangen, sprong achteruit en stootte het zwaard recht vooruit naar zijn vader, die snel pareerde. Met kletterend geweld sloegen ze op elkaar in. Toen King Brian één keer met zijn zwaard gevaarlijk dicht bij zijn zoon kwam, hield hij zijn hand omhoog en keek achterom naar de eagle, die zijn vleugels bijna gespreid had.

'Kijk uit mijn zoon, je verliest je zwaard,' zei King Brian.

Maar het volgende moment trapte de jonge Brian vanuit liggende positie hard tegen de enkels van zijn vader, die omviel. Brian Eagleton zette zijn zwaard op zijn vaders keel, maar tegelijkertijd voelde hij het koude metaal van zijn vader tegen de zijkant van zijn hals.

Brullend van het lachen kwam King Brian overeind. De eagle zat met gestreken vleugels op de ra en keek de andere kant op, alsof het gevecht hem niet verder interesseerde.

'You're a great fighter, my boy,' zei King Brian terwijl hij zijn zoon op de schouder sloeg.

Jaren daarna vocht Brian Eagleton samen met zijn vader talloze vrijheidsoorlogen, waar nooit een einde aan kwam. De dag nadat hij zijn vader in Dublin zag sterven, ging hij op weg naar de Aran Islands.

Maar Brian Eagleton werd door Maelseachlainn, de nieuwe koning van Ierland, verbannen naar de zuidwestelijke schiereilanden van Ierland, de eilanden waarvan zijn vader hem tot chief had benoemd. Brian moest deze verlaten en onherbergzame oorden beschermen tegen vijanden uit het westen, die nooit kwamen.

Op Mount Eagle, Dingle Peninsula, liet hij een kasteel bouwen, dat bestond uit twee gebouwen die met elkaar verbonden waren door pal van noord naar zuid lopende dikke muren. De gebouwen en de muren vormden samen de omheining van de binnenplaats. Op de dag dat Brian Eagleton voor het eerst de vlag met de grote eagle in de mast hees, kwamen de eerste vogels aangevlogen. Ze streken neer op de torens op elke hoek van het kasteel en daar bleven ze eeuwenlang zitten, als stille wachters.

THE TEARDROP OF IRELAND

Fastnet Rock, 1846

Traag liepen lange golven aan beide kanten van de hoge rots Fastnet Rock naar de zuidwestelijke kust van Ierland. Dichterbij land, in ondiep water, begonnen de golven te versnellen en als een reusachtig snuivend dier kwam de zwarte watermassa in één beweging omhoog, ronddraaiend totdat de machtige golf wit schuimend tegen de grijze rotsen te pletter sloeg, talloze zeemeeuwen omhoog joeg en als een dunne kristallen mist terugzakte in zee.

De drie lange schiereilanden Beara Peninsula, Iveragh Peninsula en Dingle Peninsula lagen als donkere stenen ankers ver de Atlantische Oceaan in naar het zuidwesten. De hoge bergrug van de Macgillycuddy's Mountains steeg bijna rechtop uit het water, de grijs granieten hellingen bezaaid met nesten van zeevogels.

Het felle licht van de vuurtoren van Cape Clear Island zwiepte over de zuidwestelijke kusten en over Fastnet Rock heen, vol fladderende zeemeeuwen in de draaiende bundels. Fastnet Rock, de Teardrop van Ierland, was een eenzame, smalle hoge rots. De opkomende vloed stuwde het krullende water rond de steen minstens vier meter omhoog, waardoor de voet onder water verdween. Volgens de legende werd de rots door Satan uit Mount Gabriël gehaald en in zee gesleept, ver uit de kust. Zonder verlichting lag ze daar en Satan keek handenwringend toe hoe in donkere nachten schepen in volle snelheid op Fastnet Rock klapten en arme zeelieden verdronken.

Achter de hoge rotsen van de zuidkust doemden fraaie groene heuvels op, met afgebakende stukken grond omzoomd door lage stenen muren. Boomwallen sierden het landschap en verder naar het noorden slingerde de Blackwater River langs Nagles Mountains naar de Celtic.

In 1846 kwam de winter al vroeg naar Ierland. Wolken vol natte sneeuw werden meegevoerd door een harde noordwestelijke storm. Volgens sommigen was het de hevigste winter die ooit over het land had geraasd. Omdat het weer zo snel omsloeg, hadden de boeren geen kans meer om de laatste magere oogsten van het land te krijgen. Door de nattigheid rotten de gewassen op het veld en toen de grote stormen daarna de ijzige winter meenamen, werd het hele land onder een deken van sneeuw en ijs bedolven. De weilanden lagen vol met dode dieren die geen voedsel meer op de bevroren grond konden vinden. Oude mensen, al half verhongerd doordat de oogsten waren mislukt, stierven massaal door de indringende kou. Er ontstond een tekort aan houten kisten, want hoe dun de planken ook werden gezaagd, door een gebrek aan bossen in Ierland was er lang niet genoeg hout. De kisten die werden gemaakt met aan de achterkant een luik waardoorheen de lijken het graf in gleden, vielen uiteindelijk door het intensieve gebruik uit elkaar.

Ierland werd al vanaf 1845 geplaagd door rampspoed. Door de mislukte aardappeloogsten als gevolg van de aardappelziekte heerste er een verschrikkelijke hongersnood, The Great Famine, die Ierland tot 1852 zou teisteren. Het graan en rogge, verbouwd onder het strenge regime van de Engelse landlords, werd met schepen vol over de Ierse zee vervoerd naar Engeland. De Ieren zelf mochten niets houden van de rijke oogsten van hun eigen land, hun enige voedsel kwam van een klein aardappelveldje naast hun cottage. Het dagelijks menu bestond uit aardappelen in combinatie met vis en melk. De natte zomer van 1846 verergerde de hongersnood en in de jaren daarna nam het voedseltekort zulke grote vormen aan dat mensen massaal omkwamen. Ierland stierf en wie de mogelijkheid had, vluchtte per schip naar Canada of Amerika. In vijf jaar tijd bleven er van negen miljoen inwoners nog slechts vier miljoen over, in een land dat ooit welvarend was geweest.

Het begon licht te worden toen de broers Shay en John Eagleton het getrappel van paardenhoeven hoorden. Gespannen stonden ze naast elkaar om te luisteren of de hoeven hun richting uit kwamen. Snel haalden ze aan de oever van de Blackwater River hun vislijnen in en verscholen zich achter struiken. Ze hoorden hoe de paarden vaart minderden en vlak bij hen tot stilstand kwamen.

De snerpende stem van de Engelse landheer kenden ze uit duizenden. 'Ze moeten hier ergens zijn, Sean,' hoorden ze hem zeggen.

Het geklik van het spannen van een pistoolhaan was te horen. De plotselinge inslag van een kogel deed de broers hevig schrikken. Shay haalde zijn vismes tevoorschijn, maar John legde zijn hand op Shays arm toen hij hoorde dat het pistool opnieuw werd geladen.

'Heeft geen zin, Shay,' fluisterde hij, 'hij blijft maar in de struiken schieten.' John ging staan.

Lord William Thomas zat kaarsrecht op zijn paard in zijn korte rode jasje. Hij had een wrede glimlach om zijn kleine mond.

'Kijk,' zei hij tegen zijn bediende Sean, 'daar heb je de dieven.'

Ook Shay kwam tevoorschijn. Hij was iets kleiner, maar breder gebouwd dan zijn broer John. Hij was nog maar net achttien, maar zijn magere gezicht was al getekend door verticale lijnen.

Bijna minachtend keek Lord Thomas naar de beide broers die, vermagerd, gekleed in lompen en zonder schoenen, op de koude harde stenen stonden.

'Jullie heb ik eerder gezien,' begon Lord Thomas te blazen. 'Was dat niet vorig jaar toen jullie ook al illegaal zaten te vissen in mijn rivier?'

John wilde zeggen dat de rivier van alle Ieren was en niet van de Engelsen, maar hield zich in.

Lord Thomas richtte zich tot Sean: 'Sean? Dat was toch dit gespuis?'

Sean knikte stijfjes.

'Heb ik jullie toen niet laten gaan omdat ik meende dat jullie in jeugdige overmoed hadden gehandeld? Omdat ik dacht dat jullie te vertrouwen waren?'

'Ja, meneer,' zei John.

'Welke landheer zou jullie een diefstal hebben vergeven?'

De beide broers zwegen.

'Sean?'

'Niemand, my lord.'

De snerpende stem daalde en op lage toon zei Lord Thomas: 'Precies, niemand. Behalve ik. In mijn grote goedheid heb ik met mijn hand over het hart gestreken en daar word ik nu voor gestraft.'

De beide jongemannen zeiden niets.

'Zijn jullie niet van oude Ierse adel?' vroeg Lord Thomas cynisch.

Bijna zonder zijn hoofd te bewegen knikte John. Zijn grijze ogen keken zonder uitdrukking naar Lord Thomas.

'Het zijn Eagletons, my lord,' zei Sean.

'Is dat zo, Sean?'

'U kent ze. U hebt ze vorig jaar van de pachtboerderij gestuurd waar ze bij hun vader woonden,'

'Natuurlijk weet ik dat. Die verdomd onbetrouwbare Iers-katholieke bende.'

Hoewel Shay kleiner was dan zijn broer, was hij de felste van de twee. Maar op het moment dat hij wilde uitvallen naar Lord Thomas, ging John voor hem staan.

'Weet jij, Eagleton, waarom de Ierse adel zo onbetrouwbaar is?' ging Lord Thomas verder. Hij boog zich voorover op zijn paard en vervolgde: 'Dat komt omdat jullie mogen liegen en bedriegen en alle zonden mogen begaan en daarna ga je naar die verdomde priesters van jullie en dan is alles weer vergeven. Blij dat ze de hele Ierse adel uit hun kastelen hebben verjaagd.'

Er kwam een diepe zucht uit de kleine ronde mond terwijl hij zich naar Sean wendde: 'Jij bent toch ook een Ier, Sean?'

'Een protestantse Ier, my lord.'

Lord Thomas leek diep na te denken, met zijn blik naar boven waar dikke grijze wolken voorbijstoven. 'Ben ik tegen deze heren niet uiterst coulant geweest, Sean?'

'Uiterst, my lord.'

'Dit zijn toch lafhartige dieven?'

'Zeker, my lord.'

Shay zei plotseling: 'We hebben dagen geen eten gehad.'

Geïrriteerd richtte Lord Thomas zich tot Shay: 'Wat zei jij, jongen? Wát zei je?'

'We sterven van de honger. Alle mensen hier hebben honger.'

Thomas knikte alsof hij het begreep, maar zei niets en keek om zich heen. 'Waar staat jullie cottage?' vroeg hij plotseling op zakelijke toon.

Shay wees naar de heuvels verderop.

Lord Thomas trok zijn degen en wees naar voren. 'Lopen!'

Voortgedreven door de paarden liepen John en Shay over een smal pad naar een gehucht van enkele plaggenhutten dat tegen de zuidelijke helling van Nagles Mountains was gebouwd. Broodmagere mensen, vuil en in vodden gekleed, kwamen nieuwsgierig door de lage deuren naar buiten. De huisjes stonden schots en scheef door elkaar en waren van turf en klei gebouwd met een dunne laag riet als dak. Tussen de hutten lagen veldjes met zwarte, ineengeschrompelde aardappelplanten half in het water. Vrouwen in lange schorten die met elkaar stonden te praten, riepen bij het zien van Lord Thomas onmiddellijk de kinderen, die op blote voeten door de drek naar hun hutten renden. Een magere trillende hond begon fel te blaffen, maar hield meteen weer op en ging hijgend liggen.

Geen van de cottages had ramen of een schoorsteen. De Engelse landheren in Ierland stonden de bouw van huizen op hun grondgebied niet toe, waardoor er alleen tijdelijke bouwsels mochten worden geplaatst met slechts een ingang. De mensen sliepen met hele gezinnen in een kleine ruimte op balen stro, soms tussen kippen. Ze mochten niet jagen en niet vissen in gebieden die eigendom waren van de Engelse landheren.

'Waar staat jullie hut?' vroeg Thomas ijzig.

John wees naar een klein scheefstaand gebouwtje van steen en klei. Stapvoets reed Lord Thomas door. Van de berghellingen rolde mist traag naar beneden. Het was doodstil, alleen het geklap van hoeven op steen en het onrustige gesnuif van het paard waren te horen.

Lord Thomas keek naar de grond voor de cottage, waar de verdorde aardappelplanten lagen.

'Je hebt zelfs de oogst laten mislukken,' zei hij tegen John.

'Het is de aardappelziekte,' zei Shay.

'Werkelijk waar?' zei Lord Thomas spottend. En tegen Sean: 'Afbranden die hut.'

Sean steeg af en liep naar de cottage, maakte vuur en stak het dunne rieten dak in brand. Toen het vuur oplaaide, reed Lord Thomas naar de volgende hut. In de kleine opening stond een vrouw met een kind op haar arm. Twee andere kinderen stonden dicht tegen haar aan, vervuild en met bijna geen kleren aan.

'Waar is je man?' vroeg Lord Thomas terwijl hij zijn hand aan zijn rode jasje afveegde.

'Die is gestorven,' zei ze toonloos.

'Dan heb je geen recht meer om hier te zijn.'

Thomas gebaarde Sean dat ook deze hut in brand moest worden gestoken.

Shay sprong naar voren: 'Doet u dat alstublieft niet. Deze vrouw en kinderen kunnen nergens heen.'

'Dat hebben ze dan aan jou te danken,' snauwde de Engelsman. 'Aan de kant!'

Sean stapte met de fakkel op de hut af. Shay ging voor hem staan. Hij hoorde de woedende stem van Lord Thomas: 'Ik zal zorgen dat jij in ketenen dit land verlaat. Hoe durf je tegen mijn bevelen in te gaan!'

Shay bleef staan en Sean wist niet wat hij moest doen. Lord Thomas joeg zijn paard vooruit, stormde op Sean af en greep de fakkel. Shay besefte dat hij groot gevaar liep, maar hij kon geen vernederingen meer verdragen. Op het moment dat de Engelsman langs hem reed, greep hij hem bij zijn jasje en trok hem van zijn paard af. Lord Thomas viel opzij en klapte op de grond, midden in de modder.

Het werd doodstil. Lord Thomas stond op. Bijna verbaasd keek hij naar zijn handen en daarna naar zijn kleding waar de natte drek van afdroop. Shay bleef staan en de Engelsman kwam langzaam naar hem toe met zijn degen vooruit.

De mensen van het gehucht kwamen naderbij.

'Bloody Irishman,' zei Lord Thomas met een stem vol haat, zijn gezicht in een grimas vertrokken.

Een stem riep: 'Stones, stones, stones!'

Vuistdikke keien raakten de Engelsman vol op zijn lichaam. Meteen stormde Shay op hem af en in het tumult gleed de Engelsman uit. De degen zwiepte vlak over Shays hoofd, maar Shay sprong boven op de Engelsman. Ze rolden door de modder en over de stenen. Beide mannen sprongen weer op en Shay kreeg het wapen te pakken, vlak boven het handvat. De Engelsman trok het wapen door Shays hand heen en maakte daarmee een diep open bloedspoor. Het lukte Shay toch om nog een keer uit te halen met zijn vuist. De geweldige vuistslag raakte de Engelsman hard op zijn slaap en Lord Thomas wankelde op zijn benen. Shay pakte een steen van de grond en bracht hem opnieuw een slag toe. Lord Thomas zakte door zijn knieën, liet de degen los en voelde met beide handen aan zijn hoofd. Shay was onmiddellijk bij hem en greep de degen.

John zag de blik van zijn broer. 'Nee!' schreeuwde hij, maar het was te laat.

'Bloody Englishman,' zei Shay, terwijl hij de degen dwars door de kleine ronde mond stak en daarna door de achterkant van Thomas' nek naar buiten zag komen. Rochelend viel Lord Thomas opzij.

Sean wilde wegvluchten maar John greep hem in één beweging bij zijn haar. 'Wat nu, Sean?' vroeg hij.

'Maak me alsjeblieft niet dood,' fluisterde Sean. 'Ik heb een vrouw en kinderen.'

'Dat had je wel mogen bedenken toen je ons huis in brand stak.'

Sean knikte schuldbewust.

'Je bent een Ier, Sean. Misschien ben je dat met dat volgevreten lijf van je vergeten.'

Een oude man kwam naar voren. Zijn lange grijze haar viel tot op zijn schouders en zijn gezicht zat vol diepe groeven. 'Ze zullen de landheer zoeken,' zei hij, 'en als ze hem niet vinden, zullen ze doorgaan met zoeken. Uiteindelijk zullen ze alle huizen verbranden en iedereen van het land wegsturen.'

'Het is mijn schuld,' zei Shay. 'Ik heb hem vermoord... Sean, je moet de landheer meenemen en zeggen dat ik hem heb vermoord en dat niemand verder schuldig is.'

'Doe het niet, Shay,' zei John. 'Ze zullen je ophangen.'

Shay schudde zijn hoofd: 'Er zit niets anders op. De Engelsen zullen willen weten wie het gedaan heeft. Eerder geven ze niet op. Ze moorden het hele dorp uit als het nodig is.'

Hijgend richtte hij zich tot Sean: 'Kunnen we op je rekenen?'

'Ik zal zeggen dat Shay hem heeft vermoord. Maar jullie zullen moeten vluchten, want als je hier blijft, betekent dat het einde van dit dorp.'

'Toch een Ier?'

Sean glimlachte pijnlijk. 'Het spijt me van jullie huis.'

'Wanneer denk je dat ze komen?'

'Niet voor vanavond. Maar probeer zo ver mogelijk te komen in korte tijd, want ze zullen je in alle richtingen zoeken. Engelsen zijn zeer effectief in het opsporen van mensen. Je kunt maar beter het paard van Lord Thomas meenemen.'

Met vier mannen hesen ze het dode lichaam van de Lord op Seans paard. John liep nog een tijdje naast hem. Zijn grote gestalte stak bijna een kop boven Sean uit. 'Wat gaan ze met jou doen?' vroeg hij.

Sean zuchtte. 'Ik weet het niet.'

'Wacht, kom van je paard.'

Aarzelend stapte Sean af. John trok zijn mes en terwijl hij met zijn ene hand Seans haar vasthield, trok hij met zijn mes een diep spoor over de zijkant van zijn gezicht, dat hevig begon te bloeden. Sean gaf geen kik.

'Zo zullen ze je wel geloven,' zei John.

Sean knikte. Toen hij verder reed, keek hij nog één keer achterom. Hij bracht zijn vuist naar zijn hart als laatste groet en John wist dat Ierland weer iemand aan haar zijde had gekregen.

De cottage was binnen een halfuur volledig afgebrand. John en Shay staarden naar de laatste nasmeulende resten.

'Wat nu?' vroeg Shay.

John, elf maanden ouder dan Shay, was een stuk groter dan de meeste Ieren, alsof honger en ontberingen geen vat op zijn groei hadden gehad. Hij had zwart haar en grijze diepliggende ogen onder een hoog voorhoofd. Zijn gezicht met de brede kaaklijn leek van graniet. Al zijn bewegingen waren beheerst, maar zijn gestalte verried grote kracht.

Met een stok porde John in de as: 'We gaan naar vader. Hij moet weten wat er is gebeurd.'

'Hij kan niets voor ons doen. Ze hebben ons te pakken voordat we bij hem zijn.'

'We nemen het paard van de Engelsman. Dan zijn we er vanavond.'

'Die Engelsen komen hier en zullen iedereen vermoorden. We moeten hier blijven om te helpen.'

De oude man, Seathrún, kwam bij de broers staan. 'Jullie kunnen hier niet blijven,' zei hij.

'Als de Engelsen komen, zeg ze dat we op de vlucht zijn naar Cork,' zei John.

'Dat zal jullie niet helpen. Engelsen geloven nooit iets,' zei Seathrún. 'Maar ga nu, voordat ze jullie hier vinden.'

John nam het paard bij de teugels en ging samen met Shay op weg. De broers liepen langs de cottages, waarvan de bewoners buiten stonden. Niemand zei iets. Vlagen mist dreven langs de kleine hutten. Terwijl de broers met het paard doorliepen, leek het dorp achter hen te verstenen in een beeld van grijze kleuren.

Zwijgend liepen de broers naast elkaar over het smalle pad van oneffen stenen, vlak onder de steile helling waarlangs wolken van zeevogels door elkaar vlogen. Het lage deel van de helling stond in volle bloei, alsof de wilde witte en gele bloemen tegen de wanden van de berg geplakt waren.

Bij de Blackwater River bleven ze staan. John trok het zadel van het paard los en gooide het in het midden van de rivier, waar het water diep was. Daarna klommen de broers op het paard, Shay voorop, en reden ze naar het westen.

Patrick Eagleton stond naast zijn kleine stenen boerderij, die eenzaam midden in de vallei lag ten noorden van de Boggeragh Mountains. Hij zag zijn twee zoons op een paard naderen. De zon stond op het punt achter de bergen te zakken en het laatste vale licht scheen over de vlakte.

Op het ommuurde veldje stonden dode aardappelplanten met troosteloos bruine bladeren. Lang geleden waren er drie koeien geweest, een varken en wat kippen. Dat was nog in de jaren dat de boerderij van de Eagletons gedoogd werd in Kerry County. Maar een zoon van de Engelse Lord maakte een eind aan de eeuwenoude afspraken en wilde dat Patrick Eagleton pacht betaalde voor het gebruik van het land. Patrick Eagleton had geweigerd, en op een voorjaarsochtend niet lang daarna lagen de drie koeien dood in de weide. Zijn beide zoons mochten niet meer op het land van de landheer komen en waren vertrokken om elders werk te vinden.

Stapvoets kwamen ze naderbij en hij hoorde het ritmisch sloffende geluid van hoeven door het hoge gras. Patrick sloot zijn beide zoons in de armen. 'Mijn zoons, wat is er aan de hand? Hoe komen jullie aan het paard van een Engelsman?'

Naast elkaar namen ze plaats op de stenen muur en John vertelde wat er die dag was voorgevallen. Patrick hoorde hem zwijgend aan.

'Vader, ik heb iets vreselijk doms gedaan,' zei Shay.

Patrick hield zijn hand omhoog alsof hij van geen verontschuldiging wilde horen: 'Nee, Shay, vernederingen zijn altijd onverdraaglijk en het is goed dat je bent opgekomen voor die weduwe en haar kinderen. Maar jullie zullen vannacht nog moeten vluchten.'

'Maar jij loopt ook gevaar,' zei John. 'Misschien moet je ook onderduiken.'

Patrick schudde zijn grijze hoofd. 'Mijn leven loopt geen gevaar meer. Bovendien ligt jullie moeder hier begraven en ik ben niet van plan haar hier alleen achter te laten.' Plotseling verscheen er een glimlach op zijn gezicht. 'Ik heb iets wat jullie lang niet hebben gehad.'

Hij stond op, ging naar binnen en kwam weer naar buiten met een fles whisky en een flink stuk spek. 'Speciaal bewaard voor een avond als deze.'

Om beurten namen ze een slok uit de fles en Patrick sneed stukken spek af.

'Het laatste voedsel dat er in Ierland te vinden is,' grijnsde Shay terwijl hij met zijn vingers door zijn ruige borstelige haar wreef.

'Er is nog iets,' zei Patrick, plotseling ernstig. 'Ooit heb ik jullie verteld dat de Eagletons het kasteel op Mount Eagle bezaten en dat het tweehonderd jaar geleden door de Engelsen in beslag is genomen.'

‘Maar ook dat het nog steeds van ons is,’ zei Shay.
‘Pas als Ierland weer een zelfstandige natie is, kunnen we het kasteel terugkrijgen.’
‘Maar waarom hebben ze het van ons afgenomen? Onze familie heeft het kasteel toch zelf gebouwd?’
Patrick knikte: ‘Inderdaad, maar dat was voordat de Engelsen ons land binnenvielen en volledig annexeerden. Maar niet alleen dat, onze cultuur en onze taal werden geruïneerd en in 1650 werd zelfs alle bezit van de katholieke Ieren verboden door die Cromwell. De Engelse overheersers konden zomaar elk bezit van de Ieren in beslag nemen. Dat is ook wat ons is overkomen. De laatste bewoner van Eagleton Castle, Henry Eagleton, wist wel een overeenkomst met de Engelse Lord Forsyth te sluiten waardoor het kasteel en de landerijen onbeperkt werden verhuurd aan Lord Forsyth voor slechts één pond sterling per jaar.’
‘Voor eeuwig?’ vroeg Shay.
‘Nee, niet voor eeuwig. Waarom het zo is gegaan, weet ik niet. Kennelijk was het verzet van Henry Eagleton zo hevig dat er een overeenkomst is aangegaan waardoor we het kasteel kunnen terugkrijgen als Ierland ooit weer een zelfstandige natie is.’
‘Die Engelsen gaan hier nooit weg,’ zei John bitter.
‘Dat is waarschijnlijk ook wat die Lord Forsyth dacht. Maar luister goed, mijn zonen. Toen ik achttien werd, heeft mijn vader me het verhaal verteld over wat er in 1653 is afgesproken en vastgelegd tussen Henry Eagleton en de Engelse landheer die het kasteel in beslag nam. Op dat moment gaf hij mij de verantwoordelijkheid om deze afspraak aan de volgende generatie over te dragen, zoals hij de verantwoordelijkheid had gekregen van zijn vader.’
Patrick wachtte even terwijl zijn ogen over het land dwaalden. ‘Vandaag scheiden onze wegen zich voorgoed. Het is niet aannemelijk dat we elkaar ooit nog tegenkomen in dit stoffelijke leven. Daarom is dit het moment dat ik alles aan jullie overdraag. Kom, ik zal jullie iets laten zien.’
Ze liepen naar de achterkant van de boerderij. Patrick Eagleton begon met een schep grond weg te schuiven onder de verdorde aardappelplanten. Een laag platte stenen kwam tevoorschijn. Zwijgend haalden de drie mannen de stenen weg en ze zagen een lang voorwerp, dik ingepakt in doeken die naar vet en olie stonken. Langzaam wikkelde Patrick het doek van het lange voorwerp. Een

zwaard kwam tevoorschijn. Het blinkende staal was onaangetast en voorzichtig voelde Patrick aan de scherpe snede. Het handvat was ingelegd met blauwe stenen die zelfs in de schemering schitterden. En er was nog een voorwerp, kleiner en rond. Gebiologeerd keken Shay en John naar het glanzende zilverkleurige zegel dat hun vader vasthield. Een eagle met samengevouwen vleugels in het midden. THE EAGLETON SEAL, stond er met grote letters.

'Moeten wij dit zegel bewaren?' vroeg John.

'Als oudste zoon zou jij het moeten bewaren,' zei Patrick. 'Vandaag bepaalt het lot echter anders. Jullie zullen afzonderlijk van elkaar uit Ierland moeten vluchten.'

Geschokt keken de broers elkaar aan.

'Het kan niet anders. De Engelsen zullen naar twee mannen zoeken. Als jullie samen reizen, zullen jullie ook samen worden gepakt. Afzonderlijk van elkaar maken jullie veel meer kans.'

'We kunnen ons toch overdag verschuilen en 's nachts verder trekken?' vroeg Shay.

'Nee. Je hebt geen idee hoe Engelsen kunnen jagen. Zelfs op dit moment zijn ze al onderweg. Ze zoeken overal.'

Shay keek om zich heen. 'Stelletje bloedhonden zijn het.'

'En het zegel?' vroeg John.

Patrick overhandigde hem zwijgend het zwaard.

John begreep onmiddellijk wat zijn vader wilde en schudde zijn hoofd. 'Vader, dit kunt u niet menen.'

'Als één van jullie het niet haalt, is het zegel verloren. Dit is de veiligste manier.'

'Aan één helft hebben we ook niets.'

'John, ooit is dit zegel gesmeed door een geheim genootschap. Henry Eagleton heeft voorzien dat het zegel een lange reis zal maken voordat het zijn recht op eigendom van het kasteel weer kan laten gelden. Er is niet veel bekend over het zegel. Wel dat de code het mogelijk maakt om de documenten te achterhalen die het eigendom van het kasteel aantonen. Over de inscriptie is niets bekend. Onze bloedlijnen zullen de weg terugvinden in de geschiedenis en helpen de eenheid te herstellen. Het zegel zal daarbij helpen. Sla het doormidden, John, precies tussen de kop en het achterlijf van de eagle.' Patrick keek naar het gezicht van zijn zoon, dat als graniet was in de schemering.

'Waarom ik?' vroeg John.

'Omdat jij mijn oudste zoon bent.'

Met een machtige slag sloeg John het zegel in tweeën.
Zwijgend gaf John één helft van het zegel aan Shay.
'Maar als één van ons het kwijtraakt?'
'Jullie zullen beiden moeten bedenken wat je met jouw helft moet doen voordat je Ierland ontvlucht, want het zegel mag Ierland nooit verlaten,' zei Patrick.
Plotseling klonk er gekrijs van een eagle boven hen.
'Jullie moeten gaan,' zei Patrick. 'De Engelsen zijn jullie op het spoor. Shay, jij loopt het meeste gevaar. Als die Sean de waarheid heeft verteld, weten ze dat jij de moordenaar bent. Jij neemt het paard.'
John gaf het zwaard terug aan zijn vader. 'Waar komt dit zwaard vandaan?' vroeg hij.
'De eerste Eagleton was een koningszoon,' zei Patrick. 'Althans, volgens eeuwenoude verhalen. Een bastaard, maar wel geboren uit grote liefde en diep respect. Deze koningszoon werd opgevoed door een neef van de koning op de Aran Islands. Later zocht High King Brian Boroimhe hem op op de eilanden en werd hij bijna verslagen door zijn zoon, die hij niet zijn zoon mocht noemen. Maar zijn zwaard kreeg hij wel.'
'En daarna?'
'De Eagletons kregen later het beheer over het zuidwesten van Ierland en zij vertrokken van de Aran Islands om zich op Mount Eagle te vestigen. Ook het zwaard is van generatie op generatie overgegaan. Maar jullie kunnen het niet meenemen. Ik zorg dat het niet zal verdwijnen.'
Weer klonk het geluid van de eagle.
'Jullie moeten je haasten,' zei Patrick.
'Ik ga naar het westen,' zei Shay.
'En jij, John?' vroeg Patrick.
'Voorlopig ga ik me in de bergen verschuilen. Maar ook ik zal Ierland voor een tijd verlaten.'
'Ga, mijn zonen,' zei Patrick.
John en Shay omhelsden hun vader en lieten hem alleen achter.
'Zien we elkaar ooit weer terug?' vroeg Shay toen ze de boerderij hadden verlaten.
'Misschien onze zonen, of de zonen van onze zonen.'
'Maar waar verbergen we het zegel voor onze kinderen?'
John keek omhoog naar de lucht, waar in het maanlicht voorbijdrijvende wolken struikelden over de bergtoppen en als mist de val-

lei in dreven. Toen keek hij achterom. Hij zag zijn vader, die steunend op het zwaard zijn zonen nakeek.

'Ik weet het niet, Shay, maar onthoud voor onze nazaten dat de vindplaats de oorsprong is.'

GET THE BUTCHER

Aran Islands, 1846

Vanuit het oosten zag Shay fakkels van ruiters naderen en zuidelijk van de Galty Mountains hoorde hij het gedreun van tientallen paardenhoeven. Kennelijk lieten de Engelsen er geen gras over groeien en waren ze meteen in actie gekomen. Behoedzaam stuurde Shay zijn paard in de duisternis langs de uitlopers van de Galty Mountains. Aan het eind van de bergrug draaide hij naar het noorden, tussen Galty Mountains en Mullaghareirk Mountains door, op weg naar de rivier de Shannon. Het dreunende geluid stierf weg en het enige wat hij nog hoorde, was het doffe stampen van de hoeven van zijn paard op het harde gras van de lage heuvels. Diep oranje steeg de zon boven de oostelijke bergen uit en hij zag de Shannon als een zilverachtig lint beneden hem liggen. Het licht priemde verder omhoog over de toppen heen, veranderde in geel en plotseling stond de hele vallei in het licht. Hij bleef staan en luisterde opnieuw of hij ruiters hoorde. Het leek erop dat de Engelsen de sporen van zijn paard niet hadden gevonden en dat ze verder naar het zuiden waren getrokken. Hij besloot zelf verder naar het westen te rijden langs de zuidelijke oever van de Shannon op weg naar Foynes.

Kinderen liepen op blote voeten over ruwe stenen. Kleine verwaarloosde huisjes, strak tegen elkaar aan gebouwd, stonden in een rij langs de kust. Wrakkige houten bootjes lagen aan rafelig touw scheef op de drooggevallen donkere klei. Het vertrouwde lawaai van mensen, kippen, varkens en honden in dorpen was verstomd. De paar mensen die Shay tegenkwam, sleepten zich zwijgend voort en zelfs de kindergezichten leken hol en oud. Overal in Ierland sloop de dood door dorpen en steden.

Midden in het dorp Foynes bleef hij staan en keek in het rond. Een grote man in een lange gerafelde jas kwam naar hem toe en vroeg wat hij hier te zoeken had. Shay vertelde dat hij op de vlucht was en niet verder over land wilde reizen omdat de Engelsen hem dan waarschijnlijk zouden vinden.

'Er komen hier nooit Engelse soldaten.'

'Dat duurt niet lang meer,' zei Shay.

'Je wilt dus over zee vluchten,' zei de man.

Shay knikte en dacht na. Terwijl hij met zijn hand door zijn haar wreef, zei hij: 'Mijn paard voor een boot.'

De man keek achteloos in de richting van de zee. 'Over een uur komt de vloed en dan kun je het verste bootje wel nemen,' zei hij.

Shay stapte af: 'Daar ga ik de zee niet mee op. Ik wil iets dat blijft drijven.'

'In Ierland zijn bijna geen boten meer die niet lekken. Alle hout is gekapt en nieuwe aanvoer is er niet. De Engelsen pikken alles in.'

Shay gaf de teugels aan de man.

'Get the butcher,' zei de man onmiddellijk tegen één van de kinderen, die wegvloog.

'Zorg dat jullie haast maken met de slacht,' zei Shay.

De grote man lachte zijn zwarte, gehavende gebit bloot. 'Zo weg, dit paard. We hebben in geen jaar vlees gegeten.'

Shay keek in de verte. 'Wanneer denk je dat die Engelsen komen?' vroeg hij.

'Niet voor vanavond.'

De wind kwam uit het zuiden, zodat Shay met halve wind de Atlantische Oceaan op kon varen. Het scheepje van nog geen twaalf voet lang lekte door alle naden en Shay moest met een houten hoosvat voortdurend water scheppen om de boot drijvende te houden. De wind haalde aan en hij kreeg meer vaart, waardoor het lekken ophield. Nadat hij Cape Loop Head had gerond, stuurde hij voor de wind naar het noorden op weg naar de Aran Islands in de Galway Bay.

Hij zeilde de hele nacht door en toen de zon de volgende ochtend opkwam, zag hij in de verte de zwarte hoge rotsen van Inishmore liggen. Vlak voordat het aflopend tij op het laagst was, bereikte hij de ondiepe haven van Inis Mór waar het modderige water werd meegezogen naar zee.

De drie Aran Islands liggen in de Galway Bay ten westen van de Ierse kust. Als de westelijke stormen vanuit de oceaan Ierland naderen, slaan ze als eerste te pletter tegen de gekromde overhangende kliffen van Inis Mór. De kliffen zijn uitgesleten door het eeuwenlange gebeuk van grote massa's oceaanwater op de hoge kust. Inis Mór is het grootste eiland van de drie Aran Islands. Het eiland is ongeveer vijftien kilometer lang en meet op het breedste punt nauwelijks vier kilometer. Een gesloten gemeenschap van vissers en enkele schapenboeren bewoont het eiland.

De hongersnood op de Aran Islands verliep minder tragisch dan op het vasteland van Ierland omdat de bewoners altijd al afhankelijk van de zee waren geweest.

Shay Eagleton werd de dag waarop hij aankwam onmiddellijk opgenomen door het vissersvolk van de gemeenschap. Om te voorkomen dat iemand hem zou verraden, werd hij als een neef van de O'Flaherty's binnengehaald. Niet helemaal onterecht, want eeuwen daarvoor woonden de eerste Eagletons op de Aran Islands. Bovendien waren de O'Flaherty's oude vrienden van de Eagleton-familie. Hij kreeg onderdak in een van de clocháns buiten het dorp. Shay was de eerste dagen zeer op zijn hoede en liet zich zo min mogelijk zien.

Overdag voer hij mee met John O'Flaherty, telg van een beroemde Aran-familie, op de smalle lange houten vissersboot. Behalve netten gebruikten de mannen lange lijnen met tientallen haken om makreel te vangen.

'De stomste vis die ik ooit heb gezien,' zei John O'Flaherty tegen Shay. 'Je hebt geen aas nodig met die vissen want ze bijten gewoon in de kale haken.'

Tientallen makrelen werden binnengehaald op zo'n dag. Ze vielen direct van de haak. Gedurende een paar seconden klapperden ze met hun stijve lijf op de bodem van de boot en dan gaven ze ineens de moed op. Meestal rookte Shay de makreel bij zijn clochán in een ijzeren vat, waarvan hij de bodem met zaagsel bedekte. De makreel hing hij op een spies boven het vuur. Een vochtige doek die het geheel afdekte zorgde ervoor dat het zaagsel alleen maar gloeide en flink rookte. Hij at zoveel hij kon om op krachten te komen, maar zijn lichaam en gezicht bleven mager.

Shay wist dat hij de helft van zijn zegel op het eiland zou moeten achterlaten. De afgelopen dagen had hij voortdurend nagedacht waar hij het zou verbergen. De oorsprong is de vindplaats, had zijn broer John gezegd. De oorsprong van zijn familie was Inis Mór, voor zover hij wist. Op een avond, toen de zon al laag in het westen stond en bijna het water raakte, klom Shay naar het hoogste punt van het eiland. Hij keek naar de huizen en de stenen ruïnes van de kerken, en dacht aan de heroïsche verhalen die zijn vader Patrick hem had verteld over de eerste Eagleton. Een bastaardzoon van High King Brian Boroimhe, verbannen naar de Aran Islands maar nooit vergeten door zijn vader, want tenslotte had deze hem zijn lievelingszwaard geschonken toen Brian Eagleton de sterke koning wist te weerstaan.

Plotseling viel hem een ruïne op die anders stond dan de overige stenen gebouwen. Hij liep ernaartoe en keek naar de zon die bijna helemaal in het westen stond. Het laatste licht leek zich door één van de kleine ramen te bundelen en viel buiten de ruïne op de grond. De zon lag nu bijna op de horizon en had het meest westelijke punt bereikt. Shay keek naar de steen waar het laatste rode licht op viel en liep ernaartoe. Hij legde het zegel op de steen en keek lange tijd om zich heen. Wanhopig vroeg hij zich af hoe zijn nazaten het zegel ooit zouden kunnen vinden en tegelijkertijd wist hij dat hij het op deze plaats moest achterlaten.

Maar hij kon geen afscheid nemen van het metaal en raapte het weer op. Hij hoorde geklapwiek. Een eagle streek neer op de verbrokkelde muur van de ruïne, schudde zijn veren en bleef daarna doodstil zitten. Vanuit het oosten kwam de nacht en Shay draalde nog steeds, maar de eagle bleef net zo lang zitten totdat Shay het zegel onder de steen verborg. Meteen schoot de eagle omhoog en hoorde Shay alleen nog het suizende geluid van de vogel in de lucht.

O'Flaherty zat hem op te wachten. 'De Engelsen zoeken je,' zei hij rustig. 'Iemand heeft je verraden.'

Shay reageerde fel: 'Wie?'

'Rustig. Heeft geen zin meer,' zei O'Flaherty kalm. 'Vannacht brengen we je met de boot naar het vasteland.'

'Kan ik niet beter over zee naar Schotland vluchten?' vroeg Shay.

'Te gevaarlijk. De lucht zit vol strepen en de eerste deining komt al uit het westen. Je kunt beter over land naar het noordoosten reizen, naar Portrush aan de Bann-rivier boven Lough Neagh. Daar heb ik een neef wonen, ook een O'Flaherty. Hij kan je verder helpen naar Schotland.'

'Aardige wandeling,' zuchtte Shay.

'Stelt niets voor,' spotte John O'Flaherty, 'hooguit tweehonderdvijftig mijl. Waar heb je het over?'

In het donker gingen beide mannen op weg naar het kleine strand bij de haven van Inis Mór, waar een paar mannen op een kleine vissersboot zaten en op hem wachtten. Eenmaal buiten de haven werd de mast omhooggeduwd en het zeil gehesen. Voortgeblazen door de westelijke wind en het opkomend tij dat de Galway Bay in liep, voeren ze met flinke snelheid naar het Ierse vasteland.

'Hoe komen jullie terug naar Inis Mór?' vroeg Shay.

'We wachten tot het eb wordt en gaan zo met de stroom mee terug. Onderweg zullen we makreel vissen en morgenochtend zijn we weer thuis.'

Als een zwarte massa doemde de Ierse kust voor hen op. De roerganger stuurde feilloos tussen de ondiepten door en Shay vroeg zich af hoe iemand zo kon navigeren. O'Flaherty vertelde hem dat de roerganger de ondiepe plekken aan de moddergeur herkende.

Ze liepen vast op het grind van het strand. Voordat Shay uit de boot stapte, gaf O'Flaherty hem een tas die hij om zijn middel kon gespen. 'Scheepsbeschuit, gedroogde vis, schapenvlees en wat brood. Bewaar het scheepsbeschuit voor het laatst. Genoeg om de oostkust te halen als je flink doorloopt.'

'Hoe kan ik ooit iets terugdoen?' vroeg Shay.

'Door heelhuids aan te komen in Schotland. En nog iets: je hebt zelf al veel ellende gezien, maar je zult nog meer vreselijke dingen zien onderweg. Vooral in het binnenland. Ierland sterft op dit moment van de honger. Wat je ook ziet aan ellende, Shay, je kunt niemand helpen. Als je anderen te eten geeft, help je ze maar voor even. Het enige gevolg is dat je het zelf niet haalt. So, run, run, run.'

Shay knikte. Terwijl hij door het kniehoge water naar het strand liep, duwden de mannen de boot af. Flarden van stemmen klonken en even later nog het geratel van de ankerketting van de boot om op hoog water te wachten en daarna viel het stil.

ZWARTE MUREN

Ierland, 1846

Het kleine winkeltje in Mullagh lag ingeklemd tussen ongelijke grijze muren. Aan beide zijden waren lage huizen gebouwd langs de hellende straat. Links trapten de daken naar beneden en rechts van het winkeltje omhoog. De verdiensten van het kruidenierszaakje waren nooit vet geweest want de aanvoer van goederen haperde voortdurend. De inwoners van Mullagh waren in sommige perioden zo arm dat bijna niemand meer geld had voor kruidenierswaren en de eigenaresse, weduwe Claire Gomez, die altijd maar op de pof leverde, kreeg uiteindelijk geen leverancier meer zo gek om nog goederen naar het dorp te brengen. Als het daarna wat beter ging, kwam alles weer langzaam op gang en fleurde het plaatsje wat op. Naast meel, aardappelen en melk waren er soms ook suiker, thee en koffie. Een enkele keer was er vlees in glazen potten en de laatste jaren had ze zich in stand gehouden door de distributie van Indiaans maïsmeel uit Amerika, wat Claire Gomez slechts een kleine vergoeding opleverde.

Meestal waren de houten schappen half leeg en sinds het laatste jaar, waarin opnieuw de aardappeloogst was mislukt, lag er helemaal niets meer op de planken. Zelfs de maïsdistributie om de uitgehongerde Ieren aan voedsel te helpen, was tot stilstand gekomen.

Shay rook het dorp eerder dan hij het zag. De geur van afval, kippen, varkens, zieke honden en dode mensen kwam in het laatste donker van de nacht over de heuvels van Mullagh heen. Langzaam klom hij verder naar boven en rook de dood in volle omvang. Het eerste ochtendlicht brak door. Voor hem lag het dorpje. De zwarte muren van huizen zonder daken en de twee kerktorens staken spookachtig tegen de lucht af, met de blauwgrijze Iron Mountains op de achtergrond. Het riet van de meeste huizen was verdwenen, hier en daar lagen nog de houten gebinten bloot en de ramen waren zonder uitzondering verdwenen. Als een modderrivier slingerde de weg door het dorp langs de huizen en mondde uit bij het kerkplein, dat veranderd was in een vijver met groen stinkend water.

De zon kwam boven de horizon en behoedzaam liep Shay de heuvel af naar beneden. Het was doodstil. Aan de rand van het dorp stond een boerderij. De lage deur stond halfopen en buiten lagen kapotte kinderschoenen en twee dode honden. Maar zijn hart stond stil toen hij de deur met zijn voet zacht opende en vlak voor de drempel een dode vrouw zag liggen, aangevreten door dieren. Met een schok liep hij snel verder het dorp in. De stank was bijna niet te verdragen. Overal zag hij huizen zonder daken en met open deuren. Shay wist dat het hele dorp van de honger was omgekomen. Bij de kerk zag hij een hond van het groene water uit de vijver drinken. Het magere beest rilde van de koorts. Toen hij Shay zag tilde hij zijn kop op, gromde alsof hij hem wilde aanvallen, maar plotseling begaven de achterpoten van de hond het en zakte het beest in elkaar.

Het winkeltje van weduwe Gomez viel hem op door het bordje CLOSED dat voor de deur hing. Bovendien zag Shay dat de ramen nog intact waren. Hij wilde doorlopen maar iets hield hem tegen. Zacht drukte hij de deurklink naar beneden en tot zijn verbazing ging de deur open en rinkelde er een belletje. Midden in de kleine ruimte bleef hij staan en keek om zich heen naar de lege schappen. Wit zonlicht viel door de stoffige ramen naar binnen. Een vaalbruin gordijn hing tussen het winkel- en het woongedeelte.

De oude vrouw zat half onderuitgezakt in haar sofa en keek op naar Shay toen hij binnenkwam. Hij zag dat ze nog nauwelijks in leven was. De huid van haar geplooide gezicht en handen leek op uitgedroogd leer. Ze probeerde iets te zeggen maar er kwam alleen een rochelend geluid uit haar mond. Shay liep naar haar toe en boog zich over haar heen. Haar doffe bruine ogen hadden een blauw waas en bewogen langzaam heen en weer. Shay keek om zich heen en zag de pomp boven de granieten bak. Hij bewoog de zwengel op en neer en merkte dat de pomp lek was. Door snel heen en weer te bewegen, kwam er uiteindelijk water naar boven. Eerst een bruine straal, maar nadat hij een tijd had doorgepompt werd het water helder. Hij goot het water in een stenen kom die naast de pomp lag, en rook de grondgeur van het water. Voorzichtig bracht hij de kom aan de lippen van de oude vrouw, maar het kostte haar zichtbaar veel moeite om te drin-

ken. Na een paar slokjes viel ze hijgend weer achterover in haar stoel.
'Take her,' fluisterde ze bijna onhoorbaar.

Shay begreep haar niet. Met haar ogen keek ze naar links en ze probeerde haar hoofd te draaien. 'Take her,' fluisterde de oude vrouw opnieuw.

Plotseling zag Shay de dubbele deuren, die op een kier openstonden en toen hij ze opende zag hij het meisje in de bedstee liggen. Haar gezicht was doodsbleek en haar starende glanzend lichtblauwe ogen leken te groot voor haar hoofd. Ze lag op haar rug met alleen een lang wit hemd aan en bleef hem maar aankijken. Shay nam de kom water en tilde voorzichtig haar hoofd op. Gulzig nam ze slokken.

'Langzaam,' zei Shay toen ze begon te hoesten.

Hij kon de starende ogen niet meer aanzien en liep naar buiten. Met beide handen tegen zijn gezicht gedrukt kwamen de tranen uit zijn gesloten ogen en hij dacht aan de laatste woorden van O'Flaherty toen die hem afzette aan de kust: 'Run, run, run.'

Minutenlang was hij in tweestrijd. Maar hij wist dat hij het gezicht van het meisje nooit meer zou vergeten als hij alleen weg zou gaan.

'Take her,' zei de oude vrouw opnieuw toen hij haar meer water wilde geven.

Shay wist dat zijn kansen om levend in Schotland te komen drastisch zouden afnemen als hij het meisje meenam. Bovendien zou ze het waarschijnlijk niet eens halen. Toch haalde hij wat brood uit zijn tas en gaf het met nog wat water aan het meisje. De oude vrouw weigerde voedsel aan te nemen.

'Take her,' zei ze nog eens.

Shay knikte.

'Wat is haar naam?'

'Sinéad.'

'Ik zal haar meenemen,' zei Shay zacht.

Haar ogen leken een beetje op te lichten.

Shay besloot in het huisje te overnachten en de volgende ochtend met het meisje te vertrekken. Om de paar uur gaf Shay haar stukjes brood. Bij kaarslicht scheurde hij lange repen stof uit flanellen lakens, terwijl het meisje met de grote helblauwe ogen door haar zwarte haren heen hem bleef aankijken en elke beweging die hij maakte volgde. Shay zag dat ze niet wilde slapen en dat ze een paar keer probeerde overeind te komen alsof ze hem wilde laten zien dat ze nog sterk genoeg was om mee te gaan.

De volgende ochtend, toen de eerste zonnestralen door het raam priemden, trok hij haar kleren aan en bond haar met de repen stof achter op zijn rug. Ze was misschien tien jaar maar ze woog bijna niets meer. De ogen van de oude vrouw hadden hem steeds gevolgd. Ze keek toe hoe Shay haar dochter meenam. Bij de deur draaide hij zich nog eenmaal om en zag dat haar ogen niet meer bewogen. Hij liep met het meisje door de doodstille straten het dorp uit. Samen met het meisje voelde hij zich uiterst kwetsbaar. Waarschijnlijk zochten de Engelsen hem nog steeds met man en macht. Al zijn zintuigen waren gespannen. Eenmaal buiten het dorp schrok hij toen hij plotseling de eagle hoog in de lucht zag. Shay had de grote vogel eerder gezien, toen hij als jongetje de weg kwijt was. En later nog een keer, toen hij het zegel op de Aran Islands verborg. De eagle vloog voor hem uit naar het noorden, richting de kust. Het was niet de kortste weg, maar Shay besloot de eagle te volgen. Sinéad lag met de zijkant van haar gezicht en haar ogen wijd open tegen zijn rug aan.

Elke dag liep hij maar een paar uur. De last was licht genoeg, maar zonder dat ze klaagde voelde hij dat het meisje pijn leed. Langzaam kwam Sinéad weer op krachten en kon ze meer voedsel verdragen. Na een week stond ze voor het eerst weer op haar magere benen en voor het eerst hoorde hij haar zachte lach. Maar ze kwamen te langzaam vooruit, en Shay maakte zich grote zorgen omdat ze onvoldoende voedsel hadden voor de reis die nog voor hen lag.

In de buurt van de kust vonden ze 's middags een plek in een vallei met groen gras tussen dichte struiken.

Sinéad had de eagle ook opgemerkt. Hij vloog in cirkels rond de vallei. 'Is dat jouw vogel?' vroeg ze met zachte stem.

'Nee, maar hij vliegt wel met ons mee.'

'Al lang?'

'Nee. Heel soms laat de vogel zich zien. Maar ik weet dat hij op één of andere manier bij me hoort.'

De volgende ochtend lagen er verse vissen vlak bij de plek waar ze de nacht hadden doorgebracht en Shay besefte waarom de eagle hen naar de kust had gelokt.

'Heeft die vogel dat gebracht?' vroeg Sinéad.

'Ik denk het,' zei Shay.

Ze maakten een klein vuur en roosterden de vissen aan takken. Het was lang geleden dat ze warm voedsel hadden binnengekregen en beiden voelden zich een stuk beter. Nadat ze hadden gegeten, trokken ze verder naar het oosten, richting Belfast. Voor hen lagen de Sperrin Mountains. Sinéad liep nu zo veel mogelijk zelf en had de hele dag honger. Het gedroogde vlees en de scheepsbeschuit raakten nu snel op, maar de eagle verraste hen opnieuw toen ze een dode haas op hun pad vonden. De arendsklauwen hadden diepe sporen achtergelaten in de vacht van het beest. Ten zuiden van Lough Neagh aten ze bij daglicht, want Shay vond het te gevaarlijk om 's nachts vuur te maken.

'Beetje mager beest,' zei Sinéad, nog steeds hongerig.

De dagen daarna liepen ze langs de oever van Lough Neagh omhoog totdat ze bij de Bann River kwamen en van daar volgden ze de rivier naar Portrush. Het vissersdorp had een kleine haven met een stenen pier die de schepen beschermde tegen de noordwestelijke stormen.

O'Flaherty Ships Owners stond met sierlijke letters op het koperen bord naast de deur van het kleine kantoor in de haven. Een paar vissers stonden voor het kantoor te wachten, en Shay vroeg achteloos of ze werkten voor O'Flaherty. Hij vernam dat de rederij vijf vissersschepen exploiteerde en dat de oude O'Flaherty een jaar daarvoor was overleden. Shay nam aan dat een van zijn erfgenamen het bedrijf had voortgezet, maar in plaats daarvan stond hij even later tegenover een Engelsman die in zijn deftige kantoor vertelde dat hij de nieuwe eigenaar was.

Kleine, bruine ogen met een waterige blik keken Shay achterdochtig aan.

'Bent u familie?' vroeg de Engelsman.

'Zoiets,' zei Shay op zijn hoede.

'Heet u ook O'Flaherty?'

'Nee, ik ben aangetrouwd,' loog Shay.

'Ach, uw vrouw dus.'

Shay knikte en hij voelde dat de man de zaak niet vertrouwde. Hij zei dat het hem speet dat de oude O'Flaherty niet meer leefde en wenste hem verder veel succes met de rederij. De ogen van de Engelsman keken hem onderzoekend aan en plotseling vroeg hij: 'Bent u onderweg misschien iemand tegengekomen? Het leger is op zoek naar iemand die een hoge lord in het zuiden heeft omgebracht.'

'De meeste mensen die ik ben tegengekomen waren dood,' zei Shay, en hij verliet het kantoor.

Buiten wachtte Sinéad.

'We moeten meteen weg,' zei Shay.

Ze keek hem angstig aan. Haastig liepen ze het dorp uit, oostwaarts langs de kust. Op sommige stukken tilde hij Sinéad op en liep hard over het smalle strand. De lage kustlijn ging langzaam over in hoge rotsen en het strand werd smaller. Shay bleef langs de waterlijn lopen en zag dat het bijna vloed was.

Sinéad zag als eerste de kleine boot tussen de rotsen op het zand liggen. Opgelucht renden ze naar het bootje en Shay keek naar de aangroei van groene algen op de rotsen om te zien hoe hoog het water zou stijgen. Hij schatte dat binnen een uur het bootje zou drijven. Het kleine scheepje lag met touwen gespannen aan ankers tussen de rotsen en Shay besefte dat ze moesten wachten.

'Komen ze ons achterna?' vroeg Sinéad.

Shay haalde zijn schouders op. 'Geen idee. Maar dit is onze enige kans.'

Sinéad keek naar het water, dat snel dichterbij kwam. 'We redden het wel,' zei ze, 'we zijn al zo ver gekomen.'

Hij keek naar het meisje met haar lange pikzwarte haren die in slierten voor haar gezicht hingen. Haar grote helblauwe ogen leken weer bij haar gezicht te passen nu ze niet meer uitgehongerd was.

Op het moment dat het bootje begon te drijven, hoorden ze het gedreun van paardenhoeven boven zich. Meteen trokken ze zich helemaal tussen de rotsspleet terug en wachtten totdat het geluid wegstierf. Het bootje dreef nu helemaal vrij en Shay zei tegen Sinéad dat ze in de boot moest gaan zitten en richting zee moest sturen.

Snel maakte hij de touwen los en duwde hij de boot verder het water in. Nu en dan schuurde de bodem over het harde zand en Shay duwde met al zijn kracht de boot vooruit. Plotseling werd het water dieper. Hij sprong snel in de boot, zette de beide roeispanen in de dollen en begon zo hard hij kon aan de riemen te trekken.

Moeizaam vorderden ze richting zee omdat de opkomende vloed hen terugdreef. Het water was nu bijna op zijn hoogst en Shay trok uit alle macht aan de riemen. Sinéad wees naar voren en toen hij achteromkeek richting zee, zag hij hoge golven van de branding op zich af komen. Het water kwam als een muur op hen af en tilde de punt van het kleine schip recht omhoog. De achterkant van het bootje zakte in het water weg. De golf raasde voorbij, maar Shay zag dat het brullende water Sinéad mee naar de kust had genomen. Met een klap werd ze het strand op gegooid, terwijl de boot aan de andere kant van de branding was blijven drijven.

Hoog op de rotsen stonden soldaten te paard, angstaanjagend in hun rode jassen. Plotseling hoorde Shay geweren knallen. Hij richtte zijn ogen op het gillende, heen en weer rennende meisje op het strand. De soldaten probeerden een pad naar beneden te vinden. Shay roeide op de volgende golf terug naar het strand en terwijl de soldaten schietend naderbij kwamen, trok hij haar aan boord en ging vol in de riemen. Sinéad nam diep gehurkt weer plaats achter het helmhout.

Het was bijna vloed, maar de zware branding bleef het bootje terugwerpen naar het strand. Shay kon bijna geen kracht meer zetten en besefte dat hij er zo niet doorheen kwam. Voor in de boeg lag een stuk opgeschoten touw, dat vastzat aan een ring. Shay bond zichzelf aan het uiteinde vast, over zijn schouders heen en onder zijn armen door, dook het water in en zwom zo diep mogelijk om gebruik te maken van de terugwaartse stroom van de golven naar zee. Met grote krachtsinspanning trok hij het bootje door de branding naar veilig water. De soldaten stonden inmiddels in een rij aan de vloedlijn en schoten elke keer als het bootje op een golftop lag. De kogels plopten achter hen in het water en langzaam kwamen ze verder van de kust. De stroom draaide en voerde hen verder mee de open zee op. Zwetend en hijgend zat Shay tussen de riemen. Sinéad keek naar zijn indrukwekkende armspieren. Beiden keken ze nog éénmaal naar het land, waar witte golven tegen zwarte rotsen sloegen. Zijn hart brak bij het zien van de groene glooiingen. Een tuin en een graf tegelijk.

De eagle vloog weg nadat ze de Schotse kust hadden bereikt. Sinéad zag de vogel met wijdgespreide vleugels naar het westen vliegen, recht in de rode ondergaande zon.

Ze streek haar haren uit haar gezicht en vroeg: 'Komt hij terug?'

Shay schudde zijn hoofd. 'Hij weet dat we hier veilig zijn.'

'Die vogel?'

'Ja.'

'En als je weer in moeilijkheden bent, komt hij dan weer langs?'

'Misschien,' zei Shay.

'Raar beest.'

Ze voeren in kalme wind een noordelijke koers in de Sound of Jura. In de verte zagen ze vuren branden.

'Gaan we hier wonen?' vroeg Sinéad.

'We hebben hier vast wel ergens familie,' zei Shay. 'Vroeger zijn duizenden Schotten gevlucht naar Ierland om aan de Engelsen te ontsnappen. Ze zullen ons vast niet terugsturen.'

Maar haar angst voor de Engelsen was zo groot dat Sinéad niet in het zuiden van Schotland wilde blijven, omdat het te dicht tegen Engeland aan lag. Ze voeren van eiland naar eiland, totdat ze het noorden van Schotland hadden bereikt.

'Zijn we zo ver genoeg van Engeland?' vroeg Shay.

Ze lagen met hun bootje in een kleine baai in het uiterste noordwesten van Schotland. Sinéad dacht na. 'Misschien nog iets meer die kant op,' zei ze, wijzend naar het oosten.

'Hoe ver die kant op?' vroeg Shay.

'Dat weet ik nog niet,' zei ze. 'Ik zeg het wel als we er zijn.'

Shay moest glimlachen.

'Waarom heb je me meegenomen?' vroeg ze ineens.

'Je moeder vroeg het.'

Even dacht ze na, en toen trok ze haar benen op en begroef haar gezicht tussen haar knieën.

Shay zag opnieuw de beelden in het winkeltje in Mullagh. Het broodmagere meisje dat bijna niet meer overeind kon komen en toch de dood op afstand hield.

'Je ogen,' zei hij impulsief.

'Mijn ogen?' vroeg Sinéad verbaasd.

'Je ogen weigerden dood te gaan.'

Ze moest lachen.

Hij dacht terug aan haar ogen, die zo wanhopig waren omdat ze wist dat ze zou sterven als hij haar niet meenam.

'Ja, omdat ik wist dat jij oud zou worden,' zei hij, 'maar niet als ik je niet mee zou nemen...'

Met haar hand raakte ze zijn gezicht aan. 'Je bent een vreemde man,' zei ze zacht.

Tweehonderd moeilijke mijlen verder door roerig water kwamen ze op een avond aan bij Scrabster, een vissersplaatsje in het noordoosten van Schotland, vlak bij de Pentland Firth. Sinéad keek nieuwsgierig om zich heen toen Shay het bootje aan de kade vastbond. Ze keek naar de huizen en naar de bergen op de achtergrond en naar de eilanden die verderop in zee lagen. Ze stapte op de kade en liep een paar keer heen en weer. Shay keek naar het meisje met haar lange en slanke witte benen, hoe ze heen en weer liep en ten slotte bij het bootje bleef staan.

'Hier blijven we,' besloot Sinéad.

SLEA HEAD

Ierland, 1938

Met geweld voeren ze op hoge zeeën in een glasheldere nacht langs Slea Head, de hoge rots van Dingle Peninsula, die zich tot ver in de oceaan uitstrekte aan de zuidwestkust van Ierland. Het was een winternacht in 1938 en John Hamilton stond op de brugvleugel van een vrachtschip op weg naar Amerika. Hij zag hoe de brede vleugels van eagles door de lichtbundels van de vuurtoren sloegen en opeens besefte hij dat zijn leven was voorbestemd.

Het leek alsof de wind wegviel en een sterke prikkeling begon onder in zijn nek en hals en trok omhoog voorbij zijn tintelende lippen, neus en oren en veegde als het ware zijn hoofd in één keer schoon. Hij staarde in het donker naar de boeg van het schip die zich slingerend door de hoge deining vooruit wrikte. Wijdbeens en met zijn handen breeduit op de rand van de brugvleugel leek het wel of alles in zijn leven in een soort droom had plaatsgevonden, waarvan hij alleen maar de waarnemer was geweest. Het waren niet alleen de herinneringen die er plotseling waren maar ook was het alsof hij voor het eerst helder kon zien. Trillend op zijn benen besefte hij dat er iets in zijn leven stond te gebeuren waar uiteindelijk geen ontkomen aan was en dat hij gedreven werd tot een missie die nog ver voor hem lag maar die hem angstaanjagend voorkwam.

Nog één keer keek hij om naar het zwaaiende licht van Slea Head totdat het een klein oplichtend wit stipje was en het gekrijs van de eagles niet meer te horen was.

Hij was geboren op de warmste dag van 1914 op een grote ranch vlak buiten het stadje History bij Great Falls, ten zuiden van de Missouri in Montana. Toen John er bijna was, vluchtte zijn moeder

Sylvia vanuit de snikhete slaapkamer naar de kelder. Daar bewoog ze, kreunend en steunend, op haar hurken heen en weer. Sylvia had Indiaans bloed en baarde haar zoon zoals haar moeder haar had gebaard. Henry, haar man, liep ergens tussen de koeien op de prairie want het ter wereld brengen van een kind was een vrouwenaangelegenheid. John floepte er ineens uit en voordat zijn moeder hem kon opvangen, kletterde hij met zijn hoofd op de hardstenen keldervloer.

'He's a tough one,' had Sylvia later tegen Henry gezegd, want het kind had nauwelijks een kik gegeven.

Toen hij vier jaar was kampeerden ze in de zomer aan de oever van Fort Peck Lake in Montana. Hij stond aan de hand van zijn vader en keek peinzend naar het glinsterende oppervlak.

'Is dit de zee papa?'

'Nee, dit is een meer. De zee is nog veel groter.'

Hij liet de hand van zijn vader los en liep een eindje het meer in en hield zijn kleine handjes onder water. Daarna proefde hij het donkere zoete water en veegde met zijn handen door zijn haar.

'Smaakt de zee ook zo?'

'Nee, de zee is zout.'

John keek naar het rimpelloze water.

'De zee is anders van kleur. Soms groen, soms zwart of blauw en als het stormt wordt de zee helemaal grijs en wit. Maar alles aan de zee is anders.'

'Ik wil naar zee,' zei John vastbesloten.

Zijn vader keek naar het kleine jongetje en vroeg zich af waarom een kind van vier dat midden in Montana op een ranch in de verlaten vlakte woonde, naar zee wilde.

'Ik droom vaak van de zee,' zei John.

'Volgend jaar gaan we naar zee,' besloot zijn vader.

Ze bleven bij het water staan en keken naar de vissersbootjes die op het vlakke water dreven. Grijze wolken met chaotische vormen kwamen van de bergen. De lucht werd kil, de vissers haalden hun hengels binnenboord en roeiden terug naar de kust. John stond met zijn korte beentjes een beetje uit elkaar en met zijn handen op de rug samen met zijn vader te kijken hoe het water plotseling begon te stuiven door de jagende wind van de frontpassage.

'Ik kan de wind zien,' zei John. Zijn diepblauwe ogen keken onbevreesd om zich heen.

Dikke druppels regen spatten op het water uit elkaar.

Henry hield zijn belofte en het jaar daarop ging het gezin in de zomer een week naar de Atlantische Oceaan. John stond op het strand van White Horse Beach in het zuiden van Massachusetts. Hij zuchtte diep van verlangen en wilde het liefst zo ver mogelijk het water in lopen, maar zijn vader hield hem vast. Hij tuurde zo ver hij kon over de oneindige zee en vroeg er wat achter het water lag.

'De oceaan.'

'Maar daarachter?'

'Andere landen.'

'Welke landen?'

Henry Hamilton keek naar de kleine jongen met diepblauwe ogen en vroeg zich af wat er allemaal in dat hoofdje omging. 'Frankrijk, Engeland, Ierland...'

'Wat is Ierland?' vroeg John meteen.

'Dat is een eiland, John. Daar wonen Ierse mensen. Boeren en vissers. Heel lang geleden woonde onze familie daar ook.'

'Komen we uit Ierland?'

'Ja, jouw overgrootvader, John Eagleton. Bijna iedereen hier komt uit een ander land.'

'Waarom wonen we dan hier?'

'Long story,' zei Henry.

'Is Ierland geen mooi land?'

'Het schijnt een prachtig land te zijn, John. Ik ben er nooit geweest, maar jouw overgrootvader John Eagleton heeft me verteld hoe mooi Ierland is. Een paradijs.'

John wist niet wat een paradijs was.

'Iets dat heel mooi en niet verpest is.'

'Zoals de zee.'

'Ja, maar dan anders van kleur. Niet blauw maar groen vanwege de heuvels... hoewel de mooie heuvels daar vol stenen liggen die de boeren allemaal uit de grond moeten werken.'

'Hoe zijn die stenen daar dan gekomen?' vroeg kleine John.

Henry zuchtte en bedacht ter plaatse een nieuwe legende: 'Dat komt,' zei hij, 'omdat God Ierland als laatste had gemaakt. Het was helemaal perfect maar hij had nog een grote stapel stenen over waarvan hij niet wist wat hij ermee moest. Ik denk dat het al aan het eind van de dag was en misschien was Onze-Lieve-Heer wel moe en hij wilde ook van die stapel stenen af. Het was die dag bewolkt en God dacht dat de oceaan onder hem lag en schoof de hele hoop naar buiten waar het boven op Ierland viel.'

‘Wat gemeen,’ zei John.

Die middag besloot de vijfjarige John naar Ierland te gaan. Zijn ouders zaten te lezen in rieten strandstoelen en John zag een verlaten kano op het strand liggen. Het was een provisorisch vaartuigje gemaakt van zeildoek. Moeizaam duwde hij de kano het water in en liet zich erin vallen toen een golf kwam. Even schuurde de bodem over het zand en toen werd de kano door de ebgolf meegesleurd de zee in. Op het moment dat de kano begon te drijven, sloeg het vaartuigje meteen om.

Zijn vader schrok op van hevig vogelgekrijs en schoot overeind. Een grote eagle met lange klauwen en klapperende vleugels hing vlak boven de omgeslagen kano. Henry rende het water in.

Onder water probeerde John uit de kano te komen. Met open ogen keek hij om zich heen en besefte dat hij zo niet in Ierland zou komen. Vlak voordat hij het bewustzijn verloor was zijn vader plotseling bij hem en trok hem met één hand het water uit.

‘Wat doe je, John!’ zei hij geschrokken.

Het jongetje spuugde water, hoestte een paar keer en zei: ‘Ik wil naar Ierland.’

‘That’s a long way, John.’

De eagle was alweer hoog in de lucht. Henry zag hem wegdrijven op zijn brede vleugels.

Daarna wilde John altijd weer naar zee. Elke zomer reisde hij met zijn ouders naar Massachusetts en soms naar Maine, waar hij urenlang in de haven van Portland keek naar vissersboten die uitvoeren naar de Grand Banks. Op een middag liep John op de houten steigers in de haven rond en bij een vrachtschip vroeg hij aan een matroos of hij aan boord mocht kijken. Hij rook de diesel en het touwwerk, waarvan de geur op alle schepen in de wereld hetzelfde is. Op de brug stond het glimmende koperen kompashuis vlak voor het grote stuurwiel, met daarnaast aan stuurboord een koperen telegraaf met aan de zijvlakken verweerd glas. Achter in de stuurhut stond een grote kaartentafel met een grote radio-installatie ernaast. Onder in het schip gromde zacht een generator. Het was alsof hij zijn verleden en zijn toekomst tegelijk rook.

Het was niet vanwege Montana dat hij weg wilde, want hij hield van het land. Vooral als hij samen met zijn vader ging paardrijden over uitgestrekte vlakten. Hij genoot van de koude winters, wanneer de sneeuw kwam en het hele land in een witte zee veranderde. Maar het gevoel dat hem naar het oosten dreef, ver voorbij de oceaan, was nooit weg.

HISTORY

Montana, 1924

History heette vroeger Future, maar het stadje was zo vaak verlaten geweest dat iemand het op een dag History had genoemd. Dat was in de tweede helft van de negentiende eeuw, toen door de droge jaren en felle winters de mensen voortgedreven werden naar Oregon in het westen. Andere landverhuizers, uit het oosten, namen hun intrek in de verlaten huizen en probeerden het opnieuw in Montana. Maar History bleef een stadje met één lange straat waar de meeste gelukszoekers alleen doorheen trokken en waar de tijd leek stil te staan. De kale houten huizen stonden op palen en als het regende, liep het water als een modderslang door Main Street.

In John Hamiltons kinderjaren trokken de meeste bewoners weg naar California, waar het klimaat milder was. Grote boerderijen bleven verlaten achter in het gele verdorde land dat voor een schijntje te koop was. De Hamiltons bleven en slaagden erin om elk jaar weer te overleven. In de goede jaren zwierven er honderden koeien over de glooiende velden. Naast de ranch lag een kleine groentetuin die ze in droge tijden besproeiden met water uit de Missouri. Op zaterdagen trokken vader en zoon met de ijzeren waterwagen, voortgetrokken door twee grote Belgische paarden, naar de rivier. Ze legden dan de rubberen slang in het water en pompten met een plunjerpomp water omhoog. Dat ging ongelooflijk zwaar, maar een andere mogelijkheid was er in History niet. John kreeg de hendel bijna niet op en neer, maar pompte elke keer net zo lang door tot zijn armen niet meer wilden. Hij wilde net zoveel slagen maken als zijn vader, die zag dat zijn zoon van geen ophouden wist. Later, toen John sterker was dan zijn vader, kwam er een motorpomp en gingen ze ondertussen vissen in de rivier.

Op de terugweg naar huis reden ze langs de enige store van History, waar zijn tante woonde. Het was een laag en breed gebouw met aan de voorkant acht grote vierkante ramen en elke keer als John over de drempel stapte, rook hij de vloer van brede eikenhouten planken. Zijn tante, Lucinda Hamilton, was half Indiaans en had grijs haar dat los over haar schouders hing. Om haar hals hingen talloze gekleurde kralen. Ze had priemende kleine bruine ogen met een donkerblauwe ring.

Lucinda's aangenomen dochter, Anna, was een mooi slank meisje dat zes jaar ouder was dan John. Haar prachtig getinte huid had precies dezelfde kleur als haar ogen. Ze droeg altijd Indiaanse jasjes met lange franje. Samen met Lucinda runde ze de winkel. John had gehoord dat Anna was achtergelaten door een jonge blanke vrouw in een huifkar op weg naar het westen die door Indianen was verkracht. Ze kon de pasgeboren baby niet verzorgen en had het meisje 's nachts neergelegd voor de store van Lucinda, die haar de volgende ochtend vond. Zelf had Lucinda nooit kinderen gekregen, want haar man was jong gestorven. Ze was al bijna 45 jaar toen ze Anna vond op de eerste dag van de herfst in 1908 en was ontzettend dankbaar voor het godsgeschenk dat zomaar in een mandje voor de deur lag.

Van kindsaf aan kon John zijn ogen niet van Anna af houden. Zijn vader en zijn tante Lucinda glimlachten vaak als ze zagen hoe John naar Anna keek.

In de store stonden grenenhouten stellingen volgestouwd met zakken meel, gedroogde bonen, maïsmeel en koffie, naast rijen keurig opgestapelde blikken vlees, tonijn en sardines. Achter in de winkel hingen grote stukken gerookt spek aan haken aan het plafond. Vooral in de winter bracht John veel tijd door in de gezellige warme store. Diep weggezakt in de kussens van de sofa naast de potkachel bracht hij vele middagen lezend door of luisterde hij naar de verhalen van zijn tante.

Lucinda was in 1864 geboren in History en vaak vertelde ze John over de landverhuizers in haar jeugd, die kwamen en weer verder reden in gehavende huifkarren.

'Ze zeggen weleens dat het vroeger zo mooi en zo stil was, maar ik herinner mijn kinderjaren alleen maar als één stuk lawaai van ratelende karren en schreeuwende mensen. Van veraf hoorde je ze al aankomen, want ze schoten op alles wat ze maar zagen. En zelfs in Main Street hielden ze niet op met schieten. Die huifkarren waren net rijdende forten.'

'Waarom deden ze dat?' vroeg John, die nooit genoeg kreeg van de verhalen van zijn tante.

'Ze waren doodsbenauwd voor Indianen. Als het stil was raakten ze al in paniek omdat ze dachten dat ze elk moment overvallen zouden worden. Maar het land was nog zo leeg en de meeste kolonisten hebben onderweg geen enkele Indiaan gezien.'

Lucinda's vader was een Blackfootindiaan en haar moeder een Schotse dame met rood haar en een spierwitte huid. Samen met haar broer Jack had Lucinda de eerste jaren van haar leven bij de Blackfootstam geleefd. Later, toen ze met hun moeder in History gingen wonen, wilde Jack nooit meer iets te maken hebben met indianen. Vanaf die dag liep hij op boots en droeg hij een cowboyhoed. Lucinda keerde enige jaren later terug naar de stam en leefde de rest van haar leven in twee werelden. De man met wie ze trouwde, was de zoon van een medicijnman die later met haar meeging naar History. Hij leerde haar hoe ze medicijnen moest maken, die ze in haar store verkocht.

In de late zomer van 1896 kwamen twee mannen tegen de avond de winkel binnen. Ze kochten zakken meel, bonen en spek. Nadat ze de zakken op de wagen hadden geladen, reden ze plotseling zonder te betalen weg.

'Ik zie mijn man nog altijd staan in het schemerlicht, midden in Main Street,' zei Lucinda met vochtige ogen. 'Als ik eraan terugdenk is het net alsof de beelden door elkaar lopen. Met pijl en boog schoot hij een van de mannen van de bok af. Hij schoot altijd met pijl en boog want hij wilde nooit met een geweer schieten. Talloze stamgenoten waren omgekomen door geweren en hij kon het lawaai niet meer verdragen.'

Ze wachtte even.

'Die andere, op de bok, schoot hem zomaar neer. That son of a bitch. Ik stond in de deuropening van de winkel toen ik hem in elkaar zag zakken.'

De hand van haar stervende echtgenoot bleef midden op straat in de lucht hangen. Lucinda greep naar het geweer naast de deur en zag dat de man op de bok de loop op haar richtte. Ze was bijna verbaasd over haar eigen kalmte en nam de tijd. Pas toen een kogel het hout van de deurpost versplinterde, haalde ze zelf de trekker over. De kogel trof de moordenaar midden in het gezicht, die als een zak van de bok af plofte.

'Zelfs zijn eigen moeder zou hem niet meer herkend hebben,' besloot Lucinda.

John had zijn tante niet eerder zo verbitterd horen praten.
'Weet je, er zijn meer kolonisten door eigen vuur om het leven gekomen dan door indianen. Ik vraag me mijn hele leven al af waarom de blanken zo moordzuchtig zijn.'

Achter in de store hingen indiaanse bogen aan de muur. Allemaal in verschillende vormen en kleuren, versierd met kralen en met adelaarsveren aan de uiteinden. De kleuren van het leer dat om de schachten was gewikkeld, waren vervaald door de tijd. Gebiologeerd staarde John lange tijd naar de bogen op de muur. Lucinda wees naar een boog met rode en blauwe kleuren die helemaal rechts hing.

'Kun je daarbij?' vroeg ze aan John, die inmiddels een kop groter was dan zijn tante. Op het moment dat hij de boog van de Blackfoot aanraakte, was het net alsof hij dit eerder had meegemaakt en de geschiedenis van zijn familie hem iets openbaarde. John wist dat hij deels indiaans bloed had, maar voelde het pas toen hij 's nachts in bed lag en maar bleef denken aan de lichtblauwe boog met de bijna witte adelaarsveren aan de uiteinden.

De volgende ochtend vroeg hij Lucinda van wie de boog was geweest. Ze had de boog laten staan waar John hem de vorige dag in handen had gehad. Met haar vingers streek ze langs het gebarsten blauwe leer van de schacht.

'Van mijn vader,' zei ze. 'Zijn naam was White Cloud.'

John had de ingehouden emotie in haar stem opgemerkt en durfde niet verder te vragen.

'Zou ik het ook kunnen leren?' vroeg hij bijna verlegen.

Ze zette de boog neer en liep naar het rek midden in de winkel waar nieuwe bogen stonden. Ze trok een donkere houten boog van het rek en haalde een aantal pijlen uit een kartonnen doos.

'Kom maar mee,' zei ze.

De zon scheen fel toen ze aan de achterkant van de store naar buiten stapten. Met haar rode indiaanse laarsjes stampte ze door het hoge gele gras. Het eerste wat ze tegen hem zei was dat als hij echt wilde leren schieten met pijl en boog, hij oneindig veel geduld moest hebben.

'Oefenen, oefenen en nog eens oefenen. En maar weinigen onder ons hebben echt talent.'

Ze liet hem de structuur van het hout zien en toonde hem waar de delen verstevigd waren met hoorn zodat de trekkracht groter werd. Ze zette de boog op de grond en trok de bovenkant naar beneden om de pees te bevestigen.

'Elke keer als je klaar bent met schieten, moet je de pees losmaken. Anders verliest de boog zijn trekkracht,' legde ze uit en deed hem voor hoe hij moest staan en moest richten.

'Ga zijwaarts staan ten opzichte van het object. Met je linkerhand houd je de schacht vast, met je arm helemaal uitgestrekt. Probeer een techniek te ontwikkelen waarbij je je arm op slot houdt en niet beweegt. Pijl op de pees en dicht langs je borst trekken op ooghoogte. Je rechteroog achter de pijl zodat je kunt richten, nee, niet je linkeroog dichtknijpen, leer het zonder... Voel het in je buik als je goed zit... Harder trekken... Waar richt je nu op?'

'Nergens op,' zei John.

'Richt op dat blok hout verderop.'

John liet zijn eerste pijl los, die boven op het blok hout neerkwam.

'Beginnersgeluk,' mompelde zijn tante en terwijl ze terugliep naar de store riep ze dat hij moest doorgaan met oefenen.

John oefende daarna elke dag. Het houtblok zette hij op een roestig leeg vat en met witte verf schilderde hij een cirkel op het hout.

Op een dag kwam een klein rondreizend circus naar History. De eigenaar was een aardige man met een grijze baard tot op zijn buik. Er was een aap die door een brandende hoepel sprong, een hond die op zijn achterpoten kon lopen, twee ratten die tikkertje speelden en een beeldschone dame met hoog opgestoken haar die tegen een houten schot ging staan, waarna de man met de lange baard messen naar haar gooide die op nog geen inch afstand van haar lichaam in het hout bleven steken. John staarde met open mond naar de verpletterende show en kon zich niet voorstellen dat iemand zo met messen kon werpen. De show werd afgesloten met de verkoop van bruine flessen wondermedicijn dat tegen elke ziekte hielp en John vroeg aan de circusbaas of hij ook messen te koop had. Maar de man wilde hem geen messen verkopen omdat hij John veel te jong vond.

'Ik kan al minstens zo goed met pijl en boog schieten,' zei John.

De man geloofde er niets van en even later kwam John terug met zijn pijl en boog. De circusbaas zag een extra attractie. Te midden van het publiek in de straat werd het houten schot opgesteld en met krijt tekende hij een cirkel. Het eerste mes vloog in het midden van de roos. John spande de boog en zijn pijl kwam naast het mes in de roos terecht. Daarop werd het schot verder weg gezet en John schoot als eerste de pijl opnieuw in de roos, meteen gevolgd door het werpmes. Het publiek begon hen beiden aan te moedigen. Twee mannen pakten het houten schot beet en zetten het nog minstens tien meter verder. De circusbaas grijnsde naar John en vroeg: 'Durf je dit aan?'

John knikte, want hij wist dat ze vanwege de afstand allebei geen doel meer in een rechte lijn konden treffen.

'We doen het zo. We delen de winst van het geld van het publiek, maar als je wint krijg je ook nog twee messen als bonus.'

Het volgende moment gooide de circusbaas zijn mes, dat net onder de witte cirkel terechtkwam.

'Te ver weg voor mij,' zei hij. 'Doe je best.'

John spande zijn boog. Een moment voelde hij zich onzeker te midden van het aanmoedigend gejoel van de inwoners van History. Plotseling zag hij tante Lucinda, die met haar hand over haar buik wreef. Het geluid viel weg en John spande zijn boog, richtte iets omhoog en liet los. De pijl raakte de rand van de roos, bleef even hangen en viel toen op de grond. Maar de circusbaas was sportief: hij greep Johns arm en riep hem tot winnaar uit. De dame met het opgestoken haar ging nog eens langs het publiek met de oude hoed en deze keer werd gul gegeven. In de kleine tent verdeelde de circusbaas zeven dollar en dertig cent tussen hen beiden. Ten slotte schoof hij twee messen over het tafeltje naar John, die nog nooit zoiets moois had gezien. Glanzend staal met bloedrode handvatten en scherp als scheermessen.

'Je hebt een speciaal talent, my boy. Als je later groot bent en werk zoekt kun je bij mij veel geld verdienen.'

'Ik ga naar zee,' zei John.

Soms zwierf John achter de houten huizen van het stadje, waar overal rommel lag die niemand opruimde. Half ingestorte schuren, stukken hout van huifkarren en een dissel waarvan alleen nog het verroeste ijzer over was gebleven. Overal groeide geel gras tussen de troep omhoog. De meeste huizen hadden geen ramen aan de achterkant. De muren bestonden meestal uit verticale handgezaagde planken die nooit waren geverfd. Alleen de store van zijn tante, het oudste gebouw van het stadje, was glanzend bruinrood geverfd. Tussen het oud ijzer stonden ook nog drie oude rekken om vis te drogen. Tante Lucinda wist ook niet hoe die dingen hier waren terechtgekomen, want de zee lag minstens zeshonderd mijl verderop. John zei dat hier vroeger misschien wel de zee was geweest omdat alles wat hier lag, aangespoeld leek. Vooral de visrekken moesten volgens hem van vissers zijn geweest.

'Jij altijd met je zee,' lachte tante.

'Ik heb gelezen dat hier vroeger een oceaan lag.'

Soms rook hij het zout in de vlakten van Montana. Zijn vader zei dat tussen de bergruggen van de Appalachen aan de oostkust en de Rocky Mountains aan de westkust vroeger een oceaan had gelegen.

Tante zei dat het verzinsels waren. Maar ze kon altijd weer prachtig vertellen over History. Volgens haar was het tegenwoordig maar saai in History. 'Vroeger hadden we mannen die kwijlden en mannen zonder oren omdat de indianen ze eraf gesneden hadden. Vooral aan het eind van de eeuw zag je hier de meest vreemde figuren rondlopen. We hadden een gek die de hele dag midden in Main Street het verkeer stond te regelen. Als er iemand moest oversteken, hield hij alle paarden en karren tegen. Soms vroeg hij ook nog waar ze naartoe gingen en dat schreef hij dan op in een boekje voordat ze verder mochten.'

'Kwijlde die man ook?' vroeg John.

'Dat weet ik niet meer. Maar hij zag er wel gek uit met dat witte albinohaar. Trouwens, president Andrew Jackson kwijlde ook toen hij nog leefde. Maar dat scheen van de drank te komen. Ierse afkomst, snap je?'

Op een dag vloog een afgeladen postkoets van de sneldienst met zes paarden dwars over de verkeersregelaar heen.

'Ik zie hem daar nog liggen, midden in de modder met dat witte haar helemaal rood van het bloed.' Tante wees door het raam naar buiten. 'Niemand die naar hem omkeek terwijl hij doodging… Een cowboy pakte het boekje op. Zo'n bruin verfrommeld boekje. Ik heb me altijd afgevraagd wat er in dat boekje stond.'

'Ik schreef vroeger de nummers op van de auto's die ik zag,' zei John.

'Ja, maar toen was de tijd van het wilde westen al voorbij,' zei tante. 'Tegenwoordig sluiten ze iedereen op die een afwijking heeft. Mensen gaan allemaal op elkaar lijken. Dat is al begonnen met die kunstgebitten die ze er tegenwoordig in zetten. Allemaal hetzelfde, allemaal spierwit, net alsof ze schuim in de mond hebben. Vroeger hadden we gouden kiezen en als er geen geld was, gebruikten ze koehoorn en zilver, of ijzer desnoods.'

Ze liet een foto van haar vader zien met zwarte ijzeren tanden.

'Bloody hell,' zei John.

'Ja,' zei tante, 'maar als hij grijnsde was er geen hond die hem wat durfde aan te doen. Hij was een meester met pijl en boog, net als de meeste indianen. Dat heb je vast van hem.'

Ze beende voor hem uit de winkel door naar het rek waar de bogen stonden. 'Je hebt een andere boog nodig,' zei ze terwijl ze met haar kleine handen tussen de bogen tastte. Aan het eind van het rek stond een boog die groter was dan de andere. Ook de vorm was anders want het hout liep aan de uiteinden weer naar buiten. John wees naar de boog.

'Wat is dat voor boog?'

'Een recurveboog. Heeft een enorme trekkracht. Je schiet er een paard mee dood als je niet oppast. Je bent eigenlijk nog te jong, maar omdat je talent hebt mag je hiermee oefenen.'

Verlegen keek John om zich heen. Anna stond achter de toonbank van de winkel en glimlachte naar hem. Nog verlegener nam hij de boog en pijlen over van zijn tante en ging naar buiten. Lucinda ging hem achterna om te kijken en stond schuin voor hem toen hij de eerste pijl op de pees legde. Ze keek naar Johns ogen. Linkeroog, gevoelig, iets dichtgeknepen en starend in de verte. Maar ze schrok van de hardheid van zijn rechteroog: wijd open, analytisch, doelgericht en geen spoor van de verlegenheid die hem soms zo kenmerkte.

De pijl schoot met grote snelheid naar voren en bleef trillend midden in de witte cirkel staan van het houtblok dat wankelde onder de kracht waardoor het was getroffen.

'Je lijkt op je overgrootvader White Cloud,' zei ze en liep naar binnen.

Schoolmeester Andrew Tomston vond John alleen maar lastig. Tegen Henry Hamilton zei hij dat hij niet wist wat hij met zijn zoon aan moest. 'Ik weet niet wat er met hem aan de hand is, meneer Hamilton, maar het is alsof hij er nooit met zijn hoofd bij is.'

'Hij let niet op.'

'Dat is het niet. Hij is bijzonder slim voor zijn leeftijd. Maar ik heb geen idee wat er in hem omgaat. Alles in hem lijkt stug en onverzettelijk. Er zijn dagen dat hij plotseling het lokaal uit loopt en weggaat en als ik hem dan roep, kijkt hij naar me alsof ik een vreemde ben en loopt gewoon door. Later vind ik hem dan vaak in de bibliotheek waar hij het ene na het andere boek verslindt. Maar intussen verdomt hij het om hoofdletters en punten te schrijven, hoe vaak ik het ook vraag. Niet nodig, volgens uw zoon. Ik denk dat hij behoorlijk in de war is. Vorige week heb ik hem nog aangesproken op zijn gedrag en weet u wat hij deed, meneer Hamilton? Voor me staan met zijn armen op zijn rug en zijn benen wijd. Het was net alsof hij me niet hoorde en dwars door me heen keek.'

'Hij is in de war omdat hij zoveel verschillende culturen in zich heeft,' zei zijn moeder 's avonds tegen Henry.

'Hij moet zich aanpassen op school. Ik zal morgenochtend met meneer Tomston bespreken hoe we hem meer discipline kunnen bijbrengen. Die jongen zal toch behoorlijk moeten leren schrijven.'

Sylvia zuchtte. 'Dat helpt allemaal niet. Hij ziet te veel, dat is alles.'

De volgende dag bracht Henry zijn zoon naar school en vertelde hem onderweg wat hij van meneer Tomston had gehoord. John voelde zich schuldig en zei dat hij elke dag zijn best weer deed maar dat hij de regels steeds vergat. Hij vroeg zich af waarom hij het gevoel had overal buiten te staan, net alsof hij alleen maar een waarnemer was.

Toen ze bij de school arriveerden zag Henry twee grote eagles op het dak zitten met hun gouden koppen naar hem gericht. Henry keek verbaasd naar de roofvogels. Zijn grootvader John Eagleton had over de vogels verteld en later ook Orla, zijn moeder, die ze als klein meisje op de lange reis naar Montana had zien meevliegen. Het was de tweede keer dat Henry de vogels zag en hij begreep niet wat de betekenis was.

'Wat doen die vogels hier?' vroeg Henry.

John stapte van de bok af, wierp slechts een korte blik op het dak en haalde zijn schouders op.

'Zijn ze vaker bij jou in de buurt?' vroeg zijn vader.

'Soms,' zei John.

'Wat is soms?'

John keek zijn vader aan, draaide zich om, keek nog een keer naar de eagles en rende naar binnen.

Henry bleef staan en keek naar de eagles die doodstil op de nok van het dak bleven zitten. Hij herinnerde zich dat zijn grootvader hem over een soort verbond had verteld tussen de eagles en de Eagletons. Misschien werd John op een of andere manier beschermd door de eagles, dacht Henry. Hij kon zich niet voorstellen dat zoiets mogelijk was hoewel hij zelf had meegemaakt hoe een eagle hem waarschuwde toen de kleine John onder de kano in zee lag.

Hij begon erover met Lucinda toen hij in de store een baal koffiebonen haalde. 'Er is iets mis met John,' zei hij.

'Er is helemaal niets mis met John,' zei Lucinda. 'Kijk maar eens goed naar je knappe zoon. Is het je weleens opgevallen dat als hij ergens binnenkomt, zijn aanwezigheid meteen wordt gevoeld door iedereen? Zelfs als hij niets zegt, want hij is nu nog verlegen omdat hij niet weet wie hij is... John heeft een missie, Henry.'

'Je begint toch niet weer met die onzin over dat Eagleton-zegel!'

'Jouw grootvader, Henry, had jou als eerste de opdracht gegeven.'

'Ik wil er niets mee maken hebben.'

'Nee, dat weet ik. John Eagleton heeft me verteld dat de vogels met hem zijn meegereisd van Ierland naar Canada. Orla heeft ze nog vaak gezien. Daarna verdwenen ze. Jij hebt ze ook nooit gezien. Maar toen je zoon bijna verdronk, waren ze er plotseling weer om hem te helpen. Daarom is het niet alleen je plicht als vader, maar ook als familie van de Eagletons, om je zoon op weg te helpen bij zijn missie.'

'Missie? Wat voor missie? Een tochtig kasteel ergens in Ierland? Ik ben een rancher in Montana. En ik hoop dat John op een dag gaat studeren en later mijn ranch overneemt.'

Ze keek hem fel aan. 'Je begrijpt er niets van, Henry. Het is je heilige plicht. Ik heb jouw grootvader John Eagleton lang mogen meemaken en ik heb dagen, weken, maanden met hem gesproken over Ierland en het zegel. Maar als jij er niet voor zorgt, doe ik het, want de missie zal zich aan jouw zoon openbaren.'

'Lucinda, ik wil niet dat je daar nu met hem over praat. Hij is nog zo jong.'

'Wees niet bang. John is heel gevoelig, maar diep in hem zit een kern van hardheid die nog naar buiten moet komen. Hij zal nog een hele reis moeten maken voordat het doel van zijn leven duidelijk wordt. Ik hoop dat ik lang genoeg leef.'

Een maand later haalde Henry zijn zoon van school. Die dag vlogen de eagles naar het oosten en kwamen niet meer terug.

In History was geen andere school, maar Lucinda vroeg Anna om John te onderwijzen. Daarom ging hij elke dag naar de store, waar hij les kreeg in het kleine kantoortje.

Haar bedwelmende geur was verslavend en elke ochtend kon hij niet wachten om naar Anna toe te gaan. 's Nachts droomde hij van haar. Van haar glimlach en van haar ogen die hem op een bepaalde manier aankeken. Henry en Lucinda zagen dat John zijn ogen niet van Anna af kon houden.

'Kalverliefde,' zei zijn vader.

‘This is real love, Henry.’

‘Hij is tien jaar oud.’

‘Kinderen kunnen echte liefde voelen. Zelfs heftiger dan grote mensen,’ zei Lucinda.

Johns drang om bij Anna te zijn was soms zo sterk dat hij er bijna wanhopig van werd. Als ze hem aankeek was het alsof ze bijna verlegen werd van zijn indringende blik.

John deed zijn uiterste best bij Anna en was een voorbeeldige leerling. Geschiedenis was zijn favoriete vak. Over Amerika kon ze eindeloos verhalen vertellen die ze van Lucinda had gehoord en vaak kreeg hij boeken van haar mee, die hij in één nacht uitlas.

In het voorjaar van 1926, toen Anna achttien was, kreeg ze een relatie met William, de zoon van een rancher. In Johns ogen was William niet meer dan een bleke puistenkop. Voor het eerst werd John zich bewust van zijn eigen fysieke gestalte. Hij schoot de lucht in en Lucinda zei dat hij op zijn overgrootvader leek, die ook lang en breed was geweest. Ze zag Johns verliefdheid en zijn teleurstelling als Anna aan het eind van de dag met William ging wandelen. Anna leek zich schuldig te voelen tegenover John, want ze sprak in zijn nabijheid nooit over haar vriend.

Aan het eind van de zomer ging John naar de middelbare school en reisde elke dag met de bus naar een stadje tien mijl verderop. Wanneer hij terug in History uit de bus stapte zochten zijn ogen Anna, die soms buiten de winkel stond.

Thuis las John alleen maar boeken en soms schreef hij vellen vol met beelden die hij zag. Maar het liefst praatte hij met Lucinda en luisterde naar de verhalen over haar vader, met wie ze als kind in de zomer vaak meeging naar de stam.

‘Mijn moeder had de winkel hier en mijn vader leefde in beide werelden.’

‘Anna is toch ook een halve indiaanse?’

‘Ja, maar zij heeft haar echte ouders nooit gekend.’

John staarde voor zich uit.

‘Ze is gelukkig, John en ze weet wat ze wil. Je bent nog altijd verliefd op haar, zie ik.’

Hij schrok en zei tegen Lucinda dat ze het nooit aan iemand mocht vertellen.

Lucinda glimlachte en zei: ‘Dat beloof ik.’

‘Ik ben veel te jong voor haar,’ zei John verlegen.

‘Dat is het niet. Liefde heeft niets met leeftijd te maken. Soms gebeuren dingen in het leven te vroeg en soms te laat. Maar sommige dingen gebeuren gewoon omdat het zo is voorbestemd.'

William maakte het een paar maanden later uit. Zijn ouders vonden Anna geen goede partij omdat ze indiaans bloed had.

'Ik moet er niet aan denken dat jullie later kinderen krijgen,' had zijn vader gezegd, 'want halfbloedjes betekenen niets in onze maatschappij. Die hebben geen toekomst en er is altijd iets mis mee. God heeft niet voor niets scheiding in rassen aangebracht.'

Anna had rode opgezette ogen van verdriet. John meed haar zo veel mogelijk maar in zijn hart haatte hij de rancherzoon die haar verdriet had gedaan. Een week later kwam hij hem tegen in History. William reed op een groene tractor Main Street in en stak zijn hand op naar John die net deed alsof hij hem niet zag. De tractor stopte en John hoorde achter zich: 'Hey Hamilton!'

Langzaam draaide John zich om.

'Zag je me niet?' vroeg de rancherzoon terwijl hij van de tractor af stapte.

John zei niets en William kwam grinnikend voor hem staan. Terwijl hij een sigaret uit een verkreukeld pakje Lucky Strike peuterde, zei hij: 'Waarom zeg jij niet netjes gedag als ik je groet?'

'Ik groet geen lafaards,' zei John.

William was een halve kop groter dan John en zijn gezicht kwam verder naar voren. 'I see,' zei hij en hij knipte zijn benzineaansteker open. 'Gaat zeker over dat nichtje van je. Lekker ding anders. Wat zei je daar? Lafaard?'

John stond wijdbeens met zijn handen op de rug en keek recht in de bleekblauwe ogen. 'Ja, dat zei ik.'

De rancherzoon liep naar de tractor en pakte een staaf ijzer. 'Als je me ooit weer zo noemt, zul je wat beleven. En dat nichtje van jou pak ik op elk moment, wanneer ik maar wil.'

'Als je weer bij haar in de buurt komt, schiet ik je dood,' zei John.

Verbaasd keek William hem aan. Nerveus begon hij te grinniken. 'Jij bent niet bang zeker?'

'Nee,' zei John, 'ik ben niet bang.'

Onderweg naar huis voelde John zich kwetsbaar. Die avond begon hij weer met messen te gooien in de grote schuur van de ranch van zijn vader.

'Ik snap niets van die jongen. Hij gooit alleen nog maar met messen en schiet met pijl en boog,' zei Henry tegen zijn vrouw.

'Misschien zijn het zijn voorvaderen,' zei Sylvia. 'Ik neem hem mee naar de velden.'

Henry liet zijn vrouw haar gang gaan. Sylvia leefde in haar geest altijd tussen indianen, hoewel haar familie al generaties lang uitsluitend uit blanken bestond, want het laatste echte indianenbloed van haar familie werd gemengd met blank bloed in 1640, toen een van haar voorvaderen van de Susquehannockstam met een blank meisje trouwde en buiten de stam ging wonen.

Een paar dagen later gingen Sylvia en John naar een plaats waar vroeger indianen in tipi's hadden gewoond. Sylvia had John uitgelegd dat ze wilde weten welke geesten hem vergezelden. John keek met grote ogen toe hoe zijn moeder vuur maakte en met haar oude laarzen en indiaanse rok in wel duizend kleuren om het vuur heen danste.

'Yé yé yé yé,' zong ze terwijl ze met haar linkerbeen vooruit om het vuur heen danste. John zat vlak naast het vuur en volgde haar bewegingen.

Plotseling begon het te regenen. Knotsen van druppels kwamen naar beneden zodat het vuur bijna werd gedoofd.

'Regent het daar?' vroeg John, die even dacht dat ze de verkeerde dans deed.

'Waar?'

'Bij je voorvaderen.'

'Wacht nou maar af,' zei Sylvia en ze danste door tot de regen weer ophield. Ze wapperde met een stuk hout door de rook van het vuur en ging daarna in diepe trance naast John zitten.

'Doe je ogen dicht,' zei ze, 'en probeer in mijn hoofd mee te kijken.'

Plotseling werd John overvallen door een sterk gevoel van loomheid. Zijn ogen vielen dicht en hij boog zich voorover, waardoor zijn donkere haar voor zijn gezicht viel. Bijna onhoorbaar begon zijn moeder te vertellen.

'Ik zie rotsen, hoge rotsen met daarbovenop een soort ruïne. Ik zie ook wilde golven die tegen rotsen slaan. Er staat een man op die rotsen. John, zie je die man? Ben jij die man?'

'Nee,' zei John, 'die man ben ik niet. Hij is al heel lang dood.'

Met een schok schoot ze overeind en vroeg: 'Hoe weet je dat?'

'Dat weet ik,' zei John.

Sylvia keek hem strak aan en zei: 'Je hebt meer gezien dan ik. Wat heb je verder gezien?'

Het laatste beeld dat John had gezien, was angstaanjagend. 'Ik zag een oude muur bij die ruïne, met een lange rij eagles.'

Sylvia schudde haar hoofd. 'Eagles zijn nooit samen, alleen als ze paren. Het klopt niet wat je gezien hebt. Je moet nadenken over wat je wel hebt gezien.'

SACHALIN

Rusland, 1889

De onverharde weg lag eindeloos leeg voor haar terwijl ze voortstrompelde. Met een dunne hoofddoek strak om haar hoofd gebonden, hield ze met één hand een bruine tas vast en met haar andere hand ondersteunde ze haar zwangere buik. Vlagen sneeuw vlogen horizontaal over de weg en bleven haken aan elke oneffenheid. Ze was op weg naar haar kleine huisje aan de kust van het eiland Sachalin, in de zee van Ochotsk, in het verre oosten van Rusland.

Die ochtend was ze in een stralende zon naar het dorp twee kilometer verder gelopen, waar de vroedvrouw haar vertelde dat het kind nog minstens een maand zou blijven zitten. Daarna was ze naar de markt gelopen en had suiker, meel en verse groenten gekocht. Op de terugweg voelde ze het gewicht van het meel en de suiker in haar tas en haar zwangere buik die steeds verder naar beneden zakte. Halverwege sloeg het weer als een razende om, zoals dat wel vaker gebeurde op Sachalin. Maar sneeuw had ze zo vroeg in het jaar niet verwacht.

Binnen enkele minuten vormden zich sneeuwduinen op de weg. Venijnige vlagen van witte ijskristallen beten in haar gezicht waardoor ze haar hoofd moest afwenden. Met haar korte laarsjes sleepte ze zich door de sneeuw en ze voelde hoe de ijzige kou haar voeten bereikte. Ze rilde van angst en van kou en was bezorgd dat ze het niet zou halen. Plotseling was het of haar bloed samentrok en wist ze dat haar kind geboren zou worden. In wanhoop strompelde ze nog een paar passen vooruit maar was toen gedwongen om midden in de jachtende sneeuw op haar hurken te gaan zitten.

Met haar beide handen steunend tegen een grote steen aan de kant van de weg, keek ze bezorgd door de wild waaiende sneeuw naar het desolate witte landschap. In de wijde omtrek waren geen huizen te zien. Met haar hand streek ze langs haar gezicht om de sneeuw weg te vegen.

Haar zoon viel zomaar met een plens vruchtwater op de koude harde sneeuwgrond. Zodra hij zijn eerste hap adem nam, zette hij het op een schreeuwen en ze huilde en lachte tegelijk. Ze trok haar hoofddoek af om hem snel af te drogen want het vruchtwater op de grond begon al te bevriezen. Met witte stijve vingers scheurde ze een reep van haar hoofddoek, wikkelde het om de navelstreng en trok de dunne lap strak. Samen met de nog warme nageboorte propte ze het koude jongetje onder haar jas en liep wankelend met bebloede benen naar huis. Toen ze eindelijk thuis was, draaide de wind en hield het op met sneeuwen. Vanaf zee werd het hele eiland in een dichte mist gezet. Met een keukenmes sneed ze de navelstreng door en gooide de bijna bevroren nageboorte naar buiten. Krijsende en hevig fladderende zeemeeuwen doken vanuit de lucht naar beneden, waar ze hongerig over elkaar heen buitelden. Snel kleedde ze zich uit en met het ijskoude kind op haar warme zachte buik ging ze in bed liggen.

Iwan Chorowski zou het daarna in zijn hele leven nooit meer koud hebben.

Niet tijdens de barre winters op het eiland en ook later niet, toen hij naar zee ging als jongste dekhand op kleine houten vissersschepen. Aanvankelijk liet zijn moeder hem niet naar zee gaan, omdat zijn vader tijdens een storm was verdronken toen ze pas van haar zoon in verwachting was. Maar de jonge Iwan vertelde haar dat hij nooit op zout water zou vergaan en dat hij desnoods de hele zee over zwom om weer thuis te komen.

De eerste keer dat hij uitvoer naar de visgronden, leerde hij de Golf van Ochotsk van haar meest meedogenloze kant kennen. De wind rolde in harde vlagen over het land heen de Golf in. De Dolinsk, het schip waarop Iwan voer, lag vlak boven de kleine Kuril-eilanden toen de eerste brekers op hen af kwamen. De kapitein reageerde snel en de netten werden onmiddellijk binnengehaald. De Golf van Ochotsk is een van de meest gevaarlijke gebieden ter wereld voor schepen in een storm, vooral omdat het zuidelijke deel van de Golf veel dieper is dan het noordelijke deel, waardoor grote brekende golven ontstaan.

Vanaf de brug zag Iwan steile muren van water tegen het schip aan beuken. Nooit zou hij de geluiden vergeten van het eikenhout dat kraakte in de razernij van water. De boeg van het schip werd voortdurend door de zwarte golven opzij gesmeten, waardoor het schip steeds dwars op de hoge zeeën kwam te liggen. De roerganger kon het zware stuurwiel, met kettingen die aan bakboord en stuurboord via stalen schijven met het roer waren verbonden, bijna niet houden.

'Haal de kok!' schreeuwde de kapitein.

Een beul van een kerel met een grote vierkante kop kwam de stuurhut binnen. Zonder iets te zeggen greep hij het grote rad, dat in zijn handen leek te verschrompelen tot een klein wieltje. Meteen bleef het schip op koers. De kapitein grijnsde. 'Zo moet het,' zei hij tegen de andere mannen. 'Zijn maaltijden zijn niet te vreten maar sturen kan hij als geen ander.'

Toen Iwan achttien was, werd hij stuurman op de Dolinsk, nadat hij in Vladivostok een opleiding aan de zeevaartschool had afgerond. Na zijn eerste reis kwam hij in de kerstnacht naar huis, waar zijn moeder op hem wachtte tussen tientallen kaarsjes. Ze vroeg hoe zijn reis was geweest en Iwan vertelde over de visvangst en dat hij Alaska in de verte had zien liggen. Toen hij niets meer zei, zei zijn moeder ook niets meer. De volgende ochtend lag ze met haar hoofd achterover in haar stoel en met haar mond wagenwijd open.

'Hartstilstand,' zei de dokter later die middag.

'Hoe weet u dat?' vroeg Iwan agressief.

'Dat zie ik,' zei de dokter.

'Hoe ziet u dat?'

'Iedereen sterft hier op zee of krijgt een hartaanval. Dit is het meest belachelijke eiland ter wereld en daarom sterft iedereen hier een vroege dood.'

Iwan liep die dag uren door de sneeuw rond zijn huis en langs de kust. De lucht was egaal grijs en zeemeeuwen scheerden laag langs de rotsen. Hij bleef bij het water staan en keek om zich heen alsof hij de beelden van het eiland wilde vastleggen in zijn hoofd.

Die middag liep hij naar de haven, waar de Dolinsk zacht lag te deinen, trekkend aan krakende trossen. In de stuurhut zag hij de kapitein staan, die keek alsof hij hem verwachtte. Iwan stapte aan boord en ging de stuurhut binnen.

'Ik ga weg,' zei Iwan.

De kapitein knikte. 'Ik wist het toen ik je zag aankomen. Waar ga je heen?'

'Vladivostok. Ik wil op de grote vaart.'

De kapitein knikte. 'Je bent een goede zeeman, Iwan.'

Een maand later zat Iwan in Alaska op Kodiak Island. Het Russische vrachtschip waarmee hij was gekomen, was zonder hem weggevaren. Iwan wilde niet meer naar Rusland. De avond daarvoor was hij een hoogblonde Amerikaanse dame in een bar van Kodiak tegengekomen, met wie hij de nacht had doorgebracht. 's Ochtends vroeg hoorde hij de stoomfluit voor vertrek en ze vroeg slaperig of hij niet terug moest aan boord.

'Ik ga niet,' zei hij.

'Je gaat niet?'

'Ik wil nooit meer naar Rusland.'

Ze knikte, sloeg haar arm om hem heen en zei: 'Let's have some more fun.'

Iwan Chorowski zwierf een maand rond op Kodiak Island. Chorowski kreeg al snel de bijnaam Iwan Kapotjeplof, en de dames in de Yukonbar vochten om met hem de nacht door te brengen. Toen hij na een maand op een Amerikaanse stoomfreighter aanmonsterde en uit Kodiak wegvoer, stond de kade vol verdrietige meisjes. Iwan staarde naar hen vanaf het achterdek. Het was midden in de winter en hij was slechts gekleed in een T-shirt.

In de late zomer van 1929, op de dag dat John Hamilton vijftien jaar werd, zat hij samen met zijn vader op de veranda van de ranch in Montana. Het was een bloedhete dag en het stof van het land hing bijna stil in de lucht. Door de maandenlange droogte was het land diepgeel gekleurd. Zwermen kleine zwarte vogels vlogen nerveus door de lucht en in het met golfplaten overdekte deel van de corral stonden de paarden bewegingloos met de hoofden naar beneden.

Volgens John's moeder, die zwetend en puffend met etensborden naar buiten kwam, was het nog warmer dan de dag waarop hij in de kelder was geboren.

Ze zaten op witte houten stoelen met flesjes koud bier die ze uit de waterput omhoogtrokken aan touwtjes.

John staarde over het land. In de verte liepen bruine, zwarte en zwart-witte koeien loom door elkaar. Soms was zijn verlangen naar de zee zo groot dat de glooiingen van het land in zijn hoofd veranderden in een reusachtige, traag lopende deining op de oceaan en als het hard waaide, keek hij naar het buigende gras dat door de windvlagen veranderde in witte schuimsporen op de toppen van de golven.

Binnen klonk het holle zuigende geluid van de waterpomp in de keuken en vervolgens hoorde hij de voetstappen van zijn moeder op de houten vloer.

'Pa, ik wil naar zee,' zei hij.

'I know,' zei Henry, 'Dat wil je je hele leven al.'

Lange tijd zeiden ze niets. Henry schoof met de hak van zijn linkerlaars over het hout van de veranda heen en weer.

'Wanneer ga je?' vroeg hij uiteindelijk.

'Morgenochtend,' zei John.

Henry knikte. 'Dan gaan we vroeg,' zei hij, 'voordat je moeder wakker wordt. Ik vertel het haar wel als ik je op de trein heb gezet.'

'Moet ik het haar zelf niet vertellen?'

Henry stond op. 'Nee, dat circus wil je niet meemaken.'

Maar toen John de volgende ochtend opstond, zag hij zijn moeder eieren en spek bakken in de keuken.

'Wist je dat ik zou gaan?' vroeg hij schuldbewust.

'Natuurlijk heb ik jullie horen praten,' zei ze. 'Mannen denken altijd dat vrouwen niets in de gaten hebben. Maar ik wist al heel lang dat je weg zou gaan.'

Ze zette zijn bord voor hem op tafel en ging tegenover hem zitten. Buiten hoorde hij het geklingel van het inspannen van paarden.

'Weet je, John. Je vader heeft altijd gehoopt dat je een rancher zou worden, maar dat zal nooit gebeuren. Daarom vind ik het goed dat je naar zee gaat, want die is oneindig groot. Misschien dat je daar je bestemming zult vinden.'

Maar toen hij afscheid van haar nam, zag hij de wanhopige blik van zijn moeder, die haar zoon veel te jong moest laten gaan.

In het eerste licht reden ze naar het kleine treinstation in Lewistown. Onderweg zeiden ze niets. John keek opzij naar het onbeweeglijke gezicht van zijn vader, die in de verte staarde.

Bij het station stapte John uit de caddy. Zwijgend keek Henry zijn boomlange zoon na toen die langzaam naar het kleine perron liep.

John keek niet om naar zijn vader. Pas toen hij de ratelende wielen van de caddy hoorde draaide hij zich om, zette zijn plunjezak en foedraal neer en keek wijdbeens met zijn handen op zijn rug totdat de opstuivende stofwolken achter de caddy in de verte waren verdwenen.

Een week later stapte hij aan boord van de Northern Star in Portland Maine. Haar kapitein heette Iwan Chorowski. De coaster van vijfhonderd ton vervoerde goederen naar Nova Scotia en Newfoundland en verder naar het noorden, naar de Great Lakes van Canada.

Iwan Chorowski had het nog steeds niet koud toen hij, tien jaar nadat hij Rusland had verlaten, bij vijftien graden onder nul in een wit T-shirt op de brugvleugel stond. Hij zag John Hamilton over de dunne laag witte sneeuw van de havenkade aankomen.

'Trek je overall meteen maar aan,' zei de zware stem vanaf de brugvleugel. John keek naar boven en zag de niet al te lange maar brede Rus in het donker staan. Iwan Chorowski grijnsde vanachter zijn snor naar de slungelachtige John, die zijn plunjezak vanaf de kade het dek op gooide en met een lenige sprong aan boord kwam.

'Are you the captain?' vroeg John.

'Yes I am,' zei Iwan. 'Ga je maar melden bij de donkeyman.'

Terwijl John zich in zijn kleine hut achterin omkleedde, kwam de bunkerboot met kolen langszij. Snel smeet hij zijn bezittingen in zijn kooi en ging in zijn lichtblauwe overall aan dek.

De bunkerboot lag afgemeerd en de donkeyman die in het gangboord stond, keek nieuwsgierig naar de brandschone overall van John. 'You gonna get real dirty, boy,' zei hij.

Hij bond de broekspijpen en mouwen van Johns overall dicht met stukken touw en knoopte een oude sjaal om Johns nek. Daarna trok hij een zwarte muts over zijn hoofd en gaf hem een zaklantaarn.

'Oké. Ik doe het je één keer voor. En houd in godsnaam die sjaal voor je mond, anders gaan je longen kapot.'

De donkeyman ging achter de stoomlier staan en zwaaide de kraan vanaf de bunkerboot met een volle grijper grove kolen. Vervolgens liet hij de hele lading in het stuurboordbunkerruim vallen. Een dikke wolk stof spoot door het mangat omhoog de lucht in en dwarrelde als zwarte sneeuw op het dek neer.

'Naar beneden,' zei de donkeyman.

Hij deed John voor hoe de kolen getrimd moesten worden.

'Zo veel mogelijk tegen de ketelplaat aan scheppen,' siste hij tussen zijn tanden door, 'dat scheelt de stokers straks handenvol werk, want dan hoeven ze zelf de eerste dagen niet te trimmen. Tempo maken en daarna als een haas naar boven, de bakboordsbunker in voor de volgende lading.'

Samen met twee andere mannen van de bunkerboot werkte John de hele nacht door. De volgende ochtend was zijn nieuwe overall pikzwart.

'Je had beter wat anders kunnen aantrekken,' grijnsde Iwan Chorowski vanaf het brugdek.

John keek naar de brede snor van de kapitein. 'Was misschien wel handig geweest als iemand me dat verteld had.'

'Praatjesmaker, huh? Waar kom je vandaan?'

'Montana.'

'Montana...' zei de captain nadenkend.

John zei niets, maar hij bleef kijken naar Chorowski, die wat om zich heen tuurde. In de haven hing een dichte mist en de lantaarnpalen op de kade verspreidden een gele halo van licht.

'Veel koeien zeker in Montana,' zei de captain na een tijdje.

John knikte.

'Volgens mij hebben ze daar weinig zee, in Montana.'

'Helemaal niets.'

'Dat dacht ik al.'

Chorowski goot de tweede helft van een flesje bier naar binnen en smeet het glas overboord. 'You know what makes the grass green in Montana?'

'No idea,' zei John.

'Bullshit, my boy, real bullshit.'

Achter op het dek trokken de pikzwarte mannen hun kleren uit en boenden zichzelf met zeep en een harde borstel schoon. Ze moesten koud water mengen met afgewerkte stoom om de vette laag kolenstof van hun lichaam af te krijgen. Rood en half verbrand van de stoom stond John poedelnaakt in de kou op het achterdek en dacht aan de warme koeienstal in Montana.

Beneden, in het kleine gebarsten spiegeltje, zag hij dat het kolenstof nog in zijn ogen, neus en oren zat.

De hele dag werd met de stoomlier vracht in het grote ruim gehesen. Voornamelijk losse onderdelen en machineonderdelen voor Newfoundland en Nova Scotia. Als laatste werd er nog een John Deere-landbouwmachine aan boord gehesen en toen gingen de houten luiken dicht.

Met de andere matrozen trok John de dikke zeildoeken over de luiken heen, die met sluitbalken en keggen werden vastgeslagen. Tegen de avond vertrok de Northern Star en John ging naar de brug voor zijn eerste wacht. Iwan Chorowski stond op de brugvleugel naar de havenhoofden te turen toen John boven kwam. Hij was een kop groter dan de captain die opnieuw grijnsde en zei: 'Hey, Montana man.'

John glimlachte en zei: 'Call me John.'

'I know. I am Iwan Chorowski. Call me captain.'

Vervolgens riep hij naar de roerganger dat hij meer bakboord moest houden. Buiten de havenhoofden loste John de roerganger af en voor het eerst van zijn leven nam hij het grote houten stuurwiel van een schip in handen.

SINÉAD

New York, 1954

Op de laatste dag van de zomer vertrok Sinéad met haar twee dochters Mary en Caroline in een roestige Chevrolet pick-up uit New York City. Ze had bijna achthonderd dollar op zak, ruim voldoende om dwars door Amerika te rijden als ze sliepen in goedkope hotels en geen autopech kregen. De zon stond laag in het westen toen ze de stad verlieten. Na ongeveer vijftig mijl reden ze bij Port Javis over de rivier Delaware Pennsylvania in en volgden Route 6 verder naar het westen. In de auto was het broeierig heet en de beide meisjes op de smalle plakkerige achterbank staken hun hoofd door de open ramen. Ze waren vier en vijf jaar oud.

Niemand zei wat onderweg. Drie bleke, onzekere gezichten.

Ze reden door glooiend landschap en de witbetonnen platen van Route 6 werden aan beide kanten geflankeerd door donkere dichte bossen. De zon was al bijna weg en Sinéad knipte de gele koplampen van de Chevrolet aan. In Kingsley vonden ze een goedkoop wegmotel met twee queensize bedden op de kamer. Sinéad betaalde twee dollar aan een oud vrouwtje achter de balie en kreeg de sleutel. De Chevrolet parkeerde ze voor de deur van hun kamer. Ze haalde de spullen uit de cabine, trok het zeil weer over de laadbak en ging met de meisjes naar binnen. De kamer was donker en smoorheet. Een mintgroene ventilator die de hitte wat rondblies, stond op een kastje tussen de bedden. Uitgeteld ploften ze alle drie neer op de oude matrassen.

Acht jaar geleden was Sinéad als achttienjarig meisje vanuit Nederland naar New York gereisd. Ze woonde in Paesens-Moddergat, een klein dorp in het uiterste noorden van Friesland, waar ze in de zomer van 1945 op slag verliefd was geworden op een Amerikaanse fotograaf die samen met de Canadezen naar Friesland was gekomen.

Fotografie was Sinéads grote passie en iedereen die haar foto's zag, wist dat ze veel talent had. Als kind van tien maakte ze vóór de oorlog al de meest indringende foto's en tijdens de oorlog, toen ze geen lenzen meer kon kopen, leerde ze hoe ze lenzen moest slijpen. Op een klein zolderkamertje ontwikkelde ze zelf de negatieven en drukte grote zwart-witplaten af.

Ze hadden nog geen relatie toen Roger Newman voor het eerst haar foto's zag. Ze had hem op de zeedijk zien staan en vroeg hem zomaar om eens naar haar foto's te kijken. Aan de keukentafel bij haar thuis staarde hij lang naar de foto's.

Later zag ze voor het eerst in haar leven kleurenfoto's van vechtende en dode soldaten, die Roger had gemaakt. Ze keek naar een andere wereld.

De liefde tussen hen beiden bloeide op toen ze samen op pad gingen om foto's te maken. De eerste zoen vond plaats in het rode licht van de donkere kamer.

Paesens-Moddergat was in die tijd een vissersdorp en lag gekromd tegen de zeedijk aan. Kleine lage vissershuizen stonden dicht tegen elkaar aan. Alleen de kerktoren en het dak van de pastorie staken boven de dijk uit. Er was geen haven en de houten vissersschepen lagen aan de andere kant van de zeedijk voor anker. Als het eb was lagen ze scheef op het droge wad.

Talloze malen was Sinéad met haar camera op de zeedijk gekropen om haar vader te fotograferen als hij de visnetten repareerde of met laag water door het slik naar zijn kleine schip liep. Altijd met geweldige luchten op de achtergrond. Toen ze veertien was, mocht ze mee de zee op. Tussen de eilanden door en de Noordzee op. Sinéad maakte verbijsterend mooie platen van mannen in zwarte oliejassen en hoge laarzen die netten vol spartelende vis binnenhaalden, met op de achtergrond huizenhoge golven. Karakteristieke koppen vol groeven en sterke maar verweerde handen aan de netten. De foto's werden gepubliceerd in bladen over de hele wereld, want de ramp van Paesens-Moddergat in 1883 was nog niet vergeten, waarbij in één nacht zeventien schepen vergingen en drieëntachtig vissers verdronken.

Sinéad was nog maar vijf jaar toen ze haar duim en wijsvinger in een rondje voor haar rechteroog hield om naar beelden te kijken. Haar andere oog kneep ze dicht en ze draaide dan langzaam, als bij een panshot van een camera, van links naar rechts.

'Waarom kijk je altijd tussen je vingers door?' vroeg haar vader, Shay.

'Dan zie ik andere dingen,' zei ze. Ze stond op de dijk met haar gezicht in de wind. Haar prachtige lichtblauwe ogen hadden dezelfde kleur als de lucht.

Shay gaf haar een potlood en papier en vroeg: 'Kun je tekenen wat je ziet?'

Ze kraste de zeedijk als één dikke lijn op het papier. Op de dijk stond een gebogen lijn als een mens met een gezicht zonder ogen met alleen verticale strepen en het haar zijwaarts getekend, alsof er veel wind stond. Dreigende zwarte wolken in de vorm van een aambeeld hingen in de lucht.

Shay keek lang naar de tekening en zei dat hij het prachtig vond. Hij was verbaasd over de paar lijnen die ze op papier had gezet. Met tussenpozen bleef ze tekenen, maar op een of andere manier voelde haar vader dat ze niet kon overbrengen wat ze wilde.

'Ik weet niet hoe ik licht moet tekenen,' zei ze ongeduldig.

Haar vader begreep onmiddellijk dat ze soms haar ogen dichtkneep om het verschil in licht te kunnen zien.

'Kun je jezelf tekenen?'

Zonder iets te zeggen, pakte Sinéad een potlood en tekende een lange figuur die alleen op een strakke horizon stond. Ze tekende een gezicht dat tegelijk twee kanten op keek. Ten slotte pakte ze een rood potlood en kraste een grote bos haar op het hoofd.

Shay had de blauwe plekken op Sinéads witte huid gezien toen ze thuiskwam. Ze vertelde dat ze met een jongen in het dorp had gevochten die haar voor 'rooie' had uitgescholden.

'Je hebt zulk mooi haar,' zei Shay.

'Niks moois aan,' zei ze fel.

Sinéad was kunstzinnig en gevoelig, maar ook licht ontvlambaar. Ze droeg het liefst jongenskleren en laarzen waarmee ze door de buitendijkse modder stampte.

Vijf jaar en pakken tekeningen later ging de tienjarige Sinéad met haar vader midden in de winter met de NOF-bus naar Dokkum. Daar waren schaatswedstrijden en Shay wilde meedoen. Het was de eerste keer dat ze zo ver buiten haar dorp kwam en ze zat op haar knieën op de bank met haar gezicht tegen het raam aangedrukt om naar het witte bevroren landschap te kijken. Later vroeg ze of ze bij de chauffeur mocht staan om naar voren te kijken. De chauffeur lachte naar het mooie lange meisje met de wilde bos rood krullend haar en wees naar de stoel naast hem. Ze keek naar zijn sterke handen die het bakelieten stuur vasthielden.

Haar vader won die middag de eerste prijs. Van de voorzitter van de wedstrijdcommissie kreeg hij vijf gulden prijzengeld uitbetaald.

Samen dronken ze hete chocolademelk in het café met de andere rijders. Een van de mannen sprak Shay aan: 'Was jouw vader geen Ier?'

'Mijn grootvader was een Ier. Naar hem ben ik vernoemd. Mijn vader Brennan kwam uit Schotland.'

'Dat jij dan zo kunt schaatsen,' zei de man.

'Zelf ben ik een Fries,' zei Shay. 'Ik ben hier geboren.'

'Maar wel met wat Iers bloed erbij.'

'Dat heeft soms voordelen,' zei Shay.

Samen liepen ze door Dokkum, omdat ze moesten wachten op de laatste bus naar huis.

Het was in de hoofdstraat toen Sinéad plotseling bleef staan voor een winkel met fototoestellen in de etalage. Ze hield de hand van haar vader stijf vast en als aan de grond genageld staarde ze naar de toestellen.

'Dat wil ik,' zei ze.

Shay aarzelde. 'Verschrikkelijk dure dingen, Sinéad.'

'Mei ik it sjen, heit?' Haar sprankelend blauwe ogen keken hem smekend aan.

Op de toonbank lag een camera die ze voorzichtig optilde. Aarzelend keek ze door het objectief. De man aan de andere kant van de toonbank had met haar te doen en vroeg: 'Heb je eerder gefotografeerd?'

Ze knikte en later vroeg ze zich af waarom. Haar vader zei er maar bij dat ze veel getekend had. De man staarde lang naar Sinéad en zei toen: 'Ik denk ook wel dat jij dat kunt.'

'Ik kan een aanbetaling doen,' zei Shay en hij legde twee grijze briefjes van een rijksdaalder op de toonbank.

'Nee, heit, dat wil ik niet,' zei Sinéad beschaamd.

De man ging naar achteren en kwam terug met een fototoestel. 'Deze is gebruikt,' zei hij. 'Je krijgt hem voor vijf gulden. Maar elke zaterdagmiddag kom je me na school helpen en dan zal ik je leren om foto's te ontwikkelen.'

Op de terugweg omklemde Sinéad het toestel in de houten, met leer omklede etui als een kostbare schat. Naast haar vader in de bus door donker Friesland deed ze nu en dan het etui open en voelde met haar vingers over het toestel en kon bijna niet geloven dat het van haar was.

De volgende dag maakte ze haar eerste opnamen op de zeedijk. Eerst van het water en later op de dag van de vissersschepen, die scheef lagen in de glinsterende gladde modder, recht tegen de zon in. Van haar vader, eenzaam op een eindeloos lange zeedijk. En van haar moeder, met twee korven vis aan een juk op weg naar de markt in Dokkum. Het was het fraaie, bijna te schrale, licht dat de fotohandelaar Jan Kooistra opviel toen hij samen met Sinéad de foto's ontwikkelde.

'Wat gaf je lichtmeter hierbij aan?' vroeg hij, wijzend op een foto.

'Die heb ik toen niet meer gebruikt.'

'Geen lichtmeter.'

'Nee.'

'Je weet het zo wel.'

'Dat denk ik.'

Jan Kooistra aarzelde en zei: 'Kom eens mee.'

Sinéad liep achter hem aan naar de deur. Buiten was het bewolkt. Kooistra keek naar de lucht en vroeg: 'Waar zou jij je diafragma op afstellen?'

'Vijf punt zes en een 125e in tijd.'

Jan Kooistra snapte het. Hij snapte het helemaal, want hij had Sinéads foto's gezien. Nog lang niet perfect, want op bijna elke foto stond de horizon scheef, maar dat maakte niet uit. De beelden en het licht waren zo intens dat hij zich niet kon voorstellen dat een kind van tien dit gemaakt had.

Op het moment dat ze uit New York wegreed met haar dochters, besefte ze dat het meer dan acht jaar geleden was dat ze haar laatste grootbeeldfoto had gemaakt. Dat was in Friesland na de bevrijding, toen ze met haar vader stond te dansen op de zeedijk, zoals Ieren, Schotten en ook Friezen dansen als ze door het dolle heen zijn.

Later die avond sprong ze in het café boven op de bar. In haar dunne zomerjurk danste ze uitdagend op de ritmische muziek. Verbijsterd keken zowel oude als jonge mannen naar de sexy vrouw, die van de ene kant naar de andere over het lange hout van de bar zwierde. Het beeld van de brede uitgelaten grijns van haar vader toen haar benen tegelijkertijd in de lucht leken te hangen, legde ze voor eeuwig in haar hoofd vast.

Net als de foto onder het licht van een lantaarnpaal die bijna vijf jaar niet had gebrand. Ze zat op haar hurken toen ze de foto nam, haar vaders hoofd midden in de bundel wit licht. Beelden die terugkwamen toen ze al jaren in New York woonde. Vooral toen ze erachter kwam dat Roger haar bedroog. Als een wilde kat was ze hem te lijf gegaan, maar hij sloeg lachend terug, met zijn vuisten. Ze wachtte totdat hij de deur uit ging. Het was op een bloedhete zaterdagmiddag. Ze graaide wat kleren bij elkaar, zette haar dochters in de auto en liet verder alles achter. Voor het stoplicht tussen gele taxi's dacht ze aan haar ouders. Sinds ze naar Amerika was gegaan, had ze haar ouders niet meer gezien. Ze schreven elkaar en soms stuurde Sinéad foto's van haar kinderen. Met pijn in haar hart dacht ze aan haar moeder, die haar kleinkinderen zo graag wilde zien. Het verlangen om terug te gaan naar Friesland welde in haar op. Een auto achter haar claxonneerde en Sinéad trapte op het gaspedaal en nam zich voor om haar eigen weg te vinden. Zonder Roger en zonder haar ouders.

Bij de fotowinkel op Seventh Avenue, zette ze in een opwelling de pick-up langs het trottoir en kocht voor 288 dollar een zes-bij-zevencamera met een tas vol filmrollen. Weliswaar niet nieuw, maar de Hasselblad uit de etalage gaf haar opnieuw het gevoel dat ze in haar jeugd had toen ze haar eerste fototoestel kreeg.

Samen met Roger had ze Friesland in 1946 verlaten. Ze waren allebei tot over hun oren verliefd en Roger moest terug naar Amerika en Sinéad wilde met hem mee. Ze dacht terug aan de laatste dagen in Friesland terwijl ze New York uit reed. De laatste avond op de dijk met haar vader. Ze had het intense verdriet in zijn ogen gezien, maar haar verliefdheid was zo groot geweest en het verlangen om met Roger naar Amerika te gaan zo overweldigend, dat ze het niet had gevoeld.

'Zo snel,' zei Shay.

'Wat bedoel je?' vroeg ze.

'Mijn kleine meisje, dat ze weggaat. Het is net alsof je maar even langs bent geweest.'

'Heit, Amerika is het eind van de wereld niet. Ik kom gauw weer terug.'

Shay staarde naar de zee.

De volgende ochtend vertrok ze, gehaast en in de war. De camera waarmee ze talloze foto's had gemaakt, lag vergeten op haar kleine slaapkamer.

In Ohio maakte Sinéad foto's van graanvelden. Op een middag, toen er vanuit het noorden diepblauwgrijze wolken kwamen aandrijven, zette ze de pick-up aan de kant van de weg. De zon stond nog hoog aan de hemel. Voor haar lag een geel graanveld, dat nergens leek op te houden. Op het moment dat de wolken bijna voor de zon dreven, veranderden de gele halmen in goud, met dreigende luchten op de achtergrond. Sinéad drukte af, zette een zacht filter voor de lens en maakte nog een paar opnamen.

De meisjes achter in de auto waren uitgelaten, omdat Sinéad had beloofd dat ze vanavond in een motel zouden slapen. De afgelopen veertien dagen hadden ze in de auto moeten slapen omdat Sinéad bijna geen geld meer had. In Pennsylvania had ze een maand lang in een wegrestaurant gewerkt. De eigenaar leek in het begin een aardige man, maar na de eerste weken werd hij steeds handtastelijker. Sinéad probeerde hem eerst wat lacherig op afstand te houden, maar op een avond toen de gasten al weg waren, zei hij dat hij bij zijn vrouw weg wilde.

'Ik wil met jou verder, Sinéad.'

Zijn vrouw stond nog geen tien meter verderop in de keuken maaltijden voor de volgende dag te bereiden. Dat was op een woensdag en Sinéad besefte dat ze pas vrijdag haar salaris zou krijgen. Ze had het geld hard nodig en deed alsof ze hem niet hoorde. Op donderdag deed hij opnieuw een poging, door haar te vertellen dat hij de afgelopen nacht niet had kunnen slapen, zo verliefd voelde hij zich.

'Like a young man,' zei hij, terwijl hij kwijlend en hijgend tegen haar aan stond.

'Ik moet eten rondbrengen,' zei Sinéad.

Op vrijdag ging ze naar zijn kleine kantoortje, waar hij haar de paycheck overhandigde. Toen ze het papier in haar zak stopte, zat hij plotseling met zijn dikke vingers aan haar.

Sinéad reageerde onmiddellijk en gaf hem met haar kleine vuist een knal tegen zijn kop, waardoor hij achteruit deinsde.

'Volgende keer snij ik je dikke pens open,' zei ze en liep naar buiten. Ze startte de pick-up en reed met haar dochters tot diep in de nacht verder naar het westen.

De volgende dagen bleef ze onderweg fotograferen. Glimmende trucks, verkeersborden, wegnummers, landschappen vol koeien, desolate landschappen, luchten met wolken, reclameborden, de zuidelijke kust van Lake Michigan, mensen op straat, etende mensen, pratende mensen, verliefde mensen en haar dochters boven op de motorkap van de pick-up met de rode ondergaande zon achter hun gezichten. Toen de meisjes van de pick-up af stapten, zag Sinéad door haar lens een grote vogel door de zon vliegen.

In Wisconsin stond ze 's nachts op een parkeerplaats langs een weiland. Die nacht begon het zwaar te onweren en Sinéad werd wakker van het schudden van de auto in de wind. De meisjes sliepen door. Ze klom naar de voorbank en zag dat het onweer naderbij kwam. Snel pakte ze haar camera, draaide het raam een stukje naar beneden en richtte de lens op het weiland, waar het pikdonker was. Ze zette het diafragma en de sluiter wijd open. De bliksem sloeg vlak bij haar in de grond, naast een rij koeien die glimmend van de regen met hun kont naar de wind gekeerd stonden. Ze wist dat ze een perfecte opname had bemachtigd. Voorzichtig borg ze haar camera op in de stalen koffer en sliep verder.

LADY TRUCK DRIVER

Chicago, 1954

Jonathan Smith was de zoon van een beroemde fotograaf die in de Amerikaanse burgeroorlog prachtige zwart-witfoto's maakte van veldslagen en van beroemde generaals, zoals Robert E. Lee en William T. Sherman. Na de burgeroorlog trok zijn vader naar het zuiden van Amerika en maakte daar foto's van vrijgemaakte slaven. Al heel jong was Jonathan Smith geïnteresseerd in fotografie en hij kon geen genoeg krijgen van het staren naar de nitraatnegatieven en afgedrukte zwart-witfoto's van zijn vader. Hij wist zeker dat hij ook een beroemde fotograaf zou worden. Maar hoewel hij een uitstekende opleiding van zijn vader kreeg, had hij niet dat grote talent waarop hij had gehoopt. Het was niet dat hij niet kon fotograferen, want alles stond er altijd netjes op, maar de spanning, de sfeer, het licht, het was allemaal net onder de top. Alsof hij de beelden die hij in zijn hoofd had niet via zijn toestel kon bemachtigen. Jonathan Smith wist het zelf ook, want zijn beoordelingsvermogen van foto's was buitengewoon scherp. Hij had wel een ander talent. Hij zag als één van de eersten de mogelijkheid om foto's te exploiteren en begon met het rangschikken van de duizenden negatieven van zijn vader in een systeem van verschillende onderwerpen.

'Waarom doe je dat?' vroeg zijn vader, toen hij Jonathan dag en nacht boven de lichtbak bezig zag.

'Ik ga je rijk maken,' zei Jonathan.

Zijn vader barstte in lachen uit. 'Daar ben ik veel te oud voor. Bovendien, weet je wel wat ze voor een foto betalen bij de krant?'

Jonathan wist tot op de cent nauwkeurig wat ze bij de krant voor een foto betaalden en hij vertelde dat hij het tienvoudige voor zijn vader zou binnenhalen. De maand daarop richtte hij World Images Inc. op in Chicago. Het was een agentschap dat foto's en dia's voor fotografen van over de hele wereld wilde exploiteren.

Jonathan zette in de hoofdsteden van alle staten een kleine advertentie in de krant waarin hij aanbod om fotoarchieven te vertegenwoordigen. Van een rederij kocht hij rijen eikenhouten ladekasten die voor scheepskaarten waren gebruikt. Hij richtte deze opnieuw in om de duizenden dia's te archiveren die vanuit heel Amerika naar hem toe werden gestuurd. Bij de bank sloot Jonathan een kleine lening af, zodat hij iemand in dienst kon nemen om hem te helpen al het fotomateriaal te verwerken. Toen alles klaar was, liet hij een prachtige brochure maken en verzond deze naar alle grote reclamebureaus, magazines en kranten in Amerika. In de brochure stond dat World Images Inc. voor elk doel en voor elke klant dé topfotografen van Amerika vertegenwoordigde. Al snel kwamen de eerste aanvragen binnen om nieuwsberichten en reportages met zijn materiaal te ondersteunen. Het bedrijf groeide snel en werd over de hele wereld succesvol.

Op de kast in zijn grote kantoor op de twaalfde verdieping van World Images Inc. lag nog altijd de zes-bij-zevencamera die hij ooit van zijn vader had gekregen. Later had hij smalle gouden strips op de hoeken van het toestel laten zetten om het nog meer te laten glanzen. Door een Duitse fabrikant liet hij twee loepzuivere lenzen maken, zodat het toestel een pronkstuk in zijn kantoor werd. Want hoe succesvol hij ook was als zakenman, nog altijd voelde hij de pijn dat hij als fotograaf onvoldoende talent bezat. Hij kon het verbergen omdat hij eindeloos met andere fotografen kon praten over beelden en licht. Net als de meeste fotografen kleedde hij zich in een corduroy jasje met daaronder een smetteloos wit overhemd, waar hij er elke dag twee van droeg, om ook zijn succeskant te belichten. Hij had een kortgeknipte snor die overging in een sikje. Daartussen iets te vlezige lippen die naar buiten krulden. Hij liep altijd statig, met zijn forse buik vooruit, waardoor zijn figuur een beetje de vorm kreeg van een ballon. Niemand die hem bij zijn voornaam noemde. Iedereen zei Mr. Smith. Zelfs zijn eerste werkneemster, met wie hij later trouwde, noemde hem nog altijd Mr. Smith.

Soms, als hij dia's en foto's van fotografen beoordeelde, stroomde de adrenaline door zijn aderen en had hij de onweerstaanbare neiging om zelf weer te gaan fotograferen. Dat waren dagen waarop de camera met gouden stippen mee was met Mr. Smith en hij niet op kantoor verscheen. Hij liep dan door de stad en fotografeerde mensen en buiten de stad landschappen en zonsondergangen. Maar

Mr. Smith was een te grote professional om zichzelf voor de gek te houden.

Sinéad parkeerde haar auto voor het gebouw van World Images Inc., midden in Chicago. Overal om haar heen stonden kolossen van kantoorgebouwen. Voor het achteruitkijkspiegeltje had ze haar bos rode krullen geborsteld, lippenstift aangebracht en haar laatste schone spijkerbroek en shirt aangetrokken. De vorige dag had ze vanuit een telefooncel een afspraak gemaakt met een van de editors van World Images Inc. met de vraag of er ook nieuwe fotografen werden gezocht.

Ze kreeg meneer Hanson aan de lijn. 'Natuurlijk mevrouw,' had hij geantwoord. 'Wij zijn altijd op zoek naar talent.'

In de grote hal kregen Sinéad en haar dochters van de receptionist te horen waar ze naartoe moesten. Een snelle lift trok hen omhoog naar de twaalfde verdieping.

Een slanke man met ringbaard vertelde dat hij Hans Hanson heette, degene met wie ze de afspraak had gemaakt. Uiterst beleefd vroeg hij of ze een goede reis had gehad. Er werd koffie gebracht door iemand die ook al een dun baardje had. De meisjes mochten op de bank blijven zitten en kregen beide een flesje Coca-Cola uit een roodzwarte automaat.

In het kantoortje bekeek de editor haar dia's op een verlichte glasplaat. Met een vergrootglas bekeek hij vervolgens de scherpte van de opnamen. Sinéad zat tegenover hem. Meneer Hanson zei niets, hij keek en keek nog eens. Daarna vroeg hij of ze even wilde wachten, want hij wilde Mr. Smith erbij halen.

'Wie is Mr. Smith?' vroeg Sinéad.

'Dat is de directeur. Ik wil graag dat hij de dia's ook ziet.'

Sinéad keek intussen op de gang of de meisjes er nog zaten.

Mr. Smith bekeek de foto's uitvoerig en vroeg aan Sinéad hoelang ze al fotografeerde.

'Sinds ik een kind was,' zei Sinéad, 'maar daarna heel lang niet meer.'

Mr. Smith knikte en zei langzaam: 'Het zijn buitengewoon mooie opnamen. Ik heb zelden zoiets gezien, mevrouw.' Nogmaals schoof hij vanaf zijn stoel zijn dikke buik tegen de glasplaat. 'Van wie hebt u dit geleerd?'

'Niemand,' zei Sinéad.

'Ook heel commercieel,' zei meneer Hanson zachtjes tegen Mr. Smith.

Met een ruk ging Mr. Smith rechtovereind zitten. 'Mister Hanson, ik denk dat u volkomen gelijk hebt, maar laten we eerst genieten van deze prachtige foto's. Dit is kunst. Wat een mooi licht en wat een mooie keuze van objecten. Vooral die nachtfoto met dat onweer.'

'Nou, die vliegt de hele wereld over,' zei meneer Hanson.

Mr. Smith spreidde zijn armen in een machteloos gebaar wijduit en glimlachte naar Sinéad. 'Neem het meneer Hanson maar niet kwalijk, mevrouw. Hij is nogal marktgericht. Ik denk overigens dat hij gelijk heeft.'

Sinéad dacht even dat ze bij een stel gestoorden terecht was gekomen. Iedereen was overdreven beleefd en alle mannen droegen baarden en snorren. Later begreep ze dat juist het grote inlevingsvermogen van Mr. Smith succes had gebracht bij World Images Inc. Alle grote fotografen kwamen bij hem.

'Fotografeert u zelf ook?' vroeg Sinéad.

'Vroeger, ja, vroeger wel,' zei Mr. Smith zonder op te kijken.

'En niet onverdienstelijk,' zei Hanson slijmerig.

'Wat is dit voor vogel die voor de zon vliegt?' vroeg Mr. Smith.

'Een eagle,' zei Sinéad.

'Wat een gigantisch beest.'

'Ja.'

'Ik denk,' zei Mr. Smith, 'dat we u wel een mooi contract kunnen aanbieden. Vindt u niet, meneer Hanson, dat we deze mevrouw een contract kunnen aanbieden?'

'Dat denk ik zeker wel,' zei Hanson.

Sinéad snapte er niets van en vroeg: 'Wat verdien ik daar dan mee?'

Mr. Smith glimlachte minzaam. 'Dat hangt af van onze verkoopinspanningen. Maar we zullen ons uiterste best doen voor u. Ik denk dat we bijvoorbeeld wel een paar mooie platen aan National Geographic kunnen leveren. U krijgt elke zes maanden een afrekening van ons waarin we de verkopen aan u rapporteren en dan krijgt u vanzelfsprekend ook een cheque.'

'Krijg ik nu niets?' vroeg Sinéad.

Mr. Smith aarzelde en keek Sinéad aan. 'Hebt u geld nodig?'

'Als u meer foto's van mij wilt, dan wil ik graag een voorschot.'

'Wij willen dolgraag meer foto's. Met welk voorschot zouden we u kunnen helpen?'

'Duizend dollar?'

De heren vielen bijna om van verbazing.

'Ik moet veel reizen om te fotograferen.'

Mr. Smith knikte goedkeurend, want kennelijk wilde hij graag meer foto's van Sinéad.

Aan een reusachtig bureau tekende ze haar contract. Daarna zette Mr. Smith zijn zwierige handtekening.

Het leek alsof hij aarzelde haar te laten gaan. 'Hoe komt u aan dat grote talent?' vroeg hij weer.

Ze glimlachte bijna verlegen. 'Dat weet ik niet. Ik kijk naar de dingen en die fotografeer ik.'

'Zomaar.'

'Ik geloof dat ik veel nadenk over licht.'

'En verder?'

Ze dacht even na. 'Verder niets.' Ze schudde haar bos rode krullen. 'Beelden, misschien.'

'U zoekt niet naar een vorm.'

'Nee, dat kan me niets schelen. Dat gaat vanzelf als je weet wat je wilt laten zien.'

Verbijsterd keek hij secondenlang naar de mooie vrouw tegenover hem. Voor het eerst in zijn leven begreep hij waarom hij talenten bezat die hij eigenlijk niet wilde en waarom hij geen talent had voor de dromen die hij als kind juist wel had gehad.

Hij stond op en liep naar de kast waarop hij zijn eigen toestel bewaarde. 'Kijk, hier fotografeer ik zelf mee,' zei hij, terwijl hij weer tegenover haar ging zitten. 'Maar helaas heb ik onvoldoende talent om foto's te maken.'

Sinéad wilde wat zeggen, maar Mr. Smith was haar voor. 'Ik weet dat u wilt zeggen dat het allemaal best mee zal vallen en dat ik op andere vlakken succesvol ben, maar zo voel ik dat niet.'

'Niemand voelt dat,' zei Sinéad.

'Dat is wat anders. Ik oordeel alleen maar over het werk van anderen. Ik beoordeel uw werk en ik kan zien dat u een uiterst kunstzinnige en gevoelige vrouw bent.'

'Dank u dat u zo aardig voor me bent,' zei Sinéad, 'maar ik ben ook een vat vol tegenstrijdigheden.'

Een kwartier later stapte Sinéad met het contract en een dikke cheque van duizend dollar door de hoge glazen deuren het pand uit, de stoep op van de brede zonovergoten straat in Chicago.

'Yeehaaa!' gilde Sinéad zo hard ze kon. Die middag kocht ze nieuwe kleren en lieten de drie dames zich bedienen in een deftig restaurant. 's Avonds sliepen ze tussen helderwitte katoenen lakens in een zacht bed zo breed als een avenue.

Op een houten picknicktafel langs de weg naar Minneapolis smeerde Sinéad de volgende dag brood voor de lunch. Ze besefte dat ze naast het fotograferen werk moest zien te vinden, omdat het minstens een halfjaar zou duren voordat ze de volgende cheque van World Images Inc. zou ontvangen. Die mogelijkheid diende zich aan toen ze de volgende dag het parkeerterrein van een supermarkt op reed en een reclamebord van een rijschool voor truck drivers zag.

De rijschooleigenaar keek vreemd op toen ze informeerde wat een truck drivers license kostte. Hij haalde zijn laarzen van het bureau en schoof zijn beige stetson vol dieselvlekken naar achteren.

'Ik ben Jack,' deelde hij mee. 'Wie wil er een rijbewijs gaan halen?'

'Ik,' zei Sinéad.

Jack staarde haar aan. 'Dat kan niet.'

'Waarom kan dat niet?'

'Never had a lady truck driver before.'

'Nou, dat wordt dan tijd,' zei Sinéad.

'Volgens mij mag het niet eens. Hé, Lorie!' schreeuwde Jack in de richting van het kantoortje achter hem, 'mogen vrouwen truckrijden?' Hij draaide zich weer om naar Sinéad en wees met zijn duim naar achter. 'Zij weet alles van rijbewijzen. Dat wist ze vroeger al toen ze voor mijn vader werkte.'

Lorie stond op, schommelde door de deur en zette haar bril af. 'Jack, you're a real shit.' Ze wendde zich tot Sinéad. 'Zelfs zijn eigen vrouw mag niet autorijden. Well, you know those guys. Lady, you can drive whatever you want.'

Jack lachte luidkeels en sprong op. 'Let's have some fun.'

Sinéad vond truckrijden helemaal niet moeilijk. Jack deed moeilijk, want hij bleef maar uitleggen hoe ingewikkeld en gevaarlijk het allemaal was en dat eigenlijk alleen mannen het konden.

'Als jij nou je mond eens houdt, dan zal ik een stukje voor je rijden.' Sinéad reed de grote vrachtauto in cirkels over het terrein. Jack knikte goedkeurend en toen ze achteruit rijdend de vrachtauto op twee inch van zijn kantoor parkeerde, nam hij eerbiedig zijn stetson af.

Drie dagen later had Sinéad haar truck drivers license en op een regenachtige zaterdagmiddag reden ze in de pick-up verder naar het westen, nagestaard door Jack, die nog steeds niet kon geloven dat sommige vrouwen beter konden rijden dan de meeste mannen. Een staat verderop, in Montana, kwam Sinéad dezelfde houding tegen.

'Heb je een rijbewijs?' vroeg de man achter het grote houten bureau dat bij elke beweging van zijn handen heen en weer schommelde. Hij had gemoedelijke ogen die Sinéad vanonder een hoed aankeken. Op het bureau stond een bordje met de naam Geoffry.

'Ja,' zei Sinéad.

'Ik bedoel een truck drivers license.'

'Ja, die heb ik. En ik zoek werk als truck driver en volgens mij zoeken jullie nog chauffeurs.'

De man zuchtte diep en keek uit het raam naast zijn bureau. 'Niet veel vrouwen in Montana zijn truck driver.'

'Ik wel,' zei Sinéad en ze legde haar rijbewijs voor hem op tafel.

De man knikte, bestudeerde het document langdurig, draaide het twee keer om en zei: 'Ik denk dat je de eerste bent in Montana. Misschien ben je wel de eerste in the whole goddamn country.' Hij hield het papier nog eens tegen het licht.

'Denk je soms dat het vals is?' vroeg Sinéad beledigd.

'Buiten staat een truck,' zei hij uiteindelijk, 'misschien zou je een rondje voor me willen rijden.'

Sinéad keek hem verbijsterd aan.

'Vraag ik iedereen hoor,' zei hij sussend.

Hij liet haar alles doen met de grote truck wat hij maar kon bedenken.

'Hell of a lady driver,' zei hij, toen hij ten slotte het contract opmaakte. Ze kreeg een weekroute door Montana toegewezen. 'Als het goed gaat, bied ik je over zes maanden een cross country route aan.' Hij gaf haar de sleutels.

Maar zover kwam het niet, want na drie maanden reed ze op vrijdagavond met de truck het parkeerterrein van het hoofdkantoor in Hardin op om haar wekelijkse paycheck op te halen, toen ze dikke stalen kabels zag om de hele rij geparkeerde vrachtauto's die met grote koperen sloten verzegeld waren.

'Wat is er aan de hand?' vroeg ze aan Geoffry, die alleen binnen was.

Hij zat in de schemering achter een bureaulamp met groen glas. 'De bank heeft er beslag op gelegd,' zei hij.

Ze begreep het niet.

'Je hoeft maandag niet te komen,' vervolgde hij. 'De trucks worden morgenochtend weggehaald.'

'Mooi is dat,' zei ze. 'Had je me dat niet eerder kunnen vertellen?'

Geoffry ontweek haar blik en schoof wat stapels papier heen en weer op het wiebelende bureau. 'Ik heb steeds geprobeerd de zaak overeind te houden.'

'En hoelang doe je dat al?' vroeg Sinéad.

'Wat bedoel je?'

'Dat overeind houden.'

Geoffry leunde achterover in zijn bureaustoel en dacht even na. 'Weken, maanden.'

'En je vond het niet nodig om ons daar iets over te vertellen?'

'Het management wist het wel.'

'Het management. Who the fuck is het management hier?'

'Nou ja, Shirley van de administratie en... ik.'

'Het management.'

Hulpeloos hief Geoffry zijn armen omhoog.

Woest trapte Sinéad tegen het bureau. 'Je gaat me toch niet vertellen dat iedereen zich voor niks in het zweet heeft gewerkt en dagenlang met die krakkemikkige trucks die shitlading van jou door de staat heeft gereden terwijl we van niets en dan ook helemaal niets wisten?'

Geoffry maakte zijn zoveelste machteloze gebaar.

'En al die extra uren die ik voor je heb gewerkt? Heb jij mij horen klagen toen ik op zondag in de brandende hitte een wagen vol stinkende dode koeien heb weggebracht, terwijl ik onderweg de halve cabine vol kotste? Heb jij me daarover horen klagen, meneer de manager?'

Geoffry schudde zijn hoofd.

'Nee, jij hebt nooit geklaagd,' moest hij toegeven.

'Geef mijn paycheck maar,' zei ze, 'dan zoek ik maandag wel een andere job.'

'No paycheck,' zei hij.

Ze voelde het bloed uit haar gezicht trekken. 'Wat bedoel je, geen paycheck?' zei ze.

'Het geld is op.'

'Fucking asshole.' Sinéad draaide zich om en liep naar buiten. Ze rende naar de grote truck en startte de motor. De zware vrachtwagen schoot vooruit en Sinéad stuurde recht op het kantoor af. Geoffry sprong op en liep met zijn armen wild zwaaiend naar buiten. Vlak voor zijn neus kwam de hoge motorkap tot stilstand. Ze draaide het cabineraam open.

'Sinéad, dit is de enige truck die ik nog over heb. Maandag zit ik zelf weer op de weg.'

'Je laat me geen keus. Paycheck of je kantoor en je truck gaan eraan.'

Geoffry aarzelde en Sinéad reed langzaam achteruit voor een nieuwe aanloop. Hij keek naar haar wilde ogen en woeste bos haar en wist dat ze de hele bende plat zou walsen als hij haar niet als een haas de paycheck zou overhandigen.

'Waarom doe je dit?' vroeg hij.

'I have two kids and no choice,' zei ze.

Zwijgend gaf hij haar de cheque en zij gaf hem de sleutels van de truck.

Op de terugweg deponeerde ze de cheque bij de bank, haalde boodschappen en reed daarna naar huis.

Diezelfde avond stond de sheriff met zijn deputy aan de deur en arresteerde haar omdat er een overval was gemeld waarbij onder bedreiging een paycheck was afgegeven. Er was verder niemand die op de meisjes kon passen en daarom moesten ze mee in de auto met rode en blauwe zwaailichten. De buren keken nieuwsgierig door de ramen naar buiten en Sinéad vroeg zich af waarom die godvergeten hysterische lichten altijd als vuurtorens in de wijde omgeving rondzwaaiden.

Ze verbleef die nacht in een koude cel op een stalen brits zonder matras en dekens, want die waren naar de stomerij omdat een zwerver er de nacht ervoor in had gekotst. Haar kinderen werden tijdelijk bij een ander gezin ondergebracht. Sinéad zag ze binnenkomen. Van die mensen die zich nergens meer over verbaasden, alsof ze alles al hadden meegemaakt. De man had een smerige baard tot vlak onder zijn ogen en zij, zwaar bijziend en onhandig bewegend, pakte meteen met haar vieze zweethanden de kinderen, alsof ze al jaren een goede bekende was.

Op maandagochtend werd Sinéad voorgeleid. De rechter vond dat ze uiterst onbezonnen had gehandeld. Het was de eerste keer en dus zei hij dat ze een milde straf kreeg, een maand cel. Maar het ergste was dat hij de kinderen bij haar weghaalde totdat ze vrijkwam en dat ze hen pas mocht ophalen als ze kon aantonen dat ze een eigen inkomen had en weer voor haar kinderen kon zorgen. Haar advocaat siste dat ze niet tegen de rechter moest schreeuwen en boog eerbiedig zijn hoofd voor de rechter, dankbaar voor zijn coulante houding. De rechter liet het commentaar van Sinéad voor deze keer maar over zich heen gaan.

Vijf weken later stond Sinéad opnieuw voor de rechter. Ze was toen ze vrijkwam naar het huis gereden waar haar kinderen ondergebracht waren. Bij de deur werd ze geweerd door een jong en fanatiek echtpaar dat zelfs niet wilde dat ze haar kinderen even zag. Ze sloeg helemaal door en drong naar binnen, waar haar dochters haar in de armen vielen. Sinéad nam ze meteen mee en in de pick-up vluchtten ze een parkeergarage in. Daar bleven ze tot diep in de nacht. In de garage stond nog een bruine Pontiac-stationwagen met de sleutels onder de zonneklep.

Stilletjes vertrokken ze uit het stadje en via binnenwegen reden ze naar het noorden. Ze waren vlak boven Simpson op Route 232 en op nog geen vijf mijl van de Canadese grens toen de State Troopers hen aanhielden. Deze keer was de rechter minder coulant, zoals hij zelf zei. Sinéad ging opnieuw naar de gevangenis, nu voor zes maanden. Haar kinderen zouden onder toezicht komen te staan en het was de vraag of ze haar dochtertjes ooit weer terug zou zien.

EAGLETON CASTLE

Mount Eagle, 1653

In 1649 kwam Oliver Cromwell met twaalfduizend soldaten uit Engeland om genadeloos wraak te nemen op de katholieke Ieren, die de rebellen hadden gesteund in hun strijd tegen Engeland. Cromwell haatte de Ieren, net zoals hij de Schotten haatte. Met zijn legers trok hij door Schotland en vermoordde de clans van de Highlanders, hun vee en zelfs hun honden. Nadat de soldaten in Ierland waren aangekomen, besloot koningsmoordenaar Cromwell dat alle katholieke Ieren die tegen hem hadden gevochten, hun bezit zouden verliezen.

Samen met zijn broer Robert had Henry Eagleton in Dublin tegen de Engelse soldaten gevochten. Later was hij teruggevlucht naar zijn kasteel op Mount Eagle in het zuidwesten van Ierland. Robert Eagleton wilde niet langer in Ierland blijven en vertrok naar Schotland, waarna nooit meer iets van hem vernomen werd. Een jaar later zaten de Engelsen in Galway en Charles Forsyth kreeg als beloning voor zijn betoonde moed tegen de Ieren het zuidwestelijke gebied van Ierland onder zijn hoede, waaronder Dingle Bay en de schiereilanden. Zijn begerige blik viel op het machtige Eagleton Castle boven op de rotsen van Mount Eagle. Hij wist dat het gemakkelijker was om de ratten uit het kasteel te verjagen dan de Eagletons, maar hij was wel gerechtigd om de opbrengsten bij de boeren op te eisen. Henry Eagleton kreeg geen penny meer uit zijn landerijen. Toch was dat Charles Forsyth nog niet genoeg, want hij wilde het kasteel voor zichzelf hebben en besloot uiteindelijk ten strijde te trekken tegen Henry Eagleton.

In de vroege herfst van 1653 zag Henry vanaf de noordelijke toren soldaten uit de mist tevoorschijn komen, op weg naar het kasteel. Er waren geen stemmen, alleen het geluid van gedempte paardenhoeven en schurend metaal. Charles Forsyth reed voorop, gekleed als een koning met een blauw gewaad en een hoed waarop een opvallende rode pluim prijkte. Naast hem, op een kleiner paard, reed de vaandeldrager met de gehate Engelse vlag.

Henry schudde woest zijn hoofd over dit brutale gedrag en stampte de trappen af naar beneden waar zijn vrouw stond te wachten met zijn zwaard.

'Heb je ze gezien?' vroeg Henry.

Mrs. Eagleton was niet bang, want hoewel hun eigen kleine leger uit het kasteel was verdwenen omdat Henry zijn mannen niet langer kon betalen, kende ze het onverschrokken bloed van haar man en wist ze dat hij desnoods alleen tegen het Engelse leger optrok.

'Ik heb ze gezien,' zei ze kalm.

'Het zijn er niet veel,' zei Henry.

'Kun jij gemakkelijk hebben,' zei ze.

'Dat denk ik ook.'

Hij nam het zwaard van haar over en liep naar de noordelijke grote poort, opende beide deuren en bleef wijdbeens in het midden staan met beide handen rustend op het heft van het zwaard, dat met de punt op de grond stond. Boven hem, op de toren, zaten vier eagles met speurende ogen af te wachten.

Charles reed met zijn soldaten door totdat hij vlak voor Henry Eagleton stond, die geen moment bewoog en met een onverschillige blik naar hem opkeek.

'Ik ben Charles Forsyth.'

'Degene die mijn geld steelt bij de boeren.'

'Dit gebied is niet meer van u, meneer Eagleton. Ook het kasteel is niet meer van u.'

Henry glimlachte, stapte opzij en keek langs de rij paarden van de soldaten. 'Is dit uw hele leger?' vroeg hij.

Charles keek achterom en toen weer naar Henry. 'Genoeg om u te verslaan.'

Sommige soldaten vertelden later dat de snelheid waarmee Henry in actie kwam, nauwelijks waarneembaar was. Plotseling stond Henry naast Charles en stak zijn zwaard dwars door het hart van diens paard. Een paar tellen lang trilden de benen van het beest en toen klapte het in één keer tegen de grond. Henry was al bij de voorste soldaat, trok hem van zijn paard en stak zijn zwaard door de keel van de man. Voordat de achterste soldaat zijn boog spande, kwam uit het niets een van de eagles met grote snelheid en met zijn wrede klauwen vooruitgestoken op het gezicht van de boogschutter af. De eagle trok de man met volle snelheid van het paard, lange en diepe bloedsporen achterlatend. Ook de andere eagles vlogen op en lieten zich vanuit grote hoogte op de mannen vallen.

'Terug!' schreeuwde Charles naar zijn mannen.

De in paniek terugdeinzende mannen en steigerende paarden struikelden over elkaar heen om op veilige afstand te komen. Charles Forsyth stond op en bleef als enige staan. Toen de soldaten zich hadden gehergroepeerd, wilden ze naar Charles om hem te helpen, maar hij hield zijn arm omhoog ten teken dat ze moesten blijven staan. Verbijsterd keek hij naar Henry Eagleton en trok zijn zwaard. Henry besefte dat de Engelsman de belediging niet kon laten passeren, zelfs niet als het hem zijn leven zou kosten.

Henry bleef staan, keek naar boven en glimlachte vriendelijk naar Charles Forsyth. Vervolgens zei hij vriendelijk: 'Let's call it a day,' draaide zich om, liep de poort door en deed de deuren weer dicht.

Een week later kreeg Henry een brief met het in sierlijke letters geschreven verzoek of hij Charles Forsyth wilde ontvangen, om zaken van wederzijds belang te bespreken. Ditmaal zou Charles alleen komen.

Ze zaten in de grote zaal van het zuidelijke gebouw.

'U kunt weigeren, meneer Eagleton, maar uiteindelijk zult u het kasteel verliezen.'

Henry ijsbeerde langs de tafel en zei: 'Meneer Forsyth, dit gebied is meer dan zeshonderd jaar geleden door High King Brian Boroimhe aan onze familie gegeven.'

'Dat weet ik, maar Cromwell is zeer gemotiveerd om alles van de Ieren af te pakken. Zelfs als ik het bezit niet zou accepteren, dan is er een ander die het opeist. Ieren zijn momenteel vogelvrij.'

'U vergist zich. Dit is Ierland en u bent geen Ier.'

Forsyth sprak zacht: 'Ierland is Engeland, sir, en volgens de wet komt dit gebied de Engelsen toe.'

'Ik wacht opnieuw de soldaten bij de poort op.'

'Dat weet ik, meneer Eagleton. U bent sterker en moediger dan elke man die ik gekend heb. U bent zelfs zeer edelmoedig geweest voor mij. Maar nieuwe legers blijven komen en met alleen uw roofvogels kunt u Engeland niet verslaan.'

Henry besefte dat hij deze strijd zou verliezen. Maar hij wilde niet opgeven. Desnoods vocht hij tot de dood.

'Doe dat uw familie niet aan,' zei Charles Forsyth, die zag wat er in Henry omging. 'Hoelang denkt u dat Engeland zal heersen over Ierland?'

Henry dacht na en zei: 'Niet heel lang. De Ieren geven nooit hun onafhankelijkheid op.'

Charles knikte en zei: 'Dan stel ik een pact voor. Ik huur voor één pond per jaar het bezit van de Eagletons. Als Ierland onafhankelijk wordt, eindigt de overeenkomst en krijgt u of uw nageslacht de grond en het kasteel terug.'

Henry stond op en keek uit het raam. Hij begreep dat hij geen keuze had. Het kasteel en de bezittingen in de familie houden was zijn voornaamste doel. Bovendien zouden de Ieren zeker in de volgende generatie de Engelsen uit hun land verdrijven.

'Akkoord. De overeenkomst eindigt op het moment dat Ierland een zelfstandige natie is,' zei Henry.

'Maar ik moet u zeggen dat ik denk dat Ierland voor eeuwig onder Brits gezag zal vallen.'

'Ik wil het zo,' zei Henry. 'Misschien dat tijdens mijn leven de Engelsen hier blijven. Maar mijn zonen en mijn kleinzonen zullen jullie verjagen. Ik zal de documenten laten opmaken en ervoor zorgen dat het kasteel bij de jaarwisseling aan u ter beschikking staat.'

Het was de oudejaarsnacht van 1653 en de hemel leek net een zwarte koepel. Op de binnenplaats van Eagleton Castle op Eagle Rock laaide het vuur steeds hoger op. Het zweet gutste van het ontblote bovenlichaam van de smid, die met harde slagen op gloeiend metaal hamerde. Vier monniken in donkergrijze, bijna blauwe pijen met hun kappen op, stonden er in een wijde cirkel omheen. Verderop, buiten het bereik van het licht van de vlammen, stond Henry Eagleton.

De smid legde de zware hamer opzij en hield het ronde metaal onder water, waar het sissend en rokend afkoelde.

Op de hoge muren zaten eagles als stille getuigen. Plotseling kwam de volle maan tevoorschijn, in een nacht dat het nieuwe maan zou zijn.

De smid dompelde het zegel in een bak met vloeibaar witmetaal, dat het zegel een diepe glans zou geven.

Meteen kwamen de monniken naderbij, terwijl hij met een grote tang het zegel uit de bak haalde. Behoedzaam drukten ze alle vier hun stempel in de achterkant van het nog zachte metaal. De laatste monnik graveerde met een stalen pen tekens op de voorkant.

Op de afbeelding van het zegel met de ineengedoken eagle in het midden stond geschreven:

THE EAGLETON SEAL

En in een cirkel eromheen: *By independency of Ireland the Bearer of this Seal shall be the owner of Eagleton Castle, Mount Eagle, Ireland, 1653.*

Sinds het begin van de herfst had Henry Eagleton nagedacht over hoe het bezit van de Eagletons voor de toekomst veiliggesteld kon worden. Hij besloot raad te vragen aan de monniken van de Sacred Brotherhood, afstammelingen van de halfgod Cú Chulainn. Ze woonden in een klooster in de Blue Stack Mountains in het noorden van Ierland. Als jongeman had hij tijdens zijn opleiding tot krijger een tijd bij hen doorgebracht. Hij zadelde twee van zijn grote zwarte paarden en vertrok 's ochtends vroeg in een hevige regenbui voor de lange reis naar het noorden. Tegen de middag kwam hij bij de Shannon aan en stapte hij over op het andere paard. Het paard waarop hij die hele ochtend had gereden, liet hij achter om te grazen. Vanaf zee stoven dichte regenwolken met slepende, draderige staarten over het water de rivier op. Voorovergebogen zat Henry op zijn paard en liet het beest langs de oever galopperen. Drie uur later haalde het andere paard hen weer in en wisselde Henry opnieuw. Hij reed twee dagen door en zag toen in de verte de eerste bergen van het noorden. Tegen de avond arriveerde hij bij het klooster in de Blue Stack Mountains, waar Badb Chulainn hem stond op te wachten.

'Je wist dat ik kwam,' zei Henry.

'Altijd,' zei Badb met zijn diepe stem en hij nam de twee paarden van Henry over.

Ze spraken over vroeger en over de Engelsen. Altijd de Engelsen. 's Avonds zat Henry in het midden van de lange eettafel tegenover Badb en Henry vertelde wat hem was overkomen.

'Bijna alle Ieren raken hun bezit aan de Engelsen kwijt,' zei Badb.

'Maar als Ierland weer onafhankelijk wordt, hoe kan ik dan ooit bewijzen dat het kasteel mij of mijn familie toebehoort?'

Badb keek hem langdurig aan en schudde zijn hoofd. 'Niet jij, niet jouw zoon en waarschijnlijk ook niet zijn nazaten zullen in de komende honderd jaar een vrij Ierland meemaken. De geschiedenis leert dat bezetters van grote naties altijd controle over omringende gebieden willen houden, en uiteindelijk toch weer kwijtraken. Ook Ierland zal ooit weer worden bevrijd.'

Henry had zich al verzoend met het feit dat hij zelf niet terug zou keren naar Eagleton Castle, maar hij was geschokt door de woorden van Badb. Nu pas drong het tot Henry door dat het met het verstrijken van de tijd steeds onwaarschijnlijker zou zijn dat het kasteel weer in het bezit van de familie van de Eagletons zou komen.

'Wat zouden we voor je kunnen doen?' vroeg Badb.

'Hoelang bestaat de Sacred Brotherhood al?' vroeg Henry.

'Eeuwen en eeuwen. Vanaf het moment dat Ierland bezet is geweest door andere naties. We zijn het enige heilige verbond dat zorgt voor de geheime verbindingen in Ierland. Veel van onze mensen, hoe goed getraind ook, sneuvelen onderweg op de Ierse wegen. Ik weet niet wat de toekomst brengt.'

'Is er iets te bedenken waardoor mijn nazaten erachter kunnen komen? Want elk document kan worden vernietigd en alle bewijzen kunnen teniet worden gedaan.' Henry stond op, ijsbeerde over de stenen vloer en vervolgde: 'Het zal iets moeten zijn wat alleen mijn kinderen in een verre toekomst zouden kunnen ontdekken.'

'Misschien kan ik je helpen,' zei Badb peinzend. 'Iets wat de tand des tijds doorstaat en alleen voor de Eagletons bereikbaar is. Dat is meer dan een papieren document.'

'Waar denk je dan aan?' vroeg Henry.

Badb glimlachte. 'Zelfs jij zult het niet weten. Wat ik je zal geven, is alleen maar een sleutel tot de teruggave van jullie bezit. Maar op het moment dat jouw toekomstig bloed geen drang meer voelt om de geschiedenis te herstellen, zal alles verloren zijn.'

In dezelfde kamer van de zuidelijke toren waar Henry met Forsyth had gesproken, werd onder het oog van de vier monniken de overeenkomst getekend. Charles Forsyth had bezwaren gemaakt tegen alle voorwaarden die Henry Eagleton stelde. Maar Henry was onverbiddelijk en Forsyth wilde geen verdere conflicten. De nieuwe bewoner mocht geen grond verkopen of verhuren, en hij moest het bij zijn dood overdragen aan de volgende generatie, en het kasteel moest exact blijven zoals het was.

Het nieuwjaarslicht kwam met dichte mistwolken vanaf de oceaan. De zon liet zich niet zien.

Een uur later verliet Henry Eagleton met zijn vrouw en twee kinderen het kasteel, op weg naar een afgelegen boerderij met een klein stukje land dat later zou worden teruggevorderd door de erfgenaam van Charles Forsyth, waardoor de familie Eagleton tot de bedelstaf werd gebracht. Op dezelfde dag dat de Eagletons het kasteel verlieten, vlogen de laatste eagles van de muren van het kasteel en lieten het Eagleton Castle in alle eenzaamheid achter op Mount Eagle.

IERLAND

Dublin, 1847

In de late winter van februari 1847 liep een lange, magere jongeman met holle ogen langzaam oostwaarts, ten noorden van de Wicklow Mountains, op weg naar Dublin. Hij liep al dagenlang in een gestage, miezerige regen die vanuit dikke wolken naar beneden kwam. Om zijn middel droeg hij een leren tasje dat met een dunne ijzeren ketting aan zijn riem was bevestigd. Zijn zwarte haar hing glinsterend van de regen als touw langs zijn gezicht. Nu en dan bleef hij staan en boog zich diep voorover om op adem te komen, waarna hij met slepende passen zijn weg vervolgde. Zijn wanhopige blik was steeds op de horizon gericht en zelfs de lijken die hij onderweg tegenkwam van mensen die door de honger de stad niet meer hadden kunnen bereiken, zag hij niet meer.

John Eagleton had geen idee meer hoelang hij onderweg was geweest vanaf het zuiden van Ierland op weg naar de hoofdstad. Het enige wat hij zich herinnerde was dat hij op weg was gegaan nadat hij gezien had hoe mensen gras aten en met groene lippen doodgingen. De herfst sloeg ongenadig hard toe, met bakken regen die de hoop op de laatste oogst letterlijk verdronken. Het aantal slachtoffers steeg zo snel dat iedereen die nog leefde naar de kusten van het eiland vluchtte op de overvolle schepen. John Eagleton had zich lange tijd verscholen in de bergen, en besefte dat hij nu snel het land moest verlaten. Onderweg had hij geprobeerd vis te vangen in de rivier de Nore en later in de Barrow, maar zelfs de vissen schenen Ierland verlaten te hebben. Die nacht kwam hij aan in Dublin en liep rechtstreeks naar de haven. Overal op de stenen zaten en lagen mensen onder zeildoek, om zich tegen de gestaag vallende regen te beschermen. Langs de kade deinden schepen met lange masten. Manschappen hingen over de reling en keken naar de stille, bijna bewegingsloze massa achter de hekken.

De havenmeester met een groezelig uniform hield hem staande bij het hek. John keek langzaam omhoog in de achterdochtige ogen van de man die een veel te grote pet op had.
'Stukje gewandeld?' vroeg de havenmeester.
John knikte vermoeid.
'Hebt u een passagebiljet?'
'Nog niet,' zei John.
'Dan moet u achter de hekken blijven,' zei de havenmeester koeltjes. 'Morgenochtend kunt u in het kantoor van de rederij een passage boeken.'
John Eagleton was zich nauwelijks bewust van zijn omgeving toen hij een plaats zocht om te liggen. Pas toen hij met gesloten ogen op zijn rug op de harde stenen lag, drong het gekreun van mensen, zacht huilende kinderen en de sussende geluiden van ouders tot hem door. Mannen in lange oliejassen met walmende lampen liepen de hele nacht langs het hek van de haven om te zorgen dat er niemand overheen klom. Vlak voordat John in slaap viel, dacht hij opnieuw aan het zegel dat hij nog steeds bij zich had. Zijn broer Shay en hij hadden elkaar beloofd het in Ierland achter te laten. Hij voelde zich schuldig omdat hij zijn belofte niet na was gekomen in de drang Ierland zo snel mogelijk te verlaten.
De stank van mensen en hun vuile opdrogende kleren maakte hem wakker toen de zon al boven de oostelijke horizon stond. Hij tastte meteen naar zijn riem of zijn leren tasje er nog aan zat. Een oneindig lange rij mensen had zich opgesteld voor een keet waar pap werd uitgedeeld. Naast hem stond een kleine oude man met een rond hoofd vol grijs krullend baardhaar die vroeg waar John naartoe ging.
'Canada. En u?'
'Ik ga naar Liverpool. Ze zeggen dat er in Engeland werk is,' zei de man, 'drie maaltijden per dag en soms vlees op zondag.'
Ze schuifelden naast elkaar met de rij mee naar het houten kantoor waar de passagebiljetten werden verkocht.
'Wat een eind weg,' zei de man.
'Wat bedoelt u?'
'Canada.'
John knikte.
'Elke dag weer die lange rijen mensen. Iedereen wil weg uit Ierland,' zei de man.
'Bent u hier al lang?'

'Drie maanden, elke dag. Elke dag die bloody maïspap van die Amerikanen. Dat nemen de passagiersschepen mee terug uit Boston en Philadelphia als ze leeg terug gaan naar Ierland. Niet te vreten dat spul, maar er is niets anders. Ik had precies vier pond voor de overtocht naar Canada, maar nu kan ik alleen nog naar Liverpool.'

'Waarom bent u niet eerder vertrokken?'

De man draaide zich om en keek naar de lange rij die zich achter hen had gevormd. 'Schiet al mooi op zo. Gisteren heb ik hier drie uur in de bloody regen gestaan. Ik zal je vertellen waarom ik niet ben gegaan. De helft van de mensen sterft onderweg op zee. Ik heb mijn reis steeds uitgesteld, want niemand verlaat graag zijn vaderland. Maar vandaag ga ik, omdat niemand het overleeft in dit godvergeten land. Je bent er mooi klaar mee als je hier wordt geboren. Kijk, de Aeolus is binnengelopen. Die gaat naar Canada.'

John keek langs de rij mensen die zwijgend vooruitschoof. Hij vroeg zich af hoe moeders het volhielden om hun jonge kinderen urenlang te dragen terwijl ze zelf zo verzwakt waren.

'Volgens de berichten zijn er dit jaar al meer dan driehonderdduizend mensen vertrokken naar Liverpool en Manchester. Iedereen weet dat die steden al tjokvol Ieren zitten. Ik hoop wel dat de verhalen dat er werk is kloppen,' zei de man.

Naast het loket stonden de prijzen vermeld. Een overtocht met recht op een houten brits in het ruim kostte vier pond. Een gedeelde deck cabin aan dek kostte zes pond.

'Take the cabin,' zei de man.

John keek hem aan.

'Doe het als je kunt. De kans dat je levend de overkant haalt, is dan een stuk groter.'

'Zoveel heb ik niet,' zei John.

John Eagleton schoof precies vier pond over het versleten hout van het loket naar de andere kant. Naast hem legde de man met de baard nog twee biljetten neer.

'Wat doe je nu?' vroeg John verbaasd.

'Ik ga toch maar niet. Ik wil niet weg uit Ierland.'

Hij gaf John een hand.

'Mijn naam is George Durban. Als je aan de overkant bent en geld hebt, stuur me dan wat via het postkantoor in Dublin. Of stuur voedsel of wat dan ook. Maar blijf in ieder geval in leven, want je bent veel te jong om te sterven.'

De man aan de andere kant van het glas stempelde in rode blokletters DECK CABIN op het grijze passagebiljet.
'Zorg dat je vooraan staat,' zei hij tegen John. 'De rederij verkoopt meer deck cabins dan er aan boord aanwezig zijn.'

THE THOUSAND ISLANDS

Canada, 1847

Traag schoof het schip door dichte flarden mist langs de zuidwestkust van Newfoundland de St. Lawrence-baai in. Het was windstil en het water was spiegelglad. De dwars getuigde zeilen klapperden licht en het gezuig van de langzame slagen van de stoommachine was nauwelijks hoorbaar. Voorbij Cap-Chat kronkelden stromen zoet en zout water als doorzichtige waterslangen om elkaar heen.

John Eagleton stond op het achterdek, waarvan het hek zacht trilde, met in beide handen kleine knuistjes van twee jonge meisjes die naast hem stonden.

Ze voeren vlak langs een klein rond eiland met alleen maar lage rotsen en pines, met in het midden een houten blokhut. Op de oever lag een kano gemaakt van beverhuid. Voor de lage deuropening van de blokhut stond een man met een brede hoed op en bretels naar het voorbijvarende schip te kijken. Even later verdween het eilandje in de mist.

John kon bijna niet geloven dat ze in Canada waren aangekomen. Na het vertrek uit Dublin hadden ze te maken gekregen met een zware westelijke storm. Door dicht onder de kust van Ierland te blijven, konden ze de havenstad Cork bereiken waar de laatste passagiers aan boord kwamen. Op het moment dat ze zouden vertrekken, kwam er iemand van de rederij die vertelde dat er nog vijftig passagiers mee moesten. De kapitein schreeuwde vanaf de brugvleugel dat ze vol waren en dat er geen passagiers meer mee konden. De man van de rederij kwam aan boord en verdween met de kapitein in de messroom. Grijnzend kwamen ze even later naar buiten en de vijftig mensen die op de kade stonden, kwamen alsnog aan boord. Een Engelse lord had hen persoonlijk naar Cork begeleid, in karren getrokken door paarden. Het waren landarbeiders die door de lord van zijn landgoed waren gezet, omdat hij geen werk en geen eten meer voor hen had. Hij betaalde de rederij tweehonderd pond voor de overtocht van zijn mensen naar Canada. John keek hoe de troosteloze groep moeizaam over de houten gangway aan boord kwam en met hun schamele bezittingen en kinderen die geen geluid meer maakten, nestelden ze zich op de buikdenning in het ruim tussen de houten britsen. Het aantal passagiers was boven de capaciteit zodat er alleen nog slaapplaatsen waren op de grond. De rederij joeg het schip bijna letterlijk de haven uit omdat de directie bang was dat extra proviand noodzakelijk was als het schip langer bleef wachten, terwijl er opnieuw een hevige storm op komst was.

Het was de laatste dag van augustus 1847 toen ze recht tegen razend watergeweld in de hoge machtige rotsen van de zuidwestelijke schiereilanden van Ierland achter zich lieten. Johns ogen zochten Slea Head als laatste beeld van zijn vaderland.

Ierland bevond zich op dat moment op het hoogtepunt van de hongersnood. Een land vol wanhopige mensen die niet wisten waar ze het moesten zoeken en massaal naar de havens vluchtten. Autoriteiten die ook geen antwoord meer hadden en Engelsen die onverstoorbaar doorgingen het land van haar oogsten te beroven. Het resultaat was dat elk jaar honderdduizenden mensen naar de overkant van de oceaan voeren, waarbij een groot deel onderweg stierf aan ziekte en honger.

John had geluk gehad dat George Durban hem had geholpen. Achter op het schip kreeg hij een kleine hut toegewezen die hij deelde met dominee Samuel Harper, een kaarsrechte man met lang haar en een wilde baard. Hij liep altijd in hetzelfde zwarte pak dat hij elke dag aan dek keurig borstelde om de grootste vlekken eruit te krijgen. Wassen en scheren deed hij niet maar zijn pak en hoed moesten er verzorgd uitzien, want hij was tenslotte een vertegenwoordiger van God die de zondige mens aan de overkant van de oceaan zou bekeren tot het ware geloof. Dominee Harper had zijn parochie in de buurt van Cork verlaten omdat er geen mens meer in de kerk kwam op zondag. Ze konden niet meer lopen, waren dood of wilden de donderpreken van Samuel Harper niet langer aanhoren. Volgens Harper was het aan de Ieren zelf te wijten dat God zijn toorn over Ierland uitstortte. God had hem opgedragen de oceaan over te reizen en zijn woord in het nieuwe beloofde land te verkondigen.

Op de derde dag dat Ierland uit het zicht was verdwenen, stond John aan dek en zag hoe een magere bleke man vanuit het ruim door het mangat naar buiten probeerde te klimmen. De stuurman stoof vanaf de brug naar beneden en schreeuwde dat hij terug moest. Wanhopig keek de man om zich heen naar de hoge golven en naar de stuurman. Maar hij wilde niet terug en wees naar beneden in het ruim.

De stuurman werd woedend en trapte op zijn knokige handen, waarmee de man de rand vasthield. John schoot naar voren, greep de stuurman bij zijn nek en trok hem terug.

'Wat ben jij aan het doen?' vroeg hij.

'Zie je die gevaarlijke gek? Straks komt er een golf het ruim in en dan verzuipt het hele zootje en blijf met je gore poten van me af.'

'Laat hem boven komen,' zei John rustig.

'Boven laten komen? We hebben gisteren zijn vrouw al overboord moeten zetten omdat ze dood ging aan dysenterie. Ik wil die lui niet aan dek.'

Een reusachtige golf sloeg over de boeg van het schip en rolde over de luiken naar achteren. John reageerde onmiddellijk, duwde de man het mangat in en deed snel het luik dicht. Hij zette zich schrap en hield zich vast aan dekknevels toen het water over hem heen sloeg. De stuurman werd meegesleurd maar John kon hem nog net grijpen voordat hij het gangboord werd ingetrokken.

De stuurman keek hem even aan en zei: 'Bedankt, maar laat die lui alsjeblieft zitten.'

'Ik wil beneden kijken,' zei John.

'Dat wil je niet,' zei de stuurman, 'daar is het echt de hel.'

'Zorg dat je hier bent als ik terugkom,' zei John.

De roestige ijzeren ladder was glad van het water. De stank van braaksel en menselijke uitwerpselen was het smerigste wat John ooit had geroken. Beneden in het ruim zakte hij tot zijn enkels in bruine smurrie. Het was pikdonker en hij stak de kleine olielamp aan die hij had meegenomen. Hij hield de lamp omhoog en keek naar massa's mensen die op elkaar gepakt zaten. De man die had geprobeerd uit het mangat te klimmen stond naast hem. Het schip slingerde hevig en het gekraak van de houten spanten in de stormachtige zee was oorverdovend. De smalle britsen stonden vlak boven elkaar en lagen vol zieke mensen. Gezinnen op zeildoek, midden in de drek. Het was alsof de dood er rondliep, want behalve het gekraak van het hout waren er nauwelijks geluiden.

'Mijn vrouw is gisteren gestorven,' zei de man.
'Dat weet ik.'
De man hield zich vast aan de stalen ladder en ademde zwaar. John zag dat het zweet op zijn voorhoofd stond. Plotseling begon hij te hoesten, met bloedsporen rond zijn mond.
'Ik haal de overkant niet,' hijgde de man na een poosje.
John knikte.
'Ik heb nog twee dochtertjes... Ik weet niet wat ik moet doen... God, wat een hel is dit. Misschien hadden we in Ierland moeten blijven.'
John bleef maar staan zonder iets te zeggen. Uiteindelijk vroeg hij: 'Waar zijn je kinderen?'
De man liep voorop in het schijnsel van de lamp. John voelde de smurrie zijn schoenen binnentrekken en het leek alsof de stank steeds erger werd. Links en rechts van hem passeerde hij mensen, sommige met gesloten ogen en andere met ogen waaruit het licht bijna verdwenen leek.
Twee meisjes zaten op de grond omdat er voor hen geen brits was. Midden in de drek, want voor de mensen die in Cork waren ingescheept was er zelfs geen zeildoek meer. Om hun nek droegen ze allebei een tasje met de laatste bezittingen.
Twee paar holle ogen keken naar John. De meisjes waren misschien zes en acht jaar, maar hun gezichten waren die van oude mensen.
'Hoe heten ze?' vroeg John.
'Sarah en Cathy O'Connor.'
John merkte dat de golven heviger werden doordat het schip sterker ging slingeren. Ergens achter in het ruim braken britsen los van de stellingen en plotseling was iedereen in rep en roer.
'Take the girls, please,' zei O'Connor.
John keek om zich heen, naar de schaduwen van mensen die in paniek heen en weer vlogen. Naast hem hoorde hij iemand braken. Hij keek naar de twee meisjes die doodstil bleven zitten en hem aankeken. En daarna weer naar hun vader, die bijna niet meer kon staan.
'Please,' zei O'Connor, 'I am dying.'
'Waar wilde je naar toe in Canada?'
'Naar mijn broer, die heeft een boerderij daar. Hij weet dat we onderweg zijn. Breng de meisjes naar hem toe. Ze zijn niet moeilijk, mijn meisjes, en ze doen alles om je te helpen.'

Uit zijn binnenzak haalde hij een papier met een adres en gaf het samen met zijn laatste acht shillings aan John.

'Ik hoef je geld niet,' zei John.

'Neem het. Ik heb het niet meer nodig,' zei hij en propte het geld in Johns hand.

'Iedereen hier beneden gaat dood. Niemand komt hier levend uit. Jij woont aan dek. Neem ze mee.'

Tranen liepen over zijn wangen toen hij de meisjes overeind hielp en omhelsde. En daarna deed hij de ene hand van John om een kleine kinderhand heen en daarna de andere. Cathy, de jongste, stond stokstijf en Sarah aarzelde.

'Go, go, my girls, go and stay alive,' zei hij hoestend.

Even later wurmde John zich door de menigte naar de trap, met aan elke hand een meisje. Bij de ijzeren trap hadden zich tientallen mensen opgesteld.

'Blijf dicht bij me,' zei John tegen de meisjes.

Ze knikten gedwee, met hun grote ogen strak op hem gericht. Een zware Ier stond in de weg.

'Aan de kant,' zei John.

De olielamp brandde nauwelijks meer en de Ier lachte in het vage schijnsel zijn verbrokkelde tanden bloot.

'Niemand verlaat het ruim,' zei de Ier.

John bleef uiterst kalm. 'Ik moet erlangs.'

De Ier keek minachtend in Johns grijze ogen. 'En wie ben jij dan wel?'

Johns vuist raakte hem zo verschrikkelijk hard dat hij tegen de ijzeren ladder aan klapte en bleef liggen. Te midden van de verwarring trok John de meisjes naar voren en zette ze een voor een op de ladder.

'Naar boven,' siste hij in het geschreeuw dat was losgebarsten. Meteen klom hij achter de doodsbange meisjes aan, die zo snel als hun zwakke lichamen maar konden in het donker naar boven klauterden. Toen ze boven waren gekomen, draaide John de knevels open. De stuurman stond naast het mangat.

'Wat doen zij hier?'

'Dit zijn mijn dochters,' zei John.

'Jouw dochters?'

'Ja.'

De stuurman keek hem aan en richtte toen zijn blik op de meisjes. 'Dan zijn het nog niet zo lang jouw dochters, zeker.'

'Nee,' zei John, 'nog niet zo lang.'

'Kom mee,' zei de stuurman, 'straks worden we hier door de golven van dek geveegd.'

Dominee Harper was woedend toen John de kleine hut binnenkwam met de meisjes.

'All Irish people go to hell,' zei Harper. 'Why did you save them? Leave them to God!'

'Die doet op dit moment niet veel,' zei John.

Dominee Harper, die behalve op zondagen net zo'n vechtersbaas was als de meeste Ieren, overwoog een moment om de strijd aan te gaan met John Eagleton. Maar de dominee had veel mensenkennis en toen hij John in de ogen keek, besloot hij het maar niet te doen.

Daarop viel Harper in diepe slaap en John zei tegen de meisjes dat ze zich moesten wassen in het washok achter op het schip. Toen ze terugkwamen, gaf hij hun warme pap en liet de meisjes naast elkaar in zijn kooi slapen en nam hun stinkende vuile kleren mee naar het washok op het achterdek en duwde alles in een emmer heet water met sop. Op het moment dat hij het vuile water overboord gooide, zag hij vanuit het oosten twee eagles naderbij komen. Met grote slagen haalden ze het schip in en na een rondje hoog boven de masten streken ze naast elkaar neer op de bovenste ra. Schuddend met hun veren keken ze naar het schip onder hen. Hun koppen zakten diep in de veren en ze bleven roerloos zitten.

'Hoelang is mijn vader dood?' vroeg Sarah, terwijl ze de St. Lawrence rivier verder opvoeren in de mist. De roerganger gaf om de twee minuten een lange stoot op de misthoorn. Ergens in de verte werd het mistsignaal beantwoord en de kapitein minderde vaart tot dead slow.

'Vandaag zes weken,' zei John.

Hun vader was een dag nadat John de meisjes mee naar boven had genomen gestorven. John was nog een keer in het ruim geweest en had hem nog water gegeven. De dysenterie en zeeziekte hadden een skelet van hem gemaakt. Voordurend liep hij leeg. Bijna onhoorbaar had O'Connor naar de meisjes gevraagd.

'They are fine, sir, just fine.'

Vlak voordat de emmers met plakkerige pap aan touwen in het ruim werden neergelaten, stierf O'Connor.

Sarah vroeg elke dag naar haar vader en moeder. John had uitgelegd dat ze ziek waren geworden en daardoor overleden.

'Ben jij onze vader nu?'

'Nee, ik ben jullie vader niet. Maar ik zal wel goed op jullie passen.'

Ze passeerden die dag tientallen eilanden. Meestal kleine stukjes grond die soms werden bewoond door trappers en vissers. De oevers van de machtig brede rivier kwamen langzaam naderbij, met groen glooiende hellingen en in de verte boerderijen en grote landhuizen, verscholen tussen bomen.

De volgende ochtend kwam plotseling Grosse Isle aan de horizon. Vanuit de verte zag John onmiddellijk het witte gebouw met de rode dakpannen.

De stuurman kwam naast hem staan. 'Benieuwd hoeveel er door de keuring komen.'

Hij vertelde dat er onderweg zeventien mensen waren omgekomen die een zeemansgraf hadden gekregen.

'Er liggen nog meer doden in het ruim, maar die mogen hier niet meer overboord,' zei de stuurman onverschillig. 'Je wilt niet weten wat voor shit er achterblijft als de hele bende van boord is. Als we straks de luiken opengooien, springen de ratten er het eerst uit, zo erg stinkt het beneden.'

De eerste naam op Grosse Isles dodenlijst is die van Ellen Keane, vier jaar en drie maanden oud. Ze arriveerde aan boord van de bark Syria en werd op 15 mei 1847 doorverwezen naar het quarantainehospitaal, waar ze dezelfde dag aan hoge koortsen overleed.

Zeventien schepen arriveerden de dagen daarna met in totaal 5607 passagiers aan boord. Daarvan waren er tweehonderdzestig onderweg gestorven. Meer dan zevenhonderd van de passagiers waren ziek en moesten in quarantaine op een eilandje, waar slechts plaats was voor tweehonderd mensen. Twee dagen later arriveerden er opnieuw dertig schepen bij Grosse Isle, met in totaal bijna tienduizend passagiers aan boord.

Hoofd Medische dienst dr. George M. Douglas staarde vanuit zijn kleine kantoor naar de schepen die over een lengte van meer dan drie kilometer achter elkaar voor anker lagen op de rivier. In de verte zag hij de Aeolus aan komen varen.

'Nog een schip. Jezus christus, waar laten we die mensen?'

Op dat moment waren er meer dan zeshonderd zieken in het quarantainehospitaal. Overal op het eilandje stonden tenten vol zieke mensen naar wie nauwelijks werd omgekeken door gebrek aan medisch personeel. Toen er geen tenten meer waren, lagen de zieken die het laatst binnenkwamen zonder enige bescherming in de buitenlucht. Het voedsel dat ze kregen, bestond uit thee, biscuit en gruwel. Drinkwater was meestal onvoldoende aanwezig, zodat de zieken soms dagenlang niets te drinken kregen.

Een van de jonge assistent-artsen stond naast dokter Douglas. 'Sir, we kunnen niemand meer bergen op Grosse Isle.'

Dokter Douglas knikte: 'We moeten de mensen aan boord laten. Laat alle schepen de ruimen openen en laat de bemanning met passagiers de schepen grondig schoonmaken zodat de besmetting stopt. Zieke passagiers apart houden.'

'En de gezonde passagiers?'

Dr. Douglas zuchtte. 'We kunnen ze niet van boord halen. Ze moeten veertien dagen in quarantaine. Wie dan nog leeft, mag van boord.'

'Weet u hoeveel mensen zich op de schepen bevinden?'

'Ja, dat weet ik.'

'Het zijn er meer dan twaalfduizend. De helft van mijn staf is ook al ziek.'

In de afgelopen weken waren op Grosse Isle twee artsen overleden, zodat het team van dokter Douglas nu onderbemand was.

'Ieder van ons zal ziek worden,' zei dr. Douglas terwijl hij naar buiten staarde. 'En de helft zal het niet overleven.'

Hij draaide zich om naar zijn assistent-arts. De slungelige jongen was misschien net vijfentwintig jaar en pas afgestudeerd. 'Denk je er weleens aan wat voor risico je hebt genomen door hier te komen werken, Alexander?'

De jongeman knikte. 'Ja, soms. Ik ben met mijn ouders in 1827 hierheen gekomen nadat de eerste oogsten in Ierland mislukten. Ik herinner me niet veel van de reis, want ik was nog maar vijf jaar. Ik herinner me alleen nog het geluid van mensen in een donker hol ergens onder in een schip. En mijn moeder, die me de hele reis vasthield. Sir, als wij niets doen voor deze mensen, wie dan wel?'

Dr. Douglas klopte hem op de schouder. 'You're a fine man, Alexander.'

Op weg naar buiten liepen ze tussen liggende mensen door in de gang van het kleine hospitaal.

'Laat elke dag de doden ophalen van de schepen. Veertien dagen lang. Na afloop van de quarantaine moeten alle overlevenden geïnspecteerd worden. Laat de artsen dan alleen een korte check doen door goed in de keel te kijken. Verder niet, want anders komt niemand Canada meer binnen.'

Op het moment dat de Aeolus aansloot bij de rij in de rivier en het anker liet vallen, verbood John de meisjes om zich onder andere mensen te begeven omdat hij bang was dat ze ook besmet zouden raken. Zelf hielp hij de bemanning met het grondig schoonmaken van het schip. Emmers vol drek werden uit het ruim getakeld en overboord gegooid. De doden werden met haken uit het ruim gehaald en de lichamen werden bij elkaar zo stijf in canvas geperst dat er geen enkele vorm meer zichtbaar was. In sloepen werden ze naar de wal gevaren, waar ze anoniem in massagraven werden gedumpt. Door gebrek aan personeel werd Ierse vrouwelijke passagiers gevraagd om tegen betaling verpleegwerk te doen op het eiland. Sommigen gingen mee aan wal, vooral omdat ze van het schip af wilden. Maar op het eiland was geen accommodatie en ze moesten tussen de zieken slapen. Niemand van hen overleefde het.

Om personeel te krijgen werden zelfs gevangenen uit de lokale Canadese gevangenissen ingezet. Met als gevolg dat de doden en zieken beroofd werden. Een van de passagiers uit Dublin was dokter Benson, die ervaring had met het bestrijden van tyfus en dysenterie. Toen hij zag dat een klein meisje over de doden heen liep en haar benen haar niet meer konden dragen en ze ging zitten en daarna dood omviel, kon hij het niet langer aanzien. Zes dagen en nachten hielp hij onafgebroken de zieke Ieren voordat hij zelf overleed.

Op een maandagochtend voer John met een nieuwe lading doden naar de wal om ze daar te begraven. Hij roeide zittend op de stijve lichamen die op de bodem van het bootje lagen. Er hing een dunne herfstmist en alle kleuren van de omgeving waren grijswit en het enige geluid kwam van de roeispanen die door het water plasten. Een priester had op zondagochtend aan boord nog een preek gehouden en in een smekend gebed God gevraagd op te houden mensen dood te laten gaan. Dominee Harper lachte smalend om de priester en zei dat God de Ieren had verlaten en voorlopig ook niet van plan was om ze te helpen. De nacht daarop stierven twee keer zoveel mensen als de dagen ervoor.

John keek naar de schepen die roerloos voor anker in het water lagen. Hij keek naar de berg lichamen die koud en stijf onder hem lag en voelde hoe alles in hem samentrok tot een ijzeren harnas waarin alleen nog ruimte voor de meisjes overbleef.

'Hoelang nog?' vroeg Sarah voor de duizendste keer, toen John terugkwam aan boord.

Cathy had niet meer gepraat sinds de dood van haar vader. Elke dag zag hij hoe de meisjes vermagerden omdat er aan boord bijna geen voedsel meer was. De Canadezen waren overvallen door de plotselinge aanwezigheid van steeds meer schepen uit Ierland en de hulp kwam maar langzaam op gang. John vroeg zich af hoelang ze nog in de drijvende doodskist op die rottige rivier moesten liggen.

Vijf kilometer landinwaarts klauwde een machtige eagle een lammetje van een weiland af en vloog daarmee naar de rivier. Het kleine beest spartelde hevig in de wrede greep van de roofvogel. De eagle cirkelde een paar keer rond de Aeolus, schudde het lammetje los van zijn klauwen en vanaf grote hoogte klapte het blatende dier precies naast de reling op het achterdek.

Dominee Harper schrok wakker van de harde dreun en rende naar buiten, waar hij John over het spierwitte lam gebogen zag staan, midden in een plas bloed.

'Hoe kom je daaraan?' vroeg Harper.

'Uit de hemel gevallen,' zei John.

Dominee Harper keek eerbiedig omhoog. 'Hier heb ik dagen voor gebeden,' zei hij.

'Dat is mooi,' zei John. Hij pakte het lam onder zijn arm en bracht het naar de kombuis. De kok werd helemaal wild van enthousiasme en begon het beest onmiddellijk te slachten.

'Dit is de deal,' zei John. 'Tweederde voor mij en de rest voor jou. En waag het niet om de mooiste stukken te nemen.'

De dagen daarop sloop John elke dag naar de kombuis en sneed stukken gebraden mals lamsvlees af, die onder een laag vet in een grote pan aan de achterkant van het fornuis was verborgen. In de hut aten de meisjes en John elke dag van het vlees. Ook dominee Samual Harper mocht mee-eten omdat hij zo hard had gebeden.

Immigratieofficier Alexander Carlisle Buchanan keek streng naar de papieren van John en de beide meisjes. 'Deze meisjes zijn wees,' zei Buchanan.

'Nee, dat zijn ze niet, meneer,' zei John.

'En wezen,' ging Buchanan verder, 'moeten naar het tehuis zodat ze later bij een pleeggezin kunnen worden ondergebracht.'

'Ze zijn familie van mij, meneer,' zei John.

'Familie? Ach, bent u de vader?' vroeg de immigratieofficier sarcastisch. 'Jonge vader dan.'

'Nee, hun ouders zijn dood. Maar hun moeder was mijn oudere zuster.'

Buchanan richtte zich meteen tot Cathy en vroeg: 'Hoe heet je moeder van haar achternaam?'

Cathy zei niets.

'Ze praat niet meer sinds de dood van haar vader,' zei John.

'Weet jij het?' vroeg hij aan Sarah.

John had het haar goed ingeprent.

'Eagleton, meneer.'

'Eagleton, huh? En is dit je oom?'

'Ja, meneer.'

Opnieuw keek Buchanan in de papieren. De rij achter hen begon te dringen.

'Iets klopt hier niet,' zei hij peinzend.

'Wat zou er niet kloppen, meneer?' vroeg John onschuldig.

Duizenden immigranten waren Buchanans ogen gepasseerd. Hij had pakken papieren, paspoorten, brieven en uitnodigingen van families bestudeerd en hij wist, hij rook het altijd wanneer iets niet klopte. Hij kende de verhalen en de leugens van de nieuwkomers, die meestal halverwege al door de mand vielen door zijn strenge blik. Buchanan was een man van de wet. En in zijn functie als immigratieofficier, aangesteld door de Canadese overheid, liet hij nooit met zich sollen.

Hij keek naar Sarah en zag dat ze niet de waarheid sprak.

Hij keek nogmaals naar de papieren. Johns hart klopte in zijn keel. Sarah greep zijn hand en ze begon bijna te huilen. Hij zag dat Buchanan op het punt stond om de meisjes bij hem weg te halen.

'Sir,' zei John zacht, 'it's okay.'

De immigratieofficier keek hem lang aan. 'Zorg dat deze kinderen goed terechtkomen,' zei Buchanan uiteindelijk terwijl hij de papieren teruggaf aan John. 'Eigenlijk moeten ze naar een kindertehuis. Loop nu maar door, het is toch al zo druk vandaag met die verdomde Ieren. Welkom in Canada.'

Die avond kwamen ze aan bij Windmill Point, waar ze te midden van honderden andere immigranten de nacht doorbrachten in een tent.

John stond de volgende dag vroeg op. Hij maakte Sarah wakker en zei haar dat ze in de tent moesten blijven wachten totdat hij terug was.

'Blijf je lang weg?'

John zag haar ongerustheid. 'Maak je geen zorgen, ik kom terug.'

Hij liep over een smalle zandweg en snoof diep de frisse lucht van het land in. Voor het eerst in lange tijd voelde hij zich bevrijd van de beklemmende omgeving van het schip en hij was dankbaar dat ze alle drie de reis hadden overleefd.

In de verte lag midden in groen gras een boerderij tussen hoge bomen. Toen hij het erf op liep, kwam een roodharige man met een geweer naar hem toe.

'Irish?' vroeg hij.

John knikte.

'Als je denkt dat je hier te eten kunt krijgen, heb je het mis. Al die verrekte Ieren denken dat alles hier in Canada voor niks is.'

John overhandigde hem zwijgend het adres.

De boer kende de omgeving en vertelde hem dat hij waarschijnlijk met de postkoets mee kon rijden. John bedankte hem en wilde weggaan.

'Wacht,' zei de boer. Hij liep naar binnen en kwam even later terug met een brood en een brok cheddar.

'Don't tell the other bastards.'

Het was laat in de middag en Robert O'Connor keek uit over zijn goudgele graanvelden. Naast hem stond zijn vrouw, die hem na een dag hard werken zoete koude thee met biscuits bracht. Het was een prachtige dag; de lucht was stralend blauw en het witte licht van de zon veranderde langzaam naar geel. O'Connor wiste het zweet van zijn voorhoofd. Plotseling voelde hij dat er iets was en hij draaide zich om naar de weg. Verderop zag hij twee meisjes buiten de witte houten omheining staan. Onbeweeglijk, als twee poppen naast elkaar, in versleten jurken en elkaars handen vasthoudend. John Eagleton stond achter hen en voorovergebogen van vermoeidheid omdat hij de meisjes de laatste uren had moeten dragen, zo verzwakt waren ze.

Met zijn ogen op de kinderen gericht begon O'Connor te lopen, dwars door de graanvelden heen. En toen hij hun holle ogen en oude vermoeide gezichten zag, begon hij steeds harder te lopen.

Vlak voor het hek bleef hij staan.

'Uncle Robert?' vroeg Sarah.

'Oh, my girls...' zei O'Connor wanhopig en hij tilde de bijna niets meer wegende meisjes tegelijk over het hek. Ook mevrouw O'Connor kwam naderbij. Samen ontfermden ze zich over de kinderen en liepen terug naar de boerderij.

Halverwege bleef Cathy staan en draaide zich om. Voor het eerst in lange tijd klonk haar stem weer. 'John?' zei ze nauwelijks hoorbaar.

Robert O'Connor keek naar de weg.

'Hij heeft ons hierheen gebracht,' zei Sarah en Cathy knikte.

O'Connor liep terug, opnieuw de graanvelden door, om John te vragen met de meisjes mee te komen. Ze gingen naar binnen, de koele keuken van de boerderij in, waar mevrouw O'Connor hen kleine beetjes voedsel gaf en aangelengde melk. 's Avonds diende ze lichte witte vis op en bracht ze de meisjes na het eten naar boven, waar ze sinds maanden weer in een bed sliepen.

In de weken die volgden, herstelden Sarah en Cathy uiterst langzaam. Ze konden in het begin bijna geen voedsel verdragen en lagen dagenlang uitgeput op bed. Maar uiteindelijk kwamen ze weer buiten en begonnen te praten en te lachen. Hun oude gezichten veranderden weer in die van jonge meisjes. John bleef op de boerderij van O'Connor werken omdat die wel hulp kon gebruiken in de oogsttijd. Op een zondag, toen ze allemaal naar de kerk gingen, werden de meisjes opnieuw geconfronteerd met de diepe ellende van de Ierse immigranten. Tijdens de kerkdienst kwamen twintig Ierse kinderen binnen. Het waren allemaal wezen die hun ouders tijdens of na de overtocht naar Canada hadden verloren. De dominee deed een klemmend beroep op de gelovigen om een van de weeskinderen op te nemen in hun eigen gezin en hij wees naar de O'Connors, die Sarah en Cathy zo liefdevol hadden opgenomen en die nu in hun mooie zondagse witte jurken in de kerk zaten, blakend van gezondheid. Mevrouw O'Connor beschouwde de komst van haar twee nichtjes als een regelrecht geschenk van God. Zelf was ze toen ze tien jaar eerder de overtocht met haar man maakte zo ziek geworden dat ze daarna nooit meer kinderen had kunnen krijgen.

'Dat kleine jongetje,' fluisterde Sarah tegen haar tante.

Het jongetje was misschien twee jaar oud en ondanks zijn slechte conditie glansden zijn ogen terwijl hij in het rond keek. De kleren die hij aanhad en de schoenen die hij droeg, waren te groot.

'Ik heb al zulke fijne dochters,' zei mevrouw O'Connor.

'He is so sweet,' zei Cathy.

Mevrouw O'Connor boog zich naar haar man, die al wist wat ze wilde zeggen. Hij stond op, liep naar het jongetje en tilde hem op. Met de kleine handjes van het jongetje om zijn nek geklemd zei

Robert O'Connor tegen de dominee dat hij hem zou opvoeden als zijn eigen zoon. Het was doodstil in de kerk toen O'Connor terugliep met het jongetje, dat geen geluid maakte en O'Connor zonder te bewegen stevig bleef vasthouden, alsof hij bang was dat hij terug moest naar de andere kinderen.

CIVIL WAR

Virginia, USA, 1862

Het monotone gedreun van laarzen leek op het geluid van een gigantisch kruipend dier met duizenden poten dat zich langzaam, slingerend langs dichte bossen, door het maanlicht op de smalle paden voortbewoog. Lange schaduwen van bomen gaven het landschap een spookachtig aanzien. Glimmend metaal van geweerlopen op de schouders van mannen weerkaatste in het vale witte licht. Achteraan kwamen de paarden, bereden door mannen in uniformen. Hoeden met brede randen verduisterden de gezichten. Ergens in het midden liep John Eagleton, starend naar de op en neer deinende rugzak van de soldaat die voor hem liep. De stoet marcheerde omhoog, een lage heuvel op. Aan de glinstering van metaal door het maanlicht in de verte zag hij dat er voor hen uit nog een ander regiment marcheerde.

De soldaat voor hem viel zomaar opzij. Totaal uitgeput bleef de man met wijd opengesperde ogen liggen. Woest spoot een jonge luitenant met zijn paard naar voren en stapte af. Hij sloeg een paar keer in het gezicht van de soldaat om hem bij te brengen.

'Misschien moet je een dokter laten komen,' zei John.

'My ass,' zei de luitenant. Hij goot water over de soldaat heen en schopte hem overeind. Opnieuw zakte de soldaat in elkaar. De luitenant wees twee mannen aan om hem mee te nemen.

Kort na middernacht arriveerde het regiment bij een open veld om te overnachten. Tenten werden snel opgezet en overal lichtten kampvuren op. Een voor een liepen de mannen met tinnen borden langs de kok, voor bonen en brood met koud vlees en koffie. John zat in een grote kring tussen andere soldaten. De korporaal wilde bidden voor het eten.

'Je gaat toch niet bidden voor deze shit,' zei de sergeant, die achter de mannen stond. 'Het is trouwens ook al veel te laat, de Heer slaapt al.'

De korporaal prevelde hardop een gebed en eindigde met: 'Heer, vergeef het hun, want ze snappen er geen fuck van.'

'Staat dat zo in de Bijbel?' vroeg de soldaat naast hem.

'Dat denk ik,' zei de korporaal.

'Het was Jezus aan het kruis die dat zei,' knikte de soldaat, alsof hij het allemaal heel goed wist.

'Logisch dat God hem heeft laten hangen met dat taalgebruik,' zei de sergeant. Hij grijnsde en liep weg.

'Asshole,' zei de korporaal. 'Het lijkt wel of alle sergeanten van het Amerikaanse leger assholes zijn.'

'Korporaal, hou op en ga eten.'

De korporaal keek met onverschillige, harde ogen naar John.

'Look, private,' begon hij gewichtig, 'ik ben misschien in de twintig jaar dat ik korporaal ben geen steek verder gekomen, maar ik heb meer sergeanten in mijn leven gezien dan dit hele regiment soldaten bij elkaar. Nooit is er één sergeant geweest die deugde en weet je hoe dat komt? Dat komt omdat ze bijna officier zijn, maar net niet. Rennen voor elk jong kutluitenantje dat er zelf niets van snapt. Daar word je als sergeant gek van. Daarom deugen ze niet.'

'De vorige die we hadden was de ergste,' zei de soldaat naast de korporaal. 'Jezus, wat was die vent dik. Vriendje van de kok en daarom vrat hij al ons eten op.'

Even viel het stil. Maar de korporaal, die zich nog steeds door de sergeant gekrenkt voelde, vertelde ook nog dat de sergeant hem een keer had horen bidden voordat hij ging slapen en dat hij in het gebed ook de zegen vroeg voor de zuidelijke soldaten. Dat ging de sergeant veel te ver. Dreigend kwam hij met zijn zware lijf overeind en zei dat hij dat nooit meer wilde horen want de volgende keer zou hij hem aanklagen wegens hoogverraad en dan troffen ze elkaar wel bij het vuurpeloton.

'Kon de hele nacht niet meer slapen. Ik zag die vetzak al voor me staan.'

'Misschien had je niet voor de zuiderlingen moeten bidden,' zei een soldaat.

'Iedereen moet gelijke kansen hebben. Ik wil niet zo flauw zijn om God te vragen alleen ons helpen, want dan is er niks meer aan.'

De mannen brulden van het lachen.

'Als die sergeant,' proestte de soldaat naast de korporaal, 'als die begon te eten, hoorde je de eerste happen zo in zijn maag vallen, als een steen die in een put plonst.'

'Dat kun je niet horen,' zei een andere soldaat ongelovig.

'Nou, mooi wel,' zei de korporaal. 'Hij vrat alles op, hoe smerig het eten ook was. Maar hij werd gepakt door zo'n fucking Southern toen hij op het slagveld bij dode soldaten keek of er nog wat te halen viel. Ik zie hem nog voorover gebogen staan bij zo'n grijs, smerig uniform in het gras, dat ineens overeind kwam en hem van zijn navel tot boven aan zijn borstkas opensneed. Niet te geloven wat een stinkende rommel eruit kwam.'

Wolken trokken uit elkaar en het maanlicht werd helderder. De wachtposten verscholen zich tussen struiken. Tentdoek flapperde en uiteindelijk was alleen het gezucht en gekreun van soldaten met stijve ledematen nog te horen.

John lag nog ergens in het gras tussen twee vuren. Iemand die langskwam, vertelde dat verderop nog een ander regiment lag. De volgende ochtend zou de eerste grote veldslag tussen de noorderlingen en de zuiderlingen beginnen. De laatsten lagen nog geen twintig mijl verderop aan de andere kant van de rivier, vlak bij Richmond. De afgelopen maanden bestond zijn leven alleen maar uit marcheren en enkele schermutselingen. Op het moment dat ze de zuidelijke staat Virginia binnenmarcheerden, veranderde de stemming. General Grant paste het concept van totale oorlog toe om de zuiderlingen te verslaan. Hij liet zijn Union-soldaten in Virginia boerderijen en plantages plunderen en afbranden.

John sliep die nacht in zijn uniform, omdat hij niet wilde sterven zonder zijn kleren aan. Zijn rechterhand lag op de grote nickel plated Smith & Wesson-revolver die hij van O'Connor had gekregen toen hij de boerderij na bijna twaalf jaar verliet.

Het was de meest vreedzame periode in zijn leven geweest, met de gestage voortgang van de jaargetijden en de doodse stilte op de uitgestrekte velden rondom de boerderij. De kleuren die elk seizoen veranderden; witte sneeuw in de winter, lichte kleuren in de lente en in de zomer de eindeloze gele en groene velden, waarna alles bruin werd in de herfst en de winter weer kwam. Hij had Sarah en Cathy zien opgroeien van uitgehongerde meisjes tot levenslustige vrouwen die hun tragische jeugd leken te zijn vergeten. Ze waren inmiddels getrouwd met boerenzonen uit de omgeving. Billy, het jongetje dat ze in de kerk hadden geadopteerd, was veertien toen John wegging. Hij huilde de hele dag en nacht, want hij snapte er niets van. John was zijn grote voorbeeld. Als klein jongetje ging hij altijd mee het land in en toen hij groter werd, holde hij altijd uit school en vroeg hij zijn moeder waar John was. Maar op een dag in het najaar van 1860 zag John een eagle hoog in de lucht en wist hij dat hij terug moest naar Ierland om het zegel daar te brengen. Hij besloot via New York City terug te gaan, omdat hij Grosse Isle nooit meer wilde zien.

Vlak voordat hij wegging, nam O'Connor hem mee naar zijn kamer op de boerderij. Uit de la van het mahoniehouten bureau haalde hij een kistje met daarin een Smith & Wesson-revolver.

'Je gaat naar het zuiden, denk ik,' zei O'Connor.

'Ik ga naar New York,' bevestigde John.

'Ik hoop dat je op tijd bent om weg te komen.'

'Het zou goed zijn als Abraham Lincoln wordt gekozen als president,' zei John.

'Misschien wel. Maar zijn campagne om een eind aan de slavernij te maken zal de Union intern verscheuren.'

'Oorlogen zijn soms nodig om een eind aan onrecht te maken.'

'Je bedoelt dat ook Ierland oorlog zal voeren.'

'Ja,' zei John. 'Vooral Ierland zal, langer dan de Union, een pijnlijk ongelijke strijd met de Engelsen voeren. Geen gewone oorlog, want daarvoor is het leger van de Engelsen te groot. Toch zal Ierland uiteindelijk onafhankelijk worden. Ik geloof niet dat onrecht eeuwig kan blijven bestaan.'

O'Connor legde de revolver in Johns handen. 'Be a proud Irishman,' zei hij.

De laatste dag dat ze samen op het land stonden te kijken naar de eindeloze verten, zei O'Connor: 'Morgen of overmorgen zal in de Verenigde Staten een burgeroorlog uitbreken. Gisteren hoorde ik al geruchten dat zeven staten uit het zuiden een eigen regering willen vormen voordat Abraham Lincoln president wordt. Vooral in South Carolina gaan mensen de straat al op. Het gaat niet alleen om de afschaffing van de slavenarbeid, want geen enkele oorlog wordt uit nobele motieven gevoerd. Het gaat altijd om macht en om meer macht.'

'Is oorlog dan altijd zinloos?' vroeg John.

'Ja, maar die vraag is net zo zinloos als de vraag naar de zin van het leven zelf.'

Ze liepen terug en vlak bij de boerderij zei O'Connor: 'Hou de revolver altijd bij je. Als je in de oorlog terechtkomt, zorg dan dat je blijft leven.'

John glimlachte. 'Kogels komen overal vandaan.'

'Ja, kogels komen overal vandaan. Maar denk erover na en droom ervan. Als je voelt dat je verkeerd zit, dan is dat ook zo. Je hebt geen besef van wat het betekent om gewond te raken.'

'Daar ben ik niet bang voor,' zei John. 'Ik ben soms alleen bang voor mezelf.'

In april 1861, toen de sneeuw was verdwenen, stak John Eagleton te paard de grens over tussen Canada en de staat New York. In het kleine stadje Hawkeye logeerde hij in een klein en groezelig hotel waar hij de enige gast was. De volgende ochtend stond hij vroeg op en reed voor zonsopkomst verder.

In de ochtendschemering dreven vlagen mist voor hem uit. Hij kwam aan bij de oever van het kleine Silver Lake, waarvan het wateroppervlak glinsterde als metaal. Langzaam reed John over een smal drassig pad en zag plotseling een houten steiger die het water in liep. Op het uiteinde zat een donkere man bewegingloos te vissen. Op het moment dat John zijn paard inhield, keek de man op en draaide zijn hoofd in de richting van John. Direct daarop voelde hij met zijn hand op zijn borst, haalde een klein, rond brilletje tevoorschijn en keek opnieuw, naar voren gebogen alsof hij het niet goed kon zien.

'Goodmorning', zei John en stapte van zijn paard.

'Goodmorning to you, too', zei de typische stem van een neger.

John liep behoedzaam over de wrakkige steiger naar hem toe. De man stond op en glimlachte een mond vol spierwitte tanden bloot. Hij was waarschijnlijk van middelbare leeftijd, maar zijn gezicht zat vol diepe groeven.

'Like some trout?' vroeg de man, terwijl hij een net vol dikke forellen omhoog haalde.

Op de oever maakten ze vuur. De man stelde zich voor als Jeremy Johnson. Hij kwam uit South Carolina, waar hij als slaaf was ontsnapt. Hij was naar het noorden gevlucht en had een paar jaar in de staat New York gewerkt. Maar nu wilde hij terug om dienst te nemen in het leger van de Union, om zijn familie te bevrijden. Hij had gehoord dat er regimenten met zwarte soldaten gevormd werden en wilde zo snel mogelijk bij het leger tekenen.

Handig maakte hij een paar forellen schoon, die hij in het vuur roosterde.

'Het enige nadeel is dat ik zo slecht zie zonder bril. Denk je dat ze soldaten aannemen met een bril?'

'Geen idee,' zei John. 'Maar weet je zeker dat het leger zwarte mannen in dienst neemt?'

'Iemand heeft het mij verteld. Trouwens, waar ben jij op weg naartoe?'

'New York. Ik ga terug naar Ierland.'

'Ben je een Ier?'

John knikte.

'Op de boerderij waar ik werkte, hadden we ook Ieren. Worden net zo slecht behandeld als zwarten.'

'Waar ga je je melden voor het leger?'

'New York. Als het daar niet kan, rijd ik door naar Washington, want daar kan het zeker.'

'Waar staat je paard?' vroeg John.

'Verderop, tussen de bomen.'

'Misschien dat we samen naar New York kunnen rijden,' stelde John voor.

'Dat zou ik graag willen,' zei Jeremy terwijl hij zijn bril weer opzette en om zich heen keek, 'want zelfs als vrij man valt het niet mee om door het land te rijden.'

John keek in Jeremy's bruine ogen en zag er tot zijn schrik een blauw waas in.

Ze bestegen hun paarden en reden verder naar het zuiden. Ze jaagden en visten onderweg en vulden hun maaltijden aan met gedroogde bruine bonen die John mee had in zijn zadeltassen. Jeremy was een zeer bedreven visser, die blindelings voelde waar de vis zat. Maar hij struikelde over een steen, terwijl hij een grote knaap aan de lijn had en een paar stappen in het water deed.

'Worden je ogen slechter?' vroeg John.

Jeremy zei niets.

'Ik zag dat je staar hebt.'

'Weet ik. Maar het gaat langzaam. Ik heb nog voldoende tijd om straks mijn familie te zien als ze bevrijd worden.'

'Waar woont je familie?'

'In het zuiden van South Carolina. Het enige wat ik weet, is dat Ted Baker de eigenaar is van de katoenplantage. Maar ik vind ze wel.'

De hele staat New York lag onder een dik pak geribbelde wolken en overal waar ze reden, lagen vuile resten van smeltende sneeuw. Vanaf Albany klaarde het weer een beetje op en ze reden verder langs de Hudson naar beneden.

'Zouden ze echt een leger hebben waar ze me willen hebben?' vroeg Jeremy.

Johns grijze ogen staarden in de verte en hij vroeg zich af hoelang Jeremy zou overleven in een gevecht.

'Misschien moet je wachten tot de oorlog voorbij is voordat je naar het zuiden gaat.'

Jeremy schudde fanatiek zijn hoofd. 'Nee, ik wacht niet.'

Zwijgend reden ze verder. Aan het eind van de middag schoot John twee hazen, die Jeremy klaarmaakte. Ze zaten naast het vuur te eten en Jeremy vroeg: 'Waar denk je aan?'

John keek opzij. 'Waarom vraag je dat?'

'Je rijdt de hele dag en zegt bijna niets. Net alsof je altijd aan andere dingen denkt. Zelfs als het hard regent en stormt, zoals vorige week, blijf je bijna onverstoorbaar op je paard zitten alsof je niets voelt.'

'Ik kom uit een land waar het altijd regent,' glimlachte John.

'Dat is niet wat ik bedoel. Ik bedoel dat je ondoordringbaar lijkt.'

Die avond, toen Jeremy naast het uitgedoofde vuur in slaap was gevallen, staarde John naar de zwarte hemel en zag duizenden spikkels licht. Zelf had hij ook gemerkt dat hij de afgelopen weken stiller was geworden. Misschien had het ermee te maken dat hij eigenlijk tegen de reis naar Ierland opzag. Hij vroeg zich af of hij ooit weer terug zou komen naar Amerika.

Hij dacht aan de woorden van zijn vader over het zegel en de afspraak die hij met hem en Shay had gemaakt dat het zegel in Ierland moest blijven. In Canada, toen hij samen met O'Connor aan het jagen was, had hij ontdekt dat hij een bijzondere eigenschap had. In de verte had John een haas zien lopen en toen hij zijn geweer richtte, was het net alsof het beeld vertraagde en de haas in slome sprongen voorwaarts rende. Het schot trof het beest precies in de kop. O'Connor uitte een kreet van verbazing dat John de haas van zo'n grote afstand had neergeschoten en vroeg hem waar hij dat had geleerd.

Terwijl hij naast Jeremy naar de sterren keek, wist hij dat er meer was. Op het moment dat hij Ierland verlaten had, was hij soms bezorgd geweest maar nooit bang en hij vroeg zich af waardoor dat kwam.

Naast elkaar reden ze over de brede zandweg de stad New York binnen. Bij de haven vonden ze een klein hotel. Overal heerste een gespannen sfeer, alsof de zaak elk moment kon exploderen. Mensen liepen snel en schichtig langs de huizen en mannen met hoge hoeden in rijtuigen werden zwaar bewaakt door soldaten. De stad was vol Ierse immigranten, die allemaal in dezelfde wijken woonden. Ze waren naar Amerika gekomen vanwege de aardappelcrisis in hun eigen land, maar de Amerikanen bleven ver bij hen uit de buurt vanwege de ziektes die ze bij zich droegen, zoals cholera en tuberculose. Bovendien waren de meeste Ieren verslaafd aan alcohol en nog net zo arm als toen ze in Ierland woonden. Nu de oorlog zich langzaam begon te manifesteren, werden de Ieren steeds brutaler en agressiever. Terwijl John en Jeremy de eerste avond langs de haven wandelden, kwamen ze iemand tegen die hen waarschuwde dat de Ierse clans door New York trokken om hun agressie op zwarte mensen te botvieren. De Ieren waren bang dat de negers door de burgeroorlog massaal naar het noorden zouden komen en hun werk zouden overnemen.

Ze besloten terug te keren en toen ze door een smalle straat liepen op weg naar hun hotel, stonden er plotseling vier mannen voor hen. Aan hun gepraat en geschreeuw hoorde John dat het Ieren waren. Ze wilden Jeremy bij hem vandaan halen maar John zei dat Jeremy zijn reisgenoot was.

'Nigger lover, hè?' zei een van de mannen, die een enorm mes tevoorschijn haalde.

John ging voor Jeremy staan en keek de man geringschattend aan. De andere drie begonnen te grinniken en riepen dat ze die smerige nigger lover ook meteen maar moesten villen.

De man met het mes aarzelde.

'Misschien dat hij geld heeft!' brulde er een.

Plotseling stootte de Ier het mes naar voren. Razendsnel stapte John opzij, greep de hand met het mes en trok de man met een harde ruk verder naar voren, zodat hij voorover viel. Op hetzelfde moment stortten de andere drie mannen zich op Jeremy. Terwijl hij de man die op de grond lag nog een trap op de zijkant van zijn knieën gaf, vloog John naar de anderen om Jeremy te helpen. Een van hen hield Jeremy bij de keel terwijl de ander met een scherp voorwerp een diepe snee over zijn wang trok.

'Kom op met je geld, anders vermoorden we de nigger,' zei een van de mannen.

De Smith & Wesson van O'Connor blafte met harde droge knallen, die weerkaatsten tegen de huizen in de smalle straat. Twee man-

nen vielen om en de derde staarde met wijd open mond naar John.
Jeremy's bril lag vertrapt op de grond. Terwijl het bloed uit zijn wang gutste, raapte hij de resten bij elkaar, keek op naar John en vroeg: 'Hoe moet ik nu het leger in?'
'Wees blij dat je leeft,' zei John.

Vlak voor het Grand Central Station stond in de buitenlucht een lange tafel met daarachter officieren in schitterende donkerblauwe uniformen, die soldaten ronselden voor het noordelijke leger. John liep samen met Jeremy langs de tafels om te kijken wat de mogelijkheden waren in het leger van de Union. De vorige avond had hij de diepe wond van Jeremy zo goed mogelijk gehecht, maar het geheel zag er niet fraai uit. John wist dat zijn vriend geen enkele kans maakte, maar Jeremy wilde pertinent het leger in. Bij de laatste tafel vroeg Jeremy beleefd of hij dienst kon nemen als soldaat bij het Amerikaanse leger. Een sergeant met beide mouwen vol schuine gouden strepen keek hem aan en zei: 'No niggers in the army.'
'Maar er is toch een zwartenregiment?'
'Er is geen regiment van negers.'
'Toch heb ik dat gehoord.'
De sergeant knikte lichtjes, zei niets en keek ongeïnteresseerd de andere kant op.
'Sir,' probeerde Jeremy nogmaals.
In één beweging prikte de sergeant met zijn vinger hard op Jeremy's pijnlijke wang.
'Move your ass, boy.'
De sergeant wilde met de rug van zijn hand uithalen, maar John greep hem vast.
'I'll take the job,' zei hij.
'Nee,' riep Jeremy, 'jij moet terug naar Ierland.'
In één ogenblik besloot John in het leger te gaan. Hij begreep zelf niet precies waarom, maar hij wilde Amerika nu niet verlaten. Misschien was het om de plaats van Jeremy in te nemen en misschien ook wel om wat hij de vorige avond had meegemaakt met zijn landgenoten. Omdat de nieuwe wereld net zo'n hel was als de oude wereld.
Wanhopig probeerde Jeremy hem weg te houden bij de sergeant: 'Doe het niet!'
'Ik doe het niet voor jou,' zei John.

Zwijgend overhandigde de sergeant het formulier. John krabbelde zijn naam eronder en gaf het terug.

'Next!' brulde de sergeant tegen de rij mannen die achter hen stond.

De mist hing laag boven de velden toen John Eagleton rillend van de kou opstond. In de schemering liep hij snel naar een van de vuren om zich op te warmen. Hij dronk hete koffie uit een grote ketel die boven het vuur hing en at brood met koud vlees en kaas. In het oosten kleurde de onderkant van de wolken rood van de opkomende zon. Daarna gebeurde alles tegelijk. Op een gigantisch paard in wolken van stof stopte plotseling de kolonel bij de luitenanten, die haastig opsprongen. Hij blafte allerlei instructies en de officieren reden alle richtingen uit. Het veld vol witte tenten verdween als sneeuw voor de zon, keukenwagens werden ingeladen en langzaam kwam het hele regiment in beweging. Voorop wapperde de vlag van de Verenigde Staten, met de cirkel van gele sterren in het blauwe vlak. De soldaten marcheerden richting het zuidoosten en naderden de rivier. John zag dat de mannen nerveus met elkaar fluisterden. In hun ogen zag hij de spanning van de naderende veldslag. Afgelopen nacht had hij gedroomd dat iemand hem met een geweer recht door zijn navel schoot en het bloed als een fontein rondsproeide.

Aan het eind van de ochtend zagen ze het kolkende en schuimende water van de rivier. Een lange houten pont met ijzeren drijvers vervoerde in een oneindig aantal shifts de manschappen, wagens en paarden naar de overkant. Door de snelle stroming en de zware belading van de pont boog de lijn elke keer vervaarlijk stroomafwaarts en de soldaten hadden grote moeite om de stalen trekkabel door te halen. Het landschap veranderde van geel naar groen en overal stonden kleine groepen bomen.

Voor hen lag een lange heuvel met dichte dennen tot aan de top. Voor het eerst hoorde John nu het zware artillerievuur aan de andere kant van de heuvel. Twee mannen kwamen van de zijkant aangestormd en reden recht op de kolonel af. Soldaten probeerden hun nekken zo lang mogelijk te maken om iets op te vangen. Terwijl het leger langzaam doormarcheerde, vond er opnieuw overleg plaats met de luitenanten en kapiteins.

'Dat is Jack Greene,' zei de sergeant die naast John liep. 'De kolonel zit al zijn leven lang in het leger. Ze zeggen dat hij al als achtjarig jongetje vaandeldrager was in de strijd tegen de indianen. Nooit gewond geraakt. Als de rest werd neergeschoten, bleef hij altijd als enige staan met de vlag omhoog. Untouchable.'

De kolonel reed met zijn paard langs de marcherende soldaten naar voren. Het viel John op hoe klein zijn postuur was in zijn onberispelijke uniform.

'De heuvel op, mannen!' schreeuwde hij. 'De anderen liggen onder vuur van de zuiderlingen. Die zitten verder naar het oosten. Vanaf deze kant van de heuvel kunnen we de bastards insluiten tussen de noordelijke regimenten.'

Ze liepen door de dichte bossen naar boven. De bomen stonden zo dicht op elkaar dat zelfs de officieren moesten afstappen om de paarden bij de teugel door het bos te leiden. Na een halfuur bereikten de eerste soldaten de top. De luitenanten maanden iedereen dekking te zoeken totdat het hele regiment boven was. Geweren werden geladen en voorzichtig schoof de rij blauwe uniformen verder naar boven.

De hevig wapperende rode vlag met het blauwe kruis verderop in de vallei zag er angstaanjagend uit tussen de talloze grijze uniformen. Voor het eerst zag John massaal de vijanden en voor het eerst kreeg hij het gevoel dat die vijanden slechte mensen waren. De adrenaline gierde door zijn lichaam toen hij in de verte soldaten van het zuidelijke leger zag rennen. Met man en macht werden de Houwitzerkanonnen de heuvel op getrokken. Schurend metaal, het geluid van snel ronddraaiende hendels van kanonniers om de lopen van de kanonnen in de juiste stand te krijgen. De oorverdovende knal, direct gevolgd door het jankende geluid van het projectiel. Op het veld vielen de mannen om alsof ze speelgoedsoldaatjes waren, waarna witte wolken alles verhulden, gevolgd door het geluid van de explosie. Vanaf de top van de heuvel joelden de soldaten bij ieder kanonschot en de officieren konden maar net voorkomen dat ze in hun overwinningsroes massaal de heuvel af stormden. De kolonel tuurde vanaf zijn paard door zijn kijker en zag dat de zuiderlingen hun batterijen draaiden.

'Dekking!' brulde hij.

John dook plat op de grond. De knal leek ver weg en plotseling, zonder overgang, het zoevende, sissende geluid, meteen gevolgd door oorverdovend gekraak van stukken boom en takken die overal om hem heen werden geraakt in het versplinterende vuur. Het volgende salvo van de batterij gierde laag over de heuvel heen, dwars door de dennenbomen. Duizenden naalden daalden als ruisende regen op de mannen neer.

De luitenant links van de mannen, op een lager gedeelte van de heuvel, zag het gevaar van de snel oprukkende grijze uniformen te laat. In een serie oorverdovende salvo's van vijandelijke vuur werd de luitenant achteruit gesmeten. John zag hoe snel de vijand dichterbij kwam en dook het bos in. Talloze kogels ploften in bomen en soldaten. Takken en bladeren vielen met scheurend geluid naar beneden. Naast John sloeg een kogel een stuk boomschors weg, ketste af en trof een soldaat die achter hem lag. De noorderlingen waren van de eerste schrik bekomen en begonnen terug te vuren. Beide legers zaten nu vlak tegenover elkaar in het dichte struikgewas. Voor het eerst zag John de gezichten van grommende en jankende mannen met zwarte tanden. Nog geen twintig meter bij hem vandaan zat een vijandelijke soldaat, die kauwend op tabak rustig zijn geweer aan het herladen was. John nam hem op de korrel, schoot en miste. Onverstoorbaar richtte de soldaat zijn geweer op John, die razendsnel zijn revolver greep en de man midden in zijn gezicht schoot. De zwarte smurrie viel uit zijn mond toen hij voorover viel. Schermen van dichte rook hingen tussen de beide legers. Het zicht was volledig verdwenen en alleen het geluid van schreeuwende en gewonde soldaten en oorverdovende knallen was nog te horen.

'Bajonetten!' brulde de luitenant.

Beide legers trokken naar elkaar toe voor man-tegen-mangevechten tussen de struiken. John gebruikte zowel zijn revolver als zijn bajonet en zwaar hijgend en met wijd open mond joeg hij op grijze uniformen. Beelden die vertraagden. De witte schittering in de ogen van soldaten die al stierven terwijl ze nog stonden en grijze vlekken tussen de boomstammen. Verbaasd dat hij nog niet was geraakt stormde hij voort, midden tussen de vijandelijke linies, links en rechts dode soldaten achterlatend. Geroffel van snelle hoeven en de kolonel vloog hem voorbij, met in elke hand een revolver. Trompetten klonken ver weg. Plotseling leek iedereen te zijn verdwenen. In blinde haat rende hij de heuvel af, met als enige doel het vernietigen van de tegenstander. Totdat hij alleen beneden in het veld stond. Vlakbij zat op een paard een zuidelijke officier, die grijnzend zijn geweer richtte en schoot. John werd vol geraakt en achteruit gesmeten. De officier draaide zijn paard en reed weg.

Langzaam trokken de rookwolken op en het bos bleef achter vol kermende mannen en mannen die geen geluid meer maakten en niet meer bewogen.

John ontwaakte net voor het ochtendlicht. Met open ogen keek hij recht naar boven, waar het zwart van de hemel in grijs begon te veranderen. Hij lag languit in het gras en kon zich niet bewegen omdat zijn spieren stijf waren als stalen kabels. Hij herinnerde zich dat hij een paar keer eerder die nacht wakker was geweest, maar steeds weer was weggevallen. Voorzichtig voelde hij met zijn hand aan zijn buik. De kogel was dwars door het leer van zijn riemtas gegaan en binnenin blijven steken. Hij voelde aan de binnenkant, waar hij de helft van het zegel bewaarde. Met zijn vingers tastte hij langs het harde metaal en voelde dat de kogel niet verder was gekomen.

Heel langzaam probeerde hij zich te ontspannen. Eerst zijn hoofd en armen en daarna tilde hij voorzichtig zijn benen op. Zijn buik voelde pijnlijk aan door de harde klap van de kogel. Toen hij zijn hoofd optilde, zag hij de vallei en de heuvel waar de slag had plaatsgevonden. Ochtendmist lag beweginloos over het veld. Alles in grijze kleuren.

Hij ging weer liggen en voelde de lange grassprieten langs zijn gezicht bewegen.

Opnieuw ging zijn hand naar het zegel dat zijn leven had gered. Hij besefte dat hij zich had laten meeslepen in een zinloze oorlog, met het risico dat hij zou sterven en het zegel nooit meer zou terugkeren naar Ierland.

Achter hem klonken gedempte slepende voetstappen. Met zijn hand voelde hij om zich heen en tastte naar zijn geweer. Voorzichtig schroefde hij met zijn vingers de bajonet los. De voetstappen kwamen dichterbij en meteen begon het bloed weer door zijn benen, armen en hoofd te jagen. Op het moment dat hij vlakbij het gras hoorde ritselen, draaide hij een halve slag om en kwam in één beweging overeind. Een jonge soldaat in een zuidelijk uniform stond voor hem. Als versteend bleven de mannen secondenlang staan, terwijl ze elkaar aankeken. John sprong op de ander af en terwijl hij naar het bange gezicht van de jonge soldaat keek, stak hij de bajonet diep omhoog in zijn buik. Meteen deinsde hij achteruit en duizenden stemmen gilden in zijn hoofd. Hij zag de wanhoop in de ogen van de zuiderling en hoorde zijn zachte stem, die zei dat hij John niets wilde doen, zakte door zijn knieën en ging liggen. Zwaar hijgend wilde hij iets zeggen. Bloed welde op uit zijn mond en hij hield op met ademen.

Als in shock stond John nog in dezelfde houding waarin hij de soldaat had doodgestoken. Het begon zacht te regenen en kleine druppels vielen op het gezicht van de dode soldaat. Met zijn mouw veegde John het bloed van het gezicht van de jongeman, alsof hij wilde dat er niets gebeurd was. Hij zag een dun kettinkje met een klein medaillon om zijn hals hangen. Alleen een naam stond erop vermeld. TIMOTHY O'BRIEN.

Kreunend kromp hij in elkaar en met zijn hoofd op de grond maakte hij zich zo klein als hij kon.

Later die dag begon hij te lopen. Hij liep naar het zuiden, maar eigenlijk wist hij niet waarheen. Hij liep door totdat hij in dichte bossen kwam en zijn benen hem niet meer konden dragen. Toen viel hij uitgeput op de grond.

GEORGIA

South Carolina, 1863

Rachel Livingstone werd in het voorjaar van 1843 geboren op een katoenplantage in South Carolina. Het was vroeg in de ochtend en buiten lagen dikke dauwdruppels op de struiken en gewassen. Haar moeder Georgia lag in een grote slaapkamer met dunne, lichte gordijnen, die zacht heen en weer bewogen. Haar gezicht dat bijna de kleur van zwart ebbenhout had rustte op een wit kussen en haar bruine ogen keken naar het hoge plafond toen ze voelde dat haar kind kwam. Ze waarschuwde haar man, die meteen naar buiten liep. Even later hoorde ze snelle paardenhoeven in de stille ochtend, op weg om de dokter te waarschuwen. Rachel werd midden op de dag geboren en Georgia kon haar ogen niet afhouden van het mooie, lichtbruine kind dat naast haar in het witte bed lag.

Georgia was als slavin in Charleston geboren op een houten vlonder, vlak voordat haar moeder Sarah, nog met trillende benen van inspanning met de pas geboren baby op haar arm, door een slavenhandelaar in de haven werd verkocht aan een plantage-eigenaar.

Met haar moeder kwam Georgia terecht op een katoenplantage die tachtig mijl noordelijker lag. Maanden daarvoor was Sarah met haar man en drie van haar broers door slavenhandelaren in een klein dorp in West-Afrika gevangengenomen. Geketend aan honderden andere gevangenen moesten ze dagenlang lopen, op weg naar de kust. Met kettingen aan ringen op de buikdenning in een bedompt scheepsruim werden ze dicht op elkaar vastgeklonken. In de afgrijselijkste omstandigheden slingerden ze wekenlang over de Atlantische Oceaan en kwamen uiteindelijk in Charleston aan. Drie dagen later werd Georgia geboren, een hongerige kleine baby van nog geen drie pond. Het was bloedheet die dag en een paar uur later stond Sarah samen met haar kind ongewassen op de slavenmarkt. De plantage-eigenaar die haar kocht kwam uit het noorden van South Carolina. Haar man en broers werden verkocht aan plantage-eigenaars uit het zuiden. Later, toen Rachel al groter was, vertelde haar grootmoeder Sarah hoe haar broers tussen de stangen van de slavenkar met de zweep werden geslagen.

'Those faces,' zei ze dan, 'those faces...'

Meer kon ze niet vertellen. Ze had haar broers nooit meer gezien. Net zomin als haar man die na aankomst direct werd verkocht. Hij had zijn dochter niet eens gezien want hij kon zelfs geen afscheid meer nemen van zijn vrouw. Sarah klampte iedereen aan om te vragen waar haar man was. Maar niemand die het haar kon vertellen. Zelfs toen ze nog trillend op haar benen op de houten verhoging aan de blanke kopers werd getoond, schreeuwde ze nog om haar man en hield pas op toen een van de slavenhandelaren haar met de rug van zijn hand een geweldige klap in het gezicht gaf. De kleine baby op haar arm begon van schrik te huilen.

David Forest reed de nieuwe slaven naar de plantage van zijn vader, vlak bij de kust van South Carolina. Ze werden ondergebracht in kleine houten cabines met een slaapplaats en een paar stoelen. Het eerste wat Sarah zag toen ze de brede oprijlaan met aan weerskanten grote bomen op reden, was een opgehangen slaaf aan het begin van de plantage, aangevreten door dieren. Ze reden langs het grote plantagehuis met voorname zuilen. Boven aan de trap stond een hoekige man met een zweep in zijn hand naar de naderende wagen te kijken. Hij hield zijn hand omhoog en David Forest stopte. Zijn vader kwam langzaam de trap af en liep zwijgend om de kar heen, waarin iedereen doodstil bleef zitten.

Met de achterkant van zijn zweep porde hij de slaven om te kijken of ze gespierd genoeg waren.

'Kan ik verder?' vroeg David, die zich ergerde aan zijn vader.

Forest senior schudde zijn hoofd en keek gebiologeerd naar een van de jonge slaven, die maar terug bleef kijken. Plotseling trok hij de man in één beweging van de kar af en met zijn voeten nog hangend in de ketens gaf senior hem een aantal harde tikken.

'Dit is een brutale aap. Zet hem eerst maar een week vast in het hok.'

David knikte moedeloos.

Bijna niemand overleefde het hok. Met slechts één staanplaats en een dak van ijzer werd het daarbinnen overdag een oven. Mishandelingen op de plantage vonden dagelijks plaats en Sarah was doodsbang dat iemand haar baby iets zou aandoen.

David, die op de plantage was geboren, kende de wreedheden van zijn vader. Niet alleen tegenover de slaven maar ook tegenover hem was zijn vader onverbiddelijk. Zijn moeder stierf bij zijn geboorte en David had het gevoel dat zijn vader hem dat kwalijk nam. Als klein jongetje speelde David met een zwart vriendje, Tom. Ze renden elkaar achterna door de velden of gingen samen naar de rivier. Op een dag nam David Tom mee naar huis. Ze speelden op de veranda toen zijn vader hen samen zag. Zonder iets te zeggen kwam hij op hen af en met driftige, korte bewegingen sloeg hij het jongetje van de veranda af. Verderop bleef Tom nog even staan, zijn ogen nat van de tranen. Daarna rende hij weg en zagen ze elkaar nog zelden. David was een jaar of veertien toen hij zijn vroegere speelvriendje in een katoenveld zag staan. Hij liep naar hem toe en zei iets tegen hem, maar Tom zweeg en werkte met neergeslagen ogen door. In de verte zat de opzichter vanaf zijn paard naar hen te kijken. Dat was de laatste keer dat David zijn vroegere vriendje zag.

Sarah stond elke dag in het washok. Gehoorzaam en vlijtig deed ze haar werk en in stilte hoopte ze dat ze haar dochter Georgia kon zien opgroeien tot een volwassen vrouw. Bang als ze was om op te vallen, bleef ze altijd in de omgeving van haar kleine huisje.

David voelde zich diep ongelukkig op de plantage, want hij kon de gruwelijke wreedheden van zijn vader niet aanzien. Op een middag raakte hij zijn zelfbeheersing kwijt toen hij langs de rivier reed en zijn vader zag, die een van de slaven zo zwaar had mishandeld dat de man niet meer kon lopen. Hij kwam aanrijden en zag hoe zijn vader het hoofd van de slaaf onder water hield.

'Stop!' riep hij, terwijl hij zijn paard de sporen gaf.

Zijn vader grijnsde met gele tanden.

David sprong van zijn paard, rende de rivier in, duwde zijn vader opzij en trok het hoofd van de slaaf boven water. Toen hij de man de oever op trok, voelde hij de harde laars van zijn vader in zijn ribben.

'You son of a bitch. Get the hell out of here or I'll kill you too.'

Nietsontziende haat spoot in David omhoog. Tegelijkertijd kwam het misselijkmakende besef dat een van hen beiden het niet zou overleven. Ook zijn vader scheen het te weten, want hij liep met grote passen terug naar zijn paard. David wist dat hij zijn geweer ging halen en rende hem achterna. Met zijn volle gewicht stortte hij zich op zijn vader en hij rook diens smerige geur. Ze rolden de oever af en sloegen met hun vuisten op elkaar in. Plotseling zag hij het mes in de hand van zijn vader, die maar bleef grijnzen en grommen. David keek om zich heen en pakte een steen en deinsde achteruit om zijn vaders uitvallen te ontwijken. Het mes raakte hem diep in zijn linkerschouder en in een draaiende beweging sloeg hij met de steen op het hoofd van zijn vader. Wankelend en struikelend zag hij hem achteruitvallen. Scheldend en tierend probeerde zijn vader overeind te komen, maar David was al bij hem en bleef op zijn schedel inslaan, net zolang tot de hersenen naar buiten gulpten.

De slaaf leefde nog en lag met zijn hoofd zijwaarts op de grond toen David bij hem kwam.

Voorzichtig tilde David de man op en legde hem in de schaduw van een boom. 'God bless you, my boy,' zei hij moeizaam kreunend. Gezichten met angstige bruine ogen kwamen van alle kanten tevoorschijn. In lakens werd de zwaargewonde man naar zijn hut overgebracht.

De sheriff kwam pas de volgende dag. David reed met de oude man mee naar de rivier en zei dat hij zijn vader zo had aangetroffen.

'Jezus,' zei de sheriff, 'iemand had hem zeker wat te vertellen.'

Hij reed een rondje om het lichaam heen.

'Ja, wat een verschrikkelijke dood,' zei David.

'I told the old man,' zei de sheriff. 'Hij was veel te wreed voor zijn slaven. Ik heb hem gewaarschuwd dat hij zelf nog eens te pakken zou worden genomen.'

David vroeg wat er verder moest gebeuren. De sheriff had het wel gezien en wilde weg van het stinkende, rottende lijk.

'Ruim jij die boel zelf op?' vroeg de sheriff. 'Ik schrijf wel even een rapportje.'

'Ik begraaf hem hier wel bij de rivier,' zei David. 'Mijn vader was gek op water.'

De sheriff keek eens om zich heen. 'Lijkt me een goed idee. Mooi rustig plekje. Geen mens die hem hier lastigvalt.'

David was vierentwintig jaar oud toen hij eigenaar werd van de plantage. Zijn eerste daad was het ontslaan van de blanke opzichters en hij liet de slaven alle aanwezige zwepen verbranden. Hij gaf de leiding in handen van de oudste slaven en maakte hen verantwoordelijk voor de werkzaamheden. De plantage bloeide in de jaren daarna op tot een winstgevende onderneming. David leefde alleen in het grote huis en ging vaak naar Charleston. Op een dag kwam hij terug met een roomblanke Schotse vrouw uit de stad. Overdag speelde ze piano en 's avonds dronken ze samen thee op de brede veranda, te midden van fakkels die de muskieten verdreven. Georgia, die haar moeder hielp met het strijken van linnen, zag hen soms samen zitten in de stilte. Ze hoorde nooit hun stemmen en het enige geluid kwam van de porseleinen theekopjes als die werden neergezet.

'Waarom lachen blanken nooit als ze samen zijn?' vroeg ze haar moeder.

'Meneer David lacht vaak.'

'Ja, maar nooit als hij samen met zijn vrouw is.'

'Er zijn meer mensen die samen weinig lachen.'

Een enkele keer liep mevrouw Forest over de plantage, maar ze gedroeg zich altijd verward en onzeker tussen de slaven.

David Forest werd op handen gedragen door zijn mensen. Hij eiste weliswaar veel van zijn slaven, maar nooit kreeg iemand lijfstraffen. Degenen die hard werkten, vonden soms een vette gebraden kip in de keuken. Ze waren dol op de kippen van David, die hij zelf vetmestte en braadde. Slaven die kinderen kregen, liet hij samenleven en nooit verkocht hij een slaaf. Iedereen kreeg een mooie achternaam, want David zei dat er een tijd zou komen dat de slaven bevrijd zouden worden en een deftige achternaam was dan mooi meegenomen. Hij verzon de meest fraaie namen, bij voorkeur die van rijke en belangrijke Engelse families. Na de dood van zijn vader vroeg David aan Sarah of ze al een naam had. Ze zei dat zij en haar dochter geen achternaam hadden. David vond dat ze Sarah Livingstone moest heten en ze moest ook gedoopt worden, want ze woonde tenslotte in een godvrezend land. Hij vertelde haar van de hemel en over Jezus. Sarah vroeg of Jezus een blanke was, want als dat zo was, hoefde ze niet gedoopt te worden omdat ze als zwarte vrouw toch niet in de hemel kwam.

'Ik weet niet wat voor kleur God heeft,' zei David, 'maar ik weet wel dat jij in de hemel komt.'

De volgende zondag kwam een dominee die Sarah en haar beeldschone dochtertje Georgia samen in de Santee-rivier helemaal onder water duwde in hun zondagse witte katoenen jurken.

Toen Georgia achttien jaar werd, begon David Forest haar cadeautjes te sturen. Soms mooie jurken en een keer had hij zelfs een eau de cologne uit Charleston meegenomen. Haar moeder was erg bezorgd en zei tegen haar dochter dat ze niet op zijn avances in moest gaan.

'Hij doet niets wat ik niet wil,' zei Georgia.

'Misschien niet. Ik denk ook dat hij een goed hart heeft. Maar we zijn wel door hem gekocht en hij beschouwt ons als zijn bezit. Ik ben bang dat hij niet beseft tot hoe ver dat bezit gaat.'

Soms liepen David en Georgia 's avonds samen over de lange brede oprijlaan van de plantage. David was dan netjes gekleed en had zijn hoge grijze hoed op. Georgia liep altijd iets achter hem en voortdurend bleef hij lachend staan totdat ze weer naast hem liep.

Op een prachtige avond gingen ze samen in de caddy een eindje rijden. Sarah stond buiten haar cabin te wachten toen ze terugkwamen. David glimlachte vriendelijk naar Sarah en hielp Georgia uitstappen. Ze liep snel naar binnen, maar haar moeder bleef staan en vroeg: 'Wat vindt uw vrouw hier nu van, meneer Forest?'

David keek in de verte en zei: 'Sommige zaken gaan haar niet aan.'

'Gaat het haar niet aan als u met een jong meisje uit rijden gaat en haar misschien wel het hof maakt alsof u nog vrijgezel bent? Dat gaat uw vrouw allemaal niet aan?'

'Ze woont niet meer op de plantage. Ze woont nu Charleston. Misschien gaat ze terug naar Schotland.' Hij aarzelde voordat hij verderging. 'Ze vindt het hier verschrikkelijk en ik zal haar niet meer zien.'

'Zo makkelijk.'

Haar oordeel trof hem en even had hij de neiging om te vragen waar ze zich mee bemoeide, maar hij besefte dat ze alleen maar bezorgd was over haar dochter.

'Nee, niet makkelijk. Maar bij mij kon ze niet gelukkig zijn.'

Ze knikte en staarde naar de grond toen ze zei: 'U hebt Georgia zien opgroeien op deze plantage. U was erbij toen ze werd gedoopt en nu is ze een jonge vrouw. Ik zou niet graag zien dat ze ongelukkig wordt, meneer Forest.'

David boog zich voorover. 'Madam, ik ben verliefd op uw dochter.'

Sarah was in haar leven op vele manieren bejegend. Toen Davids vader nog leefde, was ze soms geslagen als ze niet hard genoeg werkte. De opzichters hadden haar alleen maar aangesproken met jij en jou zonder ooit haar naam te noemen en ze was met minachting behandeld. Maar nog nooit had iemand haar madam genoemd. Langzaam sloeg ze haar ogen op en keek David aan. Ze glimlachte en David glimlachte terug.

'Achttien jaar geleden ben ik mijn man kwijtgeraakt,' zei ze, 'a fine gentleman, die nooit zijn dochter heeft kunnen zien. Hij is afgevoerd naar een plantage in het zuiden.'

Forest keek haar met grote ogen aan. 'Dat wist ik niet,' zei hij.

'A real fine gentleman,' herhaalde ze.

'Leeft hij nog?'

'Ja,' zei ze meteen.

'Hoe weet u dat?'

'Dat weet ik.'

David dacht even na en zei toen tot Sarahs verbijstering: 'Als hij leeft, breng ik hem terug. Al is het maar om hem de hand van zijn dochter te vragen.'

Ze schudde haar hoofd in wanhoop. 'En als ze zwanger is?'

'Georgia?' vroeg David.

'Ja.'

'Georgia is niet zwanger, madam.'

De volgende ochtend vroeg ging David met vijf van zijn mannen op snelle paarden op weg naar Charleston. Sarah zag ze vertrekken met geweren in foedralen in de opkomende zon, die over de volle lengte rood en laag door de lange oprijlaan scheen. Elke avond daarna stond Sarah na haar werk urenlang te kijken naar het einde van de oprijlaan. Ruim een week bleven ze weg. Op een dag hoorde ze in de verte paardenhoeven en het geratel van de wielen van een kar. Haar hart stond stil, want instinctief wist ze dat haar man meekwam. Ze dacht eerst dat hij dood was onder de deken. Zijn zwarte haar was bijna wit en zijn lichaam zat onder de littekens. Hij schaamde zich voor zijn uiterlijk toen hij haar zag, maar Sarah legde haar hoofd op zijn borst en begon zacht te zingen van vreugde.

Later hoorde ze van David dat hij bij zijn vorige eigenaar steeds geprobeerd had weg te lopen om zijn vrouw te zoeken. Bij de laatste poging, nadat ze hem met honden hadden opgespoord, lieten ze hem wekenlang in een hok met tralies zitten met gespreide armen en benen vastgebonden aan kettingen.

David Forest kocht hem vrij van de plantage-eigenaar. Op het moment van vertrek stormde de opzichter van de plantage, die kennelijk een diepe haat koesterde tegen de slaaf, met een geweer op hen af. Een van de mannen van David probeerde hem tegen te houden, maar de opzichter richtte zijn geweer op hem en haalde de trekker over. Hij was op slag dood. David aarzelde geen moment en keerde onmiddellijk zijn paard. Hij stopte vlak bij de moordenaar, trok zijn revolver en schoot hem door zijn hart. Daarna reed hij terug naar zijn mannen, de plantage-eigenaar en zijn mensen verbouwereerd achterlatend. In de weken daarna bleek dat Sarahs man bijna niet meer kon lopen en de dagen in een stoel moest doorbrengen. Maar ze was blij dat ze hem terug had, al was hij slechts een schim van de man die ze ooit gekend had.

'Ik leef niet lang meer,' zei hij, toen ze op een hete zomeravond buiten zaten.

De muskieten dansten nerveus op en neer in de vochtige lucht.

'Dat weet ik,' zei ze.

Ze zat naast hem en nam zijn gehavende handen in de hare. 'Maar ik ben zo dankbaar dat jij mijn man bent.'

'We hebben elkaar nauwelijks gekend,' zei hij triest.

'Hoe kom je daar nu bij? Ik kende je al voordat ik je zag. Ik ken je door je prachtige dochter en elke dag dat ik hier zat, heb ik aan je gedacht. Ga me niet zeggen dat we elkaar niet kennen.'

Samen maakten ze het huwelijk tussen David en Georgia mee en daarna bleef Sarah alleen achter. Rachel werd negen maanden later geboren. Ze had een prachtige, licht getinte huid en woog een dikke zes pond. David Foster was uitgelaten van vreugde en liet een prachtig huis bouwen, vlak bij de rivier, waar Georgia en Rachel bij hem kwamen wonen. Sarah zag hoe gelukkig David en Georgia waren. Niemand leek zich druk te maken over het feit dat David met een slavin was getrouwd, maar in Charleston ontstond politieke onrust. Mannen vanuit de hoofdstad kwamen met David praten over de afscheiding van South Carolina van de Verenigde Staten. David weigerde mee te werken omdat hij overtuigd Unionist was. Toen de mannen wegreden, schold een van hen hem uit voor nigger lover. David stormde op de man af, trok hem van zijn paard en gaf hem met vlakke hand een draai om zijn oren. Verbouwereerd stond de man op, veegde kalm het stof van zijn kleren en zei: 'Ik zie dat de afscheiding tussen de Amerikanen al is begonnen.'

Op de dag dat de burgeroorlog uitbrak, werd Georgia ernstig ziek. David, Sarah en Rachel verzorgden haar dag en nacht, maar de koorts bleef haar in zijn greep houden. Langzamerhand vermagerde ze en droogde ze uit. Sarah kon vanaf de dag dat haar dochter overleed geen woord meer uitbrengen en sloop als een spook door het huis. David staarde wekenlang vanaf de veranda naar het water in de rivier. Hij sliep nauwelijks meer, zo verslagen was hij door de dood van zijn vrouw. Zwarte kringen vormden zich om zijn ogen, totdat Rachel zei dat het genoeg was en dat ze haar vader niet ook nog eens kwijt wilde.

'Mijn moeder heeft me altijd als een dame opgevoed en jij moet me nog leren schieten, jagen en vissen.'

David glimlachte tegen haar en zei dat het inderdaad tijd werd dat ze ook andere dingen leerde. Op de plantage begonnen de slaven te morren naarmate de noordelijke legers meer overwinningen behaalden. David bood hun onmiddellijk allemaal de vrijheid aan, maar ze mochten ook blijven als betaalde arbeidskracht.

Op een avond in 1862, toen de burgeroorlog in volle gang was, zei Rachel dat ze wilde reizen. David schrok en zei dat het te gevaarlijk was.

'Ik ben maar één keer in Charleston geweest. Ik wil zien wat voor land Amerika is.'

'Levensgevaarlijk!' riep David. 'Rachel, we zitten in een burgeroorlog.'

'Je moet me een vrijbrief geven, anders denkt iedereen dat ik een weggelopen slavin ben.'

'Rachel, doe het niet!' smeekte David.

'Papa, ik ben niet blank en ik ben niet zwart. Hier in South Carolina moet ik altijd op mijn hoede zijn. Ik heb nooit ergens bij gehoord, want voor de blanken ben ik zwart en voor de zwarten hoor ik bij de blanken. Niet dat het erg is, papa, want je hebt me mijn trots en moed geschonken. Maar ik weet dat ergens in het noorden een plaats is waar het allemaal niet telt en daarom wil ik hier weg, hoe zwaar het ook voor me is.'

De hele middag liep David wanhopig rond op de plantage en later staarde hij voor zich uit op de veranda bij de rivier. Rachel kwam naast hem zitten en hield zijn hand vast. 'Papa, je bent de liefste vader die ik ooit had kunnen krijgen. Maar laat me alsjeblieft gaan.'

Een week later vertrok ze. Haar vader stond voor het huis en zag zijn dochter wegrijden tussen de lange rij bomen aan weerskanten van de oprijlaan, de hoge groene takken als een dak boven haar hoofd.

Hij had haar het mooiste en snelste paard uit de stal meegegeven. In een riemfoedraal had hij zo veel mogelijk geld gestopt en de zadeltassen zaten vol met proviand, dekens en munitie.

Stapvoets reed ze de oprijlaan uit. Aan het einde, waar de bomen ophielden, viel het licht van de zon in een bundel op haar prachtige gestalte. Nog één keer draaide ze zich om en zwaaide ze. David zwaaide terug met glinsterende ogen, tot hij haar niet meer kon zien.

Maanden later was ze onderweg in de heuvels van Virginia, waar de gewelddadige veldslagen tussen de noordelijke en zuidelijke legers net hadden plaatsgevonden. Ze zag hem staan in een rivier, voorovergebogen met zijn hoofd onder water en reed naar hem toe. Toen John Eagleton zich oprichtte en haar zag zitten op het grote, witte paard, viel hij bijna languit in het water.

Ze lachte haar prachtige tanden bloot. John voelde zich ongemakkelijk zoals hij in het water stond met zijn druipende hoofd. Ze steeg af en vroeg of hij koffie wilde. John wilde dolgraag koffie, maar vertrouwde het niet helemaal. Zwijgend stapte hij uit het water en terwijl hij hout zocht, nam hij haar voortdurend op. Ze leek volkomen op haar gemak. Uit de zadeltassen kwamen een kleine ketel en koffie.

'Ben je gedeserteerd?' vroeg ze, toen ze de pikzwarte koffie in tinnen mokken schonk.

'Waarom vraag je dat?' vroeg John.

'Je hebt een legeruniform aan. En ik zie hier geen leger in de buurt.'

John had gezien dat ze een revolver droeg en een geweer bij zich had.

'Ben je alleen?' vroeg hij.

'Ja. Ik reis rond.'

'Geen informant van het leger?'

Ze lachte. 'Ze hebben me nog niet gevraagd.'

Ze zag dat hij voortdurend om zich heen keek, alsof hij anderen verwachtte.

'Zijn ze op zoek naar je?'

'Ik verschuil me meestal in de bossen.'

'Ik heb gehoord dat ze altijd proberen deserteurs op te sporen, hoelang ze ook moeten zoeken.'

'Waar kom jij vandaan?' vroeg John.

'South Carolina.'

'Ook weggelopen?'

'Nee,' glimlachte ze, 'ik ben geen slavin.'

John vertelde over de gevechten met de zuiderlingen. Over de mannen die sneuvelden en het verschrikkelijke lawaai van kanonnen, geweren en geschreeuw.

Ze zei niets en luisterde naar John, die in zijn hele leven nog nooit zoveel had gepraat. Tegen de avond haalde ze bonen en gedroogd vlees uit haar zadeltassen.

'Maar uiteindelijk ben ik niets meer dan een moordenaar. Ik heb iemand vermoord die niet gewapend was. Een soldaat die uit hetzelfde land kwam als ik en veel te jong was om sterven.'

'Heb je daarom het leger verlaten?' vroeg ze.

'In Ierland vochten we tegen de Engelsen omdat ze ons land hadden bezet. Ze roofden alles mee en lieten de Ieren in hongersnood achter. Ik heb gezien hoe iedereen in wanhoop het land ontvluchtte, vanwege de honger en om onder het juk van de Engelsen vandaan te komen. En hier in Amerika, waar we dachten eindelijk in vrijheid te kunnen leven, voeren we een oorlog waarin ook de Ieren tegen elkaar vechten. Mannen die dezelfde naam dragen, vermoorden elkaar. Wat een hel.'

Met haar lichtbruine ogen keek ze hem onafgebroken aan. Langzaam trok het licht weg uit de hemel en toen ze later langs de rivier liepen, zag Rachel plotseling een vaartuig dat met de stroom mee dreef. Snel verscholen ze zich achter struiken. In het halfdonker gleed een platte boot voorbij, vol mannen in grijze uniformen. Sommigen hadden verband om hun hoofd. Er klonk zacht gevloek en gekreun en een hysterische stem die gilde dat hij eruit wilde stappen. Op de gestage stroom dreef het vaartuig verder weg en het geluid verstomde.

Ze stonden op en liepen terug naar de plaats waar het paard stond. Rachel trok de buikriem van haar paard weer vast. 'Ik kom morgen terug. Dan neem ik andere kleren voor je mee.'

'Waarom help je me eigenlijk?' vroeg hij achterdochtig.

'Omdat je zo niet kunt blijven rondlopen,' zei ze en gaf haar paard de sporen.

Terwijl ze wegreed, verliet de zon Virginia en de maan kwam als een dun streepje boven de horizon. John trok zich terug tussen de bomen.

HERINNERING

Virginia, 1864

Zwermen vogels, plotseling vanuit het niets, als waaiers in de lucht en het zoevende geluid van vleugels. Hij keek omhoog in een stralend blauwe hemel, met in het westen de machtige groene Appalachen. Voor hem te midden van de bossen een eindeloos vlak veld vol bloemen.

Met zijn vingers tastte hij langs de groeven van bomen waar kort geleden kogels waren ingeslagen, stukken schors en takken meenemend. De afgescheurde takken waren alweer bedekt met mos. Tussen de bomen door keek hij naar Rachel die in haar witte jurk tussen het halfhoge gras en de late zomerbloemen zat. Lang bleef hij naar haar mooie lichtbruine gestalte kijken, alsof hij oude beelden van de omgeving wilde vervangen door nieuwe.

De afgelopen maanden kon hij steeds slechter slapen. Elke ochtend verliet hij bij zonsopkomst het kleine huis waar ze samen woonden en ging naar de rivier, waar hij tijdenlang zijn hoofd in het ijskoude water hield om zichzelf te verdoven. Vooral als het donker werd, kon hij de over elkaar heen tuimelende beelden in zijn hoofd niet stilzetten. Rachel volgde hem meestal naar het water en vanaf de kant zag ze hoe John worstelde met de oorlog en met zichzelf.

'Misschien moeten we ernaartoe,' zei ze op een zondagochtend in de zomer van 1864.

'Ik wil niet meer naar die plaats.'

'Misschien kan de natuur je helpen. Die heeft namelijk geen herinnering.'

Onder een helblauwe wolkenloze hemel reden ze langs de rivier naar het oosten. John reed achter Rachel en hoorde alleen de ritmische draf van paardenhoeven in het knerpende grind van de rivieroever.

Plotseling herkende hij de omgeving. Dichter bij de vallei en de heuvel waar hij overheen was gegaan voor zijn eerste veldslag, jankten de snaren van zenuwen in zijn hoofd. Hij hoorde weer het afschuwelijke, versplinterende en vernietigende geluid van artillerievuur en daarna het hysterische gegrom en gekerm van mannen, gevolgd door harde knallen van vlakbij afgevuurde geweren en het gekletter van bajonetten.

Met zijn ogen dicht stond hij op de top van de heuvel toen hij Rachels hand op zijn arm voelde. Ze reden naar beneden tussen oneindig mooie velden, waarin niets herinnerde aan wat nog maar een paar maanden geleden was gebeurd.

Rachel spreidde een groot kleed uit en ging zitten. John wilde niet afstappen en reed met zijn paard in cirkels om haar heen. Zijn ogen zochten naar zwartgeblakerde en vertrapte plekken in het gras, maar alles was onherkenbaar geworden door nieuw gras en bloemen. Hij reed naar de bomen waar de soldaten van dichtbij op elkaar hadden geschoten en elkaar hadden gedood met bajonetten, terwijl kanonvuur over hun hoofden raasde. Hij steeg af en het leek alsof de wonden van de bomen een helende impuls hadden gegeven aan de natuur.

Hij keek naar Rachel en de onaangetaste, zacht glooiende groene heuvels verderop, en durfde niet meer langs de plaats te rijden waar hij de jonge Ier van het leven had beroofd.

Rachel wenkte hem. 'Valt het mee?' vroeg ze.

John knikte. 'Alsof er niets is gebeurd. En toch heeft het hier plaatsgevonden.'

Zijn gezicht vertrok en fluisterend zei hij voor de eerste keer: 'Ik heb zo'n spijt dat ik die jongen heb vermoord. Bijna nog een kind. Als ik aan hem terugdenk, zie ik steeds zijn gezicht, alsof hij niet begreep wat er met hem gebeurde.'

Hij ging tegenover haar zitten en keek haar wanhopig aan. 'Ik ben zo bang dat het lawaai nooit meer uit mijn hoofd verdwijnt.'

Ruisend kwam ze in haar witte jurk dichterbij. Heel langzaam pakte ze zijn hoofd met beide handen beet, legde hem achterover, tilde haar katoenen jurk op en ging op zijn borst zitten. De zon stond al laag en diepgeel aan de hemel en het stof van gras en bloemen hing doodstil in de lucht.

Zorgvuldig drapeerde ze haar jurk als een tent over zijn hoofd. John lag bewegingloos. Hij zag hoe het gele licht door de stof van haar jurk scheen en zag haar lichtbruine benen, die steeds verder omhoog schoven. Met haar ogen gesloten bewoog ze bijna in trance zacht heen en weer. Haar geur en smaak en haar benen maakten dat de tijd stil bleef staan. En eindelijk zweeg het geweld van de kanonnen en het gegil van soldaten in doodsnood.

Zijn leven lang dacht John terug aan dit moment als zijn meest intieme ervaring. Daarna kwam altijd weer de smaak van bloed, want toen hij drie jaar later op een middag terugkwam uit de bossen, vond hij haar verkracht en vermoord boven in hun bed. Het bloed zat tot aan het plafond, alsof iemand met een brandslang rode verf had rondgespoten. Hun tweejarige dochtertje Orla was ongedeerd en zat buiten in het hoge gras. John zag haar donkere krullen boven het gele gras uit steken.

De burgeroorlog was allang voorbij, maar de Pinkertons bleven op deserteurs jagen. Rachel had supplies gehaald in de store in het nabijgelegen stadje en vertelde dat ze mannen in lange jassen had gezien. Het kleine huis aan de rivier waarin ze woonden stond verscholen tussen struiken en bomen. John vertrouwde het niet en besloot zich een paar dagen in de bossen terug te trekken. Dagenlang volgde hij vanuit zijn schuilplaats tussen de bomen de bewegingen in het veld. Uiteindelijk keerde hij terug en zag op een paar mijl van zijn huis drie mannen in galop westwaarts rijden. Aan de armoedige en versleten kleding zag hij dat het drifters waren die, zoals veel werkloze soldaten na de burgeroorlog, moordend en plunderend door Amerika reden. Hij werd overmand door een misselijkmakend gevoel en het bloed dreunde in zijn hoofd. Wild duwde hij de sporen in de flanken van het paard, dat vooruitsprong.

Het vreselijke drama dat hij in zijn huis aantrof was bijna niet te bevatten. Het was zijn allesverzengende haat die hem direct tot handelen bracht. Onder de vloer van de kleine schuur haalde hij vier geweren en munitie tevoorschijn, hij gaf zijn paard water en eten en trok de buikriem van het dier opnieuw aan.

John vroeg zich af wat hij met Orla aanmoest en besloot dat hij haar niet alleen kon laten. Hij stopte extra touw en canvas in zijn zadeltassen, zette Orla voor zich op het paard en reed op volle snelheid in de richting waar hij de drie mannen had gezien. De sporen waren gemakkelijk te volgen door de velden. Kennelijk voelden ze zich onaantastbaar. Met de zon laag achter zich naderde hij de bossen. Sporen van kleine afgebroken takjes en weggezakte hoeven in het zand liepen tussen de bomen door en na een tijdje kwamen ze op een smal pad terecht. Orla vroeg naar haar moeder. Bladeren ritselden, gevolgd door het gefladder van vogels die verderop omhoog vlogen. Meteen hield hij in en luisterde langdurig. Orla vroeg opnieuw naar haar moeder. John fluisterde dat ze stil moest zijn. Stapvoets reden ze verder en toen het bijna donker was, zagen ze de geelrode gloed van een kampvuur door de bomen heen. Hij reed net zover terug totdat hij hun stemmen en het knetteren van hout niet meer kon horen.

John besefte dat hij de meest onverantwoordelijke daad van zijn leven beging, toen hij het canvas uit de zadeltas haalde en aan alle vier hoeken touw vastmaakte. Daarna gooide hij de touwen over een dikke boomtak, zette ze vast en tilde zijn dochter in de provisorische hangmat. Het paard bond hij vast aan de boom, zodat het dier vlak bij haar bleef. Ze keek hem angstig aan, maar John zei dat hij vlakbij was en dat hij maar even weg was en dat ze de mooiste slaapplaats had van de hele wereld. Ze keek om zich heen en ging liggen. Hij wiegde haar heen en weer tot ze in slaap viel. Voorzichtig legde hij een paardendeken over haar heen. Daarna stopte hij zijn Smith & Wesson in zijn broekriem, bond een bundel dun touw aan de voorkant van zijn riem en nam in iedere hand twee geweren.

'Pas goed op haar,' fluisterde John, met zijn hand tegen de hals van zijn paard, en verdween in het donker.

De drie mannen waren net klaar met eten toen plotseling een grote, zwaar bewapende man voor hen stond. Snel legde hij twee van de vier geweren naast zich op de grond en bleef staan.

'Heel langzaam opstaan en handen zo ver mogelijk omhoog,' zei John op zachte toon, 'en vooral niet gaan lopen.'

De mannen hadden hun revolvers nog in holsters aan de broekriem hangen. Alle drie grijnsden ze, eerst naar John en toen naar elkaar, terwijl ze omhoogkwamen en zo ver mogelijk uit elkaar gingen staan.

'Jij weet vast niet wie wij zijn,' zei een van de mannen, waarna hij op hoge toon hard begon te lachen. 'Jack, you tell him who the fuck we are.'

Een jonge, blonde vent met scheefstaande bruine tanden deed onverwachts een stap naar voren en greep naar zijn revolver. John schoot onmiddellijk een kogel door zijn hoofd. Direct liet hij het lege geweer vallen en greep in één beweging het andere geweer van de grond. De twee andere mannen keken verbijsterd naar John.

'Nice shot,' zei de grootste van de twee, terwijl hij naar zijn maat keek die een paar meter verderop op de grond lag.

'Wie van jullie?'

'Wat wie?' schreeuwde de grootste.
'Wie heeft haar vermoord?' vroeg John op ijzige toon.
Ze aarzelden, keken opnieuw naar de dode man op de grond en daarna in Johns kille, grijze ogen.
'Hij was het niet,' zei John.
De ander had een grote zwarte hoed op en John kon zijn kleine ogen nauwelijks zien.
'Je had hem moeten zien. Net een hengst!'
'Was hij de eerste?'
Beide mannen knikten meteen.
'En daarna?'
De zwarte hoed wees naar zijn grote buurman.
'Dan heb jij haar vermoord, want jij was de laatste,' zei John.
'Ik heb haar niet vermoord.'
Hij had de neiging om ze meteen neer te schieten. Hij wist dat alle drie de mannen haar hadden verkracht en dat een van hen haar daarna had vermoord. Zijn haat was echter zo groot dat zelfs de dood van de mannen hem niet genoeg was en hij beval beide mannen met hun gezichten naar beneden op de grond te gaan liggen, ver van elkaar vandaan. Vanaf de zijkant benaderde hij ze, trok de revolvers uit hun holsters en pakte daarna hun messen af.
Bij het vuur bekeek hij de beide messen. Het mes van de man met de grote, zwarte hoed was blinkend schoon. Het andere mes was vuil maar vertoonde geen bloedsporen. Hij gebood beide mannen de handen op hun rug te doen en bond ze stevig vast met touw. Daarna hun voeten, die hij zo strak mogelijk, met de knieën gebogen, aan het touw om hun handen achter op hun rug snoerde. Met een mes sneed hij hun shirts open en kerfde diepe halen over hun ruggen en daarna over hun borst, zodat het bloed eruit stroomde.
Vanaf de zijkant keken de kleine ogen van de man vol haat naar John.
'Jij hebt haar vermoord,' zei John.
De man gromde en lachte hysterisch. 'We all did have a great party with that bitch. Ze had me niet moeten bijten, dan had ze misschien nog geleefd.'
De ander probeerde het door te zeggen dat hij spijt had. Hij sleepte de mannen naar de rand van het bos terwijl ze het uitschreeuwden van de pijn. Met een stok veegde hij het bloed van de mannen uit over de grond tussen de bomen. Hij herhaalde het een paar keer en wachtte af.

Op snelle poten marcheerden rode termieten vanuit het bos naar de plaats waar de mannen lagen. Met zijn vingers streek John bloed om de ogen van de mannen en sneed opnieuw diepe wonden, ditmaal ook in hun benen en armen. De termieten roken een feestmaal, want hele legers kwamen het bos uit. Toen de eerste de ogen en de neus van de beide mannen bereikten, sloegen ze wild met hun hoofd heen en weer en gilden het uit van pijn en angst. Maar de termieten dromden met bosjes tegelijk overal naar binnen. John kon het gekrijs niet meer aanhoren, sneed de drie paarden van de mannen los, pakte zijn geweren op en liep terug naar Orla, die nog steeds in haar hemelse bedje sliep.

Hand in hand stonden ze de volgende dag samen naast het graf van Rachel. Aan de oever van de rivier vonden ze mooie stenen en Orla wilde ze zo hoog mogelijk opstapelen. John had een kruis van hout gemaakt en de naam Rachel Eagleton erin gekerfd. Ze waren nooit getrouwd geweest, maar Rachel was toch zijn grote liefde geweest.

'Wanneer komt mama weer?' vroeg Orla voor de duizendste keer. John had uitgelegd dat ze heel ziek was geweest en dood was gegaan.

'Ga jij ook dood?'

'Nee, ik ga nooit dood. Ik blijf altijd bij jou.'

Toen ze ging slapen, vroeg Orla of haar moeder het niet koud had daarbuiten, maar John zei dat ze het nooit meer koud zou hebben, want ze was nu in de hemel en daar scheen de zon dag en nacht.

'Regent het daar ook nooit?'

'Nee, ook niet. Het is daar één groot feest en ze zingen en dansen altijd.'

'Mama vond dansen mooi,' zei Orla en ze viel in slaap.

De dag daarop pakte John de zadeltassen en nam twee geweren mee. Hij maakte zijn paard verderop vast aan een boom en zei tegen Orla dat ze bij het dier moest blijven. Zonder dat ze het kon zien, stak hij aan de achterkant het huis aan de rivier in brand en liep terug. Hij zette Orla op het paard en samen gingen ze op weg. Nog eenmaal keek hij achterom en zag de gele vlammen en pikzwarte rook, die boven de bomen uitkwamen. Daarna volgden ze de rivier naar het noordwesten. De pijn in zijn hart was bijna niet te verdragen en voor het eerst voelde hij het intense verdriet om het verlies van zijn geliefde. Maar hij vermande zich op de momenten dat zijn dochtertje, dat ook zomaar haar moeder was kwijtgeraakt, hem nodig had. Hij had de eerste uren geen idee waar hij naartoe reed. Een moment dacht hij aan het zegel, maar duwde de gedachte meteen naar de achtergrond, want hij besefte dat hij nu voor Orla moest zorgen. Waar hij heen wilde, wist hij niet. Hij wist alleen dat hij Virginia ver achter zich wilde laten.

INDIANA

USA, 1869

Op een zondagochtend terwijl hij een koe zat te melken barstte John plotseling in huilen uit omdat hij Rachel zo verschrikkelijk miste. Met zijn hoofd tegen het warme lijf van het beest stroomden de tranen uit zijn ogen. Zoals bijna elke nacht had hij opnieuw van haar gedroomd en deze keer was ze zo dicht bij hem dat hij het hevige verlies opnieuw tot in het diepst van zijn wezen beleefde.

Het was voor het eerst dat hij om haar huilde sinds hij haar begraven had. Door zijn tranen heen keek hij naar beneden in de zinken emmer vol witte schuimende melk. De koe trapte ongeduldig met de achterpoten en John ging door met melken.

Bijna een jaar geleden was hij samen met Orla bij een Amishgemeenschap in Indiana terechtgekomen. Abraham Siegel zag hen over het zandpad op de heuvel aankomen. Langzaam lopend, naast elkaar alsof ze een eindeloze tocht hadden gemaakt. Hij zag hoe de silhouetten in de avondzon bleven staan en dat de grote man het kleine meisje optilde en verder droeg, met kleine wolkjes stof rond zijn slepende voeten. Snel liep Abraham hen tegemoet en nam zonder een woord te zeggen het kind van haar vader over.

John had zijn paard in Kentucky, vlak bij de Ohio-rivier, moeten afschieten omdat het kreupel was geworden. Na het passeren van de rivier vorderden ze elke dag langzaam door het vlakke land van Indiana, op weg naar het noordwesten. Als Orla te moe was om te lopen, tilde John haar op en droeg haar over lange afstanden. Ze liepen door leeg eenzaam gebied zonder huizen en boerderijen. Zelfs de vogels lieten zich niet horen.

Dorpsoudste Abraham Siegel zag de doffe grijze ogen van John

Eagleton en de trieste blik van de kleine Orla toen ze bij zijn boerderij aankwamen.

Bezorgd kwam mevrouw Siegel naar buiten. Ze droeg een lange zwarte jurk met een wit schort en op haar hoofd droeg ze een kapje. Meteen nam ze Orla mee naar binnen en in de keuken waste ze het kleine meisje. Dampende schalen met overheerlijk eten kwamen op tafel. John en Orla konden van vermoeidheid maar weinig naar binnen krijgen. Mevrouw Siegel bracht hen naar een vleugel van de boerderij, die meestal werd gebruikt voor de gasten. In de kleine kamer stonden twee strak opgemaakte bedden met wit linnen en op het dressoir een lampetkan. Een petroleumlamp met zachtgele kap en witte katoenen handdoeken. Orla kon bijna niet geloven dat ze hier mochten slapen na maandenlang op de grond in bossen en in velden te hebben gelegen.

Als een blok vielen ze in slaap en de zon stond al hoog aan de hemel toen ze wakker werden. Op twee stoelen lagen nieuwe kleren. Voor John een wit overhemd met broek en bretels, en voor Orla een jurk met schort en een wit kapje. Mevrouw Siegel serveerde ontbijt met eieren, spek, ham, pannenkoeken, pap en fruit. Na het ontbijt mocht Orla met de kinderen in het dorp spelen en John liep met Abraham naar buiten.

De boerderij waar ze terecht waren gekomen stond midden tussen grote boomgaarden en bessenstruiken. Verderop liepen vette koeien in uitgestrekt groen glooiend grasland vol veldbloemen.

Abraham Siegel was een man van ongeveer zestig jaar, met vriendelijke blauwe ogen achter kleine ronde brillenglazen. Hij had een lange grijze baard en droeg een zwart pak en een hoed.

Een tijdje liepen de twee mannen zwijgend naast elkaar het brede zandpad af naar de weilanden verderop.

John besefte plotseling dat hij erg onbeleefd was tegen zijn gastheer en zei: 'Ik wil u graag bedanken dat u mijn dochter en mij vannacht onderdak hebt gegeven. Ik zal straks uw vrouw ook bedanken voor het heerlijke ontbijt en de goede zorgen.'

De woorden kwamen er een beetje hakkelend uit maar Abraham glimlachte vriendelijk. 'Je mag blijven zolang als nodig is,' zei hij.

John keek hem verbaasd aan.

'Ik weet niet waar je vandaan komt,' vervolgde Abraham, 'en ik weet ook niet waar je naartoe gaat, maar ik zie dat je een zware tijd achter de rug hebt. Je dochter is stil en teruggetrokken omdat ze lang geen vreugde heeft gekend. Misschien dat je een poosje wilt blijven.'

'Zomaar, voor niks?'

'O, nee,' lachte Abraham. 'Bij ons helpen alle gasten mee. Dat doen we zodat iedereen die komt zich thuis voelt. En je dochter mag met de andere kinderen naar school.'

John dacht na terwijl ze langs rijen appelbomen liepen. 'Ik zou hier graag een tijdje willen blijven,' zei hij.

'Dat verheugt me zeer,' zei Abraham. 'Wij zijn altijd blij als we andere mensen kunnen helpen.'

John verbaasde zich de dagen daarna over de Amishgemeenschap. Alle mensen uit de omgeving hielpen elkaar voortdurend, zonder zelf iets terug te verwachten. Het leek alsof ze blij waren als iemand hun hulp inriep. Niemand die ooit de stem verhief tegen een ander. Het was alsof hij in een andere wereld terecht was gekomen.

'Dat is het ook,' zei Abraham toen ze op een avond samen buiten zaten. Ze dronken limonade uit hoge glazen. 'We proberen ons geloof in stand te houden door de geboden van de Almachtige op te volgen.'

'Dat doen alle mensen,' zei John, 'en toch zie ik dat er weinig van terechtkomt.'

'Het spijt me dat je die ervaring hebt.'

'Ik kom uit Ierland. Daar voeren ze een oorlog om het geloof. Katholieken en protestanten.'

'Ik weet wat daar gebeurt,' zei Abraham. 'Ben je katholiek, John?'

'Ja. Niet het geloof dat jullie aanhangen.'

'Ik oordeel niet. Daarvoor is de mens te nietig. Maar ik heb je afgelopen zondag in de kerk gezien en ik zag hoe je keek naar onze voorganger. God komt in vele gedaanten, John.'

'Zelfs met geweld en oorlog?'

'Ja, zelfs met geweld en oorlog.'

'Niet bij jullie.'

'Dat weet ik niet. Maar we doen daar niet aan mee.'

'En als het nodig is?'

'Het is niet nodig. Geweld lokt geweld uit.'

'Volgen jullie dan alle voorschriften die het geloof jullie oplegt?'

Abraham glimlachte. 'Nee, we zijn net als alle stervelingen. Met alle fouten en verleidingen.'

Tijdens de oogsten in augustus werkte John van 's ochtends vroeg tot 's avonds laat op het land. Door het ijzeren ritme verdween het lawaai langzaam uit zijn hoofd. De heldere lach van Orla toen ze op een avond met andere kinderen door het land rende, gaf hem een gevoel van klein geluk. Mevrouw Siegel behandelde haar als haar eigen dochter. Elke avond bracht ze haar naar bed en las haar mooie verhalen voor, gevolgd door het gebed voor de nacht. John keek in de hoek van de kamer en zag zijn dochter met haar bruin getinte huid naast de blanke vrouw op het bed zitten. Met pijn in het hart bedacht hij dat ze dit kleine paradijs ooit weer zouden verlaten.

'Je kunt altijd blijven,' zei Abraham op een zondagochtend toen ze de kerk uit kwamen. De dagen daarna liep hij door het land en vroeg zich af wat hij moest doen. Voor het eerst in zijn leven voelde hij zich niet meer opgejaagd, zoals in Ierland door de Engelsen en later in Amerika door de zuidelijke soldaten en de Pinkertons, die deserteurs opspoorden. Zelfs het zegel was uit zijn gedachten verdwenen. Aan het kasteel kon hij alleen nog denken als een oud vervallen gebouw in de Ierse regen. Hij vroeg zich zelfs af waarom hij zich ooit druk had gemaakt over het stomme stuk metaal.

Maar op die zondagochtend vond John zichzelf jankend onder een koe. Verward liep hij naar buiten. Abraham kwam naar hem toe en vroeg of hij iets kon doen. John schudde zijn hoofd en liep het land in. Halverwege ging hij liggen en viel in slaap.

Hij werd wakker geschud door zijn dochter, die in paniek naar hem toe was gerend. Ze vertelde dat er boze mannen met geweren waren gekomen op paarden. John vloog overeind en toen hij in het dorp kwam, zag hij dat alle inwoners dicht bij elkaar stonden. Twee stoffige outlaws op magere, afgedraaide paarden zaten met hun geweren in de aanslag. Ze wilden nieuwe paarden en proviand.

Abraham bood geen verzet en zei dat de mannen konden krijgen wat ze wilden. John keek verbijsterd toe hoe het voedsel bijna slaafs bijeen werd gebracht en hoe verse paarden werden gezadeld door een paar jongemannen. De outlaws grinnikten en lachten om de volgzame Amish. Voor de grap schoot de kleinste van de twee baldadig in de lucht. Vrouwen en kinderen gilden het uit van angst. John ging naast Abraham staan en keek naar de grootste van de twee outlaws. Aan de schittering in zijn kleurloze ogen zag hij het onberekenbare karakter.

'Niet naar hem kijken John,' fluisterde Abraham. 'Ze zijn zo weg.'

Terwijl zijn metgezel van paard wisselde, draaiden de ogen van de onberekenbare outlaw langzaam in het rond. Kennelijk wilde hij nog niet weg omdat het allemaal zo gemakkelijk ging. Plotseling viel zijn oog op een jonge blonde vrouw en hij wenkte haar met zijn vinger. Angstig bleef ze staan. Hij reed een paar stappen naar haar toe.

'What are you doin', Dwayne?' vroeg zijn metgezel die weg wilde. 'Nice lady. Didn't have a nice lady for a while.'

Dwayne stapte af en liep naar haar toe. Grinnikend bleef hij voor haar staan en streek met zijn vingers over haar wang. Ze wendde haar gezicht af, maar Dwayne greep haar kin en draaide haar hoofd weer ruw naar zich toe. Op het moment dat hij haar verder wilde betasten, kon John het niet langer aanzien en stapte naar voren.

Met een ruk draaide de outlaw zich naar hem toe. 'Something wrong, boy?' vroeg hij hatelijk.

John zei niets en bleef met zijn handen op zijn rug wijdbeens staan. Zijn harde, kille ogen keken naar Dwayne.

Misschien zag Dwayne het gevaar niet. Misschien kon hij ook niet meer anders. 'You ain't gonna stop me!' schreeuwde hij hysterisch.

John zei kalm dat hij de vrouw met rust moest laten. Dwayne lachte hardop, met zijn hoofd achterover. Opeens kwam hij met een mes in zijn handen op John af.

John bleef met zijn handen op zijn rug staan. Plagend en grinnikend stond Dwayne wat heen en weer te dansen, met zijn mes vlak bij Johns gezicht. De razendsnelle beweging van John was bijna niet te volgen toen hij de pols van Dwayne greep, deze omdraaide en het mes tussen de ribben door, diep in de borst van de outlaw stak. Zijn metgezel zat nog verbijsterd met zijn mond open te kijken toen John al bij hem was en hem van het paard af sleurde. Hij greep het hoofd van de man en stootte zijn knie dwars door z'n tanden heen.

Plotseling lag Abrahams hand op zijn arm.

'John!'

John keek opzij naar het vriendelijke gezicht van Abraham en voelde hoe de adrenaline zich langzaam terugtrok uit zijn bloed.

Dwayne was dood en werd begraven. John kon niet bevatten dat zijn metgezel zo goed mogelijk werd verpleegd en op een nieuw paard en met zadeltassen vol proviand mocht vertrekken.

'Leave it to God,' zei Abraham toen John er iets van zei.

'Wat is dat met jullie?' vroeg John bijna boos, die avond. 'Laten jullie je dan alles welgevallen?'

Vanuit zijn stoel keek Abraham de duisternis in.

'We weten het niet, John. Misschien heeft God jou wel naar ons gestuurd.'

De volgende dag vond John bij het ontbijt een grote vruchtentaart die hij van de jonge vrouw had gekregen. In de dagen daarna besefte

John dat hij nooit zoals de Amish zou kunnen leven. Nadat hij de outlaw had gedood, begon zijn onrust weer toe te nemen. Hij wist dat het met het zegel te maken had en dat zijn missie nog lang niet volbracht was.

'Ga na de winter,' zei Abraham. 'Nu is het te gevaarlijk.'

In de maanden daarop, terwijl de sneeuw het hele land met dikke lagen bedekte, voerde John veel gesprekken met Abraham in de keuken van de boerderij. Beide mannen waren zeer op elkaar gesteld geraakt en John zag bijna op tegen de dag dat hij verder moest reizen.

'Een tijdje geleden zei je tegen me: "Leave it to God",' zei John. 'Wat bedoelde je daarmee?'

'Dat je bepaalde dingen in het leven niet kunt sturen en moet overlaten aan God.'

'Maar ik geloof niet meer.'

'Dat hoeft ook niet. Ooit heb ik in New York een man ontmoet die als motto had: geen God en geen meester. Maar soms wist hij het niet en dan zei hij altijd: "Leave it to God." En dan kon hij het loslaten.'

'En die man was niet gelovig?'

'Nee, maar daar gaat het ook niet om. Het is een manier om dingen los te laten, om te accepteren dat jij niet ieder probleem hoeft op te lossen.'

John lachte. 'En als God nu werkelijk niet bestaat? Is dan alles geoorloofd?'

'John, veel theologen en filosofen zijn je voorgegaan in deze kwestie. Ik kan je daar geen antwoord op geven, omdat de wereld nu eenmaal leeft met een geloof in de Almachtige. Voor mij is het duidelijk dat Hij bestaat. Ik zou niet weten hoe het moest met de mensheid zonder Hem.'

John staarde een tijdje naar de vlammen in de open haard in de grote keuken, waar ze samen een pijp rookten. 'Twijfel jij nooit, Abraham?'

'Aan mijn geloof?'

'Ja.'

'Elke dag.'

'Doen alle Amish dat?'

'Nee, de meesten niet.'

'En als je twijfelt?'

'Dan bedenk ik meestal dat ik me niet alles moet afvragen. En dat ik hier gelukkig en tevreden ben met mijn bestaan.'

'Geen drang naar de andere dingen van het leven?'

Abraham boog zich naar hem toe en zei zacht: 'Laat me je een geheim vertellen, John. Bijna elke man is het slachtoffer van zijn eigen geest, die vol zit met verleidingen. Ik ben niet blind en ik ben niet zonder gevoel. Maar ik leef met de beperkingen die ons hier zijn opgelegd, omdat dat juist vrijheid schept.'

'Heb je dan nooit wraakgevoelens?'

'Om een ander te doden? Nee, omdat mijn wraak de ander daarmee niet treft.'

'Daar gaat het niet om,' zei John. 'Ik heb mensen gezien die geestelijk zo ziek zijn en de levens van andere mensen zo gruwelijk verminken, dat ze het niet verdienen om te leven. Net als valse honden. Die laat je ook niet leven.'

'En jij bent de rechter?'

John was hees van emotie. 'Stel dat die outlaw zijn gang had kunnen gaan en die jonge vrouw had verkracht en mishandeld. Zelfs als ze het had overleefd, was haar leven voor altijd verwoest geweest. Abraham, ik ben geen rechter. Ik heb er niet voor gestudeerd en ik ken de wet niet. Maar ik heb in mijn leven heel wat mensen ontmoet. Goede mensen en slechte mensen. En een enkele keer lopen er van die griezels tussen. Ik ruik ze, Abraham, en als ik ze tegenkom, ben ik bereid eigen rechter te spelen.'

'Ik weet dat jij het zwaarder hebt gehad dan de meesten onder ons. Daarom begrijp ik je.'

'Doe niet zo belerend. We leven in twee verschillende werelden. Die van jou is niet beter of slechter.'

Abraham aarzelde toen hij zei: 'Ik heb niet mijn hele leven geleefd volgens de wetten van God. En misschien bestaat God niet. Maar zelfs als ik wist dat God niet zou bestaan, zou ik nog een gelovige zijn.'

'Leave it to God.'

Abraham knikte. 'Ja, leave it to God.'

Orla wilde niet weg en smeekte haar vader om te blijven.

'Je mag haar bij ons laten, als ze dat wil,' zei Abraham. 'Edith is zeer gesteld op Orla. Ze ziet haar bijna als haar eigen dochter.'

John twijfelde, maar wist dat hij moest gaan. Orla wilde graag blijven en John wilde zijn dochter niet kwijt. Toch vond hij het goed als Orla bij de Amish zou blijven. Nadat de sneeuw was verdwenen en het voorjaar aanbrak, maakte John zich klaar voor de reis.

'Hoe ga je reizen, John?' vroeg Abraham.

'Gewoon, zoals ik gekomen ben. Lopend.'

Abraham nam hem mee naar buiten. 'Zo doen we dat hier niet.'

Hij gebaarde naar twee lachende jongemannen die buiten stonden. Ze gingen de schuur in en even later kwamen ze met een prachtige Appaloose en een glimmende, zwarte caddy naar buiten.

Orla wilde afscheid nemen van haar vader maar tegelijkertijd kon ze het niet en rende van hem weg het land in. Een grote eagle dook op en bleef boven haar hoofd hangen.

Abraham en Edith Siegel keken verbouwereerd naar het tafereel. Het was net alsof de grote vogel haar terugjoeg.

'Van jou?' vroeg Abraham.

'Soms.'

Orla's glanzend bruine ogen keken onbevreesd omhoog, alsof ze wist waarom de vogel er was.

John zag de verslagenheid in het gezicht van Edith toen ze besefte dat Orla toch met haar vader mee zou gaan. Maar toen ze afscheid nam van het meisje glimlachte ze en fluisterde allemaal lieve woordjes in haar oor.

De caddy werd vol proviand geladen.

'We hebben je wapens er ook maar in gelegd,' zei Abraham glimlachend. 'Vannacht heb ik ze helemaal schoongemaakt en weer keurig opgepoetst.'

'Heb jij dan verstand van wapens?' vroeg John verbaasd.

'Ja, uit een vorig leven,' zei Abraham, 'maar dat vertel ik je nog wel eens.'

'In een volgend leven,' zei John.

'Dat denk ik.'

'Nog wat,' zei John. 'Weet je nog dat je vorig jaar zei dat God mij misschien gestuurd had?'

'Ja.'

'Ik ben niet gestuurd om die vrouw te redden. Ik ben hier gebracht omdat Orla en ik het anders niet hadden overleefd.'

Langzaam reden ze weg en steeds draaide Orla zich om, net zolang tot de kleuren verdwenen en alles achterbleef als een stilstaand silhouet.

De eagle vloog weg naar het westen en lange tijd zeiden Orla en John niets.

'Papa?' Ze zat tegen hem aan.

'Ja, Orla.'

'Ik ben zo blij dat ik met je mee ben gegaan.'

John tilde haar op en zette haar op zijn schoot, waar ze zich helemaal oprolde en in slaap viel.

SCHOTSE STENEN

Schiermonnikoog, 1890

Hij spoelde aan op het strand in de vreselijke winter van 1890. Sommige eilandbewoners zeiden dat hij op een immens grote ijsschots was komen aandrijven. De vuurtorenwachter wist het zelfs zeker, want hij had hem 's nachts in het flitsende zwaailicht op blote voeten zien dansen op het ijs. Anderen beweerden later dat hij op een houten vlot door de oostelijke storm, die vanuit de Duitse Bocht langs de eilanden loeide, op het strand was gesmeten. Maar nergens waren sporen van hout te vinden en op het oostelijk deel van het eiland lagen brokken ijs op het strand. Grote witte, gele en zwarte bulten ijs, waarvan sommige zo groot als een huis.

Dat hij nog leefde verwonderde iedereen, want het water was zo koud dat zelfs de poten van vissende zeemeeuwen glinsterden van het snel aanvretende ijs als ze het water aanraakten.

De enige die het echt kon weten, was Brennan Eagleton zelf. Maar hij kon zich lange tijd niets herinneren en later wilde hij er niet meer over praten.

Hij was de zoon van Shay en Sinéad Eagleton en was geboren in de kerstnacht van 1862 in het vissersdorp Scrabster, in het uiterste noorden van Schotland.

Na hun vlucht uit Ierland waren Shay en Sinéad doorgevaren totdat ze aankwamen in Scrabster. Het hele dorp was uitgelopen om de beide Ierse vluchtelingen te aanschouwen. Maar al snel werden ze binnengehaald en kregen voor het eerst in lange tijd weer een fatsoenlijke maaltijd.

Shay vond al snel werk als visser op een klein schip. Hij wilde zelf niet in het dorp wonen en bouwde een kleine hut buiten het dorp, aan het smalle strand. De tienjarige Sinéad werd liefdevol opgenomen in het gezin van schoolmeester Keneally en zijn vrouw. Maar elke dag liep ze weg naar de hut van Shay, want ze wilde bij hem blijven. Tegen Shay zei ze dat ze het verschrikkelijk vond om in een huis te wonen waar ze alleen maar aan een tafel mocht eten en waar ze zich netjes moest gedragen. Shay bracht haar steeds weer terug en zei dat ze bij meneer Keneally moest blijven, want die kon voor haar zorgen.

'Ik wil daar niet blijven,' zei Sinéad dan fel. 'Ik moet elke dag naar school en ik wil met jou mee naar zee.'

Ze liepen over het strand en Sinéad sprong van de ene steen op de andere. Shay keek naar haar ranke gestalte. Verderop kwamen ze meneer Keneally tegen, die haar zocht.

'Je moet niet steeds weglopen,' zei hij streng tegen haar. Sinéad liep om hem heen en rende terug naar het dorp.

'Het is een moeilijk kind,' zei Keneally. 'Ze is wild en onbeheerst. Op school kijkt ze alleen maar uit het raam en als we eten, schrokt ze alles naar binnen en loopt weg. Mijn vrouw en ik hebben onze handen vol aan haar.'

'Ze heeft een moeilijke tijd achter de rug,' zei Shay.

'Ik denk dat we haar strenger moeten aanpakken. Als ze weer wegloopt, houd ik haar een tijd binnen.'

Shay zuchtte. 'Ik heb veel respect voor u, meneer Keneally. U hebt vast veel ervaring met kinderen, veel meer dan ik. Toch vraag ik me af of Sinéad gebaat is bij opsluiting. Ze heeft zoveel ellende meegemaakt, zoveel angst en honger. Ik denk dat ze na een tijdje wel tot rust komt als ze zich veilig bij u voelt.'

'Je bedoelt dat ik haar maar haar gang moet laten gaan.'

'Dat bedoel ik niet. U moet met haar praten, elke dag weer.'

Keneally keek geërgerd om zich heen. 'Ik begrijp het,' zei hij. 'Ik denk dat jij inderdaad niet zoveel ervaring hebt. Discipline Shay, dat is het beste voor jonge kinderen.'

In de maanden die volgden, kreeg Shay alleen nog maar briefjes van Sinéad. Kladjes met tekeningen en hanenpoten vol spelfouten waarvan hij niet wist hoe ze in zijn hut terechtkwamen. Zelf liet ze zich niet zien. Een enkele keer zag hij haar in het dorp en dan keken haar grote blauwe ogen boos tussen haar zwarte haren door en rende ze weg. Daarop volgde altijd weer een briefje.

Shay trof Keneally op een morgen bij het kleine postkantoor. De schoolmeester vertelde trots dat Sinéad een voorbeelddochter was geworden. Ze deed haar best op school en was zeer meegaand geworden in huis. 'Discipline, dat is wat nodig is.'

Shay kon een oude vissersboot overnemen van een schipper die ermee ophield. Door hard te werken had hij binnen een paar jaar wat geld gespaard en kon zo een flinke aanbetaling doen. Bovendien verdiende hij nu en dan veel geld omdat er nogal wat schepen schipbreuk leden op de gevaarlijke Schotse kusten. De getijstroom die zich dagelijks twee keer westwaarts en twee keer oostwaarts door de smalle doorgang tussen Schotland en de Orkney Islands perste, veroorzaakte zoveel stroming dat schepen die tijdens een storm in de buurt van de Pentland Firth terechtkwamen, onverbiddelijk tegen de rotsen sloegen. Shay had weleens het idee dat schepen die vergingen een flinke bron van extra inkomsten vormden voor Scrabster en wellicht de hele noordelijke kust van Schotland.

Sinéad schreef in een van haar brieven dat tante – ze vertikte het om haar stiefmoeder haar moeder te noemen – had gezegd dat er jaren geleden een schip vol botervaten uit Holland was vergaan en de vaten de haven van Scrabster met kerst kwamen binnendrijven. 'Mooi, dan hoeven we dat in elk geval zelf niet meer te kopen', was de reactie van tante geweest.

Sinéad schreef ook dat volgens haar de kerk, de dominee, de burgemeester en andere 'zeerovers' uit het dorp, rijk waren geworden van de schepen die leeggeplunderd werden. Shay voelde zich schuldig na het lezen van de brief, omdat hij net zo hard meedeed als de anderen. Weliswaar werden de schipbreukelingen als ze geluk hadden op het droge getrokken, maar daar hield het dan ook mee op.

Zelf waren de Scrabsters meesters in het bevaren van de Pentland Firth. Ze maakten altijd gebruik van de getijstroom, die schepen soms met meer dan tien mijl per uur kon voortstuwen. Met de stroom mee vlogen ze door het water de Noordzee op en trokken dan in één etmaal het hele ruim vol met haring. Als het tij keerde gingen ze met dezelfde gang weer terug naar de thuishaven. De vissers aan de oostkust van Schotland hadden een hekel aan de Scrabsters omdat ze altijd als eerste bij de haringgronden waren, alsof ze konden ruiken waar de vis zat. Als de nieuwe vangst werd aangevoerd, stonk het hele dorp naar de braadlucht van de kippered herring.

Op een mooie zaterdagmiddag in juli 1857 stond Sinéad plotseling voor zijn hut op het strand en staarde naar de zee. Shay had die ochtend in de baai gevist en was net bezig zich schoon te boenen. Hij stond voor de hut zoals God hem had geschapen en was van top tot teen flink ingezeept om de smerige visgeur te verdrijven. Toen hij zich omdraaide en naar zee liep om zich af te spoelen, zag hij haar staan. Net alsof ze er zomaar was neergezet. Ze bleef voor zich uit staren en de schittering van het water bewoog over haar bleke gezicht. Haren voor haar ogen en op blote voeten, net zoals hij haar had leren kennen. Shay aarzelde maar liep door naar zee, dook het water in, zwom een paar slagen en liep weer terug naar zijn hut. Hij voelde hoe haar ogen hem nieuwsgierig volgden. Terwijl hij zich afdroogde vroeg hij zich af waarom ze naar hem toe was gekomen, want hij had haar de laatste paar jaar nauwelijks meer gezien.

Hij dacht aan de talloze brieven die ze in het begin schreef en die later bijna niet meer kwamen. In het begin had ze woest geschreven over de Bloody Scrabtees die haar grootbrachten en de fucking teacher die haar linkerarm tijdens het schrijven jarenlang op haar rug had gebonden, omdat ze rechts moest leren schrijven. Uiteindelijk had de leraar de moed opgegeven en liet hij haar schrijven zoals ze wilde. De grootste strijd had ze met haar stiefvader, meneer Keneally, gevoerd. Vooral omdat ze zijn naam niet wilde aannemen. Krijsend had ze tegen haar stiefvader gezegd dat ze Gomez heette en nooit de naam Keneally wilde aannemen. In brieven aan Shay had ze verteld dat ze een verre afstammeling was van een Spaanse soldaat die in de Negenjarige Oorlog bij Cork aan land was gekomen met de Spaanse vloot, om de Ieren te helpen in de strijd tegen de Engelsen.

Shay vroeg zich af of het allemaal waar was wat ze schreef, maar ze vertelde dat haar moeder het haar honderden keren verteld had en dat het diepe indruk op haar had gemaakt. Dat bleek wel uit de manier waarop ze schreef, want ze had het altijd over haar vader de Spanjaard, waarschijnlijk omdat ze niet wist wie haar eigen vader was.

'Mijn vader werd aan boord ontzettend slecht behandeld en vluchtte de wal op. Hij is net als jij en ik dwars door Ierland gelopen en vond werk in een dorp. Tijdens een avondwandeling kwam hij langs een kerkhof en zag daar een weduwe die bloemen op een graf legde. Volgens mijn moeder was het een heel mooie vrouw, maar ze was pas weduwe en droeg nog een soort sluier.'

Sinéad draaide haar hoofd om en keek naar Shay. Door de manier waarop ze keek besefte Shay dat ze sterk was veranderd. Bijna als een zwart-witschilderij met de grijze zee op de achtergrond. Pikzwarte haren en haar huid zo wit als melk. Plotseling schoot het hem te binnen dat ze intussen achttien jaar moest zijn.

'Volgens mij vond die weduwe de Spaanse soldaat maar een vreemde snuiter. Bovendien was hij tien jaar jonger. Maar mijn vader bleef maar om haar heen draaien en altijd als ze op het kerkhof was, wandelde hij erlangs en groette haar beleefd. Ze keek hem dan aan en zei niets terug. Elke zondag zag hij haar ook in de kerk waar hij altijd achterin moest zitten van de priester, want de priester wilde niet dat hij te dicht bij haar zat. Zelf bracht die viezerik haar elke zondag na de dienst thuis, waarna hij zogenaamd bleef eten. Mijn vader schreef brieven en nog meer brieven die ze nooit beantwoordde. Maar dat doe jij ook niet.

Na vijf jaar zag hij dat ze niet meer naar het kerkhof kwam en toen hij zich naar de volgende kerkdienst spoedde, zat ze daar ongesluierd. Hij volgde haar naar huis en bleef die nacht buiten zitten en de nacht daarna ook. Pas na zeven nachten kwam ze naar hem toe en vroeg hem wat hij van haar wilde. Hij zei dat hij een eerbare Spanjaard was en dat hij haar de mooiste vrouw vond die hij ooit had gezien, maar dat hij zich zo langzamerhand vernederd voelde omdat ze hem bleef negeren. Ze begreep het en zei dat ze hem wel had zien kijken tijdens de dienst en erna, maar dat de priester haar had gewaarschuwd voor zijn felle Spaanse bloed. "Misschien zouden we kunnen beginnen met een zondagse wandeling na de kerkdienst," zei hij. Die zondag na de kerkdienst liepen ze samen gearmd het pad af, nagestaard door een tandenknarsende priester. Na een lange wandeling nodigde ze hem uit om te blijven eten en na het eten om nog langer te blijven.

En daarna is mijn vader nooit meer weggegaan,' schreef Sinéad.

Met een schok realiseerde Shay zich dat ze niets meer had van het kind dat hij had weggehaald uit het dodendorp in Ierland. Het was alsof al zijn poriën sinds lange tijd opengingen en zijn bloed begon te stromen toen hij naar haar bleef kijken. Hij besefte hoe bijzonder het was dat ze daar stond in de zon bij zee. Sinds hij in Schotland was aangekomen, had hij nooit meer nagedacht over zijn toekomst. Het was alsof zijn leven had stilgestaan omdat hij nog altijd het gevoel had op de vlucht te zijn en nog steeds bang was dat de Engelsen hem zouden halen. Hij had alleen maar geld verdiend en bleef in zijn hut aan het strand wonen zodat hij elk moment kon vluchten. Soms ging hij naar de jaarlijkse dorpsfeesten aan het eind van de zomer en danste met meisjes, maar nooit wilde hij zich aan iemand binden. De enige met wie hij omging was een robuuste oudere roodharige dame. Ze was kunstenares en schilderde in opdracht portretten en soms ook landschappen. Overal in haar huis hingen portretten van de mislukte opdrachten van notabelen uit het dorp. Onder het strenge oog van burgemeesters, wethouders, priesters, schoolhoofden, bankiers, reders en andere belangrijke personen die in haar slaapkamer aan de muur hingen, beleefde Shay mooie nachtelijke avonturen met de roodharige, die wat haar betreft niet wild genoeg konden verlopen. Ze kreeg maar niet genoeg van de jonge sterke Shay, die met oneindige energie de liefde met haar bedreef. Zodra hij 's avonds bij haar aankwam stond ze naakt op hem te wachten, scheurde de kleren van zijn lijf, besprong hem, klemde haar armen en benen als bankschroeven om hem heen, waarna hij haar optilde over de stenen vloer, de trap omhoog, het bed in, waar ze zwetend, snuivend, gillend de hele avond doorbrachten totdat de kerkklok twaalf keer sloeg en ze hem dan met haar lange witte benen het bed uitduwde omdat ze wel wist dat ze hem niet bezat en ook nooit zou bezitten.

Sinéad stond plotseling voor hem. 'Je haar is veel langer dan vroeger,' zei ze.

Haar aanwezigheid overdonderde hem. Ondanks haar tengere gestalte was ze bijna even lang als hij. 'Ik had je niet verwacht,' zei hij.

'Als je op zee zat, liep ik hier weleens in de buurt rond.'

Shay wreef met zijn knokkels over zijn hoofd.

'Ik wil je iets laten zien,' zei ze.

Ze liepen in westelijke richting naar de rotsen.

'Waar wil je naartoe?' vroeg Shay.

'Naar een plek waar ik al heel lang naartoe wil. Toen we hier voor het eerst aankwamen, zag ik dit vanuit zee en toen wilde ik er al met jou naartoe.'

Ze klommen tussen de rotsen door naar boven.

'Waarom nu pas?'

Ze stond iets boven hem, met haar voeten scheef op de stenen. 'Ik was te jong om daar met jou heen te gaan.'

Shay snapte er niks van.

Kiezelstenen gleden onder hun voeten weg. Ze kwamen op een klein tussenplateau en Sinéad bleef staan.

'Wat is hierboven dan?' vroeg Shay.

'Dat weet ik niet. Ik wil dat je me draagt.'

Shay keek verbaasd.

'Op je rug, zoals je me lang geleden door Ierland hebt gedragen.'

'Sinéad!'

'Kom, je bent sterk genoeg.'

Ze sprong op zijn rug en Shay tilde haar de helling op, totdat ze helemaal boven waren. Plotseling zag hij een klein groen grasveld met lage groepjes sparren. Voorzichtig zette hij Sinéad neer en keek verbaasd om zich heen. Aan de rand van het grasveldje kon hij het dorp beneden zien liggen en in de verte zelfs de contouren van de Orkney Islands. Het was windstil en niets bewoog. De zee lag stil als vloeibaar ijs in de baai. Shay had nooit geweten dat deze plek bestond. Zo stil en zo verborgen. Sinéad lag in het gras.

'Waarom heb je nooit teruggeschreven?'

'Ik ben niet zo'n schrijver.'

'Wat een waardeloos antwoord. Je had in elk geval weleens kunnen schrijven dat je mijn brieven las. Deed je dat trouwens wel?'

'Ja, met veel plezier. Vooral je handschrift vond ik prachtig.'

Shay voelde zich verward. Hij liep in cirkels om haar heen. 'Ga naast me zitten,' zei ze.

Shay ging zitten en vroeg of ze zich thuisvoelde in het gezin van Keneally.

'Nee, ik heb altijd het gevoel gehad dat ik een gast was. Maar het zijn lieve mensen die geprobeerd hebben me op te voeden.'

'Is dat gelukt?'

'Nee. Ik heb me ingehouden, want ik kan niet leven zoals zij. Maar nu ben ik vrij. Trouwens, is die roodharige er nog?'

Shay lachte. 'Nee, die is er niet meer.'

'Mooi. Dat was ook niks voor jou.'

'Hoe weet jij nu wat geschikt is voor mij?'

Zonder overgang zei ze: 'Ik wil bij jou wonen.'

Shay deed zijn mond open.

'Niets zeggen,' zei ze terwijl ze haar blanke wijsvinger op zijn lippen legde. Plotseling was haar gezicht boven hem, midden in de zon. 'Ik ben jou niet vergeten, Shay Eagleton. En jij mij ook niet,' zei Sinéad. 'Dat wist ik al toen je me uit Ierland weghaalde en dat wist ik toen jij me in dat rottige onderwijzershuis stopte en ik je haatte. Maar ik wist het vooral toen je me vanmiddag op je rug nam en ik je na lange tijd weer voelde. Je ruikt nog net als in Ierland toen ik ook op je rug zat.'

Shay wilde weer wat zeggen. Opnieuw hield ze haar vinger op zijn lippen. 'Ik weet dat je wilt zeggen dat je me te jong vindt en dat het allemaal niet kan. Het interesseert me helemaal niets dat je dat allemaal vindt.'

Langzaam trok Shay haar hoofd naar zich toe en toen ze elkaar lang kusten, barstte Sinéad in huilen uit. Ze zei dat hij een asshole was dat hij haar brieven niet had beantwoord en dat hij weleens had mogen laten weten dat hij zich nog om haar bekommerde en dat hij haar nooit bij de onderwijzer had mogen laten zitten maar dat het aan de andere kant goed was geweest en dat als hij ooit nog naar dat roodharige monster zou kijken, ze hem levend zou villen.

'Ik laat je nooit meer gaan,' zei Shay.

Brennan was twaalf toen hij voor het eerst met zijn vader meeging op de kleine houten vissersboot. Dat was in het vroege voorjaar van 1874. Sinéad zwaaide hen uit vanuit het huis boven op de rots bij Scrabster. Brennan had stenen van het strand meegenomen, waar hij altijd zijn zakken mee volstopte als hij wegging. Zodra zijn vader het kleine zeil had gehesen, gooide hij de trossen los. In het havenhoofd pikte de ebstroom de boot meteen op. Er stond een oostelijke bries tegen de stroom in en Shay voer halve wind naar het noorden. Op open zee werden de golven hoger en stampte het schip over de steil gekamde toppen zee. Brennan zat vlak naast zijn vader, die aan het helmhout zat en hem uitlegde hoe hij de grootste golven moest ontwijken. Brennan bleef kijken naar de golven die tegen het schip sloegen, alsof ze de scheepshuid wilden wegvreten. Na een uur zei hij dat hij terug wilde. Shay lachte en zei dat hij vast een goede visserman zou worden.

Acht jaar later was Brennan schipper op een van de schepen van zijn vader. Hij was een uitstekende zeeman, maar hij hield niet van de zee en lustte ook geen vis. Als kind niet en later als visser al helemaal niet meer.

'De biefstukken vliegen hier in Schotland niet langs Scrabster,' zei Sinéad vaak tegen hem.

Met lange tanden at Brennan uiteindelijk maar vis. Uiterlijk leek hij op geen van zijn beide ouders. Bruine ogen en roodbruin haar dat alle kanten op stond. Meestal millimeterde Sinéad het elke maand op zaterdag, zodat hij er op zondag bij de kerkgang een beetje netjes bijliep.

'Je moet het nu en dan eens wassen,' zei Sinéad.

Als kind had Brennan al een hekel aan water.

Zijn vierkante gestalte was even onverzettelijk als zijn karakter. Brennan week nooit één inch voor iemand. Als er feest was in Scrabster, dan danste en zong Brennan de hele nacht door.

Op een dag kwam hij vlak voor een storm de haven binnen. Hij kon nog net voordat het tij keerde scherp zeilend de hoek van het havenhoofd halen en dankzij een verre worp van een lijn door de havenmeester werden ze niet teruggezogen door de sterke ebstroom de haven uit. Terwijl Brennan de trossen vastmaakte, zat de vissersboot al bijna op de grond, zo snel trok het water weg.

'Wat een rotberoep,' zei Brennan tegen de havenmeester.

'Boeren hebben het slechter,' zei de havenmeester, 'er zit hier meer vis in zee dan er koeien op het land staan.'

'Ik heb zo'n hekel aan die klotezee,' zei Brennan, terwijl hij met zijn handen tussen de stenen in zijn zak graaide. 'Zodra ik aan boord stap, ruik ik dat stinkende zoute water al.'

'Dat komt door de plankton,' zei de havenmeester. 'Walvissen zijn er gek op.'

'Nee, dat komt omdat al die vissen hier in dat water rondneuken. Daarom stinkt het.'

'Wat doe je dan op zee?'

'Wat moet ik anders in dit godvergeten gat? Iedereen zit hier op zee. Bovendien kan ik mijn vader niet alles alleen laten doen.'

Op het dek schoof een van de mannen een berg ingewanden de baai in en plotseling was de lucht vol gekrijs van wild fladderende zeemeeuwen.

De havenmeester was een magere man in een zwart uniform. De dunne gouden galonnen op zijn mouwen waren door de tijd helemaal dof geworden. 'Zwaar leven dus,' zei de havenmeester door de herrie van de vogels heen.

'Zwaar? Het is een hel. Ben je zelf weleens op zee geweest?'

De havenmeester deed plotseling formeel. 'Nee, ik kom niet verder dan het havenhoofd. Dat is mijn terrein en daarbuiten heb ik niets te zoeken.'

Brennan lachte. 'Nou, dan heb je geluk, want als je op zee zit tussen die glazige hoge golven en je hebt aan boord niets anders dan vis op het menu, dan weet je wat de hel is.'

Zijn vader Shay kwam aanlopen en keek goedkeurend naar de manden vis die werden uitgeladen op de houten steiger.

'Niet gek,' zei hij.

'Nee, die beesten zwemmen altijd als gekken mijn netten binnen. Dat doen ze met opzet omdat ze weten dat ik geen vis lust.'

'Dan heb je geluk. Vanavond is er een dorpsfeest en ze zijn bezig een grote os te braden, dus ga maar gauw naar huis!'

Na een wilde nacht vol drank en ossenvlees voer Brennan de volgende dag zonder wind op de vloedstroom weg. Toen ze het havenhoofd passeerden, zag de stuurman een grote albatros op een paal zitten. 'Wat doet dat beest hier?' vroeg hij aan Brennan.

Brennan keek naar de enorme zeevogel. Het beest was grauw van zijn lange tochten over de oceaan. 'Die brengt slecht weer,' zei Brennan terwijl hij hoog in de lucht de geveegde wolken zag.

Het natuurgeweld barstte een uur later los, toen ze al op volle zee waren. Vanuit het westen begon de wind uit alle macht te blazen, gevolgd door hoog rollende golven. Brennan besloot aan de oostkant van de Pentland Firth te schuilen. Vloed en wind joegen het kleine bootje met een geweldig hoge snelheid de Pentland Firth in. Met zeker twaalf mijl per uur raasden ze bijna onbestuurbaar langs de rotsen. Samen met de matroos probeerde de stuurman het kleine stormzeil binnen te halen, want het kleine schip voer pal voor de wind en begon hevig te schommelen. Beide mannen stonden aan bakboord en met alle macht trokken ze de giek naar binnen. Maar de matroos liet in een harde windvlaag de grootschoot uit zijn handen glippen en de giek brak doormidden tegen de zijstag aan. Het schip helde sterk over naar bakboord, waarna de matroos zijn evenwicht verloor en overboord sloeg.

Brennan draaide onmiddellijk de boeg tegen de stroom in en rende naar voren om het anker uit te werpen. Hij smeet tientallen meters ketting uit in de hoop dat het anker zou blijven haken.

'Hou het roer recht tegen de stroom in!' schreeuwde hij naar de stuurman.

Schokkend hield het anker een paar keer, maar dan schoot het weer los. Brennan zag de drenkeling naar hem toe drijven. Opnieuw bleef het anker vastzitten en Brennan smeet de witte lijfboei met dunne lijn naar de matroos toen die langszij kwam.

'Ik kan niet zwemmen,' gilde hij in paniek.

'Pak de boei,' schreeuwde Brennan terug.

De kleine vissersboot begon vreselijk te gieren achter de lange ankerketting die uitstond. De matroos kreeg uiteindelijk het touw van de lijfboei te pakken.

'Over je hoofd,' schreeuwde Brennan.

Maar de matroos hoorde hem niet en werd door de sterke stroom en steile golven onder water getrokken. Hij moest de boei loslaten en dreef hulpeloos verder. De boot ramde door het gieren van de ene naar de andere kant van de Pentland Firth. Het houten schip kraakte toen het zijwaarts tegen de rotsen klapte.

'Ankerketting kappen!' schreeuwde Brennan tegen de stuurman.

De stuurman was volledig in paniek en hield zich stevig aan de lage verschansing vast. 'We moeten eraf,' zei hij, toen Brennan naast hem kwam staan.

Op het moment dat ze tegen de stenen aan beukten, sprong de stuurman tot Brennans verbijstering van het dek op een plateau aan wal.

'Wat doe jij nou?' schreeuwde Brennan.

De stuurman stond op de grote steen hulpeloos om zich heen te kijken, alsof hij zich zelf ook afvroeg wat hij had gedaan.

De golven werden steeds hoger en de kleine boot begon te schokken aan de ankerketting. Brennan besefte dat hij hier weg moest. Hij liep naar voren om de ankerketting te kappen, want de kracht op de ketting was te groot om binnen te halen. Door een harde hoge golf werd de rol waarover de ankerketting liep van de verschansing afgetrokken. Stukken hout vlogen van de boeg door het schuren van de heen en weer zwiepende ketting, totdat deze uiteindelijk brak. Dwarsscheeps en onbestuurbaar vloog het schip verder de Pentland Firth door. Brennan probeerde nog via de zuidkust van het eiland Hoy naar de luwte van de Orkneys te sturen maar de noordwestelijke stroming dreef hem naar de kleine eilandjes, waar hij tot overmaat van ramp zijn roer verloor. Voortgejaagd door stroom en wind dreef hij verder de zee op. In een op hol geslagen storm dreef hij zeven dagen en zeven nachten over de Noordzee totdat hij met zijn schip midden in de nacht op de noordelijke gronden tussen Ameland en Schiermonnikoog strandde waar het getergde schip uit elkaar sloeg. Tussen brokken ijs en zich vastklemmend aan drijvend wrakhout wist hij zich in leven houden totdat hij op het strand van Schiermonnikoog werd gekwakt.

Het leek alsof Brennan de eerste weken na aankomst op het eiland de honger stilde die hij als visser jarenlang had gehad omdat hij geen vis lustte. In de duinen joeg hij op konijnen en in het voorjaar haalde hij vogelnesten leeg. De talloze hoenders zagen in Brennan hun grootste natuurlijke vijand, want zodra hij zijn gezicht in de duinen liet zien, vloog alles wat kon vliegen zo hoog mogelijk de lucht in. Meestal tevergeefs, want Brennan kwam met vrachten hoenders om zijn middel thuis die hij dezelfde avond vilde en opat, bijgestaan door de grote herdershond van de boerderij waar hij werkte, die alle koppen, botten en veren tussen zijn grote kaken vermaalde totdat er niets meer over was.

De plaatselijke veldwachter informeerde eens hoelang Brennan op Schiermonnikoog wilde blijven. Brennan had verteld dat hij uit Schotland kwam, maar niemand wist dat zeker en papieren had hij niet.

Voor geen goud wilde Brennan meer weg van Schiermonnikoog. Het leven als boerenknecht beviel hem uitstekend. De boer was ook blij met hem, want Brennan werkte als een paard. Niemand die zoveel werk kon verzetten als Brennan. In een brief had hij zijn ouders geschreven dat hij nog leefde en niet van plan was ooit weer de zee op te gaan.

'Ik ga hier nooit meer weg,' zei Brennan tegen de veldwachter, 'want dan moet ik over zee, en ik ga nooit meer de zee op.'

'Misschien dat je je dan officieel moet laten inschrijven in het bevolkingsregister,' zei de veldwachter, die niet wist wat hij ermee aanmoest. Hij had liever dat Brennan weer vertrok, want het leek wel alsof er met Brennan een hele invasie had plaatsgevonden op het kleine eiland. Niet alleen wat de hoenders betrof, maar ook omdat hij veel onrust veroorzaakte. Tijdens de feesten aan het eind van de hooimaand brouwde Brennan echte Schotse whisky en tot ver in de ochtend stonden de inwoners onder aanvoering van Brennan te dansen en te zingen. De boeren versliepen zich en de koeien hadden het om een uur of zeven 's ochtends ook wel gehad omdat ze maar niet werden gemolken. Wanhopig liepen ze met klotsende uiers over het land zodat de melk bijna slagroom werd, en loeiden zo hard dat de mensen het op Ameland konden horen. De veldwachter was een man die van orde hield en hij zag in Brennan een onruststoker, maar wist ook dat de eilandbewoners hem graag mochten. Uiteindelijk stuurde de man hem naar het gemeentehuis.

De ambtenaar aan de andere kant van de tafel deed gewichtig. 'Naam en voornamen graag.'

'Eagleton, Brennan Eagleton.'

De kroontjespen bleef boven het vel papier hangen. 'Die naam kennen we hier niet,' zei de ambtenaar.

'Nee, maar zo heet ik.'

De ambtenaar dacht na en zei: 'Daar krijgen we moeilijkheden mee. Niemand die het goed kan uitspreken.'

'Waarom krijgen we daar nu weer moeilijkheden mee?'

'Omdat ik dat weet. Ik werk nu bijna veertig jaar hier op het gemeentehuis en ik weet precies wat gedonder geeft.'

Brennan snapte er niets van. De ambtenaar bladerde in het dikke register en liet zijn vinger langs de namen glijden.

'Nee hoor, nergens Eagleton. Zie jij Eagleton staan?' Plotseling kreeg de ambtenaar een geniale ingeving. 'Jij komt van de zee. We noemen je Brennan van de Zee of Van der Zee, dat is de deftige tak. Grote boeren in Friesland heten Van der Zee.'

'Weet je waarom ik zo blij ben dat ik op Schier woon?' vroeg Brennan.

'Geen idee,' zei de ambtenaar.

'Omdat ik niet meer op zee hoef te varen. Altijd heb ik met tegenzin op zee gezeten om die klotevissen uit het water te halen. Ze stinken, ze smaken vies en de hele zee ruikt trouwens naar die gore beesten, en dan ga jij me Van der Zee noemen. Ik heet Eagleton en geen Van der Zee,' zei Brennan boos en hij liep weg.

De ambtenaar bleef achter. Hij haalde zijn schouders op en doopte zijn pen in de inkt en schreef met prachtige krullende letters Brennan van der Zee in als nieuwe inwoner.

Jaren later trouwde Brennan met Trijntje Grilk en kwam hij erachter wat de ambtenaar hem geflikt had. De ambtenaar, die zich intussen in de schemering van zijn leven bewoog, herinnerde zich niets meer van het voorval. De naam kon niet meer worden hersteld en dus trouwde Brennan van der Zee met Trijntje Grilk in 1899 op Schiermonnikoog. Trijntje was een struise, blonde, vrouw van wie alle jongens van Schiermonnikoog heimelijk droomden, zodat Brennan de bruiloft niet wilde afblazen alleen vanwege zijn naam. Trijntje kwam uit een roemrijk geslacht van zeekapiteins, avonturiers en schrijvers. Na de lagere school had ze de zeevaartschool doorlopen, omdat dit de enige vervolgopleiding op het eiland was. Net als haar broer Jan, die het diploma Stuurman voor de Grote Zeilvaart had gehaald en later was omgekomen in een storm voor de Hoek op het vrachtschip De Gelderland. Haar grootvader was ook kapitein op zee geweest, maar die was op oudejaarsnacht voor de kust van Afrika om het leven gekomen toen hij vuurwerk afstak voor de negers, met afgekeurde vuurpijlen en de hele zaak ontplofte. Kees Grilk, Trijntjes vader, had net als Brennan niets met de zee. Hij schreef kinderboeken die hij als schoolmeester voorlas aan de leerlingen op de lagere school. Brennan vond in hem een medestander in hun afkeer van de zee, want volgens Kees Grilk had het zeemansleven grote nadelen voor mensen. 'Dat slingeren met zo'n bak op die golven smijt de hersens door elkaar. Heb jij op zee weleens iemand gezien die normaal was?' vroeg hij aan Brennan.

'Nooit,' antwoordde Brennan stellig.

'Ik had een oom die kapitein was op een groot schip. Bij rederij Nievelt Goudriaan. Ze hadden een lijndienst via Lissabon. Volgens mij had hij daar een vriendin, want ik heb wel verhalen gehoord dat hij daar elke avond in de Texas-bar zat met een mooie meid naast hem. Ze hadden in de bar een heel orkest in een grote sloep, die in de lengte doormidden was gezaagd en tegen de muur stond. Als mijn oom dronken was, klom hij in de sloep en dirigeerde het hele orkest. Al zijn geld verdween naar Lissabon en zijn vrouw en kinderen kregen niets. Dus die hebben ze teruggestuurd naar Schier. Later is hij kapitein op een veerboot geworden.'

'Ik ga in elk geval nooit meer naar zee,' zei Brennan.

Maar nadat hij getrouwd was, liep hij elke zondagochtend na kerktijd met Trijntje over het strand, omdat zij de geur van de zee miste. Ze wist dat Brennan er niet van hield en daarom had ze voordat ze trouwden met hem afgesproken dat ze alleen op zondag een wandeling over het strand zouden maken. Ook de dominee had in zijn preek nog even aangehaald dat hij niet moest proberen eronder uit te komen, want hij had het haar toegezegd. Meestal zocht Brennan op het strand naar stenen, die er niet waren want op Schiermonnikoog waren geen stenen. Zelf had hij nog altijd dezelfde stenen in zijn zak die hij mee had genomen uit Schotland. Nadat ze een tijdje met elkaar omgingen, vroeg Trijntje een keer of die stenen geluk brachten.

'Dat weet ik niet,' zei Brennan, 'ik wil ze altijd bij me hebben.'

'Mag ik ook zo'n steen?' vroeg Trijntje.

'Nee, ik geef nooit een steen weg.'

'Je hebt je zak vol met stenen.'

'Je mag alles van me hebben,' zei Brennan, 'behalve een steen.'

'We willen toch samen verder? Hoor je dan niet alles te delen?'

'We hebben geen bloed vermengd.'

'Waar slaat dat nou weer op?' zei ze lachend. 'Wat ben je toch een rare man.'

Ze liepen verder en even later vroeg ze: 'Als we later een kind krijgen, is dan ons bloed vermengd?'

'Als het een jongen is wel,' zei Brennan.

Ze bleef staan en keek om zich heen naar de duinen. Ze pakte hem bij de arm en nam hem mee naar een duinpan.

'Wat ben jij van plan?' vroeg Brennan.

'Ik wil een van je stenen hebben,' zei ze terwijl ze hem achteroverdrukte in het koude zand. Ze lag boven op hem.

'Je weet niet eens of het een jongen wordt.'

'Niet zeuren. Op Schier worden alle jongens op het Noordzeestrand verwekt.'

'Dat verzin je,' zei Brennan.

Maar Brennan werd die middag verleid onder dikke wolken en de wijde rokken van Trijntje, en kort daarop trouwden ze. Op de dag dat de tweeling met de namen Shay en Kees werd geboren, legde Brennan twee platte grijze stenen uit Schotland op het nachtkastje naast het bed waarin Trijntje lag te slapen. Toen hij weg wilde lopen, murmelde ze: 'Ik wil alle stenen van je hebben.'

ZWARTE VLAG

Schotland, 1900

Shay Eagleton stierf in Schotland op zondag 14 januari 1900, zonder het land ooit nog te hebben verlaten. Het was precies vijf dagen nadat de leider van de Irish National Party, John Edward Redmond, een opstand uitriep tegen Groot-Brittannië. Sinéad en Shay hoorden het nieuws 's ochtends in de kerk, waar de priester niet alleen heftige donderpreken vlak voor het laatste gebed hield, maar ook het wereldnieuws doorgaf. Dat was direct na de preek, die de priester afraffelde in het verplichte Latijn om daarna meteen over te schakelen op onvervalst Iers, want het wereldnieuws beperkte zich uitsluitend tot Ierland en tot berichtgeving over waar en hoe de Engelsen in hun onmetelijke rijk ergens in de wereld waren verslagen. Priester O'Brien was zelf een Ierse vluchteling, en hij haatte de Britten tot in zijn tenen. In zijn gebeden riep hij meerdere malen God aan, om Ierland te verlossen van 'the smell of the British', alsof het stinkende honden waren.

Onder vrienden zei hij dat het Engelse koningshuis een misdadige bende was, omdat de Anglicaanse kerk was voortgekomen uit de geiligheid van Henry VIII, met al zijn vrouwen. Hij beweerde dat de Ieren nog steeds werden geknecht door die hele bloody church, met als hoofd dat frigide kreng van een Victoria. De kerk van de duivel was het, volgens O'Brien.

Shay kon de steile trappen naar het huis op de hoge rots bijna niet meer op komen. Sinéad stond achter hem en ondersteunde hem. Onderweg bleven ze een paar keer staan om op adem te komen. Elke keer wanneer ze boven waren, zei Shay dat ze op het mooiste plekje in de wereld woonden. En Sinéad zei dan dat ze nooit wilde verhuizen en dat ze hem als het moest zelf wel op haar rug naar boven zou sjouwen, want hier lag tenslotte de basis van hun liefde.

Drie jaar daarvoor wilde Shay terug naar Dublin om de protesten bij te wonen tegen koningin Victoria, die haar jubileum vierde. Priester O'Brien had hem verteld dat die dag een zwarte vlag door de straten van Dublin werd rondgedragen waarop met zilveren letters stond dat door toedoen van de Engelsen anderhalf miljoen mensen waren verhongerd, drie miljoen verbannen en nog meer miljoenen genoodzaakt waren het land te verlaten. Maar Sinéad wilde niet dat Shay naar Dublin ging, zo bang was ze dat hij alsnog zou worden gearresteerd.

Maar op die zondagochtend, 14 januari 1900, zei hij opnieuw dat hij Ierland nog één keer wilde zien.

'Nou, dat lijkt me niet,' zei ze. 'Jij gaat nergens meer heen. Ik hou je mooi thuis, want ik heb je nachten genoeg moeten missen als je op zee was.'

'Je kunt toch mee?'

'Naar dat hongerland daar? Geen sprake van. Nog elke dag ben ik bezorgd dat er geen eten is, hoe goed we het ook hebben. Ik heb daar altijd honger geleden en ik zet er nooit meer één voet aan land.'

'Ierland wordt binnenkort bevrijd,' zei Shay. 'Dan krijgen we Eagleton Castle terug.'

'Samen met jou in dat grote koude kasteel? Nee, Shay. Hier ben ik gelukkig, en hier hebben we een geweldig leven. Elke dag denk ik terug aan die sterke man die me lang geleden bijna dood het bed uit tilde, me eten gaf en op zijn rug bond en me hierheen heeft gebracht.'

Shay glimlachte en legde zijn blauw dooraderde hand op haar arm.

Hij stond op en zei dat hij moe was van de wandeling naar de kerk en even wilde liggen. Vlak voor het middaguur zag ze de eagle zitten op het witte hek van de omheining. Ze wist meteen dat er iets mis was en vloog naar Shay, die koud en stijf half over het bed lag alsof hij nog geprobeerd had om op te staan.

De volgende dag kreeg Brennan van het Rijkstelegraafkantoor op Schiermonnikoog bericht dat zijn vader was overleden. Sinéad vroeg of hij wilde komen om de zaken te regelen, waarna Brennan telegrafeerde dat het hem ten zeerste speet, maar dat hij van zijn leven geen voet meer op een schip zou zetten. Zelfs toen het eerste motorpostschip met hulpzeil, de MS Schiermonnikoog, in de vaart werd gebracht, weigerde hij om ook maar één reis naar Zoutkamp te maken.

'Ik ga nooit en nooit meer van het eiland af,' zei hij tegen Trijntje.

Sinéad schreef later meer brieven uit Schotland waarin ze vroeg of hij wel wist hoe het met het Eagleton-zegel zat. Brennan schreef terug dat zijn vader hem daarover had verteld en dat hij het beschouwde als verzinsels. Daarna vroeg Sinéad of hij weleens eagles op Schiermonnikoog had gezien. Brennan had ze nooit gezien, tot op de dag dat zijn zoons Shay en Kees werden geboren. Aan de horizon verscheen een joekel van een roofvogel, die dagenlang op het eiland verbleef, net zolang totdat Trijntje voor het eerst met de baby's naar buiten kwam. Draaiend, hoog in de lucht, viel de vogel honderden meters naar beneden en in duikvlucht vlak naast het huis liet de eagle een dood maar nog warm duinkonijn in het gras vallen en verdween met grote slagen naar het westen. Trijntje snapte er niets van, maar Brennan zei dat de vogel kennelijk wilde dat ze goed zouden zorgen voor de kleine Shay en Kees en voor de rest wilde hij er niets van weten.

In de winter van 1905 verhuisden ze naar de voorstreek in Westerburen op Schiermonnikoog. In de week daarop werd Kees plotseling ziek. Dagenlang had hij hoge koorts en Shay herinnerde zich nog lang het rode zwetende hoofd van zijn ijlende broertje. Binnen een week was hij dood. Shay was amper zes toen Kees werd begraven. Daarna bleef het jarenlang stil in zijn leven en het was net alsof in zijn jeugd de tijd in een ijzeren ritme voorbijtikte. In de kleine voortuin stonden twee bomen, waarvan er een nooit leek te groeien. Hij vroeg zijn moeder waarom die ene boom niet groter werd, maar Trijntje wist het ook niet.

De lage huizen met halfmanshoge zijgevels van gele baksteen leken te wedijveren in properheid. Brennan had het pad van de voordeur naar het hek gelegd met vierkante plavuizen, die Trijntje elke zaterdag schrobde en politoerde met glinsterend duinzand. Vooral als in de herfst de turf door het gevelgat naar boven werd getakeld, stond Trijntje al klaar met de emmer water en lysol om de rommel direct aan kant te krijgen.

Shay keek hoe de mannen 's winters terugkwamen van de Scandinavische vaart en de hele dag doelloos heen en weer liepen door de streek of soms op de vastgetimmerde zitbanken naast de voordeur zaten. Tegen het eind van de middag verdwenen ze allemaal naar Hotel Van der Werff. Shay wist dat hij later niet op het eiland wilde blijven.

Brennan verdiende redelijk geld als veekoopman. Meestal kocht hij jongvee van boeren uit de Banckpolder en zette het vee op transport naar een koopman in Dokkum, die vervolgens het geld in een envelop mee terug gaf aan de kapitein op de postboot. Brennan had een stuk grond gekocht in de polder, waar hij schapen hield voor de wol, want hij wilde geen koeien meer melken om vier uur 's ochtends. Trijntje hield hem ook liever in het warme bed, omdat ze nog steeds aasde op de stenen van Brennan, die voor haar meer waarde hadden dan goud.

Ze spinde de wol van de schapen en breide dikke truien, die Brennan voorzag van een deftig label 'Eagleton' en verkocht als duur Engels merk aan een winkel in Den Haag.

'Waarom heb ik een Ierse naam?' vroeg Shay toen hij twaalf jaar was.

'Hoe kom jij aan die wijsheid?' Brennan had hem nooit over Ierland verteld.

'Dat vertelde de meester op school. Ze zeggen dat jij aangespoeld bent op een ijsschots.'

'Jouw grootvader heette ook Shay. En hij is uit Ierland gevlucht vanwege de honger. Ik ben in Schotland geboren,' zei Brennan. 'Weet je waar dat ligt?'

Shay wist precies waar Schotland lag en ook waar Ierland lag en vanaf dat moment bestookte hij Brennan met honderden vragen. Brennan wilde aanvankelijk niet over Schotland praten, omdat alleen de herinneringen aan de zee hem al misselijk maakten. Maar naarmate Shay nieuwsgieriger werd, kreeg Brennan meer plezier in het vertellen van zijn eigen verhalen en uiteindelijk vroeg Shay waar de Eagletons echt vandaan kwamen.

'Ik weet het niet. Er schijnt een kasteel te zijn in Ierland waarvan we ooit zijn verjaagd. Er is ook nog een soort zegel als bewijs, maar ik vraag me af of dit echt zo is. Je grootmoeder Sinéad in Schotland weet het allemaal precies.'

Shays andere grootvader, opa Kees Grilk, had twee zussen die in Leeuwarden woonden.

De eerste keer dat Shay bij hen ging logeren, verbaasde hij zich over de dames, die al ver over de zestig waren. Ze woonden in een gigantisch huis aan de Emmakade. Beiden gaven muziekles in alles. Viool, piano, gitaar, fluit, zang en zelfs drums. Dat laatste deed tante Pita, de vrolijkste van de twee. Ze was meestal gekleed in felgekleurde gewaden, trok zwarte lijnen rond haar ogen en verfde haar lange grijze haren soms blauw. Haar zus, tante Nan, had niets van haar. Zij was een echte dame met een stijf kapsel dat nooit leek te bewegen.

In huis stonden tientallen muziekinstrumenten en overal lagen Perzische tapijten, die vroeger vanuit het verre oosten door hun vader waren meegenomen toen hij als kapitein op de grote zeilvaart zat.

Boven op de zwarte Steinway-vleugel midden in de kamer stonden allemaal voedselbakjes voor de katten. Pita had twaalf katten onder haar hoede. Beesten van de straat die uitgehongerd aan kwamen lopen en plotseling in een waar paradijs terechtkwamen. Pita haalde altijd vers vlees bij de slager en 's zondags kookte ze pudding voor de katten. Nan hield niet van katten en had een poedel. Elk jaar wanneer het beest jarig was, werd de fotograaf ontboden en die maakte dan een soort staatsieportret van Nan en de poedel samen op de divan.

Toen Shay kwam logeren, keek tante Nan in zijn keel en zei dat hij waarschijnlijk mooi zou kunnen zingen. Naast de piano oefende Shay een paar keer.

'Probeer eens een hoge toon,' zei tante Nan, maar toen Shay het deed, begon de poedel zo afgrijselijk te janken dat Shay snel weer ophield.

'Doet hij anders nooit,' zei tante Nan.

Beide dames waren nooit getrouwd geweest. Pita vond niks aan mannen en Nan had ooit verkering gehad met een Russische officier die op Schiermonnikoog terecht was gekomen. Dat was dertig jaar geleden en na een hete zomer was hij teruggegaan naar Rusland, met de belofte aan Nan dat ze binnenkort weer samen zouden zijn. Zelfs na dertig jaar was ze er nog van overtuigd dat hij terug zou komen en ze verwachtte hem altijd met de kerst, want dertig jaar geleden was hij ook tijdens kerstnacht aangekomen. Elk jaar op kerstavond ging ze terug naar Schiermonnikoog en wachtte ze op de kade als de boot aankwam. Maar de Rus kwam niet. De Rus kwam nooit meer en toch liet ze geen andere man meer toe in haar leven sinds haar grote liefde was vertrokken.

'En die komt ook niet meer,' zei Pita, als ze stiekem sigaretten rookte met Shay. Nan had een hekel aan rook in huis, omdat het volgens haar slecht voor de hond was.

Voor Shay voelde het als een enorme bevrijding wanneer hij bij zijn tantes was. Net alsof hij de grote wereld binnenstapte. Het rook er naar muziekinstrumenten en het verre oosten. Shay vertelde wat hij wist van zijn vader over het Eagleton-zegel en over de vader van zijn vader, die de Engelse lord had vermoord.

'Wat is er gebeurd met de broer van je grootvader, John Eagleton?' vroeg tante Nan.

'Geen idee,' zei Shay.

'Je moet naar Ierland gaan,' zei Pita.

'Ik denk niet dat die John nog in Ierland zit,' zei Nan voor zich uit starend.

'Ik heb het al gevraagd. Mijn vader wil niet dat ik ga.'

'Gewoon gaan,' zei Pita.

'Je moet die jongen niet opstoken tegen zijn ouders,' zei Nan.

'Nee, hij moet gaan om alles te weten te komen over het zegel. Zijn vader interesseert het niet,' zei Pita. 'Ga naar je grootmoeder in Schotland. Zij kan je helpen.'

'Shay zal het zegel niet vinden,' zei tante Nan en ze ging naar bed.

'Waarom zegt ze dat?' vroeg Shay aan Pita.

'Soms kan ze dingen zien,' zei Pita.

'Met die Rus zit ze er anders mooi naast.'

'Dat komt omdat gevoelens van liefde sterker kunnen zijn dan de rede.'

'Moet ik gaan, tante?'

'Naar Schotland? Natuurlijk moet je gaan. Het is je plicht om te gaan. Je grootmoeder kan je misschien vertellen wat er is gebeurd. Ze is tenslotte getrouwd geweest met de man die ooit het zegel in handen heeft gehad.'

Shay knikte. Uit een rood blikje met gouden letters haalde Pita twee sigaretten en ze gaf er een aan Shay. 'Jouw vader wil en kan niet meer van het eiland af. Dus moet jij erachter zien te komen hoe het zit. Want na jou zal alles verdwijnen en wordt het een legende. Ik heb het gevoel dat het bezit ooit weer in handen van je familie kan komen.'

'Mijn vader zou er nog niet dood gevonden willen worden.'

'Volgens mij is het een bijzondere plaats,' zei Pita. Ze keek hem peinzend aan en zei toen: 'Gek dat je niets van je moeder hebt. Je bent een echte Ier van de westkust. Zwart haar en helblauwe ogen. Ga naar Schotland, wat ze ook zeggen.'

LAKERS

Newfoundland, 1932

In 1929 begonnen de schepen van de Newfoundland Shipping Company Ltd. van Halifax de 'all water route' te gebruiken. Vrachtschepen van maximaal achtenzeventig meter lengte konden vanaf de oceaan met lading doorvaren naar Montreal en vandaar naar Lake Ontario. Via Lake Erie en Lake Huron konden deze speciaal gebouwde schepen doorvaren naar Lake Superior of naar Chicago, via Lake Michigan. De afmetingen werden bepaald door de grootte van de kleinste sluis: Lock no. 17, in het Cornwallkanaal tussen Montreal en Lake Ontario. John Hamilton monsterde in 1932 aan op de SS Northern Star, een kleine laker, gecharterd van de Noorse reder Olsen & Ugelstad. Trampvaart bleek vooral in de eerste jaren voor de meeste rederijen zeer aantrekkelijk. Maar weinig schepen konden lading vanaf Europa direct vervoeren naar de grote steden aan het merengebied in Canada en Amerika. Meestal werden de goederen in de oostelijke zeehavens gelost en via land verder vervoerd. Daarom hadden de Amerikanen de pest aan de lakers, want ze ondermijnden het spoor- en wegvervoer.

De Newfoundland Shipping Company Ltd. verscheepte aanvankelijk alleen maar lading tussen de grote meren en St. John op Newfoundland. Nieuwe rederijen zoals de Oranjelijn uit Rotterdam en de Fjell Line, bouwden echter nieuwe schepen voor de vaart op de grote meren.

De Canadese directeur William Shaw van de Newfoundland Shipping Company Ltd. in St. John besefte dat hij zijn werkterrein moest vergroten om de concurrentie het hoofd te bieden. Hij besloot zijn vaargebied vanaf de Great Lakes naar Europa en de Middellandse Zee uit te breiden. Daarvoor had hij een speciaal schip nodig. Het moest groot genoeg zijn om veel lading over de oceaan te vervoeren.

Maar ook nog de mogelijkheid hebben om de havens in het merengebied te bereiken. William Shaw charterde een nieuw schip van 256 voet lengte, met een breedte van tweeënveertig voet en vijf duim. Na het passeren van Montreal mocht de diepgang niet meer bedragen dan veertien voet en drie duim, voor de meren. De voor- en achtersteven waren recht gebouwd, zodat maximale lading kon worden meegenomen. Om het schip door het Cornwallkanaal te krijgen, was speciale manoeuvreerkennis nodig.

Captain Iwan Chorowski lag net met de Northern Star in St. John en ontving een telegram waarin hem werd verzocht naar het kantoor van de maatschappij te komen. Hij trok een schoon shirt aan, stapte aan wal en nam een taxi naar de rederij.

Shaw was een grote en kolossale, zeer gedreven man. Op het moment dat Chorowski binnenkwam, stond hij voor zijn reusachtige bureau de tekeningen van het nieuwe schip te bestuderen. Zonder op te kijken begon hij meteen te praten, want hij had nooit tijd voor flauwekul.

'Ik wil graag dat jij dit schip in de vaart brengt,' zei hij.

Terwijl hij aan zijn snor plukte, keek Chorowski nieuwsgierig naar een tekening van het grote schip.

'Jammer dat dit schip net een inch te lang is,' zei Shaw met een brede grijns.

'No problem,' zei Chorowski grijnzend terug. 'Ik krijg hem wel in Lock no. 17.'

'Dacht ik ook,' zei Shaw. 'Daarom moet jij het doen.'

Chorowski knikte. Hij kende de situatie en vroeg naar de andere bemanningsleden. Shaw overhandigde hem een lijst, die Chorowski nauwkeurig bestudeerde. Hij gaf de lijst terug aan Shaw en zei dat hij graag de stuurman op de lijst wilde vervangen door John Hamilton.

'Die vaart toch als stuurman met dispensatie?' vroeg Shaw.

'Hij heeft vorige maand zijn license in Halifax gehaald,' zei Iwan.

'Hamilton is nog jong en heeft weinig ervaring. Ik stuur liever iemand mee die meer dienstjaren heeft.'

'Dienstjaren zeggen me niks,' zei Chorowski. 'Als je die Hamilton laat aanleggen tussen twee schepen en hij heeft aan de voor- en achterkant een voet ruimte, parkeert hij hem er zo tussen.'

'Oké, oké, je krijgt je stuurman. Volgende maand wordt het schip opgeleverd. Als het goed gaat, laten we meer van deze schepen bouwen,' zei Shaw.

'Wat is de naam van het schip?' vroeg Iwan.

'Daar aarzel ik nog over. Ik zat aan een van de staten van Amerika te denken. Die hebben prachtige namen. En er zijn staten zat in Amerika, dus we kunnen even vooruit,' lachte Shaw.

'Montana,' zei Chorowski.

'Montana. Waarom Montana?'

'Ze zeggen dat daar vroeger zee was.'

'Ja,' zei Shaw, 'dat heb ik ook weleens gehoord.'

'Misschien is het wel een fabeltje.'

'Maakt niet uit,' zei Shaw, 'het is een prachtige stoere naam. Montana it shall be.'

Een maand later voeren ze op de Montana St. John uit, op weg naar Montreal. Samen met Iwan Chorowski stond John op de brug toen ze Cape Francis passeerden. Het schip verlegde langzaam haar koers van zuidoost honderdvijfendertig graden naar honderdtachtig graden, pal zuid. Nadat Cape Race werd gerond, draaide het schip de steven naar het westen, op weg naar Cabot Strait waar de Golf van St. Lawrence begon.

Drie dagen later meerden ze aan in Montreal, om een deel van de lading te lossen. John verstouwde de rest van de lading zo dat de diepgang overal gelijk was over het schip.

Verderop lag Lock no. 17. Voordat ze wegvoeren, had Chorowski de chief engineer bij zich geroepen om hem te vertellen dat hij uiterst snel moest reageren op de bevelen van de telegraaf vanaf de brug.

'Geen getreuzel daarbeneden. Volle kracht is volle kracht en dat zijn de maximale klappen. Het gaat zometeen in de sluis om centimeters.'

De deuren van de sluis stonden al open toen ze langzaam aan kwamen varen. De sluismeester begon al van verre nerveus te schreeuwen, want hij had nog nooit zo'n groot schip gezien. 'Past er nooit in,' brulde hij door de toeter naar Chorowski die op de stuurboordsvleugel van de brug stond. John stond naast de telegraaf.

'Past precies,' schreeuwde Chorowski terug.

'Je duwt al het water van de sluis naar voren.'

De Montana voer dead slow en het trage zuigende geluid van de lange cilinders van de stoommachine was nauwelijks hoorbaar.

De sluismeester keek bezorgd. 'Te lang en te breed,' riep hij nogmaals door de toeter.

Chorowski zei niets. Hij grijnsde naar John die achter de telegraaf stond en keek naar de roerganger. De kop van het vrachtschip kwam door de wind scheef voor de sluis te liggen, maar Chorowski liet kort achteruitslaan waardoor de kop weer naar stuurboord trok. In de sluis stuitte het schip op de muur van water dat geen kant op kon omdat het schip tot op de centimeter nauwkeurig tussen de stenen wanden van de sluis paste.

'Zie je nou wel? Terug met die bak!'

'Halve kracht vooruit, roer midscheeps,' zei Chorowski zacht tegen John.

De machinekamer reageerde onmiddellijk. John voelde hoe het schip kracht zette en tegen het water aan begon te duwen. Ze kwamen echter nauwelijks vooruit. Aan de zijkanten van het schip spoten stralen water meters omhoog de lucht in.

'Volle kracht!'

Beneden in de machinekamer bediende de tweede machinist de stoommachine. Hij keek door de kleine patrijspoort naar buiten en zag tot zijn schrik de muur van de sluis langzaam voorbijschuiven. Bij het signaal 'volle kracht' reageerde hij meteen en zei tegen de stoker: 'God helpe ons de brug over.'

Met geweld stootte het schip naar voren en duwde een golf van water voor zich uit over de sluisdeuren heen en over de kade waar de havenmeester met natte voeten luid vloekend wegrende, schreeuwend dat ze dwars door de dichte sluisdeuren zouden knallen. Het schip begon vaart te maken en schuurde langs de wanden, waar geen wrijfhoutje meer tussen paste.

'Captain, we krijgen te veel vaart,' riep de bootsman vanaf de voorplecht.

'Hou jij de spring maar klaar,' riep Chorowski terug. De tros werd de wal op gegooid en met een enkele slag om de bolder gelegd. De bootsman vierde de tros mee en keek bezorgd naar de brug.

Met minder dan vijftig meter tussen de boeg en de dichte sluisdeuren zei Chorowski zacht: 'Volle kracht achteruit, stuurman!'

De stoommachine begon uit alle macht te blazen en de schroef sloeg het water meters omhoog, terwijl het achterschip hevig begon te schudden.

Op vijf meter afstand hield de captain zijn armen gekruist boven zijn hoofd als teken dat de bootsman de spring moest houden. De dikke tros die om de grote bolders werd gelegd, knalde van de spanning en het schip kwam tot stilstand. Met open mond keek de sluismeester, die naar voren was gerend, naar de boeg van de Montana, die nog geen inch afstand van de sluisdeur lag.

In zijn lange leven als sluismeester in Lock no. 17 had hij al heel wat gedonder en schade meegemaakt, veroorzaakt door kapiteins op grote schepen. Gezagvoerders die niet competent en zo zenuwachtig waren dat ze bij de ingang al tegen de stenen aan knalden. Sommigen namen als ze Lock no. 17 naderden een paar flinke slokken whisky en dachten dan dat ze Ben Hur waren. Ze voeren met grote snelheid de sluis in en veroorzaakten rampen door aan het eind van de sluis tegen de deuren aan te varen.

Elke keer schreeuwde hij dan: 'This is the fucking limit!' tegen de betreffende gezagvoerder.

Maar vandaag stond hij met natte voeten op de ondergelopen kade en keek verbijsterd naar Captain Chorowski, die grijnsde en tegen de sluismeester zei: 'Somebody has to do it.'

'You are crazy,' zei de sluismeester.

De beide mannen hadden het accent al herkend.

'Waar kom jij vandaan?' vroeg Chorowski.

'Archangelsk,' zei de sluismeester.

Meteen schakelde Iwan Chorowski over in het Russisch en vertelde dat hij uit Sachalin kwam. Hij stoof de trap van de brug af en sprong vanaf het sloependek op de wal. De beide mannen vlogen op elkaar af en omarmden elkaar zo hard ze konden. Ze dansten op de kade en Chorowski liet een matroos een fles wodka uit zijn hut halen. Toen de matroos terugkwam schold Chorowski hem de huid vol omdat er twee flessen hadden moeten komen, want één fles en twee Russen dat kon helemaal niet. In het kantoor van de sluismeester werden de glazen keer op keer tegen elkaar geklonken, en even later klonk gezang tot ver in de omtrek.

'De sluis staat open, captain,' liet de bootsman weten.

Chorowski was pas met zijn zesde glas wodka bezig en de sluismeester zei dat er voorlopig nog geen schepen aankwamen, dus ze konden nog wel even wachten. Na een halfuur waren beide mannen door het dolle heen. Als valse lijsters zongen ze bij het afscheid op de kade met de armen plechtig voor de borst gekruist het Russische volkslied. Ten slotte was er zo'n hartverscheurend afscheid dat zelfs de wolven ervan hadden staan janken. Uiteindelijk klauterde Chorowski weer aan boord.

Meteen was hij weer bloedserieus en klom op de brug en zei: 'Nou John, laat jij maar eens zien hoe jij hier wegkomt.'

'Met volle kracht,' zei John.

'Lijkt mij ook. Niet van dat benauwde,' zei Chorowski.

John vroeg zich af of de captain het zei omdat hij misschien te veel gedronken had of omdat hij wilde zien of hij kon manoeuvreren op het kanaal.

Op een zondag meerden ze aan het eind van de middag aan in de haven van Chicago. Het middaglicht was bleekgeel van het stof dat boven de stad hing. De bootsman had gezegd dat ze de patrijspoorten in de hutten moesten dichthouden, want 's zomers stikte het van de muskieten in Chicago.

Het waren niet alleen de muggen die aan boord kwamen. Zodra het schip de wal raakte, sprong een zwarte wolk kakkerlakken aan boord. Ze liepen massaal over de hete dekken en werden bij tientallen gekraakt onder de zware schoenen van de bemanning.

De kade stond vol nieuwsgierige mensen die naar het grote zeeschip waren komen kijken. Rijen auto's stonden geparkeerd tussen de enorme hijskranen, die als grote sprinkhanen hoog in de lucht staken. Mannen in pakken met hoeden op stonden op de treeplank van de auto of leunden tegen de motorkap. Zondags uitgedoste vrouwen met kinderen aan de hand flaneerden over de kade. Toen de zon laag boven de horizon hing, verdwenen de mensen en bleef de kade leeg achter. John keek nieuwsgierig naar alle schepen die er lagen.

Chicago had haar groei deels te danken aan het feit dat het een City Charter was. Door de aanleg van het Illinois & Michigankanaal was Chicago bereikbaar voor schepen die vanuit zee, via de Canadese St. Lawrence-rivier en door de Great Lakes, in Chicago konden komen. Via overslag werden goederen door heel Amerika vervoerd, over de Mississippi helemaal naar het zuiden, naar de Golf van Mexico.

Naast John stond de oude bootsman Camel-sigaretten te roken. Hij was een middelgrote man met grijze plukken in het rode haar. Hij vertelde dat hij in Chicago was geboren en voordat hij naar zee ging op raderschepen over de Mississippi had gewerkt.

'Het waren ruige tijden, want het leger vocht nog met de indianen, zodat we soms hele regimenten soldaten met hun paarden meenamen naar St. Louis. Vandaar gingen ze verder te paard naar het westen. Jonge kerels, net van school, in nieuwe schone uniformen. Elke dag zag ik ze aan dek hun schoenen poetsen en knopen opwrijven.

Ze hadden geen idee wat hun te wachten stond. Jaren later zag ik ze terugkomen in vuile versleten kloffies. Lang niet allemaal kwamen ze terug… Sommigen waren gewond, anderen misten een been of een arm. En allemaal, zonder uitzondering, hadden ze de hel meegemaakt. In het westen hadden ze indianen doodgeschoten en de vrouwen verkracht onder het oog van hun kinderen. En dus hadden ze de kinderen ook maar vermoord, omdat ze niet wilden dat die later wraak zouden nemen.' De bootsman peuterde een nieuwe Camel uit het pakje. 'Real hell. All those crazy eyes.'

'Wat was er dan met hun ogen?' vroeg John.

'Angst en agressie. Een verloren generatie als je het mij vraagt.'

John keek naar de stad. 'Niet veel beter tegenwoordig met die gangsters.'

'Stelt niks voor dat die Al Capone hier de boel wat regelt. Hij zorgt ervoor dat er voldoende drank in de stad komt, want die drooglegging is natuurlijk waanzin.'

'Er vinden hier in de stad toch aardig wat moordpartijen plaats,' zei John.

'Welnee, ze maken alleen elkaar af. Niets aan de hand.'

John lachte en vroeg: 'Heb jij weleens iemand vermoord?'

De bootsman knikte. 'Ja, ik heb weleens iemand vermoord.'

John zag hoe de man was getroffen door zijn vraag. Hij durfde er niet verder op in te gaan. De bootsman smeet zijn sigaret overboord en liep weg. John ging op de luiken zitten. Het was nu helemaal donker en de gele lampen aan de hijskranen zaten vol zwarte stippen van zwermen muskieten die op het licht af kwamen. Langzaam koelde het af en de kakkerlakken bleven stilzitten op het warme ijzer van het dek. In de verte kwam een truck aanrijden, met ijs voor de koelers in het schip. De matrozen hielpen bij het lossen van de truck. Net als alle Amerikanen had de chauffeur er een handeltje naast en verkocht illegaal zwaar bier dat steenkoud onder het ijs lag. John kocht twee flesjes bier en bracht er een naar de bootsman, die op de brugvleugel nog een sigaret stond te roken.

'Ik heb het nooit iemand verteld,' zei de bootsman, 'maar het was in september op een reis naar St. Louis. De rivier stond heel laag. We voeren met een grote raderboot tussen zandbanken door. Op een gegeven moment liepen we vast en konden we met geen mogelijkheid verder. De hele nacht hoorde ik de stoommachines vol vooruit en dan weer achteruit draaien. Dan weer het stuurboord- en dan weer het bakboordrad. De kapitein probeerde het schip van het zand af te wrikken. Nou, ik kan je wel vertellen: als je op zand terechtkomt, dan ben je aan de beurt. Stenen geven meer mee dan zand. De volgende ochtend zagen we wel honderd indianen op paarden aankomen. Meteen groot alarm. Er zaten allemaal mannen aan boord die op weg waren naar een pokerwedstrijd in Kansas. Het leek wel een wapenfabriek aan boord. In een oogwenk staken tientallen van die opgepoetste stalen lopen door het hekwerk heen. Ik had zelf ook een geweer en vanaf het achterdek knalde ik een indiaan van zijn paard.'

De oude bootsman zuchtte diep. 'En het godvergeten kloterige is,' zei hij met trillende stem, 'dat ze ons met hun honderd paarden wilden helpen om het schip vlot te trekken. En die indiaan lag daar maar in de modder. Ik zie hem nog liggen op zijn rug, het hoofd achterover en zijn bruine buik weerloos bloot. Hij was nog zo jong. Zijn vader zat op een groot paard op de oever en hij keek naar me zonder zich te bewegen. Met die jongen in mijn armen ben ik over de zandbanken en door het water naar hem toe gelopen. Ik was ervan overtuigd dat hij me zou doden en het kon me niets schelen. Hij mocht mijn scalp hebben, want ik had zijn zoon vermoord.'

Het paard stampte ongeduldig met zijn voorbenen. De indiaan in een witgekleurd vest zat kaarsrecht op zijn paard. Eén enkele veer prijkte in zijn haar, dat in een dikke vlecht naar achteren liep. Zonder een spoor van emotie volgden zijn ogen de man met het rode haar die het lichaam van zijn zoon over de zandbanken droeg. Tussen de zandbanken liet hij hem in het water drijven waar hij hem ploeterend voorttrok, dwars door de heftige stroom. Halverwege stond hij een tijdje voorover gebogen om op adem te komen. Daarna weer verder, wankelend onder het gewicht. Het leek uren te duren voordat zijn dode zoon op de oever lag. Hij kreeg hem nauwelijks de helling op. Even bewoog de indiaan en de man met rode haren dacht dat hij hem wilde helpen.

'No,' schreeuwde hij, 'I'll do it.'

Hij durfde de indiaan niet aan te kijken. Toen hij de dode jongeman omhoog duwde om het lichaam voorop het paard te krijgen, trok de indiaan zijn zoon in één beweging over het paard. De man bleef staan, met gebogen hoofd wachtend op het mes van de indiaan.

'Met één hand tilde hij zijn zoon zo op het paard,' vertelde de bootsman. 'Eén hand! Met één hand had hij me dood kunnen slaan. Ik stond daar maar en ik hoopte dat hij me zou doden voor wat ik had gedaan. Steek een mes in mijn nek, man, dacht ik nog. Maar niets, helemaal niets. En weet je wat het meest ongelooflijke was? Dat toen ik na lange tijd opkeek, hij alleen maar knikte en wegreed. Snap jij dat?'

'Ja, dat snap ik wel,' zei John, starend naar Lake Michigan.

'Ik heb er nooit wat van gesnapt. Ik had die son of a bitch levend gevild.'

'Kennelijk voelde hij de enorme spijt die je had en dan is doden zinloos.'

'Dat denk jij,' zei de bootsman. 'Ik denk er elke dag aan.'

'Vandaar,' zei John, 'dat de indiaan je liet leven.'

IJZIGE GOLVEN

Finland, 1937

In zijn hoofd vervaagden de levendige kleuren tot alleen wit en stilstaande beelden. Maar de verwaaide stemmen en stampende laarzen in de sneeuw in de noordelijke haven van Finland hoorde hij zijn leven lang. Met toegeknepen ogen zag John Hamilton hoe dik ingepakte vrouwen in wolken van sneeuw de stapels houten planken stuwden als deklast.

Langzaam draaide de laadboom de laatste zware last hout vanaf de kade op het schip. Krakend trok de winch het staaldraad om de trommel en het schip helde zwaar onder het gewicht van de lading. Snel verdeelden de Finse vrouwen het nieuwe hout op de deklast, terwijl de sneeuwstorm aanwakkerde.

Vanaf de brugvleugel keek captain Chorowski bezorgd naar het water in de haven, dat razendsnel begon te bevriezen. Matrozen trokken loodzware bevroren dekkleden over het gestuwde hout. De Finse vrouwen waren klaar met hun werk en verdwenen naar de wal, voortgeblazen door schermen van sneeuw.

John Hamilton stond midden in de vliegende storm aan dek en gaf aanwijzingen aan de matrozen om het schip zo snel mogelijk zeeklaar te maken.

De bruine zeildoeken presennings werden verzwaard met dikke balken hout die in de lengte van het schip werden gelegd. John schreeuwde boven het lawaai van de wind uit naar de winchman, die de haak van de laadboom aan stuurboord liet zakken. Stalen stroppen werden vanuit het gangboord langs de deklast omhoog gehesen. Eén van de matrozen had bevroren vingers en wilde van dek, maar Johns sissende stem hield hem tegen. Zware geitouwen en blokken werden tussen de stalen stroppen aangebracht. Daarna begon de winch langzaam te draaien met het geitouw op de trommel.

‘Uit de buurt!’ schreeuwde John.

Met oorverdovend gekraak werden de geitouwen loeistrak aangetrokken, zodat de hele deklast tot één massa werd vastgesnoerd. John zag bijna niets meer door de jachtende sneeuw en hij voelde de ijzige wind dwars door zijn laarzen heen trekken.

De havenloods stond op de donkere kade en wilde het schip die nacht in de haven laten liggen vanwege het slechte weer op zee. Maar de captain wilde weg, omdat hij bang was dat de Finse haven zou dichtvriezen. De loods weigerde echter aan boord te komen. Chorowski liet daarop meteen de trossen losgooien en zei tegen John dat hij het roer moest nemen. Op de achterspring liet hij het schip met volle kracht achteruitslaan zodat de kop van het schip van de kade wegdraaide. Schuddend door de harde vlagen wind kwam de SS Montana langzaam los. Chorowski stond zoals altijd op de stuurboordbrugvleugel en keek recht in het donker. Op zijn gevoel, zonder radar, dwars door de sneeuwstorm, vond het vrachtschip met aan boord 800 Standaard gezaagd hout zijn weg naar zee, waar ijzige golven op haar lagen te wachten.

‘In his T-shirt! Just in his fucking T-shirt,’ zei een van de verkleumde matrozen in de messroom, toen ze eenmaal op zee waren.

John lachte. ‘Ik heb hem zien zwemmen tussen ijsschotsen. De captain heeft het nooit koud.’

‘Ze zeggen dat hij in de sneeuw is geboren,’ zei de bootsman.

Ze hadden de zuidwester storm recht op de kop.

‘We gaan eerst onder de Zweedse kust door,’ zei captain Chorowski toen John later de wacht overnam.

‘Ik stuur wel noordelijk van de Stockholmer Scheren,’ zei John, ‘dan kunnen we mooi binnendoor en later via Öland verder naar het zuiden.’

Chorowski knikte, grijnsde zoals altijd en verdween naar zijn hut. Vanuit de stuurhut liep John naar buiten en hield zijn hand omhoog toen buiswater over de boeg naar achteren sloeg. Het water van de Botnische Golf was bijna zoet.

Een maand daarvoor was de Montana vertrokken vanuit Halifax naar Finland om hout te laden. De Newfoundland Shipping Company had besloten om haar schepen in Europa in te zetten, omdat de concurrentie op de Great Lakes, mede door de komst van de Nederlandse Oranjelijn, moordend was geworden.

De noordelijke haven in Finland konden ze nog net bereiken voordat de hele golf dichtvroor. Hier zouden ze hout laden voor Harlingen in Nederland.

Plotseling zag de uitkijk een rood bakboordlicht aan stuurboord opdoemen.

'Hard stuurboord!' reageerde John meteen. Hij had de pest in dat hij moest uitwijken, omdat ze daarmee dwars op de golven kwamen te liggen. Door de hoge deklast was de stabiliteit van het schip maar net voldoende. Chorowski had het hout zo hoog laten opstapelen dat wanneer de hele bemanning tegelijk van stuurboord naar bakboord liep, het schip al begon te hellen. Langzaam wendde de Montana de steven. John kon de koersverandering net binnen zo'n vijfenveertig graden houden waardoor het schip de golven schuin van voren kreeg. Voor de boeg schoof langzaam het donkere silhouet van een vrachtschip voorbij. Even later was de Montana weer terug op haar oorspronkelijke koers.

Op de reis vanaf Halifax naar Finland waren ze langs de noordkust van Ierland gevaren en via de Pentland Firth in het noorden van Schotland met twaalf mijl stroom mee de Noordzee in. Ierland doemde aan het eind van die middag op in de verte. Het was de hele dag zwaarbewolkt geweest en toen John de groene heuvels zag liggen, scheen de zon in een bundel wit licht als een zaklantaarn tussen wolken door op de Derryveagh Mountains van Donegal. Hij stond op de brugvleugel bijna als versteend te kijken.

'Je mond hangt open,' zei Chorowski die net naar boven kwam.

John bleef kijken, net zolang tot Ierland in een waas verdween. Een eagle die op een van de zalingen van de mast zat, vloog omhoog en keerde luid krijsend terug naar het eiland.

Op een zondagochtend in december 1937 werd John wakker van de kerkklokken in Harlingen. Vanuit zijn patrijspoort zag hij dat alles bedekt was met een dikke laag sneeuw. In de kombuis dronk hij hete koffie. De kok achter het fornuis vroeg of hij eieren met spek wilde, maar John had geen honger en ging naar buiten. De sneeuw lag roerloos op de dekken en relingen. Terwijl hij langzaam door het gangboord naar voren liep, dacht hij opnieuw terug aan Ierland en aan de mystieke vormen van de bergen en hellingen. Plotseling verlangde hij naar Montana en naar de stille winters in het oneindige land. Het dacht terug aan de gesprekken met Lucinda en de enkele keer dat zijn vader met hem sprak over Ierland en de Eagletons.

Voorop bij de boeg keek hij in de stille witte wereld om zich heen en het was alsof zijn ogen iets zochten.

Sinéad van der Zee was die ochtend met haar vader naar Harlingen gereisd omdat ze foto's wilde maken. Ze kwamen met de bus aan in het centrum van de stad en gingen iets drinken in hotel Zeezicht bij de haven. Toen ze eenmaal zaten, stond Sinéad opeens op en zei tegen haar vader dat ze alvast in de haven ging kijken. Ze voelde zich onrustig toen ze naar de haven liep. Onderweg haalde ze het toestel uit haar tas, zodat de lens later niet meer zou beslaan. Ze volgde de rails van de stoomkranen op de kade en plotseling zag ze de Montana liggen. Aan de brede achterkant van het schip, waar de naam en thuishaven stonden, hing verstijfd van de vorst de Canadese vlag.

John zag haar naderbij komen vanaf het voorschip. Een lang en slank, bijna jongensachtig meisje met prachtig golvend donkerrood haar. Vlak bij de boeg bleef ze staan en keek om zich heen. Eén moment zag hij haar lichtblauwe ogen en onmiddellijk schoot een indiaanse naam door zijn hoofd: Sparkling Eye.

Ze zei niets en liep terug van het schip om het van een afstand te bekijken. Ze keek naar boven naar het licht, pakte haar camera en draaide het diafragma op 11.0. Door de lens zag ze de grote jongeman staan, in een kort jack met de kraag omhoog, vlak bij de besneeuwde boeg. Toen hij zijn hoofd iets draaide, nam ze een foto.

Nog geen tweehonderd meter verderop sloegen twee eagles boven zee hun poten in elkaar, als in een paringdans. Ze hielden elkaar vast in een ijzeren greep en draaiden krijsend als waanzinnigen in cirkels rond, terwijl ze als een wentelwiek naar beneden vielen.

John hoorde de eagles en keek naar zee. Daarna draaide hij zich om en keek nog eenmaal in de blauwe ogen van het roodharige meisje, voordat ze wegliep en de eagles met een geweldige smak in zee vielen.

Onderweg naar Dublin, waar ze lading voor New York zouden halen, kreeg captain Iwan Chorowski vlak voordat ze de Ierse zee zouden invaren een telegram. Vanaf de brug zag John net de eerste zuidelijke hellingen van Ierland opdoemen toen Chorowski met het telegram uit de radiohut kwam en tegen John zei: 'Zet maar koers naar St. John. We gaan niet naar Ierland.'

John keek hem aan alsof hij de captain iets wilde aandoen. Chorowski grijnsde wat verlegen. 'De maatschappij beslist. Maar ik weet dat je graag naar Ierland wilt.'

'Hoe weet jij dat?' vroeg John geïrriteerd.

'Nou, ik heb je op de heenweg zien kijken.'

'En?'

'Dat niet alleen,' zei Chorowski terwijl hij John recht aankeek. 'Ik heb ook die eagle gezien die boven je hoofd in de achterste mast zat. Niet gezien zeker?'

'Nee.'

'Nou, die keek naar jou zoals jij naar Ierland keek. Zijn snavel hing alleen net niet zover open als jouw mond.'

John lachte.

'En toen je naar binnen kwam, vloog de eagle terug. Ook niet gezien zeker.'

'Nee,' zei John, 'ook niet gezien.'

Chorowski knikte. 'Dacht ik wel. Maar we moeten nu naar het westen, stuurman. Ga maar dicht onder de zuidkust van Ierland door, dan kun je nog even genieten.'

John liet de roerganger het schip draaien tot een koers van tweehonderdzeventig graden. Langzaam draaide het schip onder de kompasroos door tot de naald trillend bleef staan op pal west.

'Onze laatste reis op de Montana,' zei Chorowski ineens. 'Het schip moet terug en zal worden verkocht, want de maatschappij is overgenomen door de concurrent.'

Ze voeren tussen Fastnet Rock en de zuidkust door en dwars bij Mizen Head draaide het schip naar noordnoordwest, want John wilde Ierland nog niet verlaten. Tegen het eind van de dag passeerden ze de machtig hoge peninsula's van Beara en Iveragh. Maar toen ze Slea Head op de Dingle Peninsula voorbijvoeren, stond Johns hart bijna stil. Vanaf Mount Eagle doken tientallen eagles in de zwaaiende lichtbundels van de hoge vuurtoren.

'Wat heb jij met dit land?' vroeg Chorowski, die naast hem op de brugvleugel kwam staan.

'Ik weet het niet, captain. Ik weet het echt niet,' zei John. Hij keek naar de zwarte stenen massa waar de eagles vandaan vlogen, maar Mount Eagle was in duisternis gehuld.

Chorowski keek naar de grote gestalte van zijn stuurman op de brugvleugel. Hij verbaasde zich vaak over de wat teruggetrokken man. Maar altijd waren alle ogen op hem gericht wanneer hij ergens binnenkwam. Zonder dat hij iets zei straalde hij iets onverzettelijks uit.

Die nacht nam de wind af en veranderden de hoge golven in een lange trage deining. John Hamilton stond buiten en een warme wind uit het zuiden blies zacht langs zijn gezicht. Voor het eerst in weken voelde hij zich rustiger worden en toen pas besefte hij dat zijn leven was voorbestemd. Alsof in hem een missie lag besloten voor de toekomst, waarvan zelfs de contouren nog niet zichtbaar waren. Maar tegelijkertijd kwam hij in opstand, omdat hij niet wilde dat anderen zijn levensloop bepaalden. Hij dacht terug aan zijn kinderjaren, toen hij voortdurend oefende met wapens achter de store in History. Hij herinnerde zich dat hij als vierjarige in een kano naar Ierland had willen varen en zag de stille onderwaterwereld weer voor zich. Daarna vroeg hij zich af waarom hij naar zee was gegaan.

Terwijl de golven onder het schip door rolden en aan de achterkant wit schuimend tevoorschijn kwamen, keek hij nog een keer achterom naar het licht van de vuurtoren, dat slechts een vaag oplichtend stipje in de verte was.

WHITE CLOUD

Montana, 1856

Met zijn bruine hand gebaarde hij vanaf zijn hoge witte paard dat ze bij hem moest komen. Het was in de zomer van 1856 en voor de tweede keer in haar leven stond Eileen Hamilton oog in oog met een Blackfootindiaan. Ze was een trotse Schotse jongedame van twintig jaar oud, die niet van plan was om de arrogante aanwijzingen van de eerste de beste indiaan die ze in Montana tegenkwam zomaar op te volgen. Bovendien vond ze hem er uiterst belachelijk uitzien, met zijn hoofdtooi vol witte adelaarsveren die recht omhoogstaken.

Achteloos keek de indiaan om zich heen en hij wenkte nogmaals ongeduldig dat ze naar hem toe moest komen. Ze zat kaarsrecht op haar paard en keek de andere kant op. Haar vuurrode haar was opgestoken en ze droeg een lange jurk die tot haar enkels kwam. Toen ze bleef staan, begon de indiaan rondjes om haar heen te rijden. Hij bleef naar haar kijken, maar steeds wendde ze haar ogen af en keurde hem geen blik waardig.

Twee jaar daarvoor had ze met haar ouders Schotland achter zich gelaten om in Amerika een nieuw bestaan te beginnen. In New York bleven ze een tijdje hangen, maar er was nauwelijks werk te vinden. Ze besloten zich aan te sluiten bij een wagon train, mensen in huifkarren die naar Oregon in het westen trokken om daar een nieuw bestaan op te bouwen. Haar vader wist dat in Oregon vruchtbaar land lag. In St. Joseph, aan de oevers van de Missouri, verzamelde zich een groep van vijfentwintig huifkarren. Meneer Hamilton had op advies van de beroemde wagon train-begeleider Joe Palmer een huifkar laten bouwen van gedroogd eikenhout, afkomstig uit de heuvels van New Hampshire. In St. Joseph ruilde hij twee paarden tegen twee ossen om de huifkar over een afstand van meer dan tweeduizend mijl te trekken. Eileen hield haar Appaloose, want daar wilde ze geen afscheid van nemen en het paard werd achter de wagon gebonden. Ossen waren volgens de gidsen sterk en betrouwbaar en konden bij aankomst in Oregon gebruikt worden om het land te bewerken. Bovendien waren ze niet erg in trek bij de indianen, zodat de kans om veilig aan te komen groter was.

Zodra de winterstormen voorbij waren, vertrokken ze in het vroege voorjaar van 1856 vanuit St. Joseph en reden het huidige Kansas binnen. In Nebraska sloten zich nog vijf huifkarren aan en in juni kwam de groep aan in het noorden van Wyoming. Ze hadden een behoorlijke omweg gemaakt om de zware zandstormen te vermijden. Joe Palmer maakte zich zorgen, omdat ze in de buurt kwamen van de Blackfootindianen. Met twee van zijn gidsen reed hij verder naar het noorden om de zaken te verkennen. Intussen reed de hele colonne door en opeens was de horizon vol joelende en gillende indianen die op hun kleine paarden op hen af stormden. De achtergebleven gidsen probeerden snel een cirkel te vormen met de huifkarren, maar de krijgers waren al bij de voorste wagens.

'Maak je paard los, Eileen!' schreeuwde George Hamilton vanaf de bok tegen zijn dochter. De indianen hadden de voorste wagens bereikt, vanwaar kreten van mensen in doodsnood klonken. Geweerschoten weerklonken en een enkele indiaan viel. Eileen sprong van de wagen, maakte haar paard los en haalde de huifkar in. Op het moment dat ze naast haar vader reed, gooide hij een geweer naar haar toe en zei: 'Vlucht, we overleven dit niet.'

'We moeten vechten,' zei Eileen.

'Vlucht Eileen, onze familie moet doorgaan!'

Ze aarzelde en spande de haan van haar geweer. Een indiaan die zich uit de groep had losgemaakt reed gillend op haar af. Eileen schoot en raakte zijn paard, waarna de indiaan er zijwaarts vanaf viel. Het volgende moment reed de huifkar over de gevallen indiaan heen en plotseling kwam de rest van de groep op hen af.

'Ga, Eileen!'

Nog een moment keek ze naar haar vader, die de andere geweren tevoorschijn haalde. Ze gaf haar paard de sporen en toen ze achteromkeek, zag ze dat haar moeder haar door het open doek van de huifkar nakeek. Ze reed op volle snelheid, kriskras door het struikgewas. Het geluid van geweerschoten stierf weg, ze keek om en zag dat ze niet gevolgd werd. In de verte steeg een grote zwarte rookpluim op tot hoog in de blauwe lucht. Instinctief voelde ze dat haar ouders niet meer leefden. Ze wendde de teugels en reed verder naar het noorden. Aanvankelijk wilde ze terug naar St. Joseph, maar toen ze 's avonds langs een kleine zijtak van de Missouri bij een klein maar warm kampvuur zat, veranderde ze van gedachten. Ondanks haar intense verdriet vermande ze zich, want ze was een Schotse en Schotten gaven nooit op. Ze besloot dat ze de volgende dag via Montana naar Oregon verder zou trekken.

De dagen daarop reed ze over uitgestrekte vlaktes naar het noordwesten. Op de derde dag zag ze een buffel liggen waarvan de hele huid was afgestroopt, maar het vlees was nog intact. Ze had drie dagen niets gegeten, sneed met haar mes repen vlees af en roosterde die boven een vuurtje. De stukken die ze overhield, wikkelde ze in bladeren en borg ze in haar zadeltas. Ondanks het verdriet om het verlies van haar ouders voelde ze zich nu weer wat beter. Bij zonsopkomst werd ze wakker, waste zich in het ijskoude water van de rivier, stak haar lange vuurrode haar op en reed verder.

De indiaan met de belachelijke hoofdtooi leek uit het niets te komen. Hij bleef haar maar aankijken en rondjes om haar heen rijden. Hij reed een eindje verder, bleef staan en de bruine hand kwam opnieuw naar voren.

Eileen bewoog geen inch. Ze zag de indiaan nadenken over wat hij moest doen, want kennelijk was hij dit niet gewend. Uiteindelijk reed hij naar haar toe, griste met een snelle beweging de teugels uit haar handen en trok haar mee. Ze reden door glooiend land waar nog resten sneeuw lagen. Eileen had het gevoel dat ze eindeloos lang reden, maar opeens zag ze aan de andere kant van een heuvel de eerste tipi's van een indianendorp staan. Bij binnenkomst werden ze omringd door joelende indianen die bijna over de grond rolden van het lachen. Gillend van plezier wezen ze op Eileen en op de man die haar had meegenomen. Hij vertrok geen spier. Stapvoets reden ze dwars door het dorp en bleven staan bij een van de laatste tipi's. De indiaan steeg af, liep naar Eileen, pakte haar zonder omhaal bij haar middel en droeg haar de tent in. Daarna verliet hij de tent en ging voor de ingang zitten. Eileen hoorde de kwetterende stemmen van de indianen. Vooral de vrouwen en kinderen hielden niet op met praten. De adelaarsveren wezen onbeweeglijk omhoog en de indiaan zei niets terug.

White Cloud had zijn naam te danken aan het feit dat hij altijd zijn hoofd tooide met de meest witte adelaarsveren die hij kon vinden. De meeste veren hadden zwarte uiteinden, maar White Cloud wilde uitsluitend spierwitte veren. Die middag was hij op jacht toen hij midden in de prairie de lange roodharige vrouw kaarsrecht op haar paard had zien zitten. Zijn adem stokte, want nog nooit had hij zo'n mooie verschijning gezien en hij besloot dat deze blanke vrouw, met haar vurige haren alsof de zon in brand stond, de zijne zou worden. Zijn eigen vrouw was in de winter van 1853 overleden. Sindsdien had er geen vrouw meer in zijn tipi geslapen, ondanks zijn hoge status als krijger binnen de stam. Zelfs de chief van de stam wees hem verschillende malen op aantrekkelijke dames in het dorp, maar White Cloud weigerde beleefd. Totdat hij Eileen Hamilton zag. Dat zijn stamgenoten niet meer bijkwamen van het lachen, deerde White Cloud niet. Hij was tenslotte een van de belangrijkste krijgers van de stam en dus onaantastbaar.

White Cloud zat voor de tent voor zich uit te staren en vroeg zich af hoe hij dit moest aanpakken. Dat de roodharige anders was dan de vrouwen van zijn stam, was hem inmiddels wel duidelijk geworden. Hij vroeg zijn moeder, die twee tenten verderop woonde, een maaltijd te maken. Ze knikte en bracht later op de dag gekookt buffelvlees, dat met hete stenen warm was gemaakt, in een huidenzak naar Eileen. Toen het bijna donker was, gleed White Cloud de tent binnen. Eileen stond rechtop, ongenaakbaar, precies in het midden. Ze wilde niet zitten op de dekens die hij voor haar neerlegde en toen hij haar wilde aanraken, trapte ze hem als een wild paard van zich af. White Cloud ontplofte bijna van woede en wilde haar met geweld onderwerpen maar iets in hem zei dat hij dat niet moest doen. Hij sloop de tent weer uit, werd opnieuw door de anderen uitgelachen en bleef de hele nacht voor zijn tent zitten nadenken. De volgende ochtend besloot hij dat ze overdag met zijn moeder zou optrekken.

Eileen bedacht dat ze er het beste van kon maken door zo snel mogelijk de taal en gewoonten te leren zodat ze later wellicht kon ontsnappen. Die indiaan met de belachelijke veren op zijn hoofd hield ze wel op afstand. Maar tot haar opluchting deed White Cloud geen enkele poging om haar opnieuw te benaderen. Eileen deed alsof hij lucht was en toen ze op een avond langs hem liep en de tent wilde binnengaan stond hij haastig op.

'Siksika,' zei White Cloud, naar zichzelf wijzend.

'Scottish,' zei Eileen, en sloeg de flap achter zich dicht.

De dagen daarna zwegen ze. Overdag was Eileen druk bezig met de andere vrouwen om de huiden, horens en hoeven van de buffels te verwerken. Ze leerde mocassins maken die donker werden gekleurd door het leer in te wrijven met as en ze begreep waaraan de Blackfootindianen hun naam te danken hadden. Voortdurend werd er door alle vrouwen voedsel bereid voor slechte tijden. Van buffelvlees sneden de vrouwen dunne repen, die in de zon werden gedroogd en daarna tot poeder gestampt en vermengd met buffelvet en bessen. Het geheel werd strak in huidzakken verpakt. De moeder van White Cloud, Regenvrouw, legde uit dat het zo jaren bewaard kon worden.

In het begin schrokken de kinderen van haar als ze langs de witte tipi's liep, maar na een paar weken was het alsof ze er altijd was geweest. Ze wilde echter niet in indianenkleren lopen. Elke week waste ze haar kleding in de rivier en elke dag als ze opstond, stak ze haar prachtige rode haar op.

Voortdurend vroeg White Cloud zich af waarom Eileen hem niet wilde. Hij kon elke vrouw in het dorp krijgen en Eileen deed net alsof hij niet bestond. Ze sliepen elke nacht samen in de tipi, maar Eileen ging aan de andere kant van de tent liggen, zo ver mogelijk bij hem vandaan. White Cloud voelde zich vernederd en als man afgewezen. Met de grootste moeite kon hij zich beheersen om haar niet aan zich te onderwerpen. Een paar keer was hij in zijn woede van plan om de tipi binnen te gaan en haar de kleren van het lijf te scheuren. Zelfs de chief van de stam, met wie hij bevriend was, vroeg hem verbaasd wat hem tegenhield.

'Het is jouw vrouw. Jij hebt haar meegenomen, dus doe wat je wilt.'

'Dit is anders.'

'Hoe anders?'

'Ik weet dat het niet goed is als ik dat doe.'

'Weet je wat het is? Je bent al zo lang zonder vrouw, dat heeft je onzeker gemaakt. Zal ik het anders voor je doen?'

White Cloud sprong op en zei boos: 'Als je dat doet, vermoord ik je!'

De chief zei niets. Pas toen White Cloud opstond, zei hij: 'Je ziet wat een onenigheid die blanke vrouw binnen onze stam aanricht.'

'Overdrijf niet zo,' zei White Cloud.

Soms spraken Eileen en White Cloud kort met elkaar wat over het weer, maar verder kwamen ze niet.

Op een dag vroeg Eileen aan Regenvrouw waarom de tipi van White Cloud zo smerig was van de buitenkant en scheuren vertoonde.

'De tipi is eigendom van de vrouw,' vertelde Regenvrouw. 'White Clouds vrouw is gestorven en daarna is er niets meer gebeurd aan de tent.'

'Bepaalt de vrouw dan alles wat er in de tent moet gebeuren?'

Regenvrouw lachte. 'Ze kan haar man zelfs buiten de tent zetten als ze dat wil.'

De volgende dag begon Eileen samen met de andere vrouwen uit het dorp met het naaien van een nieuwe tent. Ze wilde niet de ruitvormige figuren aan de onderkant van het doek, maar besloot dat blauwe motieven het doek moesten sieren, net als de kleuren van de Schotse vlag.

White Cloud zag het gebeuren en sprak met zijn moeder. 'Waarom doet ze zo moeilijk?' vroeg hij.

Met haar rimpelige handen roerde ze in een stenen pot. 'Ze is anders.'

'Hoe anders?' vroeg hij.

'Anders dan andere vrouwen.'

'Misschien moet ze niets van mannen hebben.'

Zijn moeder schudde haar hoofd. 'Nee, ik zie hoe ze naar je kijkt.'

'Mij nooit opgevallen,' zei White Cloud.

'Dat zien mannen niet.'

'Wat moet ik doen?'

'Heb je gezien dat ze nog steeds dezelfde kleren draagt? Ze houdt vast aan waar ze vandaan komt. Zolang ze niet een van ons is, zul jij haar niet bezitten.'

White Cloud zag dat Eileens kleren tot op de draad versleten waren. Hij vroeg zijn moeder hem te helpen en in de dagen daarna werkten vrouwen in de tipi van zijn moeder aan nieuwe kleding voor Eileen. Van zacht hertenleer maakten ze een prachtig jasje, met gesneden repen voor de mouwen en de achterkant. Ook werd een soort legging gemaakt van leer, een kledingstuk dat de meeste indianenvrouwen droegen.

White Cloud was blij verrast toen de nieuwe tipi overeind werd getrokken. Maar hij mocht, tot hilariteit van de andere indianen, de nacht niet doorbrengen in de tent.

'Mijn tent,' zei Eileen, toen hij voor de ingang stond.

'Maar je bent mijn vrouw.'

'Ik ben van niemand. Ga maar naar je eigen stinkende tent,' zei ze.
'Maar ik heb je meegenomen hiernaartoe.'
'Heb ik jou gevraagd om mij mee te nemen? Dacht je dat ik mezelf niet kon redden?'
'Misschien hadden andere indianen je meegenomen.'
Eileen werd woedend. 'Eerst hebben jullie mijn ouders vermoord en vervolgens denk je dat je mij als vrouw kunt hebben.'
'Ik heb je ouders niet vermoord,' zei White Cloud kalm.
'O, nee? Dat waren Siksika's, net als jij.'
'Andere stam.'
'Andere stam?'
'Ja, er zijn vele Blackfootstammen.'
Met haar groene ogen keek ze naar de man die voor haar stond. Diep in haar hart had ze respect voor White Cloud, omdat hij alles met haar kon doen wat hij wilde en het toch niet deed.
Hij kwam dichterbij en nam haar nieuwsgierig op. Als een klein kind draaide hij om haar heen. 'Mooie ogen,' zei hij, alsof hij ze voor het eerst zag.
Woedend smeet ze het doek van de ingang voor hem dicht. White Cloud bleef die nacht voor haar tent zitten.
Toen Eileen de volgende avond haar tent binnenkwam, zag ze haar nieuwe kleding liggen. Aanvankelijk was ze boos, want ze was niet van plan om in indianenkleren te gaan rondlopen. Ze betastte het zachte hertenleer, keek om zich heen en trok aarzelend haar versleten Schotse kleding uit. Ze treuzelde met het aantrekken van de nieuwe kleding, genietend van het bevrijdende gevoel dat haar naaktheid haar gaf.
Plotseling hoorde ze de stem van White Cloud.
'Mag ik binnen komen?'
'No!' snauwde ze.
Dat Engelse woord kende White Cloud intussen wel en hij bleef buiten wachten. Langzaam kleedde Eileen zich aan. Het zachte leer voelde vele malen beter dan de knellende kleren die ze tot nu toe had gedragen. Geleidelijk trok de verandering door haar lichaam en zachtjes begon ze indiaanse woorden te fluisteren.
Pas na een halfuur kwam ze naar buiten en White Clouds adem stokte toen hij haar verblindende schoonheid zag.
In het schemerlicht van de ondergaande zon liepen ze naast elkaar het kamp uit. Het was hartje zomer en de lucht was zwaar van de hitte. White Cloud had zijn veren afgedaan en droeg alleen nog

de witte tooi op zijn hoofd, gemaakt van de witte winterhuid van wezels.

'Waar wil je naartoe?' vroeg hij.

'Naar de rivier.'

Aarzelend pakte ze zijn hand en White Cloud kon haar wel optillen van vreugde, maar hij beheerste zich. Bij de rivier zei ze: 'Stil blijven staan.'

Ze liet haar slanke blanke vingers over zijn gebruinde blote bovenlijf glijden. Met haar groene ogen bekeek ze hem van boven naar beneden. Daarna gleden haar handen langs zijn gezicht en voorzichtig trok ze de tooi van zijn hoofd.

'Blijft een belachelijk ding,' zei ze.

White Cloud glimlachte.

Ze glimlachte terug en vroeg: 'Zoenen indianen ook?'

Hij begreep niet wat ze bedoelde en toen ze hem voor het eerst kuste, draaiden zijn ogen van vervoering.

'Nee, dat doen indianen niet,' zei hij uiteindelijk.

'Wat dan wel?' vroeg ze plagerig.

White Cloud tilde haar op, draaide dansend met haar in het rond en legde haar ten slotte neer in het zachte mos aan de oever van de Missouri river.

Samen kregen ze twee kinderen. Jack, blank als een Schotse Hooglander, werd geboren in 1861 en Lucinda, bruin als een Blackfoot, in 1864. Eileen was de eerste jaren zeer bezorgd over de kleintjes, want de kindersterfte onder indianen was dramatisch toegenomen door de ziekten die de Europeanen hadden meegebracht. Daar kwam bij dat de indianen steeds moeilijker aan voedsel konden komen als gevolg van de massale slachting van buffels in de velden van Montana. De blanken schoten in een paar jaar de complete buffelpopulatie af, alleen voor de huiden. Het vlees lieten ze rotten. Soms lagen er zo veel karkassen in de prairie dat zelfs de volgevreten aasgieren niet meer in actie kwamen.

De winter van 1866 was verschrikkelijk. Vlak voor de sneeuw kwam, stond White Cloud op een heldere ochtend buiten en snoof in alle windrichtingen geuren op. Zijn huid voelde in de dwarrelingen van luchtstromen de eerste kou. Dezelfde dag begonnen de indianen het kamp te verplaatsen naar een vallei naast de Missouri. De vorst die vlak daarna kwam, veranderde de prairie in één nacht in één grote ijsvlakte en de stromende rivier kwam krakend als brekend glas tot stilstand. Immense blokken ijs persten zich de dagen daarop de rivier uit en schoven de oever op, zodat de tenten opnieuw naar hoger gelegen gebieden moesten worden verplaatst. Terwijl de verhuizing in volle gang was, barstte vanuit het westen een zware sneeuwstorm los. De wind kwam van de Rockies met een geweldige snelheid de vallei in en joeg bakken ijzige sneeuw over de velden. Eileen liep door de striemende wind met de kleine Lucinda op haar arm. Jack liep naast haar op zijn kleine beentjes, met zijn ogen tot spleetjes geknepen, huilend van de kou. White Cloud sleepte met de andere mannen stokken en tenten naar de nieuwe kampplaats. Te midden van het natuurgeweld probeerden de mannen een paar tenten overeind te krijgen. Uiteindelijk kropen de indianen onder tentdoek dicht tegen elkaar aan en schuilden totdat de storm was gaan liggen. Daarna verdwenen de wolken en daalde de temperatuur nog verder. In de maanden die volgden kwamen ze nauwelijks buiten. Uitgehongerde wolven naderden het dorp tot op enkele meters, op zoek naar voedsel. De voorraden slonken razendsnel. Sommige ouderen verlieten het dorp midden in de nacht en gingen de witte prairie in, zover ze konden lopen, om eten uit te sparen voor anderen.

In april verdween eindelijk de sneeuw. Eileen besefte dat ze voor haar kinderen een andere toekomst wilde. White Cloud keek geschokt toen ze ook nog vertelde dat ze een winkel wilde opzetten voor de oude en nieuwe bewoners in dit land.

'De kinderen zijn hier opgevoed,' bracht White Cloud ertegen in, 'ze kunnen nooit meer naar de blanke wereld.'

'Ik wil dat ze in beide werelden leven, want dat is de toekomst. Bovendien zijn ze tweetalig grootgebracht.'

White Cloud schudde zijn hoofd. 'Ze zullen nooit worden geaccepteerd door de blanken. Het zijn halfbloeden.'

'Jack is geen indiaan. Niet wat zijn uiterlijk betreft en niet in zijn hart.'

'Jack misschien niet, maar Lucinda wel.'

Ze zaten samen voor de tent. Eileen had het gevoel dat ze heen en weer werd geslingerd tussen beide werelden. 'Toch wil ik dat je me helpt,' zei ze

'Als jij dat wilt, help ik je,' zei White Cloud.

In de late zomer kwam midden in de prairie een kleine vierkante blokhut te staan. Met behulp van White Cloud en een paar indianen was het onder leiding van Eileen provisorisch in elkaar gezet.

'Hier komt niemand langs,' zei White Cloud.
'Wacht maar af,' zei Eileen.
De volgende dag reed ze op haar paard naar een stadje verderop en sprak met een paar handelaren. De week daarop kwamen balen maïsmeel, koffie, suiker, gedroogd spek, gedroogde bonen en zakken bruine bonen voor haar nieuwe store. De voedingsmiddelen werden aangevuld met gereedschappen zoals lange handzagen, hamers, tangen en grote spijkers. Na een week kwam haar eerste klant. Een Frans-Canadese trapper die een deel van haar voorraden opkocht.
'Misschien dat dit ooit een stadje wordt,' zei Eileen tegen White Cloud toen hij langskwam.
'Heb je al een naam?'
'Future,' zei Eileen.
In de jaren daarna leefde White Cloud zowel bij Eileen en de kinderen als bij zijn eigen stam. Het aantal klanten van de store groeide langzaam. Bovendien werden hulpgoederen van de Amerikaanse overheid voor de indianen via de store gedistribueerd, waardoor de omzet van het bedrijf groeide. Eileen moest mensen aannemen en nieuwe huizen werden naast de store gebouwd. Blanken en indianen leefden in harmonie samen in Future.
Tot 1876, toen White Cloud stierf. Op 25 juni van dat jaar lieten 264 Amerikaanse soldaten onder leiding van generaal Custer het leven op Little Big Horn in Montana, niet ver van de plaats waar de Blackfootindianen woonden. Het aantal gesneuvelde soldaten was groter dan Amerikaanse legers ooit hadden verloren in een slag tegen de indianen. Het opperhoofd van de Cheyenne-indianen had White Cloud gevraagd mee te strijden tegen de blanken. White Cloud aarzelde.
'Je moet gaan,' zei Eileen tegen hem. 'Je bent gevraagd door de chief van de Cheyennes. Ook de Sioux zullen samen strijden tegen de legers.'
'Maar ik ben jouw man. Ik strijd tegen jouw stam.'
'Mijn stam ligt in Schotland en dat zal altijd zo blijven. Als de Amerikanen morgen Schotland zouden aanvallen, sta ik op de muur van Hadrianus om ze te verjagen. Ooit waren de velden het bezit van jouw volk en je hebt alle recht om dat te verdedigen.'
White Cloud sneuvelde in de eerste aanvalsgolf die door de indianen ingezet werd op de blanken. Hij zag de jonge generaal Custer te midden van zijn mannen op de lage heuvel staan, schreeuwend naar zijn mannen met zijn revolver in de lucht, toen een kogel dwars door zijn borst werd geschoten. Zijdelings viel hij van zijn paard en krab-

belde overeind terwijl het bloed uit zijn mond liep. Hij dacht aan het rode haar van Eileen en spande nog eenmaal zijn boog. De pijl vloog in de richting van de blanke soldaten, maar White Cloud was al dood voordat hij in elkaar zakte.

BEVROREN OGEN

Montana, 1869

Lucinda was vijf jaar toen ze naast haar oudere broer Jack in de deuropening van de store stond en naar buiten keek waar een zwarte caddy in wolken van sneeuw het stadje kwam binnenrijden. Op de bok zaten een man en een kind, helemaal in dekens gewikkeld. Vlak voor de store stopten ze en rolden bijna als witte stijve poppen van de bok af. Eileen Hamilton stapte meteen naar buiten om de beide mensen naar binnen te helpen. Tegen Jack zei ze dat hij het paard onmiddellijk moest uitspannen en naar de stal brengen voordat het beest dood zou vriezen. John Eagleton had bevroren ogen en had de laatste uren met een sjaal om zijn hoofd op de bok gezeten. Het paard had zelf de weg naar History gevonden. Orla's zwarte haar was helemaal wit uitgeslagen en ze trilde toen Eileen haar van de bok af tilde. Krakend bracht de hitte van de kachel in de store de bloedsomloop van John en Orla weer op gang. De eerste nacht kon John niet slapen van de pijn aan zijn ogen. Eileen bond de volgende dag een dun wit verband rond zijn ogen omdat hij geen licht kon verdragen. Pas na twee dagen begonnen zijn ogen te herstellen, maar hij zou nooit meer fel zonlicht kunnen verdragen.

Eileen herinnerde zich nog de verhuizing in de sneeuwstorm, drie jaar geleden, maar deze keer kwam er zoveel sneeuw naar beneden, dat ze niet begreep hoe John en Orla het stadje hadden kunnen bereiken.

In de laatste zomer had Eileen een kleine woning naast de store laten bouwen en ze vroeg John om in History te blijven. White Cloud was honderd mijl verderop bij zijn stam en zou pas terugkeren als de sneeuw was verdwenen. In de maanden die volgden, maakte John zich verdienstelijk met het ophalen van nieuwe voorraden uit het nabijgelegen stadje en het kappen van hout voor de grote ronde kachel in de store.

Orla speelde overdag met Eileens kinderen. John had een slee gebouwd en de kinderen lieten zich voorttrekken door de hond van White Cloud. Het beest liep meestal met White Cloud mee naar het indianenkamp. Maar zodra ze daar aankwamen, draaide de husky zich om en liep terug naar Eileen.

'Zijn we er nu papa?' vroeg Orla op een avond, toen John haar naar bed bracht.

'Wat bedoel je?'

'Blijven we nu eindelijk hier?'

'Dat weet ik nog niet.'

'Ik wil niet verder reizen papa,' zei ze en viel in slaap.

John vroeg zich af waarom hij steeds maar verder wilde. 's Nachts droomde hij van Ierland. Soms vloog hij over de westelijke velden. Enorme gebieden waar turf werd gestoken en waarvan het lange gras in de herfst veranderde in duizenden gouden kleuren. Als een vogel dreef hij verder naar de kust en zag de hoog opspattende golven te pletter slaan tegen rotsen. Plotseling zag hij beneden als een klein stipje Orla staan, die hem riep. Hij dook vanuit de lucht naar haar toe en net toen hij haar wilde oppakken, werd ze door lange armen van wild schuimend zout water de zee in getrokken. Zwetend werd hij wakker en stommelde in het donker naar zijn dochter, die vredig lag te slapen. John besefte dat hij zo ver naar het westen was gegaan in een poging Ierland te vergeten. Het zegel brandde op zijn buik alsof het stuk metaal ongeduldig werd.

De volgende ochtend begon de sneeuw te smelten en talloze kleine riviertjes stroomden over de heuvels en langs het huis van Eileen. Een nieuwe wereld ontvouwde zich voor John en Orla.

'We blijven hier,' zei John.

'Gaan we bij Lucinda en Jack wonen?' vroeg Orla.

'Nee, ik bouw een huis hiernaast en ik koop koeien. Ik heb altijd al boer willen worden.'

'Koeien zijn mooie beesten,' zei Orla, en ze rende verheugd naar buiten, naar Jack en Lucinda.

Jaren later in de store vertelde Lucinda aan John Hamilton dat zijn grootouders al van kinds af aan verliefd op elkaar waren. 'Vanaf het moment dat Orla met al die sneeuw bij ons binnenkwam, kon Jack zijn ogen niet meer van het mooie meisje afhouden. Orla was ook gek op Jack en je zag ze altijd samen spelen in de koeienstal van haar vader. Zelf had ik niks met boerderijen en koeien. Elke zomer ging ik met mijn vader mee naar de stam. Jack nooit. Jack had helemaal niets met de indiaanse cultuur. Echt een nieuwe Amerikaan, net als Orla trouwens.'

'Maar die was toch een halve negerin?' vroeg John.

'Wel wat haar huidskleur betrof en als er gedanst moest worden ook zeker, maar voor de rest waren Jack en zij echt mensen van de nieuwe wereld.'

John vroeg wanneer hun relatie echt begonnen was. Lucinda lachte en zei: 'Meteen toen ze aankwam in de sneeuwstorm. Ik weet dat ze al op zeer jonge leeftijd met elkaar sliepen. Jack sloop vaak midden in de nacht het huis uit en glipte dan bij Orla naar binnen, die altijd op hem lag te wachten. Jouw overgrootvader heeft Jack meerdere malen het huis uit gestuurd, maar het was niet tegen te houden, want iedereen wist dat ze altijd bij elkaar zouden blijven.'

Jack werd toen hij een jaar of twintig was vertegenwoordiger voor John Deere, die landbouwmachines produceerde. De boeren in de omgeving kochten landbouwwerktuigen bij hem. In het begin verkocht hij ook nog kafmolens en rosmolens voor het dorsen van bonen, maar aan het eind van de negentiende eeuw kwam de mechanisatie snel op gang. De eerste motorploegen van drie pk waren bijna niet aan te slepen. Gevolgd door maaimachines, dorsmachines en de eerste tractors. Jack was een topverkoper. Hij werkte op commissie en verdiende bij John Deere geld als water. Soms was hij dagenlang onderweg door de staat om boeren zijn machines en tractoren te verkopen. Een dynamische man met rood haar, blauwe ogen en kortgeknipte snor. Naast Orla, zijn grote liefde, was verkopen en geld verdienen zijn passie.

'Jack was de eerste in History die een auto kocht,' vertelde Lucinda. 'Ik zie hem nog in dat zwartglanzende herrieding door Main Street rijden. Kippen, honden, varkens die op straat liepen sloegen massaal op de vlucht. En Jack maar lachen en toeteren met dat holle stierengeluid.'

'Wanneer veranderde de naam van dit stadje eigenlijk?' vroeg John aan Lucinda.

'Mensen vertrokken hier na de slag in 1890 bij Wounded Knee in South Dakota en gingen verder naar het westen. Misschien omdat ze bang waren voor nog meer oorlogen tussen indianen en de blanken. Of misschien ook wel omdat ze ziek waren van het zinloze vermoorden van de indianen.'

In 1890 hadden de Noord-Amerikaanse indianen al het onderspit gedolven tegen de blanken. Een deel van hen leefde onder erbarmelijke omstandigheden in het Pine Ridge reservaat. Sommigen vluchtten en sloegen een kamp op bij de Wounded Knee Creek, dertig mijl verderop. De witte tenten stonden in de sneeuw midden in de koude, kale vlakte. Op 29 december, in alle vroegte, stond het leger in een gesloten rij om de tenten heen. Bibberend van de kou kwamen de indiaanse mannen, vrouwen en kinderen naar buiten.

'Eén soldaat stormde op zijn paard naar voren en probeerde een indiaan zijn geweer af te nemen,' vertelde Lucinda. 'Hij wist niet dat de indiaan doof was en de soldaat zag zijn onbegrip voor verzet aan. Bij de vechtpartij die ontstond, ging er een geweer af en meteen kwam het hele leger in actie.'

Talloze doffe knallen kraakten door de winterse stilte. Meer dan honderdvijftig indianen werden gedood, waaronder vrouwen en kinderen. Tientallen indianen raakten zwaargewond. De doden werden begraven in een groot vierkant massagraf.

'Ik heb er nog een foto van gezien in de krant. Van de witte tenten in de sneeuw bij Wounded Knee stonden alleen nog de stokken overeind. Het ergste was dat die soldaten daar bij dat graf op een rij stonden alsof ze een grote overwinning hadden bereikt. Terwijl die lafaards het land van mijn vader hebben ingenomen. En uiteindelijk hebben ze hem vermoord.'

Ze wachtte even voordat ze verder ging. 'En toen mensen hier wegreden uit het stadje, zei jouw overgrootvader zoiets als dat het hier allemaal history was. Misschien is toen de naam veranderd.' Lucinda keek triest voor zich uit.

'Weet je, John,' zei ze na een tijdje, 'het is allemaal zo snel gegaan. Voor mijn gevoel kwamen de blanken als een plaag, met al hun ziekten en hebzucht. Binnen enkele jaren stierven indianen aan small pox en werden onze buffels allemaal doodgeschoten. Wie niet ziek werd, verhongerde. En als laatste stalen ze onze velden en werden we in reservaten gedreven.'

John Hamilton herinnerde zich Jack later niet meer. Alleen Orla. Ze schuifelde soms de store binnen in haar lange gewatteerde jas, die ze 's zomers en 's winters droeg. Ze liep altijd langzaam door de straat met stijve dikke benen. Haar donkere gezicht zat vol zwarte vlekjes die steeds talrijker schenen te worden naarmate ze ouder werd.

'Hellooo John,' zei ze met haar zangerige stem als ze binnenkwam.

Achter in de store stonden kasten met boeken die door de mensen in het stadje en de boeren gelezen konden worden. Als er geruild moest worden, reed Orla soms met nieuwe boeken in de oude Ford van Jack naar de boerderijen. Ze kon fantastisch over alle boeken vertellen, zonder dat ze ooit één boek had gelezen. De keer dat John met zijn grootmoeder mee mocht op een van die tochten, vroeg hij aan Orla waarom ze zelf niet las.

'Ik heb genoeg beelden in mijn hoofd. Ik hoef de rommel van een ander er niet bij,' zei ze.

Ze reed met beide handen aan het stuur van de grote open Ford over de smalle zandwegen. Op haar hoofd droeg ze een zwart hoedje met één veer tussen de band geklemd. Ze zei dat ze de veer van Jack had gekregen, die hem als kind stiekem uit de hoofdtooi van zijn vader had getrokken.

'Jack was een eagle,' zei ze lachend tegen John. 'Hij kon alles van veraf zien. Vooral boeren die wat van hem wilden kopen.'

'Wanneer is mijn overgrootvader doodgegaan?'

'In 1920. Er is nog een foto dat jij als baby bij hem op schoot zit.'

'Ik herinner me vaag nog iets,' zei John.

'Dat is de foto die je je herinnert,' zei Orla. 'Die domme fototoestellen ook tegenwoordig. Ze gooien alles in de war. Vroeger had je herinneringen in je hoofd. Tegenwoordig moet je je herinneringen in stapels foto's opzoeken. Foto's hebben met de werkelijkheid niets van doen.'

Op de terugweg met de auto zag John dreigende donkere wolken in de lucht hangen. 'Moeten we ergens schuilen?' vroeg hij.

De regendruppels kwamen als glazige knikkers naar beneden.

'Beetje regen,' zei Orla en ze reed door.

Toen ze bij de store terugkwamen en John het portier opende, liep het water de auto uit. Hij was drijfnat en rilde van de kou. 'Wat een rotregen,' zei hij.

Ze keek hem bevreemd aan. 'Kijk, John. Ik ben met mijn vader ooit helemaal uit Virginia hiernaartoe gekomen. We reden in de lente, in de warme zomer en ook vaak in de herfst, waarbij ik bergen water over me heen heb gekregen. In de winter bevroor mijn vader en ik bevroor en ons paard bevroor... En jij staat hier als een rietje te trillen van een regenbuitje.'

'Ze wil voor niemand onderdoen,' zei Lucinda later. 'Ze wil altijd de sterkste zijn en ze doet alsof we allemaal mietjes zijn. Misschien omdat ze haar moeder nauwelijks heeft gekend.'

'En haar vader?'

'John Eagleton was gek op zijn dochter. Maar hij was een gebroken man. Eerst verdreven uit Ierland en later als soldaat in de meest wrede oorlog die we ooit hebben gekend. En nog later, toen zijn vrouw werd vermoord en hij met Orla alleen achterbleef. Hij heeft het niet gemakkelijk gehad, John.'

'Mocht u hem graag?'

'Toen hij hier kwam was het net alsof zijn ogen waren beschadigd. Ik weet nog dat ik het tegen mijn moeder zei op de dag dat hij kwam. Volgens mijn moeder was het omdat zijn ogen bevroren waren geweest, maar ook daarna bleven zijn ogen heel vreemd, alsof er iets in zijn hoofd was beschadigd. Ik herinner me dat ik hem in het begin zo veel mogelijk meed. Ik had het gevoel dat hij me niet mocht, maar tegelijkertijd voelde ik me altijd heel veilig bij hem. Vooral toen mijn vader doodging. John Eagleton was een heel grote imposante man, die altijd heel rustig was en nooit veel zei. Maar wat ik vooral van hem dacht, was dat hij geen enkele angst kende en elke situatie de baas kon.'

John vroeg zich af wat er gebeurd was nadat White Cloud doodging.

Lucinda raadde zijn gedachten. 'Mijn moeder en John Eagleton waren net een stel. Ik heb me altijd afgevraagd of ze samen iets hadden. Ik zie hen nog altijd gearmd op zondag naar de kerk lopen. Dat deden de meesten die naar de kerk gingen, maar bij hen was het anders, snap je? Soms gingen ze samen een paar dagen weg en als ze dan terugkwamen, deed mijn moeder altijd een beetje geheimzinnig. Later, toen we de store moesten uitbreiden en meer grond nodig hadden, bouwde John een nieuwe boerderij buiten het stadje. Ik runde de store toen al en mijn moeder was vaak bij John. Hij had Schotse Hooglanders geïmporteerd, want daar waren ze beiden gek op. Ze hadden het altijd over die koeien alsof het hun kinderen waren.'

Voor zijn gevoel was het alsof hij terug in de tijd kon en hij de hand van zijn overgrootvader bijna kon raken.

'Zo vreemd,' zei John. 'Ik ben in Ierland langs een plek gevaren waar hij waarschijnlijk heeft gestaan.'

'De lighthouse.'

'Ja.'

'Hij heeft me vaak verteld over Ierland. Ook over Mount Eagle, waar hij niet meer mocht komen omdat het kasteel niet meer van de familie was. Toen hij Ierland uit vluchtte op weg naar Canada, hebben ze de zuidelijke route om Ierland gevaren vanwege een noordwestelijke storm. Het licht was zijn laatste beeld van zijn land.'

John kreeg het er koud van.

HALFSTOK

Schotland, 1921

Na de winter van 1921 bezocht Shay van der Zee zijn grootmoeder Sinéad in Schotland voor het laatst. Ze was bijna vierentachtig jaar oud en woonde nog altijd boven op de rots. Ze kon de lange trap niet meer opklimmen en bleef boven.

'Ik kom pas beneden als ik dood ben,' zei ze tegen Shay. De kruidenierswinkel uit het dorp bracht elke week boodschappen. De dokter kon vanuit het dorp gemakkelijk controleren of het goed ging met Sinéad, want ze hadden afgesproken dat Sinéad elke ochtend de Ierse vlag in de mast zou hijsen en elke avond weer zou strijken, zodat de dokter vanuit het dorp kon zien of ze nog leefde.

Soms had ze geen zin om de vlag helemaal naar boven te hijsen. Dan hield ze halverwege op, zodat de vlag halfstok hing. Shay zei tegen zijn grootmoeder dat het geen gezicht was, die Ierse vlag zo halverwege de mast.

'Kan me niks schelen,' zei Sinéad. 'Heb je gehoord dat ze Ierland hebben opgedeeld in twee naties?'

Shay had het in de Leeuwarder Courant gelezen voordat hij naar Schotland reisde.

Sinéad vervolgde: 'Waarom verdwijnen die rot-Engelsen niet uit ons land. Nu hebben we twee parlementen en een Britse gouverneur. Het hele land is in opstand. Sinds vorige maand schieten die Engelsen allemaal onschuldige mensen dood. Ze martelen, ze folteren en zelfs kinderen worden verkracht en gedood.'

Ze zat met haar handen in haar schoot. 'Ik heb alle recht om de vlag halfstok te hangen,' zei ze.

Het leek alsof het altijd stormde als Shay in Schotland was. 's Nachts gierde de wind zo hard om het huis dat hij bang was dat het van de rots af geblazen zou worden. Hij kon bijna niet slapen en dacht steeds aan Ierland.

De volgende ochtend stond hij voor het raam naar buiten te kijken, waar de eerste vissersschepen langzaam tegen de stroom in voeren.

'Niks meer aan met die stoommachines,' zei Sinéad toen ze in haar witte badjas naast hem kwam staan. 'Vroeger ging je grootvader zeilend met het tij mee. Hij viste tot het tij keerde en kwam dan weer terug. Vaak ook niet, want als de wind verkeerd stond, kon het wel dagen duren voordat hij terugkwam.'

'En mijn vader?'

'Brennan. We hebben lang gedacht dat hij was verdronken, totdat we uiteindelijk bericht kregen dat hij op dat eiland was aangespoeld. Ik vraag me nog vaak af waarom we hem nooit meer hebben gezien.'

'Mijn vader wilde nooit meer naar zee. Zelfs de zondagse wandeling met mijn moeder op het strand vond hij maar niks.'

'Ik weet het niet, Shay. Het ergste vind ik dat jij de naam Eagleton niet meer draagt.' Met haar van ouderdom kromgetrokken wijsvinger tikte ze tegen zijn borst. 'Jouw vader heeft onze naam verkwanseld voor die Van der Zee. Jij bent een echte Eagleton, Shay. Je gaat me toch niet vertellen dat je blij bent met die belachelijke naam. Wat betekent het eigenlijk?'

'From the Sea.'

Sinéad schuifelde naar de keuken om thee te zetten. 'Brennan from the Sea. That bloody landlubber. Wil jij de vlag hijsen, Shay? Anders hebben we straks de dokter weer beneden bij de trap.'

'Helemaal in top?'

'Doe maar,' zei Sinéad, 'omdat jij er vandaag bent.'

Terug in Nederland kreeg Shay bericht dat op een maandag in augustus de vlag niet was gehesen. De dokter, die dacht dat Sinéad het was vergeten, wachtte dinsdag maar even af. Maar toen het doek die ochtend nog niet in de mast wapperde, ging hij toch maar even kijken en vond Sinéad dood, liggend op haar buik, halverwege het pad van het huis. Ze lag naast de vlaggenmast met de Ierse driekleur in haar hand. De dokter schreef naar Shay dat zijn grootmoeder was gestorven en had haar laatste briefje in de envelop bijgevoegd. Shay herkende meteen de grote hanenpoten van Sinéad. Er stond slechts één regel op het vel papier.

Go after the Eagleton Seal!
Sinéad Eagleton

Talloze keren had Sinéad hem verteld hoe zijn grootvader haar bijna dood van de honger had opgetild in het stervende dorp midden in Ierland. 'Ik dacht eerst dat het Onze-Lieve-Heer zelf was die me kwam halen. Ik kon het niet vragen, omdat ik geen enkel geluid meer kon maken. Maar toen ik die ongeschoren kop van hem zag, wist ik dat het iemand anders moest zijn.'

Shay lachte dan en altijd als ze verder vertelde over hoe zijn grootvader haar het hele land door had gezeuld, werden haar ogen vochtig.

In 1934 zat Shay op een zaterdagochtend aan de keukentafel in Paesens-Moddergat toen hij plotseling aan haar terugdacht. Hij was die ochtend teruggekomen met zijn kleine vissersaak vanaf zee. Met nog net genoeg water onder de kiel kon hij vlak voor de zeedijk ankeren. De vangst was mager geweest die nacht en de bodems van de manden waren nauwelijks bedekt met vis. In het droogvallende slik bracht de bemanning de manden naar de wal. Shay hoorde hun laarzen zuigen in de modder. Hij ruimde de netten op en stapte zelf ook van boord. Zoals altijd streek hij met zijn vingers langs het vochtige hout op de waterlijn voordat hij naar de wal liep. In het dorp liepen vissersvrouwen in groepjes met de manden vis de lange weg naar Dokkum af om de vis te verkopen. Zijn vrouw Tooske was ook al onderweg toen hij thuiskwam. Sinéad was nu zeven jaar. Ze zat met een potlood kleine tekeningetjes langs de rand van de Leeuwarder Courant te tekenen, naast de teksten.

'Die moeten de buren nog lezen,' zei Shay tegen Sinéad, terwijl hij ging zitten.

'Dat vinden ze niet erg,' zei Sinéad.

Iets in een van de getekende oude gezichten vol groeven deed hem aan zijn grootmoeder denken. Misschien was het omdat hij het gevoel had dat met haar dood al zijn verbindingen met het verleden waren verdwenen. Hij miste het hoge huis boven op de rots waar het altijd waaide. In Paesens-Moddergat waaide het ook altijd, maar op een andere manier. Het was net alsof de mensen zich hier nederig voelden en kleine, lage huisjes hadden gebouwd om niet boven de dijk uit te komen. Zijn grootvader had hun huis vol in de wind gebouwd, boven op de rots.

'Kijk, papa!' zei Sinéad. 'Een indiaan.'
Ze had een gezicht getekend met een lange verentooi op zijn hoofd.
'Mooi,' zei Shay.
'Hij lijkt op jou. Misschien ben je wel een indiaan geweest.'
Shay glimlachte. 'Je bent een bijzonder kind.'
'Omdat ik mooi kan tekenen?'
'Om alles.'

Hij vroeg zich af waarom hij zich een vreemde bleef voelen in het dorp. Zelfs in Schotland had hij zich meer thuisgevoeld. Negen jaar geleden, toen hij nog op Schiermonnikoog woonde, had hij Tooske op de kermis in Dokkum getroffen. Ze kwam uit Paesens-Moddergat en haar moeder was een weduwe wiens man in 1883 was verdronken op zee. In de nacht van 6 maart van dat jaar vergingen zeventien aken en blazers in huizenhoge zeeën. Drieëntachtig vissers kwamen daarbij om het leven. De volgende ochtend stonden alle vrouwen van het dorp op de zeedijk en keken hoe aan de horizon slechts vijf schepen verschenen. Vrijwel allemaal waren ze in één nacht weduwe geworden. Niet alleen hun mannen, maar ook hun oudste zonen en de jongere broers van hun zonen waren op zee achtergebleven. De tragedie haalde de internationale pers en een grote financiële hulpactie kwam op gang om de weduwen in Paesens-Moddergat te helpen. Tooske vertelde hoe het in het dorp jarenlang stil was geweest en dat er door de straten bijna geen mannen meer liepen.

Tooskes moeder trouwde later met de jongste broer van haar vader. Hij was op het laatste moment niet meegegaan naar zee. Tooske werd geboren toen haar ouders al veertig jaar oud waren. Haar moeder werd zwanger toen ze het niet meer verwachtte en ging naar de dokter, die zei dat vrouwen van veertig geen kinderen meer kregen. Maar toen hij haar buik voelde, glimlachte hij vriendelijk en voelde vervolgens aan haar handen.

'U krijgt een dochter,' zei hij.
'Hoe weet u dat nou?' vroeg ze.
'Dat kan ik zien,' zei de dokter.
'Ben ik niet te oud?'
'Om kinderen te krijgen? Nee hoor, dat vel rekt op uw leeftijd mooi mee.'

De medebewoners van het dorp zeiden dat de dokter uit zijn nek kletste en dat hij helemaal niet kon weten of het een meisje was. De dominee zei op een zondag na de kerkdienst tegen haar dat hij blij was dat God een teken had gegeven en dat het leven zich onder alle omstandigheden manifesteerde. Tooske kwam en haar ouders smolten bij de aanblik van het jonge meisje. Elke nacht bleven ze om beurten naast haar, zo bang waren ze dat ze op zou houden met ademen.

Shay zag haar voor het eerst in Dokkum toen ze zeventien was. Ze stond naast haar vriendinnen bij de zweefmolen en hij bleef het blonde meisje met de dikke pijpenkrullen volgen met zijn ogen, elke keer als ze vlak langs hem voorbijzweefde. Hij wist meteen dat zij zijn grote liefde was en liep naar haar toe toen ze uit de zweefmolen stapte.

'Ik ben Shay,' zei hij.

Ze keek hem een moment aan en zei: 'Gekke naam.'

'Iers,' zei Shay.

'Ben je Iers?'

'Nee, ik ben een Fries. Mijn vader komt uit Schotland en mijn grootvader uit Ierland.'

Tooske knikte. Ze bleef hem bevreemd aankijken, alsof ze niet wist wat ze met hem aan moest.

'Zullen we iets drinken?' vroeg Shay.

Ze schudde haar hoofd en zei dat ze met haar vriendinnen was, maar dat ze elkaar misschien later nog wel zouden tegenkomen.

Shay knikte.

'Ik heet Tooske,' zei ze, en ze draaide zich om en liep weg.

Het hart van Shay bonsde toen hij naar de tent ging waar bier en Berenburg werd geschonken. Vanonder het afdak zag hij haar verschillende keren voorbij lopen tussen andere mensen. Bij de barkeeper in de tent bestelde hij net een nieuwe Berenburg toen ze plotseling naast hem stond.

Toen Shay begon te praten, zette de boerenkapel van Dokkum met vol volume in, waardoor ze elkaar niet meer konden verstaan. Ze nam een klein slokje uit zijn glaasje Berenburg en gebaarde dat ze later terug zou komen. Shay vervloekte de muziek zowel in het Fries als in het Gaelic en liep langs tientallen hossende klompen de tent uit. Tot overmaat van ramp begon het zachtjes te regenen en iedereen rende naar de tent. Shay bleef staan bij een hek naast een weiland met koeien. Hij trok zijn lange jas over zijn hoofd en dacht aan Tooske. 'Kan ik bij je schuilen?'

Ze stond achter hem. Zwijgend sloeg Shay de grote jas om haar heen en samen keken ze het weiland in.

'Mooie koeien,' zei Tooske.

Shay rook aan haar blonde haren.

Sinéad liet hem nieuwe tekeningen zien in de kantlijn van de krant en hij keek naar haar kleine handen, die snel over het papier bewogen. Toen Sinéad was geboren, kwam haar tweelingbroertje er meteen achteraan. Een lief klein jongetje. Shay wilde het kind beslist John noemen, naar de broer van zijn grootvader.

Maar op de dag dat John vijf maanden werd, vond Shay hem 's ochtends dood in zijn bedje. Hij lag op zijn zij met opgetrokken beentjes en de armpjes tegen zich aan, net alsof hij sliep. Maar John was steenkoud en het kleine lichaam stijf als een plank.

Minutenlang bleef Shay naar zijn zoontje staren, terwijl hij zwaar door zijn mond ademhaalde. De dokter die later kwam had ook geen idee waardoor het kind gestorven was. Hij draaide het maar om en om in zijn bedje terwijl hij het kind betastte. Shay vroeg hem waarom hij maar bleef voelen en de dokter wist het ook niet, want hij was er zelf ook mee aan. 'Kinderen gaan soms zomaar dood,' zei hij uiteindelijk.

Trijntje kwam met de eerste boot van Schiermonnikoog en liep de hele ochtend te huilen achter haar dikke brillenglazen. Tooske zat verslagen achter de keukentafel en was tot niets in staat. Trijntje begon de kasten maar op te ruimen en sjouwde lakens en kleren van de ene kast naar de andere en weer terug. Uiteindelijk ging ze tegenover Tooske aan de keukentafel zitten. Ze bleef uren zitten met haar dikke handen in haar schoot en zei niets meer. Diepe zuchten van Tooske en het gesnik van Trijntje waren het enige geluid.

Toen de dokter weg was begon het te regenen. Shay, gek van wanhoop, pakte het kind, sloeg er een deken omheen en liep met zijn dode zoon naar buiten. Hij ging boven op de zeedijk zitten en jankte grote druppels met de regen mee. Van woede wilde hij de hemel naar beneden trekken en schreeuwde tegen de zee, die zich in haar laagwater toestand ver achter het slik had teruggetrokken. Shay ging staan en liep door de modder naar zijn vissersboot. Tot zijn knieën in de zuigende klei hield hij het kind hoog boven zijn hoofd en toen hij vlak bij het schip was, viel hij om in de grijze drek. Hij bleef liggen totdat de vloed opkwam en hem met het dode kind terugdreef naar de wal.

Op het hek bij de schapen op de dijk zat een eagle doodstil met de rug naar hem toe en de kop voorovergebogen. Alleen de veren bewogen met de wind mee.

'Er rust een vloek op onze familie,' zei Trijntje die avond. Ze zaten met zijn drieën aan de keukentafel en Sinéad lag boven te slapen. Shay ging om het kwartier bij haar kijken om te zien of ze nog leefde.

'Jouw broer is ook gestorven,' zei Trijntje. 'Het is net alsof iedereen in onze familie maar één kind mag hebben.'

Shay vroeg zich af of het te maken had met de band die zijn familie had met de eagles, want die kregen ook maar één jong. Maar zijn grootvader had ook een broer, hij wist alleen niet of die nog leefde.

Trijntje ging na de begrafenis terug naar Schiermonnikoog. Brennan was niet gekomen, want hij wilde niet met de boot. Shay vroeg zich in de maanden die volgden af of hij in Paesens-Moddergat moest blijven als vissersman. Diep in zijn hart smeulde het verlangen om naar Ierland te gaan. Maar ondanks de landkaarten van Ierland en de geschiedenisboeken die hij in huis had, kon hij geen besluit nemen. Zijn grootmoeder Sinéad had hem verteld van het zegel en dat de oorsprong de vindplaats was. Hij sprak erover met tante Nan, die van ouderdom alleen nog maar op haar bed lag, met naast haar de zoveelste verwende poedel. Ze wachtte nog steeds op de Russische officier die nooit kwam. Intussen moest ze wel honderd jaar zijn, want Shay had het gevoel dat ze er altijd was geweest en altijd zou blijven.

'Ze heeft een spirituele geest,' zei haar zuster Pita.

Shay vertelde tante Nan wat hij in Harlingen had gezien, toen twee eagles met de poten in elkaar ronddraaiden terwijl Sinéad foto's nam van het schip uit Canada.

'Hm,' zei tante Nan diepzinnig.

'Wat bedoelt u?'

Lange tijd zei ze niets en staarde vanaf haar groezelige kussen naar het plafond. 'Misschien dat je de hond even wilt uitlaten,' zei ze uiteindelijk.

Shay voelde zich belachelijk en teleurgesteld toen hij met de witte poedel aan een rood leren riempje buiten liep.

'Misschien moet je gewoon blijven vissen,' zei tante Nan toen hij terugkwam, en ze viel in slaap.

Brennan maakte zijn eigen whisky op Schiermonnikoog. Hij vermaalde appels en brood tot een smurrie en voegde daarna suiker en wilde bessen toe, die hij op het eiland vond. Het hele zaakje bond hij stijf in een koeienhuid en die hing hij in de warme schuur. Na een paar dagen puilde de dikke smurrie bijna door de naden van de dichtgenaaide koeienhuid van het gisten. Brennan goot de oranje kledder door een zeef in een bruine apothekersfles. In Dokkum had hij enkele etiketten laten drukken met het label SKIRISH WHISKY en de flessen vonden gretig aftrek tijdens de dorpsfeesten. In Dokkum had hij nog een kleine slijterij gevonden die de flessen in distributie nam. De verkoop was matig, maar dat kwam doordat iedereen zei dat de drank giftig was. Op dorpsfeesten vond niemand dat erg, want de drank leidde al snel tot grote vrolijkheid en ongeremdheid. Brennan zelf zwoer bij het spul. Toen iemand op Schiermonnikoog een opmerking over de whisky maakte, stond Brennan op, ging op tafel staan en sloeg in een keer een halve liter achterover, om aan te tonen dat het absoluut niet gevaarlijk was. Daarna voerde hij, onder muzikale begeleiding van het plaatselijke fanfarekorps, een Schotse dans uit en ging net zolang door tot hij plotseling spierwit wegtrok, in elkaar kromp en dood neerviel.

'Valt me mee dat hij nog zo lang geleefd heeft,' zei de dokter die later kwam.

De burgemeester van het eiland verbood meteen de verkoop van de Skirish Whisky, zodat het label samen met Brennan een vroege dood stierf.

Shay ging daarna elke maand met de boot naar Schiermonnikoog om zijn moeder op te zoeken. Trijntje leek de eerste jaren helemaal op te fleuren en veranderde in een echte dame. Zelfs toen ze ouder werd en zo dik was geworden dat ze bijna niet meer door de deur kon. Haar enkels waren opgezet en dikke rollen geel verband moesten de spieren wat bij elkaar houden. Toch bleef ze op hoge hakken lopen totdat ze niet meer kon. Haar kreukelige lippen waren altijd vuurrood opgemaakt als ze met Shay aan haar arm door het dorp liep, want ze wilde er als een dame blijven uitzien. Een enkele keer reden ze met paard en wagen naar het strand als Trijntje naar zee wilde.

'Zo jammer dat je vader nooit meer van het eiland af wilde,' zei ze terwijl ze bij de vloedlijn stonden. Toen ze terugkeerden, wees Trijntje naar de duinen. 'Kijk, daar ligt jouw oorsprong. Na je geboorte heb ik twee stenen uit Schotland van hem gekregen.'

'Je hebt nu al zijn stenen,' zei Shay.
'Ja, maar ik heb hem nooit leren kennen.'
'Ik ook niet.'
'Misschien dat ik de stenen later aan Sinéad geef,' mijmerde ze.
'Sinéad zit in Amerika,' zuchtte Shay. 'Tooske en ik krijgen binnenkort een kleinkind.'
'Komt ze niet terug?'
'Sinéad? Haar wegen zijn ondoorgrondelijk.'
'Net als die van Onze-Lieve-Heer,' zei Trijntje.

GELE PIJLEN

Montana, 1938

Op een broeierige zondagmiddag zag John haar staan aan het einde van Main Street. Ze draaide zich naar hem om, keek hem een tijdje aan en kwam op hem af.

'Dag zeeman,' zei Anna glimlachend. Ze had nog hetzelfde prachtig lange gitzwarte haar en haar ogen hadden nog dezelfde kleur als haar getinte huid.

John Hamilton was inmiddels bijna vierentwintig jaar en net terug van zee. 'Ik had niet gedacht dat jij nog in History zou zijn,' zei hij.

Ze glimlachte. 'Jij dacht natuurlijk dat ik met een rijke rancher getrouwd was en ergens op een groot landhuis woonde.'

'Zoiets.'

'Tegenwoordig run ik de store. Mijn moeder kan niet zo goed meer lopen. Soms heeft ze het nog over jou. Je hing altijd aan haar lippen als ze verhalen over vroeger vertelde.'

'Ze kan prachtig vertellen,' zei John.

Verderop werd een autoportier dichtgeslagen. Er was verder niemand buiten. De lucht trilde boven het asfalt van Main Street.

'Dooie boel hier,' zei John.

'Iedereen blijft tegenwoordig binnen op zondagmiddag, voor de sportwedstrijden op de radio.'

'Ben je al die jaren hier gebleven?'

'Eigenlijk had ik allang weg gewild, maar je weet hoe dat gaat. Tijdje getrouwd geweest met een makelaar uit Billings maar dat is gelukkig voorbij.'

'Beviel dat niet?'

'Nee, dat beviel niet.'

Jezus, wat is ze bloedmooi, dacht John.

'Mooie hond,' zei hij maar, knikkend naar de husky die hijgend naast haar stond, met de tong uit zijn bek.

Ze lachte. 'Wat ben jij een boom van een kerel geworden.'

Ze liepen aan de achterkant van de huizen van Main Street, waar de rommel nog hoger opgestapeld lag dan vroeger. Hij rukte aan een verkreukeld portier van het wrak van een Chevrolet. Een grote gans die op de voorbank zat, begon meteen te blazen en vloog luid kwakend door het open raam aan de andere kant naar buiten. De visdroogrekken van de indianen stonden er nog steeds.

Anna zag ze staan. 'Weet je nog dat je vroeger zei dat er hier ooit zee was?'

John knikte. 'Dat weet ik zeker. Het ruikt hier nog steeds naar de zee.'

'Heeft het je veranderd, de zee?' vroeg ze, hem aankijkend.

Ze liep nog altijd als een indiaanse in dezelfde suède jasjes met lange slierten op de rug en aan de mouwen.

John vertelde dat hij in het begin zwaar zeeziek was geweest, dat hij de zee haatte en dat Chorowski stond te grinniken als hij stond te over te geven.

'Je moet praten met de zee,' had Chorowski gezegd, 'dan gaat het wel over.'

'Praat de zee ook terug?' vroeg John humeurig.

'Als je goed luistert wel.'

Op een avond voeren ze in spiegelglad water en een knoert van een zon lag rood en gigantisch bijna op de horizon. 'Straks raakt hij het water,' zei Chorowski toen hij naast John op de brugvleugel stond. 'Dan hoor je de zon sissen.'

'Dat kan niet,' zei John.

'Dingen zijn soms anders dan je denkt,' zei Chorowski. Op dat moment zakte de zon op het water en Chorowski gebaarde dat John moest luisteren. Hij hoorde hoe de zon in zee zakte.

Daarna werd hij nooit meer zeeziek. Chorowski zei dat het kwam doordat hij had geleerd de dingen op een andere manier te zien.

'Ik denk dat iedereen op zee verandert,' zei John terwijl hij in de mooie ogen van Anna keek. 'Sommigen worden gek omdat het zo bedreigend en eenzaam is. Maar voor anderen is de zee misschien wel heilzaam, een plaats waar ze dingen in zichzelf ontdekken die ze anders nooit te weten waren gekomen.'

'Ik had wel mee willen gaan,' zei Anna, 'want hier gebeurt nooit wat.'

Ze liepen over een met onkruid overwoekerd grindpad. Verderop stonden koeien op een met gras begroeide heuvel, met uitzicht op de ongeverfde achterkant van de huizen. Ze gingen zitten op een houten pallet waarop balen meel werden vervoerd. John keek naar haar slanke sterke handen. Bewegingen die nog precies zo waren als hij zich herinnerde. Ze keek van opzij naar zijn ogen en naar zijn halflange haar. Even streek ze erdoorheen.

'Nog even zacht als vroeger,' lachte ze. 'Eigenlijk was je wel een vreemde jongen toen. Je zwierf altijd maar rond. Net alsof je alles in je opnam. En je schoot eindeloos pijlen af en gooide met messen. Je was altijd erg verlegen, maar ook alsof er iets van staal in je zat.'

Ze keek hem recht aan. 'En ineens was je weg naar zee.'

John trok aan een paar gele grassprieten. De husky was uitgesnuffeld en liet zich met een klap op zijn zij vallen.

'Wat is er geworden van die boerenzoon met wie jij wat had?' vroeg John.

'O, die. Die zit ergens op een boerderij ver hier vandaan. Met een vrouw die altijd loopt te schelden en een hok vol kinderen. Weet je nog hoe jaloers jij altijd was, John?'

'Dat weet ik nog.'

'Je was veel te jong om jaloers te zijn.'

'Hoe oud was jij toen?'

'Je wilt weten hoe oud ik nu ben?'

John lachte. Toen ze Main Street weer inliepen, stond ze plotseling voor hem. 'Je staart steeds maar in de verte, alsof je ergens anders bent. Mis je de zee soms?'

'Nee, dat is het niet.'

'Wat is het dan? Het is net alsof je me niet ziet.'

John aarzelde. 'Nou,' zei hij, 'er ontgaat mij helemaal niets aan jou. Niet hoe je loopt en beweegt en niet hoe je tegen me praat. Ik voel me gewoon wat overdonderd dat ik jou hier tegenkom.'

Ze lachte hardop. 'Nog steeds verliefd?'

'Ja,' zei hij tot zijn eigen verrassing.

'Je bent een aantrekkelijke man geworden,' zei ze ernstig.

Haar kleine huis stond naast de store en ze vroeg hem mee naar binnen. De kamer was vol warme indiaanse kleuren in talloze schakeringen. In de keuken maakte ze koffie. Het raam keek uit op de achterkant van History, waar de koeien nog steeds lui op de heuvel lagen, eindeloos kauwend in de late middagzon.

John wist niet waarom hij haar voorzichtig aanraakte, maar hij kon het gewoon niet laten. Ze zoenden beiden met hun ogen wijd open. Even later pakte ze zijn hand en nam hem mee naar boven.

'Ik weet waarom je vroeger naar zee wilde,' zei ze midden in de nacht. John lag naast haar en trok haar naakte lichaam opnieuw naar zich toe. Haar geur en smaak bleven bedwelmend. Ze lag doodstil en even later draaide ze zich zacht kreunend op haar buik. Lippen in haar hals en nek en zijn sterke arm die haar omhoog tilde. Ze voelde zijn lendenen tegen haar aan en deze keer nam hij haar met een hardheid die haar verraste. Ze voelde zijn zweet tussen haar schouderbladen en zijn hete zachte lippen waren overal, op haar rug en in haar nek, en voor het eerst in haar leven kwamen de overlopende kleuren in haar hoofd samen tot één witte explosie.

Glanzende natte lichamen naast elkaar. Vaal schemerlicht drong door de gordijnen heen de slaapkamer binnen.

Voorzichtig boog hij zich over haar heen en zag haar betraande ogen.

'Jezus, John.'

Hete, langzame monden. De geur en smaak van haar armen en schouders. Geluid van genot.

'Meer,' zei ze.

'Wat meer?' plaagde John.

'Meer van alles.'

Uren later vroeg ze: 'Waarom ging je weg uit History? Was het omdat je nog van alles wilde ontdekken?'

'Dit met jou had ik nog niet ontdekt,' grijnsde John, 'anders was ik wel gebleven.'

Om vier uur in de ochtend liepen ze naar de keuken voor koffie. Naakt stond Anna voor het aanrecht en liet de ketel vollopen met water. 'Wat was je mooiste belevenis op zee?'

Onmiddellijk dacht John aan Ierland, toen hij langs Mount Eagle op Dingle Peninsula voer, te midden van trage lange golven. 'Toen ik dat gezien had, wist ik dat mijn leven zou veranderen. Het was alsof duidelijk werd dat alles wat ik doe een bestemming heeft die ik nog niet ken.'

'Dat komt doordat er te veel bloedlijnen in jou zitten. Je hebt Iers bloed, want daar kom je oorspronkelijk vandaan. Maar ook indiaans en Afrikaans bloed. Je grootmoeder was een halve negerin en zowel je vader als je moeder heeft indiaanse voorouders.'

'Misschien maakt dat mijn leven verwarrend. Veel gevoelens kan ik slecht benoemen. Het is net alsof ik overal buiten sta en alleen maar een waarnemer ben.'

'Dat is niet zo. Je onderschat jezelf. Ik heb gezien hoe je je als kind al veel dingen eigen hebt gemaakt. Je hebt jezelf fysiek zwaar getraind en daarom ben je waarschijnlijk zo sterk, zonder dat je dat weet. Volgens mijn moeder draag je het verleden van je familie in je. Toch is het niet omdat je veel culturen in je draagt, want die zijn zowel verwarrend als dat ze je talenten verschaffen. Je bent ook niet alleen maar een zeeman.' Ze ging op zijn schoot zitten. 'Je bent alleen nog niet degene die je zult worden.'

'Wat wil jij met je leven?' vroeg John.

'Ik ben tevreden met het leven zoals het zich voordoet. Mijn missie is om andere mensen te helpen.'

Ze praatte met haar mond op zijn mond en John zei dat hij bijna niet kon geloven dat hij met haar had geslapen.

'Eigenlijk ben ik je tante,' zei ze lachend.

'Officieel wel.'

'Gelukkig ben ik geen bloedverwant, anders had het niet gekund.'

'Natuurlijk wel.'

'Stoere man,' zei ze.

De nacht dreef voorbij en toen het dag werd en ze nog steeds samen in de keuken koffie zaten te drinken, vroeg ze: 'Waar denk je aan?'

'Dat beeld van Ierland met die eagles.'

Ze zweeg lange tijd terwijl ze door het raam naar buiten staarde. 'Misschien dat je ging varen omdat je naar Ierland moest,' zei ze uiteindelijk.

'Achteraf misschien wel.'

'Mijn moeder heeft me verteld over je overgrootvader, John Eagleton. En dat er nog steeds een kasteel is dat van jullie is, waar jouw vader niets van wil weten.'

'Ja, die denkt dat het maar een verzinsel is.'

'Waarom ga je er niet achteraan?'

'Ik weet er niet veel van. Jouw moeder heeft me er weleens over verteld, maar mijn vader wil het er eigenlijk niet over hebben. Ik voel dat ik ermee te maken krijg, maar ik weet niet hoe.'

Ze schonk nieuwe koffie in en kwam naast hem zitten. 'Ga met mijn moeder praten nu het nog kan. Zij is de enige die het weet. Ze was de enige die vaak met John Eagleton sprak omdat ze hem geloofde. Anderen geloofden hem niet of namen het niet serieus.'

'Waarom zou ik?'

Ze keek hem een tijdje nadenkend aan en toen zei ze: 'Dat is het. Je bent je je leven lang al aan het voorbereiden zonder dat je het beseft. Als kind wilde je met een kano naar Ierland en toen je bijna verdronk, werd je gered door een eagle. Toeval, John? Dat geloof ik niet. Daarom ging je naar zee, om Ierland te zien en wellicht om andere dingen mee te maken. Jouw vader zag nooit eagles, net als je grootvader Jack ze nooit heeft gezien. Maar John Eagleton heeft met mijn moeder vaak gesproken over de eagles die met hem mee vlogen toen hij de oceaan overstak.'

Zoals op veel maandagen begon het te regenen. Trage stralen uit een saai pak wolken, loodrecht naar beneden. Op de heuvel stonden de koeien triest op een rijtje, dicht tegen elkaar aan.

Veertien dagen en veertien nachten woonde John bij Anna in bed. Tussendoor stoof ze nu en dan naar de store om klanten te helpen. Lucinda vroeg wat er allemaal gaande was.

'Niets,' zei Anna.

Iedereen in het stadje wist ervan. Toen Henry Hamilton het hoorde, reed hij naar de store. 'Het is verdomme je nicht!' zei hij.

'Aangenomen nicht,' verdedigde John zich.

'Blijft je nicht. Ze is ook nog eens ouder dan jij.'

'Jij bent toch ook ouder dan mijn moeder.'

'Dat is wat anders.'

Anna kwam vanuit de store de kamer binnen. 'Hello, Henry.'

'Jij had beter moeten weten!' viel hij uit.

'Wat had ik beter moeten weten?'

'Anna!'

'Henry, stel je niet aan. John en ik zijn volwassen mensen. Verliefde volwassen mensen.'

'Dit is niet goed,' zei Henry en hij liep hoofdschuddend weg.

De volgende dag was de lucht vol draderige wolken. John was vroeg opgestaan om zijn vader op te zoeken op de boerderij.

'Zit het je dwars van je vader?' vroeg Anna.

'Nee, dat is het niet. Ik weet gewoon niet wat ik wil.'

'Je bent zeeman.'

'Ik wil niet meer naar zee.'

'Werken met koeien lijkt me anders ook niks voor jou.'

John staarde door het keukenraam naar buiten.

'Zou jij hier met mij kunnen blijven?' vroeg Anna plotseling.

John keek haar aan en pakte haar handen. 'Ik heb het gevoel dat ik nooit meer zonder je kan. Maar ik kan niet blijven en ik weet niet waarom. Het is alsof ik voortdurend voor mezelf op de vlucht ben.'

'Je probeert te ontsnappen aan iets wat je niet kunt vermijden,' zei Anna.

'Ik wil mijn eigen leven leiden en ik geloof helemaal niet in een soort lotsbestemming. Ik ben een Hamilton, geen Eagleton.'

Diep in gedachten verzonken reed hij langs de stoffige zandweg naar de boerderij van zijn vader. Sinds hij de kust van Ierland had verlaten, was alles veranderd. De dagen met Anna leken hem bevrijd te hebben, maar zijn toekomst voelde onzeker.

'Misschien moet je naar Helena,' zei zijn vader.

Ze zaten samen op de schommelbank voor de barn van de ranch.

'Wat moet ik in Helena?'

'Misschien dat dan alles duidelijker wordt. Ga studeren!'

John staarde voor zich uit. 'Pa, ben ik echt voor iets voorbestemd? Is er iets wat ik moet weten?'

Henry was een man van de prairie die helemaal niets had met wat in het verleden was gebeurd. Elke ochtend als hij opstond keek hij naar het weer en naar zijn koeien, die verderop in het land stonden. Het enige wat hij zich afvroeg was wat het weer de volgende dag zou brengen en of de koeien er dan nog allemaal gezond bij zouden staan.

Henry's grootvader had vaak geprobeerd om hem te interesseren voor de geschiedenis van de familie uit Ierland. Maar de verhalen gleden net zo snel van hem af als de regen van gladde koeienhuiden. Toch raakte de innerlijke worsteling van zijn zoon hem. Hij had zich vaak afgevraagd waarom John als klein jongetje al naar Ierland wilde en waarom er soms eagles in zijn nabijheid waren. Instinctief wist hij dat John uitgerust was voor iets waar hij geen deel aan had. Hij had geen idee wat het was, want Henry leefde midden in Montana en Montana was groot genoeg voor hem.

'Dat weet ik niet, John,' zei Henry. 'Sommige dingen begrijp ik niet.'

John stond op en liep weg van de schuur, het land in. Midden tussen het gele gras bleef hij staan. De wolken waren verdwenen en er stond een zachte, warme wind. Ruisende grashalmen bogen in golven over het land. Hij keek naar de glinstering van de zon op het golfplaatdak van de barn. Net als altijd was het doodstil en gebeurde er niets. John keek verder om zich heen en vroeg zich af in welke richting hij zou lopen.

'Waar denk je aan?' vroeg zijn vader, die hem achterna was gegaan.

'Eén grote bende in mijn hoofd.'

'Dat is nooit anders geweest bij jou. Herinner je je nog dat je als klein jongetje bij het meer hier verderop stond en zei dat je naar zee wilde? Weet je dat nog, John?'

'Nee, dat herinner ik me niet meer.'

'Ik heb me vaak afgevraagd waarom je altijd weg wilde. Net alsof je je hier niet thuis voelde. Je wilde naar zee om hier weg te komen en op zoek te gaan naar wat je niet kende. En volgens mij ben je nog steeds op zoek.'

'Soms is het net alsof ik er bijna ben. Het heeft te maken met Ierland en mijn overgrootvader. Oma Orla heeft me eens verteld dat ik als klein jongetje bij hem op schoot heb gezeten. Ik heb het gevoel dat ik naar hem toe moet.'

Henry lachte. 'Dat zal niet meevallen, want hij is allang dood. Het komt gewoon door die verhalen over het zegel.'

'Toch is daar wat mee.'

'Misschien, maar ik heb er nooit in geloofd. Lucinda wel, die had het er altijd over met mijn grootvader. Maar ik niet.'

'Dat begrijp ik niet,' zei John. 'Ben jij niet nieuwsgierig naar waar we vandaan komen en wat er mogelijk nog is?'

'John, ik ben maar een eenvoudige boer.' Hij raapte een handvol droog zand van de grond en liet het door zijn vingers glijden. 'Montana is een wreed land. Hartstikke droog in de zomer en als het een keer regent overstroomt de hele bende, en in de winter is het niet te harden van de kou. Maar ik zou hier nooit weg kunnen. Ik heb een huis, ik heb land en ik heb koeien en ik hou van Montana. Jouw overgrootvader heeft me vaak verteld dat onze familie ooit weer terug moet. Geen haar op mijn hoofd die daaraan denkt, want die zogenaamde geheimen maken me alleen maar nerveus.'

'Nou, ma doet anders ook aan geheime boodschappen.'

'Dat is wat anders. Je moeder is een geweldige vrouw. Ook al doet ze soms wat gek met die totempaal in de tuin, omdat ze met die drie procent indiaans bloed denkt dat ze de geesten kan oproepen.'

'Ze kan in elk geval voor regen zorgen in droge perioden,' zei John.

NEXT GOVERNOR

Montana, 1955

De blauw oplichtende televisieschermen in de brede etalage bewogen allemaal op dezelfde wijze. Sinéad stond buiten te kijken naar een grote man die op minstens twintig schermen tegelijk te zien was. Sommige mensen bleven staan en door de luidspreker die voor de deur van de winkel stond, hoorde ze hoe de man over de toekomst van Montana sprak.

'Our next governor,' zei iemand die naast haar stond.

Ze besefte dat ze naar een van de kandidaten keek voor het gouverneurschap van Montana. Aan het eind van de speech hadden veel mensen zich voor de etalage verzameld en barstte onderling een heftige discussie los. Plotseling viel haar oog op een bordje naast de winkel waarop naar personeel werd gevraagd.

Sinéad stapte naar binnen en vroeg naar de manager. Vanuit een kantoortje achter in de winkel kwam een kleine tengere man met grote brillenglazen naar haar toe.

Hij glimlachte vluchtig en vroeg of ze ervaring had in de verkoop.

'Ja, ik verkoop foto's,' zei ze.

'Foto's? Fotorolletjes?'

'Nee, foto's die ik zelf maak. Die worden aan magazines en reclamebureaus verkocht.'

'Aha,' zei de manager.

'Ja,' zei Sinéad.

'Verkoopt u die foto's zelf?'

'Nee, dat doet een agentschap. Meneer Smith van...'

'Hebt u verstand van televisietoestellen?'

'Nee, maar dat lijkt me niet zo moeilijk,' zei Sinéad.

De manager zuchtte en keek naar haar kleding.

'Ik hoef niet veel te verdienen,' zei Sinéad snel.

'Wat heeft u de afgelopen maanden gedaan?'
Ze aarzelde te lang.
'Het spijt me,' zei de manager, 'ik denk dat we iemand met ervaring zoeken.'

Twee weken daarvoor was Sinéad uit de gevangenis ontslagen. Het enige wat ze nog had, waren de oude pick-up en haar fototoestel. Ze sliep in de auto en elke dag ging ze langs winkels en bedrijven op zoek naar werk. Het stapeltje dollarbiljetten dat ze nog had, slonk snel. Een paar keer had ze een middag gewerkt voor een warenhuis, waarbij ze met een reclamebord op straat moest rondlopen. Het betaalde net genoeg voor één maaltijd. 's Avonds reed ze naar een truckstop langs de highway waar ze veilig op verlichte parkeerplaatsen kon staan tussen de vrachtauto's. Sommige chauffeurs die langskwamen floten naar haar als ze haar zagen en anderen vroegen brutaal of ze vrij was en wat het kostte.

Nadat ze een weekend bijna geen eten had gehad, verkocht ze haar camera. Ze kreeg slechts honderd dollar voor het dure toestel.

Zes maanden lang had ze in de gevangenis van Helena gezeten. Nadat ze vrijkwam, kreeg ze te horen dat haar kinderen bij een pleeggezin waren ondergebracht en dat ze daar bleven totdat ze een vaste baan en een huis had en zelf voor haar kinderen kon zorgen. Het enige wat ze kreeg was het telefoonnummer van de pleegouders.

Ze kreeg een vriendelijke man aan de lijn die haar op bijna zalvende toon vertelde dat het goed ging met de kinderen. En dat ze met veel geduld hadden bereikt dat de kinderen nu eindelijk rustig en gehoorzaam waren. Sinéad kromp in elkaar.

'Me and Mary,' zo ging de man verder, 'zijn blij dat we jouw kinderen kunnen helpen.'

'Kan ik ze zien?' vroeg Sinéad.

'Het spijt me, dat mag niet,' zei hij afgemeten.

'Ik kan ze toch wel even zien?'

'Ik heb duidelijke instructies dat het niet mag.'

Sinéad ontplofte bijna. 'Waar wonen jullie dan?'

'Ook dat kan ik niet zeggen.'

'Wie kan me godverdomme dan wel wat zeggen?' brieste ze.

De man aan de andere kant van de lijn zuchtte diep: 'Mevrouw, u kunt wel boos worden, maar daar worden we met zijn allen niet beter van. Misschien moet u het aan de reclasseringsambtenaar vragen, want die gaat erover.'

'Je hebt toch zelf een mening, asshole!' Woest gooide ze de pay phone tegen de muur. Wanhopig reed ze die avond met haar pick-up door de straten van Helena.

De volgende ochtend was ze vroeg op en liep bedrijven langs die personeel zochten. 'Waar woont u?' vroeg er een.

'Ik ben nog op zoek naar een woning.'

'U woont nergens?'

'Ik ben aan het verhuizen.'

'Waarvandaan?'

'New York.'

'New York! Hell, dat is een eind weg.'

'Ja.'

'Kom maar terug met een vast adres.'

Bij een glazenwassersbedrijf werd een receptioniste gevraagd. 'Heeft u verstand van glazenwassen?' vroeg de personeelschef.

'Nee, niet echt. Maar ik solliciteer niet als glazenwasser, maar als receptioniste.'

'Dan moet u ook verstand van glazenwassen hebben.'

'Dat begrijp ik niet. Ik dacht dat ik de telefoon moest opnemen en mensen moest ontvangen.'

'Precies!' zei de personeelschef alsof hij lesgaf aan een stel debielen. 'Daar gaat het precies om. Stel dat iemand belt met een klacht.'

'Hoe bedoelt u, een klacht waarover?'

'Dat er nog strepen op de ramen zitten. Mensen bellen altijd dat er nog strepen op de ramen zitten.'

'Dan geef ik toch aan iemand door dat er nog strepen op de ramen zitten.'

'Heel goed, maar vertel mij maar eens hoe het komt dat er strepen op de ramen zitten. Want dat moet je dan wel weten.'

'Geen idee. Waarschijnlijk heeft de glazenwasser zijn werk niet goed gedaan.'

'Mis. De glazenwasser die dat op zijn geweten heeft, is namelijk een beginneling. Hij heeft de ramen verticaal drooggetrokken en ramen moet je horizontaal droogtrekken, want anders krijg je strepen.'

Hij wachtte gespannen op de reactie van Sinéad, die hem meewarig bleef aankijken. 'Mooi dat ik dat weet,' zei ze uiteindelijk. Ze kon niet geloven wat er gebeurde.

De personeelschef stak zijn vinger omhoog. 'U zoekt werk?' vroeg hij op een andere toon.

'Ja.'

'Dan heb ik werk. Maar niet als receptioniste, want dan moet u eerst het vak leren. Dat kan bij ons. Ik kan u een baan als assistent-glazenwasser aanbieden en dan gaat u mee met een van onze mensen.'

'Verdien ik daar dan ook mee?'vroeg Sinéad.

'U heeft geluk met een bedrijf als het onze. Wij betalen onze assistenten een dollar per uur.'

Sinéad aarzelde, maar ze besefte dat ze weinig keus had en elke baan maar moest aannemen die voorhanden was.

De volgende dag trok een gammele hijsinstallatie de houten stellingplanken waarop ze samen met een senior glazenwasser stond, omhoog naar de twintigste verdieping van een kantoorgebouw. Toen ze naar beneden keek vanaf de wiebelende stelling, kreeg ze een wee gevoel in haar maag. Ze haalde een paar keer diep adem en besloot nooit meer naar beneden te kijken toen ze haar spons op een van de ramen zette.

Tegen het eind van de middag, toen de stelling weer op de grond landde, zei de senior glazenwasser tegen haar dat hij de baas zou melden dat ze ongeschikt was.

'Je hebt de hele dag niks gedaan,' zei hij, 'alleen maar wat over de ramen geaaid terwijl je bibberde als een pussy.'

'Nou, dat komt dan mooi uit,' zei Sinéad fel, 'dan hoef ik ook niet meer tegen die puistenkop van je aan te kijken.'

De man deed net of hij het niet hoorde. Hij telde zorgvuldig acht briefjes van een dollar uit, gaf het stapeltje aan haar en zei: 'We don't like pussies.'

Die avond liep ze door de winkelstraat om eten te kopen toen ze opnieuw de beelden in de etalage zag van de kandidaat-gouverneur. Kennelijk had hij het alleen maar druk met het geven van speeches. De commentator vertelde dat hij van plan was om in alle zesenvijftig counties in Montana de mensen toe te spreken.

De volgende dag zocht ze opnieuw zonder resultaat werk. Op zaterdag had ze nog vijf dollar. Ze zat in de auto op de bloedhete parkeerplaats met de deur wijd open. De stem op de radio vertelde dat er in Helena een grote bijeenkomst was waarbij de kandidaat-gouverneur John Hamilton zou spreken. Plotseling startte Sinéad de auto en scheurde de parkeerplaats af, op weg naar de stad.

Vanuit de lange rij mensen zag ze eerst een oudere brede man, niet al te groot, met een kortgeknipte snor en brede grijns de auto uit stappen. Daarop ging het achterportier van de auto open en de kandidaat-gouverneur stapte uit. Strak in het pak, met glimmend gepoetste laarzen en een wit overhemd dat pas gestreken leek. Sinéad zag zijn knappe gezicht en doordringende ogen, die alles in één ogenblik opnamen. Zijn halflange donkere haar en hoge jukbeenderen versterkten zijn charismatische uitstraling. Toch had zijn gezicht iets terughoudends. Met lenige passen liep hij langs de mensen, hier en daar handen schuddend. Vriendelijk, snel en efficiënt. Hij pakte de uitgestoken hand van Sinéad en keek haar even aan. Toen hij door wilde lopen, hield ze uit alle macht zijn hand vast.

'Help me,' zei ze. 'Ze hebben me mijn kinderen afgenomen.'

Hij bleef staan en trok verbaasd zijn wenkbrauwen omhoog.

De menigte scandeerde steeds luider zijn naam. 'Hamilton, Hamilton, Hamilton for governor!'

Geïrriteerd keek John Hamilton naar de hand die de zijne omklemde. 'Laat me los,' zei hij.

'Help me alsjeblieft. Mijn kinderen!'

Met een ruk trok hij zijn hand terug, zei dat ze niet bij hem moest zijn en liep door.

John wist zelf niet waarom hij zo hard was uitgevallen. Hij had de mooie jonge vrouw met haar glanzende dieprode krullen tussen de menigte zien staan toen hij uit de auto stapte en naar het publiek wuifde. Het was alsof hij haar eerder had gezien. Op het moment dat ze wanhopig zijn hand vasthield, schrok hij van haar doordringende lichtblauwe ogen.

De man met de snor en brede grijns stond plotseling naast John Hamilton en met één vinger duwde hij Sinéad naar achteren. Verbijsterd bleef ze staan en toen ze de toespraak hoorde waarin hij beloofde voor de belangen van elk individu op te komen, versteende haar hart en draaide ze zich om. Op de terugweg naar de parkeerplaats reed ze langzaam, met haar blik strak voor zich op de weg, de benzinemeter al ver in het rood.

Die nacht bezocht Sinéad de hele rij trucks op de parkeerplaats buiten de stad. Haar gezicht was niet meer dan een grimas en toen het eerste ochtendlicht doorbrak telde ze de dikke stapel dollars, startte haar pick-up en reed naar een motel waar ze een kamer huurde. Urenlang stond ze jankend en gillend van weerzin onder de douche, net zolang tot de herinneringen aan grijperige handen en naar diesel stinkende lichamen vervaagden in haar hoofd. Ze sliep een dag en een nacht en reed naar een winkel in de stad waar ze een geweer kocht.

DOROTHY

Montana, 1940

In het derde jaar dat John Hamilton op de universiteit van Helena rechten studeerde, viel zijn oog plotseling op een lang, hoogblond meisje. Dat gebeurde tijdens een studentenfeestje, toen ze met een paar jongens stond te praten die van gekkigheid niet wisten hoe ze indruk op haar moesten maken. Gebiologeerd keek hij naar haar prachtig gewelfde lippen en haar kaarsrechte gestalte. Hij zag hoe haar levendige ogen zich openden en dan weer vernauwden terwijl ze met een ander meisje sprak. Ze droeg een korte witte jurk met een legging eronder. Zijn studievriend Alexander kwam hem een glas bier brengen en zag hoe John stond te kijken.

'Moet ik je soms aan haar voorstellen?' vroeg Alexander grijnzend.

'Ken je haar dan?'

'Het is mijn nicht, Dorothy Dupré.'

'Deftige naam. Ik heb haar nooit eerder gezien.'

'Dat klopt. Ze woont aan de andere kant van de stad en studeert psychologie.'

John keek verbaasd.

'Nou ja, psychologie,' ging Alexander verder, 'meer om iets te doen te hebben. Haar familie is van Franse afkomst en steenrijk. Pa is een vooraanstaand lid van de Assemblee van Montana.'

John hoorde bijna niet wat hij zei.

Alexander kletste gewoon door. 'Je moet eens bij haar thuis kijken. Niet te geloven wat een luxe. We zijn trouwens maar zelden welkom, omdat we van de eenvoudige tak zijn, zeg maar. Mijn vader is een gewone farmer uit Montana. Hij heeft meer land dan wie ook in de hele staat, en toch zien ze hem niet staan. Maar ik moet toegeven, John, dat Dorothy erg aantrekkelijk is.'

Opeens stond ze voor hen. 'Ik zag je staan. Lang niet gezien.' Ze kuste haar neef vluchtig op de wang.

Alexander stelde John voor als een studievriend. Ze stak haar hand uit en John wist niet wat hij moest zeggen. Toen het stil bleef, zei hij glimlachend dat hij niet wist dat Alexander zo'n mooie nicht had.

Ze lachte spontaan en vroeg of hij in hetzelfde jaar zat als Alexander. John knikte.

'John is vroeger stuurman geweest op de grote vaart,' vertelde Alexander trots.

Dorothy knikte. 'Vandaar dat je zo volwassen lijkt.'

'Hij heeft de hele wereld gezien,' zei Alexander. 'Frankrijk toch ook, John? Ben jij niet in Frankrijk geweest?'

'Nee, wel in andere landen van Europa. En vaak in Montreal.'

'Spreek je Frans?' vroeg ze, meteen overschakelend op het Frans.

'Een beetje.'

'Grappig,' zei ze, hem recht in de ogen kijkend. 'Dan kunnen we even Frans spreken, want Alexander verstaat daar niets van.'

Haar blauwe ogen leken wel Scandinavisch. Ze waren zo helder en zacht dat hij voor zijn gevoel in haar ziel kon kijken.

'Wil je niet dat hij ons verstaat?'

Ze lachte opnieuw. 'Non.'

De nasale manier waarop ze het uitsprak klonk hemels in zijn oren.

'Wie je iets drinken?' vroeg hij, en besefte tegelijkertijd hoe cliché het klonk.

Ze keek om zich heen. 'Dat vragen alle mannen.'

'Laten we dan maar een eindje lopen,' zei hij, 'dan kunnen we meteen het Frans een beetje oefenen.'

'De taal bedoel je?' vroeg ze met een ondeugende blik.

'Zoiets.' Hij liep met haar naar buiten, een verbouwereerde Alexander achterlatend.

'Hoe oud ben jij?' vroeg Dorothy. Ze zaten naast de vijver in het park.

'Vijfentwintig.'

'Een echte man,' zei ze. 'Ik ben negentien. Maar vaak voel ik me geestelijk ouder. Misschien komt het doordat ik altijd maar nadenk.'

'Waarover denk je altijd na?'

'Over het leven. Dat het kort is en dat ik weinig tijd heb.'

John keek naar haar mooie slaapkamerogen en vond alles wat ze uitkraamde ontzettend interessant.

Toen hij Dorothy terugbracht naar haar zachtgele Chevrolet op de parkeerplaats van de studentensoos, vroeg ze hem om nog even naast haar te komen zitten. Ze knipte de autoradio aan en even later kwam er muziek. Het was de eerste keer dat John een autoradio zag.

'Hou je van klassieke muziek?' vroeg Dorothy.

Ooit was hij met captain Chorowski in Montreal naar een concert geweest. Het was een uitvoering van Don Giovanni van Mozart. John was verbijsterd, want hij had nog nooit zoiets gehoord. Chorowski zat met tranen in zijn ogen naast hem en toen womanizer Don Giovanni door de duivel van het toneel werd geplukt, barstte Chorowski helemaal in snikken uit.

Na de uitvoering gingen ze rechtstreeks naar de bar, waar een Russische pianist werkte. Chorowski zong tragische Russische liederen en de pianist die hem begeleidde zat luid snikkend achter de piano. Op het laatst stond Chorowski ook jankend te zingen, want beide mannen misten het vaderland.

Daarna kwamen de dames van plezier. Maar John wachtte het niet af en ging terug aan boord, waar hij de hele nacht de muziek van Mozart in zijn hoofd hoorde.

'Thuis hebben we altijd klassieke muziek. Mijn moeder organiseert soms op zondagmiddagen bijeenkomsten waar studenten komen spelen,' zei Dorothy.

Uit de autoradio klonk Hank Williams. 'Countrymuziek is ook fantastisch,' zei John.

Ze dacht na en een moment leek ze kwetsbaar. 'Ja, eigenlijk wel. Mijn ouders houden er niet zo van.'

Ze kusten elkaar slechts even toen ze afscheid namen. John stapte uit en langzaam draaiden de witte banden van de gele Chevrolet het parkeerterrein af.

NOME

Alaska, 1941

Op de spiegelgladde zee, vlak voor de kust van Nome in Alaska, lag de kleine coaster Yukon River voor anker. Captain Iwan Chorowski stond op de brugvleugel. Naast het schip lag een platte barge waarop de goederen uit het ruim van de coaster werden getakeld. Elke keer als de laadboom lading op houten vlonders omhoogtakelde, kraakte de staaldraad bij het opwinden van de trommel op de winch. Bij het uitzwaaien van de laadboom naar buiten helde het schip zwaar naar stuurboord en trok weer recht als de lading op de barge werd gezet. Tegen de avond vertrok de diepgeladen barge met pruttelende motor terug naar Nome en Chorowski besloot tot de volgende ochtend voor anker te blijven liggen.

'sAvonds gingen een paar bemanningsleden met de sloep naar Nome om wat te drinken. Chorowski wilde niet mee en zag ze wegvaren, met de stuurman luid zingend voorin. De stuurman zong altijd. Chorowski begreep niet waarom iemand zong die naar Nome ging want Nome was volgens hem het meest vervelende oord van de hele oceaankust. Een handvol neergekwakte huizen en wegen die zomaar ophielden.

Chorowski haatte Nome na zoveel reizen en haatte de stuurman die altijd maar liep te zingen. Hij miste nog altijd Johns aanwezigheid. Sinds ze beiden waren ontslagen bij de Newfoundland Shipping Company, was John teruggegaan naar Montana. Chorowski had werk gevonden bij een kleine rederij in Sitka en vervoerde stukgoed langs de kust van Alaska. Soms zag hij op weg naar het hoge noorden, aan de andere kant van de Beringstraat, het Russische schiereiland Chukchi liggen. Hij volgde het verlangend met zijn ogen en soms overwoog hij om de steven te keren en met schip en al terug te gaan naar Rusland. Vooral nu zijn vaderland bezet werd door de Duitsers.

Die avond hoorde hij via de kortegolfradio in de kaartenkamer dat Kiev na een lange bezetting in Duitse handen was gevallen. Hij liep weer naar buiten en keek in de richting van zijn vaderland.

Om drie uur 's nachts stond Chorowski nog altijd buiten in de vrieskou toen hij opnieuw het vreselijke stemgeluid van de zingende stuurman hoorde, met lange uithalen van dronkenschap. Even later verscheen de sloep in het licht van de deklampen.

De volgende ochtend liet hij bij het eerste ochtendlicht de ankerketting opdraaien. Voor op de bak stonden de stuurman en een matroos aan de grote hendels van de ankerrol te draaien. Vanaf de brug gaf Chorowski het bevel tot dead slow vooruit, om de spanning op de ketting te verminderen. De stuurman gaf met een verticale beweging aan dat het anker recht naar beneden stond. De ankerrol voor op de bak kwam stil te staan. Beide mannen probeerden met uiterste krachtsinspanning de ketting verder naar binnen te halen.

'Hij zit vast,' schreeuwde de stuurman.

Chorowski zette de telegraaf op halve kracht vooruit en probeerde het anker over de kop te varen zodat het los zou schieten. Maar het schip kwam niet verder.

'Muurvast,' hijgde de stuurman, die naar de brug kwam om verslag uit te brengen.

Chorowski zette de telegraaf op stop, liep de trap af en ging naar voren. Hij zag dat de ketting helemaal strak stond en zei tegen de matroos dat hij wat ruimte moest geven op de ketting. Ratelend liep de ketting een stukje uit. Chorowski keek overboord en beet met zijn ondertanden op zijn snor van ergernis.

'Ik denk dat het anker achter een steen zit,' zei de stuurman.

'Je meent het,' zei Chorowski hatelijk.

Ze probeerden het met een tros op de ketting, die ze buitenom naar de motorwinch van de laadboom trokken om het anker zijwaarts met meer kracht los te rukken. Tegelijkertijd draaide Chorowski met de coaster een rondje om het anker heen. De tros knalde van de spanning maar het anker bewoog geen inch.

'Fucking poolankers,' zei Chorowski kwaad, terwijl hij zijn T-shirt en broek uittrok.

'Wat gaat u doen, captain?' vroeg de stuurman.

'Dat anker loshalen natuurlijk, of wil jij het soms doen?'

'Nou nee, ik kan geen dertig voet diep duiken.'

'Ga een duikbril halen en een mes.'

Hij vroeg de matroos om een koevoet uit de machinekamer te

halen. Chorowski bond het mes in de rubberen schacht strak om zijn enkel. Daarna zette hij de duikbril op en met de koevoet in zijn hand liet hij zich achterover van het schip in het water vallen.

Chorowski had het sinds hij als baby vanuit de moederschoot in de sneeuw was gevallen nooit meer koud gehad. Toch benam het ijzige water hem een paar tellen de adem. Hij pakte de ketting en trok zich daarlangs naar beneden. Op de bodem lag het anker plat met beide vloeien onder een grote steen. Met de koevoet tussen de vloeien probeerde hij het anker iets naar achteren te wrikken.

Boven aan dek stonden de stuurman en de matroos met gespannen gezichten naar het water te kijken.

'Hoelang is hij al weg?' vroeg de matroos.

'Twee minuten.'

'Hij verzuipt,' zei de matroos.

Op dat moment kwam Chorowski boven. Hij hapte naar adem, briesend en proestend als een nijlpaard. Hij zwom kleine rondjes om op adem te komen en keek naar boven, waar twee mannen met hun mond wijd open over de reling hingen.

'Hij is nog niet los,' zei Chorowski, 'ik ga nog een keer.'

Meteen zonk hij diep weg in het water en razendsnel trok hij zich opnieuw langs de ankerketting naar beneden. Ditmaal lukte het hem om met de koevoet het anker onder de steen weg te wrikken, zodat het omhoog kon worden gehaald. Een ijsbeer was plotseling vlak achter hem en met een machtige haal van zijn klauw sloeg het beest een gapend gat in Chorowski's linkerkuitbeen. Razendsnel draaide Chorowski zich om, met zijn mes al in de hand. De ijsbeer hing voor hem als een groot wit spook, met zijn uitwaaierende vacht en zijn voor- en achterpoten wijd uiteen. Hij sperde zijn bek vol puntige kiezen wijd open en dook naar Chorowski, die snel omhoogzwom en het beest van achteren met zijn mes in het oor stak. Het water kleurde onmiddellijk rood en Chorowski probeerde het mes verder in het oor van de ijsbeer te duwen. Traag schudde het beest zijn kop en luchtbellen stegen uit zijn bek omhoog. Chorowski bleef achter en boven hem hangen en duwde het mes verder in de harige kop. Hij wist dat de ijsbeer hooguit twee minuten onder water kon blijven en hoopte dat het beest snel naar de oppervlakte moest. Plotseling trok de ijsbeer zijn achterpoten in, kromde zijn rug en dook naar beneden. Chorowski wist dat het beest blufte en bleef vasthouden, hoewel zijn longen bijna barstten. Op de bodem zat Chorowski nog steeds op de rug van de ijsbeer. Ze bloedden allebei hevig en het water om heen

heen was nu helemaal rood. Plotseling begon de ijsbeer laag over de bodem weg te zwemmen. Chorowski zag zijn kans schoon, liet los, zette zich met zijn rechtervoet flink af tegen de bodem en schoot als een raket omhoog, onderweg de lucht uitblazend.

'Haal me binnen,' schreeuwde hij meteen toen hij boven kwam.

De stuurman rende naar achteren, trok de hendel van de davits omhoog en liet de sloep met een klap op het water vallen. Hij liet zich met de matroos langs de kabel zakken, maakte de hendel los en startte direct de motor. Chorowski kwam al naar hen toe drijven. Verschrikt keken de mannen naar wolken van rood water om Chorowski heen en toen ze hem voorzichtig in de sloep trokken, gulpte het bloed uit zijn linkerbeen. Chorowski haalde zwaar adem door zijn van de pijn opeengeklemde kaken.

'Meteen naar de wal,' besloot de stuurman, toen hij de diepe wonden in het kuitbeen van de captain zag. Terwijl de matroos stuurde, haalde de stuurman de verbandkist en dekens uit de kist voorin de sloep. Hij besloot meteen steriel drukverband op het hevig bloedende been te leggen. In de haven van Nome kwam iedereen snel in actie. Chorowski werd in dikke dekens in de laadbak van een pickup gelegd en even later waren ze bij een klein hospitaal. Chorowski's hele lijf begon hevig te trillen toen ze hem de operatiekamer induwden. De arts zei dat hij door het grote bloedverlies in een shock terecht zou komen. Chorowski's gezicht was asgrauw. Met wijd opengesperde ogen keek hij recht in de felle lampen boven hem.

'Weet iemand wat voor bloedgroep hij heeft?' vroeg de arts.

'Geen idee,' zei de stuurman.

'AB negatief,' fluisterde Chorowski, en hij verloor het bewustzijn.

De arts keek met open mond naar Chorowski, alsof hij een dode had horen praten. Daarna keek hij naar de zuster aan de andere kant van de tafel.

'Wie heeft er nu verdomme AB negatief. Geen mens in de wereld heeft AB negatief. Dat hebben we in heel Nome niet eens. Heb jij weleens een patiënt met AB negatief gehad, Suzan?'

'Ja, één keer,' zei Suzan, 'maar niet in Nome.'

'Nee, maar daar zitten we nu wel!'

'Ik heb AB negatief,' zei de matroos.

'Jij hebt AB negatief,' zei de arts verbouwereerd.

'Ja, dat heb ik.'

'Dat is mooi. Ga met de zuster mee en geef zoveel bloed als je kunt.'

'Hoeveel is dat?' vroeg de matroos.

De arts keek naar de grote zeeman en zei: 'Jij kunt best anderhalve liter missen.'

'God sta je bij,' zei zuster Suzan, toen ze even later met een enorme spuit de donkerrode vloeistof uit de ader van de matroos trok.

Iwan Chorowski lag ruim drie weken in het hospitaaltje van Nome, want hij had niet alleen diepe wonden, maar ook een aantal van zijn pezen waren beschadigd.

'Kan wel een paar jaar duren voordat je weer helemaal goed kunt lopen,' zei de arts bij het afscheid.

Toen hij Nome verliet, was het schip allang vertrokken. Met een andere boot van de rederij voer hij terug naar Sitka op Kodiak Island. De reder zag dat Chorowski een beetje stijf liep en zei dat hij niet meer geschikt was om als gezagvoerder te functioneren.

'Dit gaat wel weer over,' zei Chorowski.

'Nou, dat weet ik niet.'

Chorowski besefte dat de reder van hem af wilde.

De reder zat in een grijs pak achter een groot notenhouten bureau en draaide verveeld zijn potlood rond in zijn hand. Hij droeg een bril met gouden montuur.

'Misschien dat je nog kok kunt worden,' zei hij.

'Dat meen je niet,' zei Chorowski.

'Ja, hoor. Niks mis mee. Eervol beroep en altijd lekker warm in de keuken.'

'Ik heb geen behoefte aan warmte,' zei Chorowski.

De reder zuchtte. 'Dan ben ik bang dat ik verder niks voor je kan doen,' zei hij, terwijl hij opstond.

Chorowski knikte en zei: 'Zet je bril eens af.'

De reder keek verbaasd. 'Waarom moet ik mijn bril afzetten?'

Het volgende moment sloeg de vuist van Iwan Chorowski met geweld tegen de neus en het voorhoofd van de reder. Die klapte met zijn in tweeën gebroken bril zo hard tegen de muur van zijn kantoor dat het schilderij van het schip, de Yukon River, boven hem losschoot en op zijn hoofd belandde.

'Ik zei nog zet je bril af,' zei Chorowski, en hij liep het kantoor uit.

Iwan Chorowski vond werk als uitsmijter in de Russische bar van Sitka. Hij stond elke avond in zijn witte T-shirt bij de deur van het etablissement. De eigenaar was nog nooit zo tevreden geweest met zijn uitsmijter, want iedereen had groot respect voor Chorowski, zowel de heren als de dames. Maar Iwan was niet gelukkig en wilde terug naar Sachalin. Met zijn Amerikaanse paspoort was hij echter niet meer welkom. Behalve als hij weer de Russische nationaliteit zou aannemen, wat in de praktijk betekende dat hij erin mocht en er niet meer uit.

Na zijn werk als uitsmijter voer hij nog een aantal jaren als kapitein op een rivierboot, die passagiers van het ene stadje naar het andere bracht. Hij haatte het zoete water en besloot John Hamilton op te zoeken. Hij schreef een brief met als enige adressering John Hamilton, History, Montana. Het US Post Office vond het geen probleem, want elke brief werd altijd bezorgd, waar ook ter wereld. Anna vond de brief op de deurmat van de store op een koude maandagochtend in de eerste maand van 1951 en belde John in Helena.

SNEEUWDANS

Montana, 1951

Het was een van die zeldzame zondagochtenden dat alles goed was. John zat thuis in Helena in zijn luie stoel bij de open haard te luisteren naar King Arthur van Purcell. Buiten was het windstil, en zijn vier jaar oude dochter maakte met andere kinderen uit de buurt een sneeuwpop in de tuin. Fairest Isle klonk zacht door de luidsprekers. Elke keer als hij dit muziekstuk hoorde, moest hij denken aan een ander Engels stuk dat hij ooit op de radio had gehoord, toen de eerste uitzendingen pas waren begonnen. Om het stuk te achterhalen, had hij alle opnamen van Purcell en Dowland gekocht die hij kon vinden. Zelfs na al die jaren kon hij zich de prachtige stem en melodie nog herinneren, maar hij had het nooit meer gehoord.

Hij stond op van zijn stoel, liep naar het grote raam van zijn huis en keek de witte wereld in. Kinderstemmen klonken gedempt door de ramen. John voelde zich dik tevreden met zijn leven. Nadat hij zijn studie rechten succesvol had afgerond, trad hij in het huwelijk met Dorothy Dupré. Haar vader was in het begin erg wantrouwend, omdat zijn dochter een oud-zeeman trouwde die bovendien veel te oud aan een universitaire studie was begonnen.

Haar moeder, Jeanette, wist na de eerste keer dat ze hem zag genoeg. De eerste avond bij hen thuis nam ze hem voortdurend op. Wat ze zag was een grote knappe man, charismatisch en volledig zichzelf. Maar ze zag ook zijn andere kant. Afstandelijk en uiteindelijk meedogenloos om zijn doel te bereiken. Niet dat ze bang was dat hij niet goed zou zijn voor haar Dorothy, maar ze twijfelde aan zijn diepste gevoelens voor haar. Elke keer als ze hem zag, dacht ze aan een denderende stoomtrein die sissend op een tussenstation terecht was gekomen.

Na een etentje bij hen thuis stond John naast Jeanette in de keuken om te helpen met de afwas. Ze vertelde hoe zij en haar man het huis van hun dromen hadden gekocht en hoe gelukkig Dorothy haar kinderjaren hier had doorgebracht. John stond zwijgend naast haar af te drogen. Jeanette keuvelde verder en stootte expres een duur wijnglas van het aanrecht, op het moment dat John een ander glas afdroogde. Johns beweging was niet te zien, maar hij ving het glas op voordat het de grond raakte. Ze glimlachte nauwelijks, omdat ze het min of meer had geweten. Dezelfde avond zag ze hem buiten staan in de tuin, met zijn gezicht omhoog, de hemel afspeurend. Wijdbeens en zijn armen hoog op de rug. Net alsof ze een roofvogel zag met opgevouwen veren.

'Je bent te bezorgd om Dorothy,' zei haar man Pierre.

'Dat zal wel. Maar er is iets in hem dat ik niet kan doorgronden.'

'Waarom moet iedereen zo toegankelijk zijn voor jou?'

Op de dag waarop John met Dorothy ging trouwen, stond haar moeder zich in de slaapkamer aan te kleden en zei tegen haar man dat hij John onder zijn hoede moest nemen.

'Hij is net afgestudeerd,' zei Pierre.

'Daarom, maak hem adviseur van een juridische afdeling bij de Assemblee,' zei Jeanette. 'Kun je hem een beetje begeleiden en dan kunnen we mooi volgen wat hij doet.'

'Je denkt toch niet dat ik deze meneer in de gaten ga houden. Hij is verdomme een volwassen vent en volgens mij is hij zeer getalenteerd.'

'Hij heeft wild bloed, Pierre.'

'Het is dat jij het zegt, maar ik vind hem uiterst saai.'

Ze stond vlak voor de spiegel in de grote marmeren badkamer en tuitte haar lippen om rode lippenstift op te doen. 'Hij is nog maar net begonnen. Dit is een type man dat waarneemt en pas later de dingen doet die hij moet doen.'

'Ik begrijp niet wat je wilt zeggen.'

'Zorg ervoor dat hij een positie krijgt waarin hij zich niet verveelt. Materialisme en macht leiden zelfs de grootste geesten om de tuin. En dat is precies wat hij nodig heeft om zich aan te passen.'

Pierre grinnikte en kwam achter haar staan. Hij wilde haar met beide handen bij haar billen pakken, maar hield zich in. 'Jeanette, dit is een man die weet wat hij wil en hij past precies bij onze dochter.'

'Ik weet hoe sommige mannen zijn.'

'Onbetrouwbaar en onvoorspelbaar, toch?'

'Zo zijn de meeste. John is niet onbetrouwbaar. Wel onvoorspelbaar. Beloof me, Pierre, betrek hem in je netwerken.'

Hij raakte haar toch even aan.
'Niet doen! Niet als ik voor de spiegel sta.'

In de kerk was het alsof er een adellijk huwelijk plaatsvond, zo plechtig was de ceremonie. De muziek die beide echtelieden hadden uitgekozen, was door Jeanette eigenhandig geschrapt en had plaatsgemaakt voor oppervlakkige uitvoeringen van Vivaldi en Pachelbel.

In Johns ogen was Dorothy een godin, zo verliefd was hij op haar. De eerste maanden in hun kleine huis in het centrum van Helena was voor beiden een gelukkige tijd. Via haar vader werd John een baan als jurist aangeboden bij de Assemblee voor de Republikeinse partij. Hij genoot van de politieke wereld waarin hij terecht was gekomen en waarin hij zich uitstekend kon manifesteren. Hij verstond de kunst om zijn analytisch vermogen te combineren met creativiteit, zodat hij voor alle problemen een oplossing wist te vinden. Pas veel later realiseerde hij zich dat hij nooit een van hen zou worden. Niettemin genoot hij met volle teugen van het spel van de dubbele agenda's en de strijd om de macht. Steeds vaker verzocht de gouverneur om zijn advies en bij diens herverkiezing werd John als zijn belangrijkste adviseur aangesteld.

Hij verdiende al snel veel geld, omdat hij naast zijn functie in de Assemblee door bedrijven werd gevraagd om conflicten tussen overheid en het bedrijfsleven op te lossen. Op een avond waren Dorothy en John op bezoek bij haar ouders. Pierre maakte een groot compliment aan John over hoe hij voor de Republikeinse partij een overwinning had behaald door een steunmaatregel voor de graanboeren binnen te halen. Hij vertelde enthousiast aan Jeanette dat John uiterst slim had onderhandeld, waardoor hij de hele buit had binnengesleept. De democratische partij stond erbij, keek ernaar en had het nakijken. Jeanette dacht opnieuw aan een roofvogel die pikkend, langzaam de prooi verslepend, de anderen te slim af is.

Dorothy raakte in verwachting en wilde graag naar een groter huis. Haar vader had een prachtige villa gezien in een van de buitenwijken van Helena, waar artsen, bankdirecteuren en alle politieke kopstukken woonden.

'Niet goedkoop,' zei John toen ze erlangs reden.

'Volgens mijn vader kun je gemakkelijk een hypotheek krijgen. Zeker iemand als jij.'

De hypotheek was inderdaad geen probleem en twee maanden later verhuisden John en Dorothy naar de grote villa.

Vlak nadat hun dochter Jeanne was geboren, kreeg John het razend druk met de herverkiezing van de gouverneur van Montana. Toen deze werd herkozen, bedankte hij John op de dag dat hij werd geïnstalleerd en zorgde dat John een zetel kreeg in de Assemblee.

'Mooi,' zei Pierre de volgende dag, 'nu ben jij aan de beurt.'

'Hoe bedoel je?' vroeg John.

'Ik denk dat jij heel geschikt bent om de volgende gouverneur van Montana te worden.'

John lachte. 'No, no, no, not me.'

'Waarom niet?'

'Mijn familie komt niet uit de politiek. Als ik me kandidaat stel, gaan ze alles van me uitzoeken. Ik heb Iers, indiaans en negerbloed. Geen enkele kans.'

'Je moet niet wachten totdat ze dat hebben uitgezocht. Je moet er gebruik van maken. Je bent een intelligente Amerikaan en voortgekomen vanuit zowel de oude wereld als uit de nieuwe wereld. Jij, juist jij, vertegenwoordigt het nieuwe Amerika en de nog zo jonge staat Montana.'

'Ga jij me helpen?'

'Nee, want als ik dat doe, help ik mijn schoonzoon aan de belangrijkste functie van de hele staat. Dan maak je geen enkele kans. Zoek je eigen team. Ik blijf wel op de achtergrond.'

'Ik zal erover nadenken,' zei John.

'Waar is mama?' vroeg Jeanne toen ze met vuurrode wangen binnenkwam. Haar laarzen zaten onder de sneeuw.

'Aan het bridgen met haar vriendinnen,' zei John.

'Kom jij kijken naar de sneeuwpop?'

'Ik ga met je mee,' zei hij.

Buiten vroor het hard en de kinderen uit de buurt dansten rond de sneeuwpop, zo trots waren ze op het witte standbeeld met de zwarte hoed en oranje neus. John danste mee en dacht aan zijn moeder bij de totempaal.

'We gaan een sneeuwdans doen,' zei hij enthousiast tegen de kinderen. Hij deed het hen voor. 'Allemaal laag door de knieën en met korte passen zo hard mogelijk stampen,' zei hij.

'Yé ye ye ye,' klonken alle kinderstemmen. Tot verbazing van de kinderen en vooral van John begon het licht te sneeuwen.

'Zie je wel!' schreeuwde hij enthousiast.

'Mijn vader kan sneeuwdansen,' zei Jeanne tegen de anderen.

Een vijfjarig jongetje keek bewonderend met grote bruine ogen naar John en vroeg: 'Kunt u echt sneeuwdansen, meneer?'
'Ja,' zei Jeanne. 'Mijn oma is een beetje indiaanse, toch pap?'
'Mijn vader zegt dat indianen gevaarlijk zijn,' zei het jongetje.
'Indianen zijn niet gevaarlijk,' wist Jeanne.
John lachte. 'Zegt jouw vader dat?'
Het jongetje knikte.
'En wat denk jij?'
Hij keek John onderzoekend aan en vroeg: 'Bent u ook een indiaan?'
'Een heel klein beetje.'
'U bent niet gevaarlijk, denk ik.'
'Nee.'
'Maar u kunt wel sneeuwdansen.'
'Van mijn moeder geleerd,' zei John.
'Dat ga ik thuis ook doen voor mijn moeder. Mijn vader gelooft me toch niet.'
John keek om zich heen naar de sneeuw die er al lag en zei: 'Niet te lang sneeuwdansen, anders moeten we morgenochtend eerst weer sneeuwruimen.'
Later zat hij later samen met Jeanne te eten. Dorothy was nog niet terug van het bridgen. Het begon opnieuw te sneeuwen en zijn dochter zei: 'Ik denk dat de andere kinderen nog aan het sneeuwdansen zijn.'

Dorothy kwam laat thuis. Ze liep een beetje wankel de gang in. John hielp haar uit haar jas en rook dat ze gedronken had.
'Heb je zelf gereden?' vroeg hij.
'Ja, hoor.'
'Vraag mij de volgende keer om je te rijden als je gedronken hebt.'
Ze stak één vinger omhoog. 'Eentje maar. Glaasje wijn.'
In de keuken zocht ze nog iets te eten. Ze keek in de koelkast, sneed een stuk cheddar af en dronk melk met de fles aan haar mond. 'Heb je nog wat bewaard?'
De huishoudster had alleen voor John en Jeanne gekookt.
'Dat weet ik niet,' zei John, met haar meekijkend in de keuken.
'Wat hebben jullie gehad?'
'Kip.'
'Kip?'
'Ja, kip.'
'Jij eet altijd kip als ik er niet ben.'

John wist dat Dorothy agressief kon worden als ze te veel had gedronken. 'We dachten dat je bij je vriendinnen zou eten.'

'Dacht jij dat?'

'Ja, maar ik wil nog best wat voor je maken als je honger hebt.'

'Die kip zeker.'

'Ja, of wat anders. Wat je maar wilt.'

Ze dacht na. 'Nee, laat maar,' zei ze verveeld. Bij de deur bleef ze staan en ze vroeg: 'Als je gouverneur wordt, krijgen we dan ook een kok?'

'Als je wilt.'

'Dag en nacht?'

'Misschien.'

'Ik wil een kok voor dag en nacht. Jij bent nooit thuis, want je bent altijd op campagne en als je gouverneur wordt, wil ik een kok.'

'Een gewone kok?' vroeg John.

'Iemand met specialiteiten.'

'Welke specialiteiten?'

'Kip,' zei ze, en ze sloeg de deur dicht.

In de uren daarna staarde hij in de open haard. Hij maakte zich zorgen over Dorothy, die steeds vaker met vriendinnen ging bridgen en steeds vaker naar alcohol rook. Meestal had ze daarna spijt en was ze weer de mooie, stijlvolle vrouw die hij kende. John bleef lang op die nacht en besefte dat hij eigenlijk nog steeds niet wist wie zijn eigen vrouw was.

Het was net alsof hij in een achtbaan terecht was gekomen. Alsof hij op topsnelheid een uitgestippelde route aflegde, zonder zich af te vragen of hij de dingen deed die hij echt wilde.

In het telefoongesprek in de week daarvoor met Anna, waarin ze de brief die Chorowski hem uit Alaska had gestuurd had voorgelezen, vroeg ze hem hoe het hem verging in de slangenkuil van de politiek. John zei dat hij erg genoot van zijn carrière.

'Hm.'

'Geloof je me niet?'

'Op een bepaalde manier kan ik me dat wel voorstellen van jou. Je houdt wel van macht.'

'Dat heeft er niets mee te maken.'

'Iedereen in de politiek is op macht uit.'

'Bij mij ligt dat anders.'

'Weet je nog dat je me ooit vertelde dat je gedreven werd door een missie?'

John zweeg een paar tellen.

'Of is dit je missie?' Ze kon het niet nalaten om te grinniken. 'Vrouwtje, villaatje, dikke auto, straks gouverneur misschien. Als ik de kranten lees, word je misschien ooit nog president van Amerika. De eerste blanke, indiaanse president met nog wat negerbloed erdoorheen. Son of the nation.'

John ergerde zich. 'Misschien was die missie van mij niet meer dan een droombeeld. Net als wij. Wij leefden ook in een droom.'

'God,' zei ze, 'wat ben jij verdwaald, John. Dat van ons had helemaal niets met een droom te maken. Dat was fucking real.' Ze hing op.

Hij liep door de kamer en keek in de verlichte tuin. Langs de oprijlaan stonden aan weerskanten rijen naaldbomen. Het spoor van Dorothy's auto was nog net zichtbaar in de sneeuw.

DE AANSLAG

Montana, 1955

Iwan Chorowski stuurde de tweede auto van de rij zwarte Jeeps over een smalle zandweg. Ze waren op weg naar de grote corral net buiten een dorp in de buurt van Helena. In de verte zag hij een hoge omheinig met daarbuiten auto's, pick-ups en trailers, geparkeerd in lange rijen. Op de hoeken hingen de vlaggen van Montana en van de Verenigde Staten. Aan een lange paal buiten de corral hing ook nog de lichtblauwe vlag van de Blackfoot-indianen.

Chorowski maakte deel uit van het team van John Hamilton, kandidaat voor het gouverneurschap van Montana. John had hem tevens de leiding gegeven over de veiligheidsdienst. De samenwerking was met een handdruk en een grijns bezegeld. 'Still call me captain,' had Chorowski gezegd.

Ze reden op hoge snelheid door de twee hoge witte hekken de corral binnen en Chorowski stapte direct uit. 'Wat een strontgeur,' zei hij, terwijl hij naar de zilveren gespen van Johns laarzen keek. Op de verweerde tribunes stonden minstens duizend mensen te juichen en te zwaaien met ballonnen en vlaggen. De fanfare zette het Amerikaanse volkslied in, zo hard dat het zand door de zware trombones omhoog werd geblazen. John zwaaide naar de menigte. Chorowski bleef zoals altijd vlak achter hem en liep met hem mee het podium op, dat voor deze gelegenheid in het midden van de corral in elkaar was getimmerd. Republikeins rood tapijt lag op het ruwe hout om het geheel een beetje op te fleuren.

'Wat een zootje hier,' zei Chorowski zachtjes tegen John.

'Allemaal kiezers, captain,' lachte John.

Een man met een buik als een biervat schommelde als eerste naar de microfoon. Het was de burgemeester van het dorp, die iedereen met lange uithalen verzekerde dat John Hamilton de overwinning al praktisch in zijn zak had.

'He is the man who can make a change. Ladies and gentlemen, he is a real son of Montana and he is here today. Mister John Hamilton, the next governor of the great state of Montana!'

Opnieuw kwam het publiek massaal overeind. De vrouwen gilden en de mannen stampten met hun boots op de banken. Iwan Chorowski stond schuin achter John, die breed naar het publiek lachte. Toen hij zijn armen omhoogstak, kwam er nog meer lawaai en Chorowski was even bang dat al die cowboys op de banken met hun revolver zouden gaan schieten.

Langzaam draaide hij zijn ogen als de koepel van een tank langs de tribunes. Plotseling meende hij aan de overkant van de corral een flikkering van metaal onder de banken te zien. John Hamilton deed net zijn mond open om wat te zeggen toen Chorowski hem opzij duwde. De geweerkogel sloeg beide mannen achterover. Chorowski lag boven op John, met zijn revolver in de hand.

'Ben je geraakt?' vroeg John met opengesperde ogen.

'Nee, jij?'

'Ik geloof het wel.'

Chorowski schoot overeind en schreeuwde te midden van het tumult om een arts.

Hij zag Johns bloed met elke hartslag uit de slagader van zijn dijbeen naar buiten pompen. In één beweging trok hij zijn broeksriem los en snoerde het leer boven de wond strak aan. Met zijn handen draaide hij de uiteinden van de riem totdat het been stijf was afgeklemd. Even later kwam een arts die het van hem overnam. John werd de zwarte Jeep in gedragen en op hoge snelheid reed Chorowski naar het dichtstbijzijnde ziekenhuis, terwijl de arts zijn uiterste best deed om de slagaderlijke bloeding te stoppen.

LICHT

Montana, 1956

In haar fantasie kon ze licht tekenen. 's Nachts, op de harde brits in haar cel, schetste ze in haar hoofd ragfijne strepen van zonlicht en trok oneindige gele lijnen langs de hemel. Met haar ogen dicht maakte ze met haar hand bogen door de donkere ruimte. Soms was het licht zo perfect dat ze de klik van een camera in haar hoofd hoorde, waarna het beeld altijd verdween en ze meteen wakker werd van het harde witte licht van de lamp in haar cel.

Meestal bracht ze haar dagen door met het maken van tekeningen. Vooral van herinneringen uit haar jeugd, momenten langs de zeedijk van Friesland. Wanneer ze buiten kwam tijdens het luchtuurtje, keek ze direct naar boven, naar de lucht, met haar hand op haar linkeroog alsof ze door een lens keek.

Na een tijd verdwenen de beelden uit haar jeugd, verbleekte het zonlicht en maakte ze met zwart potlood tekeningen van haar medegevangenen. Steeds opnieuw tekende ze portretten met steeds heftiger uitdrukkingen op de gezichten. Ze miste de vaardigheid om de ogen te laten uitdrukken wat ze had gezien, zodat ze voortdurend opnieuw begon.

Op een koude zaterdagmiddag in september stond ze alleen buiten op binnenplaats. De andere gevangenen bleven binnen vanwege de regen. Zacht stromende regen die ruisend uit de hemel kwam. Doodstil stond ze te luisteren naar het monotone geluid. Haar rode krullen werden kletsnat en ze proefde het water dat langs haar gezicht liep. Op het moment dat ze met haar ogen dicht tegen de muur stond en voelde dat ze zich een beetje ontspande, sloeg met een knal de generator op het dak van de gevangenis aan. Meteen vervaagden alle beelden. Ze liep terug naar de ingang, waar ze werd binnengelaten door een zwijgende bewaakster.

's Nachts droomde ze dat haar kinderen waren opgesloten in een ijzeren kooi die midden in een corral stond. Iemand in een rolstoel reed er als een razende omheen en gooide handenvol zand op de kinderen. Alsof ze door een camera keek, werd het beeld uiterst traag ingezoomd en zag ze dat de korrelige gezichten waren verwrongen tot scheve monden en uitpuilende ogen tussen etterbulten vol zand.

Daarna tekende ze niet meer, droomde ze niet meer en zat ze dagenlang wezenloos voor zich uit te kijken in haar cel. Zelfs met een van haar begeleidsters, die de stapel tekeningen had bekeken, wilde ze niet meer praten. 's Avonds ging ze tussen de andere vrouwelijke gevangenen zitten en keek avond aan avond televisie, zonder dat het tot haar doordrong wat ze zag. Ineens was John Hamilton vol in beeld; de nieuwe gouverneur van Montana. Met een schok kwam ze terug in de realiteit en ze zag hem na de inauguratie als gouverneur van Montana met een stok weghinken. Zijn vrouw liep glimlachend naast hem, om hem te ondersteunen. Een journalist vroeg of hij na de aanslag had overwogen om te stoppen met zijn campagne.

In de zaal waar de gevangenen naar het televisiescherm zaten te kijken werd het doodstil.

'Ik ben geen enkel moment van plan geweest om te stoppen.' Hij keek om zich heen, naar het publiek dat hem omringde. 'Omdat,' vervolgde hij, 'zoveel mensen vertrouwen hadden in mij en in de toekomst van Montana. Ik wilde hoe dan ook mijn missie voortzetten.'

'What a guy,' zei een van de bewaaksters die naast Sinéad stond, met tranen in haar ogen.

Op de televisie verschenen beelden van de gouverneur op de grond terwijl Chorowski half op hem lag en om een dokter schreeuwde. John die onder hagelwitte lakens in het ziekenhuisbed lag en vertelde dat het goed met hem ging. Dorothy die trots naast hem stond en in de camera zei dat ze hoopte dat de dader levenslang zou krijgen.

'Why did you shoot him?' vroeg de bewaakster aan Sinéad, terwijl ze haar met haar betraande ogen indringend aankeek.

'He took my kids,' zei Sinéad.

Met haar mond half open knikte de bewaakster. 'He took your kids, right?' Onverwachts greep de bewaakster Sinéad bij haar haren en trok haar van de stoel.

'You almost took our fine governor!'

De andere gevangen klapten en joelden luid.

'Give her the boots,' schreeuwde iemand vlakbij.

De bewaakster haalde net zo lang uit tot Sinéad stil op de grond bleef liggen. Daarna werd ze aan haar armen weggesleept naar haar cel.

THE GOVERNOR

Montana, 1956

Op het reusachtige mahoniehouten bureau stond een kopje koffie, waarin John Hamilton met een lepeltje rondroerde. Op de pennenhouder, een vloeiblad en een telefoon na was het bureau verder leeg. Het was doodstil in de kamer; het enige geluid kwam van het ronddraaiende lepeltje dat tegen het porselein tikte.

Tegen de zijkant van zijn bureau stond zijn stok. Terwijl hij een slok van de koffie nam, keek hij de grote kamer rond die bijna geheel met donkere houten panelen was bekleed.

Links in de hoek hing de vlag van de Verenigde Staten en rechts in de hoek hing die van de staat Montana.

Eigenlijk was hij verbaasd over het feit dat hij gouverneur was geworden. Maandenlang had hij rondgereisd en overal had hij dezelfde speeches gehouden, voortdurend hamerend op het feit dat hij de juiste man was voor de job. Zelfs toen vroeg hij zich nog af of dit was wat hij wilde. Na de aanslag schoten de peilingen verder omhoog en niemand in Montana durfde nog te stemmen op de democratische tegenkandidaat.

En plotseling bevond hij zich in de grote lege kamer met op de gang verderop secretaresses, stafpersoneel en adviseurs die, als hij maar één keer diep ademhaalde, als raketten omhoogschoten om hem ter wille te zijn.

Hij stond op om nieuwe koffie te halen en op het moment dat hij de deur van zijn kantoor opende, stond een van zijn drie secretaresses al voor hem om te vertellen dat zij de koffie wel zou halen.

'Hoeft niet,' zei John. 'Ik ga zelf wel.'

'Maar u hoeft alleen maar even te bellen meneer, dan kom ik het u brengen.'

'Ik doe het graag zelf. Ik moet bewegen.'

Toen hij bijna terug was achter zijn bureau verstapte hij zich en het kopje viel van het schoteltje op het nieuwe lichte tapijt. Binnen vijf seconden stond de secretaresse in zijn kamer en zei: 'Mijn fout meneer de gouverneur, ik had u ook moeten helpen.'

'Het is helemaal jouw fout niet,' zei John geïrriteerd en hij liet zich weer in zijn stoel zakken. Hij keek naar buiten en dacht aan de jonge vrouw die hem had neergeschoten.

Heel even vroeg hij zich af wat hem in godsnaam had bezield om in de politiek te gaan en gouverneur te worden. Direct daarop duwde hij zijn gedachten opzij en belde de secretaresse om de auto voor te laten rijden.

De dag verliep met een lunch buiten de deur en talloze handen die hij moest schudden. 's Middags had hij vergaderingen over een corruptieschandaal waarbij drie straatagenten waren betrokken en hoe de pers moest worden ingelicht zonder al te veel schade voor het korps. En elke keer weer iedereen die vroeg hoe het met hem ging.

Om zes uur verliet hij het gouvernementshuis en liep naar de auto. Chorowski hield het rechterachterportier voor hem open.

'Captain,' zei John.

'John,' zei Chorowski.

John had al een keer tegen Chorowski gezegd dat hij zelf de deur van de auto wel open kon doen als er geen anderen bij waren. Chorowski had zijn hoofd geschud en gezegd: 'You're my boss, John.'

'But still the captain.'

'Yes John, still the captain.'

In het licht van de ondergaande zon reden ze de stad uit. Ze gingen naar een bijeenkomst van een delegatie ranchers en directeuren van melkfabrieken in de buurt van Butte, die met elkaar in de clinch lagen omdat de fabrieken te lage prijzen betaalden voor de melk. Volgens geruchten hadden de melkfabrieken onderling afspraken gemaakt om de melkprijs laag te houden. Een aantal ranchers was van plan om een coöperatie te beginnen zodat ze de verwerking van de melk en de prijzen zelf in de hand konden houden.

Achterin de limousine luisterde John naar het knerpende geluid van de banden over de bevroren weg. Hij staarde door het raam en zag hoe zwarte rotsen voorbijschoven.

'Je denkt aan haar,' zei Chorowski.

John schoof verbaasd naar voren. 'Waarom denk je dat?' vroeg hij.

Chorowski zei niets.

'Dat mens heeft me invalide gemaakt.'

'Dat is het niet,' zei Chorowski, terwijl hij via de spiegel naar John keek. 'Je vraagt je steeds af waarom ze het heeft gedaan.'

'Heb jij dat niet?'

Chorowski schudde zijn hoofd.

'Nee, jij hebt andere dingen met vrouwen,' verzuchtte John.

Chorowski grijnsde.

De pas aangelegde vierbaansweg hield op. Ze passeerden gele lichten die waarschuwden voor een versmalling en even later reden ze over een oude tweebaansweg vol gaten.

'De arts heeft me verteld dat ik anders moet trainen voor mijn herstel. Ik mag geen zwaar werk meer doen.'

'Dacht ik al,' zei Chorowski. 'Ik heb je wel heen en weer zien sjouwen met die kruiwagens vol stenen. Kan nooit goed zijn.'

John was sinds hij weer wat kon lopen elke dag met zware kruiwagens aan het rijden om zijn spieren zwaarder te belasten, zodat hij sneller zou herstellen. 'Ik denk dat het goed zou zijn als we elke ochtend samen zouden gaan lopen,' zei John. 'Voor jou ook niet slecht, want jij hangt ook altijd maar in auto's rond, Chorowski.'

'Captain.'

'Oké, captain.'

Dorothy lag al te slapen toen hij die avond laat thuiskwam. Ze lag op haar rug in bed met haar mond wijd open te snurken. De kamer rook naar drank en in het dressoir vond John een platte whiskyfles, die hij liet leeglopen in de wasbak van de badkamer. Vlak voordat hij in slaap viel, herinnerde hij zich plotseling de geur van Anna.

De volgende dag stond Chorowski om halfzeven op de stoep.

'Man, het is midden in de nacht,' zei John, toen hij beneden kwam.

'Mooie tijd, mister governor.'

Buiten hing de halve maan boven de horizon, aan een heldere, donkerblauwe hemel. John rilde van de kou, ondanks zijn dikke trui.

'Koud?' vroeg Chorowski in zijn T-shirt.

'Nee hoor,' zei John, 'ik trek zometeen mijn trui wel uit.' Hij had de stok thuisgelaten en hinkte zo goed hij kon naast Chorowski voort.

'Je moet langzaam lopen. Zodat je opnieuw je spieren leert gebruiken. Daarom herstel je zo slecht, omdat je als een wildeman tekeergaat.'

John verging van de pijn omdat zijn heup zwaar gekneusd was

door de klap. Hij hijgde zwaar maar gaf geen kik. 'Hoe vond je het gisteravond gaan?' vroeg hij.

'Ik vond je een echte gouverneur zoals je die lui weer in het gareel bracht. Het leek wel of je verstand had van koeien en melk.'

'Dat heb ik ook. Ik ben opgegroeid op een ranch.'

'O ja, dat is ook zo. The real shit. Blijf eens staan.' Chorowski ging achter John staan en keek vanaf de schouders naar beneden. 'Je staat uit het lood. Trek met je handen je rechterbeen zo hoog mogelijk op.' Chorowski hield John met beide armen om zijn borstkas vast. 'Hoger John, en probeer je te ontspannen.'

Met een korte, harde ruk trok Chorowski het bovenlichaam van John naar links en meteen was een groot deel van de pijn verdwenen. 'We lopen langzaam naar huis. Geen kracht zetten en vannacht rustig aan in bed met Dorothy,' grijnsde hij.

'Doe ik al maanden.'

'Jij bent toch de baas.'

John schudde zijn hoofd ten teken dat hij er niet over wilde praten.

'Je hebt toch ook allemaal van die secretaresses rondlopen?'

John barstte in de nog stille straat in lachen uit. 'Zo simpel, hè?'

'Als gouverneur heb je een streepje voor.'

'Dat zou jij doen?'

'Ik zou niet getrouwd zijn zoals jij. Ik zou ook nooit gouverneur kunnen worden, want daarvoor ben ik niet slim genoeg. Ik heb ook geen verstand van vrouwen. Ik heb alleen maar verstand van vrouwen in bed.'

John bleef staan. 'Ben jij weleens verliefd geweest?'

'Smoorverliefd. Maar als ik dan de volgende ochtend wakker werd, was het over.'

'Verder gaat het niet.'

'Nee, verder gaat het niet.'

'Je bent een aparte man.'

'Dingen zijn voor mij simpel. Ik kan geen grote verbanden zien, zoals jij. Het leven is voor mij zoals het zich voordoet, meer niet.'

'Je bent bang om je te binden.'

'Waarschijnlijk wel, maar dat is prima.'

'Toch stel je vriendschap wel op prijs.'

Chorowski aarzelde. 'Dat komt doordat ik jou al zo lang ken, al sinds je als broekje de kolen trimde op mijn schip. Ik ken je nu als gouverneur en je bent gelukkig steeds jezelf gebleven. Ik heb niet veel mensen gekend die zichzelf bleven.'

Voor de deur van de gouverneurswoning bleef John staan en zei: 'Wat zou een vrouw in godsnaam bezielen om mij neer te schieten?'

'Je blijft het jezelf maar afvragen.'

'Vooral de laatste tijd.'

Een week later las John Hamilton in een National Geographic een reportage over extreme weersomstandigheden. Zijn oog viel op een foto met zwaar nachtelijk onweer. Koeien met glanzend natte vachten en verschrikte ogen stonden dicht bij elkaar, verlicht door de bliksem. Toen hij onder de foto de naam van de fotografe las hapte hij naar adem: Sinéad van der Zee. Lange tijd staarde hij naar de witte grillige bliksemschichten die vanuit de hemel naar beneden schoten.

Op de verlaten weg naar de gevangenis stopte John voor een slagboom. Er stond een klein hokje naast met een bewaker, die er net met een stoel in paste. John liet zijn legitimatie zien en de slagboom ging met kleine schokken omhoog. Stil draaiden de acht cilinders van de auto stationair over het wegdek naar de grote parkeerplaats voor de ingang van de gevangenis.

Even later liep hij achter een bewaker aan door eindeloze gangen, totdat ze bij een sluis kwamen. Deur dicht, volgende deur open en opnieuw een gang. Aan het eind wees de bewaker door een klein raam naar buiten. Ineens stond ze daar. Ze zag er fragieler uit dan hij zich had voorgesteld, zoals ze daar stond in een hoek van de binnenplaats. Ze leunde met haar rug tegen het stevige gaas, haar ene been omhooggetrokken en haar voet tegen het gevlochten ijzer. Ze keek recht naar voren. Haar prachtige rode haar danste in de wind.

Via een andere sluis kwam John op het pad dat om de luchtplaats heen liep. Langzaam liep hij over het grijze beton. Op het moment dat hij vlak bij haar was, begon ze de andere kant op te lopen, op weg naar de deur. Een ogenblik keek ze hem aan toen ze hem aan de andere kant van het gaas passeerde. Hij draaide zich om en liep met haar mee tot de deur. John stond een meter van haar af en zei: 'Ga nog niet weg.'

Met een ruk draaide ze haar hoofd om en haar felle ogen boorden zich in de zijne. 'Wat moet jij van me?' vroeg ze minachtend.

'Dat weet ik niet,' zei John. 'Ik wilde...'

'Kom maar terug als je het wel weet.' Ze bonsde met haar kleine vuist hard op de deur, die meteen open werd gedaan. Zonder hem verder een blik waardig te keuren ging ze naar binnen.

De afgelopen dagen had hij alles over haar uitgezocht. Hij wist dat ze getrouwd was geweest in New York en dat ze daarna van het ene baantje in het andere was gerold. Hij had zelfs de man van het vervoersbedrijf opgebeld waar ze vroeger had gewerkt.

'She is fucking crazy, man,' vertelde de eigenaar, die weer een aantal vrachtauto's op de weg had. 'Ze was de eerste vrouw die bij mij de kans kreeg om trucker te worden. Misschien wel de eerste van de staat. Mijn bedrijf ging failliet omdat een stelletje assholes in New Jersey naar een ander gingen. De maffia zat erachter als je het mij vraagt.'

'Wie waren dat dan?'

'Eagle Transport of zo. Stukken duurder dan ik en toch kregen ze de klus. Maar goed, toen ik die dame niet meer kon betalen, veranderde ze in een furie. Weleens een wilde kat gezien, gouverneur? Zo eentje die vanaf de grond zes voet hoog opspringt met alle poten wijd en de nagels uit? Dat zijn lieve poesjes vergeleken met deze dame. Wilde katten blazen en krabben en bijten. Zij is tot moord in staat.'

De volgende die John aan de lijn had, was meneer Smith.

'Een zeldzaam fijnbesnaarde vrouw,' was de mening uit Chicago. Meneer Smith kwam superlatieven tekort als hij over Sinéad sprak. 'En gouverneur, ik weet wat er is gebeurd. Dat is niet goed te praten. Dat is nooit goed te praten en ik kan u ook verzekeren dat wij hier zeer geschokt door waren. We hebben overwogen haar te royeren, maar daar hadden we het publiek geen dienst mee bewezen. Want haar talent, nogmaals gouverneur, ik wil het niet goedpraten, maar haar talent is ongeëvenaard. Dat maakt alles zo onbegrijpelijk en triest.'

John zag voor zich hoe hij in Chicago zijn pochet uit zijn jasje trok.

'Geknakt in de knop als ik mij zo mag uitdrukken. Alleen haar verbluffende gave kan haar nog redden.'

John zei tegen meneer Smith dat hij het op prijs zou stellen om meer van haar werk te zien. 'Gewoon uit nieuwsgierigheid.'

'Ik begrijp dat u geïntrigeerd bent door deze vrouw. Ik zorg dat u alle magazines krijgt waarin ze heeft gepubliceerd.'

SPARKLING EYES

Montana, 1956

Zware voetstappen dreunden met veel kabaal op de ijzeren roosters. Aan het eind van de galerij kwamen ze bij een deur met dik kogelwerend glas. Veertien dagen geleden was John hier ook geweest en had Sinéad hem niet willen spreken. Hij bleef achter de gevangenisbewaarder staan, totdat er kort een sirene uit de hoorn klonk en de deur openzwaaide. Vervolgens sloegen ze een gang in, waarvan de wanden, de vloer en het plafond in bleekgroene legerkleuren waren geschilderd. Opnieuw een deur, ditmaal grijs, met een klein raam op ooghoogte. Ze zat alleen aan een stalen tafel, die midden in het vertrek stond. Eromheen stonden vier stoelen; verder was de kamer leeg. Haar voeten waren geboeid met een dunne roestvrijstalen ketting en terwijl John binnenkwam, maakte de bewaarder haar handboeien los. Ze had nu kort geknipt haar dat in slordige plukken langs haar hoofd viel, alsof ze zich zo lelijk mogelijk had willen maken. Maar het waren haar ogen die hij herkende. Voor de tweede keer in zijn leven dacht hij aan de indiaanse naam Sparkling Eyes, maar hij kon zich alleen niet herinneren waar hij haar eerder had gezien. Ze keek hem aan toen hij tegenover haar stond. Hij keek naar haar handen, die voor haar op tafel lagen. Spierwitte handen, mooi gevormd met lange slanke vingers.

Opeens vroeg hij zich af of ze links- of rechtshandig was. Met veel kabaal trok hij een stoel naar zich toe en ging zitten. 'Hebben ze hier ook koffie?' vroeg hij uiteindelijk, om maar wat te zeggen.

Ze schudde kort haar hoofd en bleef strak voor zich uit naar de muur kijken.

'Sigaret?'

De manier waarop ze heftig 'nee' schudde, vertelde hem dat ze een sigaret wilde. Hij haalde twee Camels uit zijn zak en stak er een op. Ze nam hem aarzelend aan. Nadat hij zelf een sigaret had opgestoken, ging hij recht tegenover haar zitten. Haar ogen zochten een asbak en John zei: 'Gooi maar op de vloer.'

Stilte.

Ze rookte met diepe halen.

Opnieuw keek ze hem aan. 'Mijn dochters.'

'Ik denk dat het goed met hen gaat.'

'Dat weet jij niet.'

Stilte.

'Ik heb ze heel lang niet gezien.'

John knikte. Plotseling wilde ze opstaan, maar ze werd tegengehouden door de ketting die met een harpsluiting aan de vloer vastzat.

'Wil je dat ik wegga?' vroeg John.

Ze knikte heftig. 'Alsjeblieft, ga weg, ga weg, ga weg,' zei ze geïrriteerd. 'Ik begrijp niet wat jij hier moet. Je wilt zeker weten waarom ik...'

'Ik wil niks vragen,' zei John. 'Ik wilde je alleen maar zien.'

'Om iedereen straks te vertellen dat je me hebt opgezocht.'

Hij zei niets.

Ze drukte driftig haar sigaret uit op het tafelblad. 'Ik zou het morgen weer doen. Precies hetzelfde. En laat me verder met rust.'

Hij begreep dat hij niet verder kwam en stond op. Bij de deur vroeg hij: 'Is er iets wat je nodig hebt hier?'

Ze keek hem niet-begrijpend aan.

'Boeken of zo?'

'Ik hoef niks van jou.'

'Andere dingen?'

Ze aarzelde. 'Een fototoestel,' zei ze uiteindelijk.

'Je wilt foto's maken.'

Ze knikte.

'Hier in de gevangenis?'

'Gaat je niks aan. Laat anders maar zitten.'

'Wat voor fototoestel?'

'Linhof.'

'Een Linhof,' herhaalde John.

'Grootbeeld, zes bij zeven.'

De bewaker die hem kwam halen keek verbaasd naar de twee peuken, waarvan er een op de tafel en een op de grond lag.

'Mijn schuld,' zei John.

Tien dagen later arriveerde in de gevangenis een doos bestemd voor Sinéad van der Zee. Fragile, stond er met grote rode letters op de verpakking. Een van de bewakers bracht de doos naar haar cel.

'Pakje van de gouverneur,' zei hij cynisch.

Sinéad nam de doos voorzichtig aan.

'Present from The Great State of Montana,' zei de bewaker erachteraan.

De cursief gedrukte naam van het Duitse bedrijf Linhof stond in bescheiden letters aan beide kanten op de doos. Voorzichtig vouwde ze de bovenkant open. Elk onderdeel van de camera was apart verpakt in dikke stof met daaromheen zacht papier en vastgezet tussen karton. Een voor een haalde ze de zwarte onderdelen uit de doos. In het bijgevoegde etui zaten de speciale gereedschappen om de camera in elkaar te zetten. Separaat waren veertig filmrollen bijgevoegd. Voorzichtig spreidde ze alle onderdelen van de Linhof op haar bed uit. Het was de duurste camera die ze ooit had aangeraakt. Een moment twijfelde ze of ze het toestel wel wilde, aangezien het van John Hamilton kwam.

Ze streek met haar vinger langs de randen van het vouwmechanisme. Opnieuw keek ze naar de doos en het adres, alsof ze nog steeds niet kon geloven dat het pakket helemaal van de importeur uit New York kwam. Nadat ze alle onderdelen in elkaar had gezet, draaide ze haar eerste filmrol in de losse cassette, klikte de cassette vast aan de achterkant en keek door het objectief. Negen stalen spijlen liepen van boven naar beneden door het beeld. Ze schatte het licht van de felle lamp boven haar, draaide de tijd naar een zestigste en het diafragma naar 5.6, richtte opnieuw op de stalen spijlen van haar celdeur en drukte af.

Het pakket was twee dagen eerder als special delivery bezorgd door een koeriersbedrijf uit New York. Op de doos stond een stempel van het bedrijf: Eagle Parcel Services, New York. Het was niet de naam waardoor John werd getroffen, maar wel het logo dat boven die naam stond. Het logo was vrijwel exact hetzelfde als de tekening van het Eagleton-zegel dat zijn tante Lucinda hem had gegeven. Zijn overgrootvader had de tekening gemaakt nadat hij het zegel was kwijtgeraakt. Het oude Keltische beeld met de eagle bracht hem in één ruk terug naar het moment.

Lucinda was al ver over de zeventig toen hij haar op een hete middag in augustus opzocht, nadat hij bij Anna vandaan kwam. Lucinda vertelde dat ze veel last had van haar benen, en het lopen ging bijna niet meer. 'Maar aan mijn ogen mankeert helemaal niets.'

'Je hebt bij Anna geslapen,' zei ze toen hij binnenkwam.

John knikte een beetje beschaamd.

'Geeft niets hoor. Een nicht vrijt licht. Vroeger gebeurde dat zo vaak omdat er te weinig vrouwen waren in het westen. Als kind was je al verliefd op haar. Ik wist meteen dat het echte liefde was, dat gaat nooit meer weg. Wil je thee? Dan moet je het zelf even zetten.' Ze ratelde maar door.

'Waarom gaat het nooit meer weg?' vroeg John.

'Het is een verbintenis van twee zielen die elkaar herkennen. Maar dat wil niet zeggen dat het leven daarmee gemakkelijk is. Mijn broer Jack en Orla waren ook twee dezelfde zielen, maar Jack hield er toch een eigen leven op na, terwijl hij zielsveel van Orla hield. Jack heeft me weleens iets verteld, want mannen moeten altijd hun geheimen aan iemand kwijt.'

Jack had door de week langs alle boerderijen in de wijde omgeving gezworven om nieuwe tractors en landbouwmachines aan de man te brengen. Niemand die zo kon verkopen als Jack. Hij verkocht ze contant, op afbetaling of met een lening, ruilde ze in of verhuurde ze, het maakte niet uit. Jack verliet zelden een boerderij zonder een landbouwmachine te hebben verkocht. Maar bij een boer helemaal in het oosten van de staat praatte en praatte Jack, maar de rancher zag het belang van een nieuwe tractor niet in en Jack besefte dat hij die dag niets zou verkopen. De boer reed met zijn pick-up het land in en Jack wilde met zijn stationwagon vertrekken, toen de boerin naar hem toe kwam. Zonder iets te zeggen ging ze naast hem in de auto zitten en gebaarde dat hij een stukje door moest rijden. Midden in de vlakte zette Jack de auto stil en vroeg haar wat er was.

'We hadden die tractor nooit kunnen betalen,' zei ze.

'Geeft niks,' zei Jack.

'Weet je, mijn man werkt zich hartstikke dood. Vanaf vijf uur 's ochtends tot laat in de avond, en nog hebben we bijna geen geld.'

Jack keek haar aan. Ze had lichtgroene ogen en kort blond haar.

'Hij kijkt nooit meer naar me om. Hij raakt me niet meer aan. Net alsof ik niet meer besta en het leven alleen maar draait om werken. Ik verdenk hem er weleens van dat hij zich laat afzuigen door jonge kalveren.'

'En jij?' vroeg Jack.

'Ik heb nu en dan een echte vent nodig.'

Tegelijkertijd stapten ze aan weerskanten uit de auto en Jack deed de achterklep van de stationwagon open. De autovloer lag vol met folders van John Deere-landbouwwerktuigen. Hij legde de boerin op de stapels papier, klom daarna zelf naar binnen en ging boven op haar liggen.

'Laat de klep maar open,' zei ze, 'het is warm hier.'

Jack ging zo hard tekeer dat de folders met stapels tegelijk de auto uit schoven. De wind kreeg er vat op en ze waaiden over het land weg.

'Je folders,' hijgde ze.

'Prairie promotion,' kreunde Jack en kwam klaar.

Toen John met de thee binnenkwam, had Lucinda een kleine houten kist op schoot. 'Vlak voor je overgrootvader doodging, heeft hij me dit gegeven.'

Ze haalde een opgevouwen vergeelde tekening uit de kist, die ze aan John gaf. Hij vouwde het papier open en zag voor het eerst in zijn leven een afbeelding van het zegel. In het midden de Keltische eagle met samengevouwen vleugels. De ring eromheen bestond uit een rand vol symbolische dierlijke figuren. Onder de tekening van het zegel was in het handschrift van zijn overgrootvader iets geschreven.

BY INDEPENDENCY OF IRELAND, THE BEARER OF THIS SEAL SHALL BE THE OWNER OF THE EAGLETON CASTLE ON MOUNT EAGLE, DINGLE PENINSULA, IRELAND.

Minutenlang staarde John naar het papier.

'Je thee wordt koud,' zei Lucinda.

'Waar is het zegel?'

Lucinda vertelde over de broers Shay en John Eagleton in Ierland, dat John het zegel doormidden had geslagen en dat beide broers een helft hadden meegenomen.

'Maar waar is het zegel nu?'

'Dat is onbekend. Van Shay is nooit meer iets vernomen en jouw overgrootvader is het kwijtgeraakt.'

'Dat begrijp ik niet.'

'Dit is moeilijk voor me,' zei Lucinda, 'maar toen mijn vader samen met de stammen optrok tegen General Custer in het voorjaar van 1876, gaf John Eagleton hem zijn helft van het zegel mee omdat hij dacht dat het White Cloud zou beschermen tegen de vijand. White Cloud en hij waren bevriend geraakt, snap je, en John wilde niet dat hij zou sneuvelen. Het zegel had hem zelf in de burgeroorlog ook het leven gered toen hij door een kogel werd geraakt.'

Op 25 juni 1876 had de kogel van de US Army White Cloud vol in zijn borst getroffen, luttele millimeters van de plaats waar het zegel hing. Zijdelings viel hij van zijn paard, terwijl hij met zijn linkerhand het zegel greep en losrukte van de ketting om zijn nek. Hij wilde niet dat de blanke soldaten het zouden vinden. Op de grond kwam hij overeind en hoorde generaal Custer tegen zijn mannen schreeuwen. Terwijl de witte mist van de dood al in zijn ogen kwam, liet White Cloud het zegel vallen. Nog eenmaal spande hij zijn boog om de laatste pijl af te vuren op de blanke soldaten voordat hij omviel. Talloze paardenhoeven stampten links en rechts langs de liggende White Cloud en het zegel zakte onder de oppervlakte van de zandgrond.

'Je overgrootvader heeft wekenlang in de omgeving gezocht,' vervolgde Lucinda. 'Hij voelde zich verschrikkelijk schuldig omdat het was verdwenen. Wil je ook wat eten, trouwens? Aan de overkant hebben ze heerlijk zachte steaks. Mijn gebit kan niet zoveel meer hebben. Je moet me even dragen, want je bent sterk genoeg. Vroeger droegen de mannen altijd hun vrouwen over de straat, toen het hier nog één grote modderpoel was.'

In zijn armen was ze licht als een veertje.

'Je ruikt nog naar Anna,' zei Lucinda halverwege de straat.

John moest lachen. Het restaurant had brede tegenover elkaar staande banken, bekleed met rode stof. Voorzichtig zette hij haar neer op een van de banken bij het raam.

'Kunnen we mooi kijken wie er langskomt,' zei Lucinda. Ze bestelde bergen eten, zowel voor John als voor zichzelf, zonder hem te vragen wat hij wilde. 'Ik heb John Eagleton daarna gevraagd om het zegel na te tekenen. Niet het halve zegel, maar helemaal.'

'Tante, het zegel is verdwenen. Betekent dit dat onze familie haar bezit nooit meer terugkrijgt?'

'Als we het zegel niet vinden, is alles verloren. Jij moet even mijn vlees snijden. Ik heb bijna geen kracht meer in mijn handen. Ik hoop dat ze het niet te veel doorgebakken hebben, want ik stuur het zo weer terug naar de keuken. Ze hebben een nieuwe kok hier, de vorige is ontslagen door de eigenaar omdat hij vreemdging met zijn vrouw. Vroeger hadden we het er gewoon niet over als zulke dingen gebeurden.' Haar ogen dwaalden door het raam naar buiten. 'Jouw overgrootvader zei dat het zegel altijd weer naar eenheid zou zoeken.'

'Dat klinkt als magie,' zei John.

'Ja, maar ik herinner me de manier waarop hij het zei. En de verhalen over de eagles die niet alleen zijn leven maar ook het jouwe hebben gered. Hij heeft nog gehoord dat de eagle kwam toen jij onder die kano lag en hij wist dat jij degene was die de missie moest volbrengen.'

Ze propte een stuk vlees in haar mond, terwijl John verbaasd achterover leunde.

'Missie? Wat voor missie?' vroeg hij na een tijdje. Voor het eerst in zijn leven voelde hij angst, alsof zich iets van zijn toekomst ontvouwde dat met een ver verleden te maken had. Weerstand welde in hem op, omdat hij besefte dat waarschijnlijk alles wat hij in zijn leven had gedaan te maken had met een toekomst die hij niet kende maar die wel in zijn bloed zat.

'In Ierland ligt nog altijd een groot bezit te wachten op de terugkeer van de Eagletons.'

'Die klomp steen daar?'

'John, het schijnt een sprookjesachtig mooi kasteel te zijn. Volgens je overgrootvader is het het mooiste van Ierland. Ook de eagles wachten, alle Ieren wachten. Maar wat het belangrijkst is: de geschiedenis wacht op herstel van de loop der dingen.'

John voelde zich verward. 'De geschiedenis ligt ver achter ons, tante. Wat nou herstel?'

'Het gaat niet om het materiële bezit. Het gaat erom dat, zoals jouw overgrootvader het noemde, de vernedering en de ordinaire diefstal door de Engelsen ongedaan wordt gemaakt. De trots van het machtige geslacht van de Eagletons dat eeuwig gekrenkt zou blijven, moet worden hersteld.'

John keek naar buiten, waar een mintgroene Chevrolet langsreed.

'Ligt Anna nog in bed?'

John glimlachte.

'Ze zal wel op je wachten. Kijk John, jouw overgrootvader was al oud toen hij me alles vertelde. Ik weet niet wat waar is en wat legende. Maar Mount Eagle schijnt een bijzondere plaats te zijn. Een landschap bezaaid met standing stones, cross pillars en ronde steenhutten. Ik weet niet precies hoe ik het moet vertellen omdat John misschien de dingen door elkaar haalde. Het had iets te maken met een buiging of een afwijking van magnetische lijnen die samenkomen op Mount Eagle.'

'Een soort magnetische pool,' zei John. Plotseling herinnerde hij zich dat toen hij voorbij Slea Head voer, het kompas een paar keer in het rond had gedraaid.

'Misschien. Maar volgens je overgrootvader was het voortbestaan van Mount Eagle wezenlijk. Hij drukte me vooral op het hart om jou te vragen het te beschermen. Zelfs de vogels die daar leven, schijnen het te weten.'

'Die eagles die bij ons zijn, althans bij sommigen van ons.'

'Volgens een legende is een Ierse koning, ik ben zijn naam vergeten, een verbond aangegaan met de eagles. En later ook zijn zoon, die het kasteel heeft laten bouwen. Na 1653 zijn de Eagletons van hun kasteel verdreven en ook de eagles zijn op die dag weggevlogen.'

John staarde bijna verdoofd naar buiten.

'Begrijp je nu waarom je naar zee wilde? En naar Ierland?'

'Maar het kan toch niet zijn dat ik die aantrekkingskracht voel?'

'Dat weet je niet. Ik heb jouw overgrootvader gevraagd hoe hij wist dat het zegel naar eenheid zou zoeken en waarom iemand van de familie ooit terug zou gaan naar het kasteel op Mount Eagle. Hij zei dat je sommige dingen niet kunt zien. Zoals je de enorme kracht van de maan niet kunt zien, die elke dag oceanen omhoogtrekt en rond de aarde meesleurt in hun eb en vloed.'

'Maar waarom ik? En niet mijn vader?'

'Dat weet ik niet. Sommige mensen leven gewoon hun leven als een soort brug naar het volgende leven. Maar enkelen onder ons hebben een specifieke opdracht. Uiterst vervelend en verwarrend, als het lopen op onverlichte paden. Maar onontkoombaar.'

Hij haalde zwaar adem en keek naar de handen van zijn tante. Kleine, smalle handen waarvan alleen de dunne huid verraadde dat ze oud was. 'Dit is een onmogelijke taak,' zei hij. 'We zijn het zegel kwijt. De ene helft ligt ergens bij Little Big Horn en van de andere helft weten we helemaal niets. Hebben de broers elkaar ooit verteld waar ze het zouden achterlaten?'

Lucinda kauwde heftig op haar steak en zei gedurende enige tijd niets. 'Ik weet niet of het ermee te maken heeft,' zei ze, 'maar ooit heeft John Eagleton iets gezegd: dat de vindplaats de oorsprong is.'

John stelde zich de beide broers voor die met elk een helft van het zegel afscheid namen in Ierland en elkaar beloofden dat het zegel ooit weer bijeen zou worden gebracht. En de vindplaats van de beide helften zou de oorsprong zijn. De oorsprong van wat?

'De oorsprong is Ierland,' zei hij. 'Maar waarom heeft John het zegel dan meegenomen naar Amerika? Wilde hij ooit weer terug?'

'Hij is het van plan geweest, zijn leven lang.'

John besefte dat hij meer dan honderd jaar later voor een onmogelijke opdracht stond.

'Nog iets. Op de achterkant van het zegel staat een geheime code die toegang geeft tot het document waaruit de claim blijkt die de Eagletons hebben op het kasteel. Maar daarvoor is het hele zegel nodig.'

'Om het nog moeilijker te maken. Tante, dit heeft helemaal niets met enige realiteit te maken.'

'Je hebt gelijk,' zei ze en riep naar de bediening om koffie. 'Maar dat is je verstand, John. Ik zou het met je eens zijn geweest als ik tegenover iemand anders had gezeten. In de lijn van de Eagletons ben jij degene die het in zich meedraagt. Jij wilde als kind naar Ierland. Jij werd beschermd door de eagles. Jij bent naar zee gegaan. Niet omdat je zeeman wilde worden, maar omdat je je hebt voorbereid.'

'Is er ooit iets gezegd over hoe het zegel terug te vinden is?'

'Ja hoor,' zei ze luchtigjes. 'Zoals ik zei: de oorsprong is de vindplaats.'

John zuchtte. 'Zover waren we al.'

'Meer is er niet, John.'

De doos met de Linhof-camera bleef de hele dag op zijn bureau staan. John vroeg zich af hoe het kon dat een Amerikaans bedrijf dit beeldmerk voerde. Was het omdat de oprichters misschien van Ierse afkomst waren? Hij werd duizelig van het gevoel dat alles in zijn leven te maken had met het verleden van zijn voorvaderen. De gedachte dat hij had geprobeerd aan zijn noodlot te ontsnappen door met Dorothy te trouwen en een carrière als gouverneur na te jagen liet hem niet met rust. Verbijsterd bleef hij zitten en sneed langzaam het beeldlogo uit de doos.

Zijn secretaresse kwam binnen om te melden dat Chorowski beneden in de hal stond.

In plaats van achterin stapte John voorin, naast Chorowski. Chorowski keek hem vreemd aan terwijl hij wegreed en John vroeg:

'Herinner je je nog dat we langs de zuidwestkust van Ierland voeren?'
'Ja, dat herinner ik me nog,' zei Chorowski.
'Laten we maar een flinke omweg maken naar huis. Ik zal je een verhaal vertellen.'

WOLKEN

Montana, 1956

De breking van het licht door ijskristallen hoog in de lucht zorgde voor een prachtige dunne halo om de zon. Vanuit de binnenplaats van de gevangenis van Helena nam Sinéad foto's van het verschijnsel. Ze lag op haar rug op de grond en fotografeerde luchten. Blauwe luchten, luchten met mooie kleine wolken, grote wolken, dreigende wolken en wolken waar de zon in bundels tussendoor scheen.

Een paar maanden daarvoor had ze een afrekening, 5.682 dollar, van Mr. Smith uit Chicago gekregen. Hij schreef dat hij begreep dat ze onder deze omstandigheden niets kon doen met haar geld en bood aan om het voor haar op een bank te zetten, zodat ze het later met rente kon ophalen. Sinéad schreef terug dat ze het een goed idee vond en vroeg of Mr. Smith ook belangstelling had voor gezichten van gevangenen.

'Beperkt,' reageerde Mr. Smith op zijn beurt. 'Maar ik heb een ander idee. We krijgen in toenemende mate vraag naar luchtfoto's, vooral van, en vergeef me mijn botte commercie, vliegtuigmaatschappijen, die deze foto's gebruiken voor hun advertenties.'

Toen meneer Hanson, editor van World Images Inc., de eerste zes bij zeven kleurendia's van Sinéad op de lichtbak legde, riep hij meteen Mr. Smith. Zijn vlinderdasje rechttrekkend, alsof hij op hoog bezoek moest, liep Mr. Smith achter Hanson aan naar de editing room.

Voorovergebogen en zwaar door zijn neus ademend bekeek hij met een loep een voor een de netjes uitgestalde dia's op de lichtbak. Uiteindelijk ging Mr. Smith weer overeind staan en zei: 'Dit is toch genade, meneer Hanson.'

'Zeker, Mr. Smith.'

'Dat wij zo'n talent in huis hebben. Hebt u gezien dat die halo een dubbele zon heeft?'

'Ja, ik heb het gezien, Mr. Smith.'

'En die prachtige hoge cumulonimbuswolken met die draden die aan de onderkant meegesleept worden.'

'Een meeslepende foto,' vond Hanson.

Mr. Smith stak een vinger omhoog en zei plechtig: 'Schrijf haar... Schrijf haar dat ze vooral op deze weg door moet gaan.'

'Dat zal ik doen, Mr. Smith. Ze vroeg overigens ook nog om speciale filmrollen met 400 ASA.'

'Onmiddellijk doen. Stuur maar een hele doos!'

'Yes, Mr. Smith.'

Op een snikhete windstille zomerdag keek John door de voorruit van zijn auto naar kinderen die vanuit school de trap af kwamen. In zijn hand had hij twee foto's van de dochters van Sinéad die hij via de kinderbescherming had opgevraagd.

Plotseling zag hij de twee meisjes hand in hand lopen. Ze keken zoekend om zich heen. Verderop stond een man in een wit shirt met korte mouwen te zwaaien. Ze renden naar hem toe en gingen achter in de Chrysler zitten.

John stapte uit en liep naar de school. Hij vroeg aan de conciërge naar de leerkracht van de meisjes Van der Zee.

Mevrouw Bell kwam naar hem toe. 'Gouverneur,' zei ze verrast. 'U zomaar op bezoek.'

John legde uit dat het geen officieel bezoek betrof, maar dat hij wilde informeren naar de meisjes.

'Fantastic,' zei ze hysterisch. 'really fantastic.'

John knikte.

'Ik ben zo blij dat ze nu eindelijk een stabiele omgeving hebben na al dat gesleep door het land.'

'Hoe bedoelt u, mevrouw Bell?'

'Nou ja, leven in een auto, dat was natuurlijk geen doen voor die arme kinderen. En een moeder die... Tja, daar weet u alles van, toch?'

'Ja,' zei John, 'daar weet ik alles van.'

'Heel fijne mensen, die nieuwe ouders van de meisjes. Meneer Williams is accountant. Degelijke man. Niets, maar dan ook niets op aan te merken.'

Uiterst saai natuurlijk, dacht John.

'Ze willen graag de kinderen adopteren en gaan binnenkort een verzoek indienen bij de rechter.'

John schrok en vroeg: 'Wat vindt hun moeder daarvan?'

'Hun biologische moeder? Ik denk dat die haar kansen wel een beetje verspeeld heeft, vindt u niet?'

John glimlachte beleefd en wilde vertrekken.

'Mag ik u nog wat vragen?' vroeg ze bij het afscheid. 'Waarom wilt u weten hoe het gaat met de kinderen van de vrouw die op u heeft geschoten?'

'Omdat het voor de kinderen ook een grote tragedie is dat ze hun moeder een tijdlang kwijt zijn,' zei John. 'Ze is tenslotte hun moeder en kinderen vergeten hun moeder nooit.'

Met een zure glimlach op haar gezicht bleef mevrouw Bell achter.

De volgende dag reed John naar Sinéads gevangenis. John kende de gevangenisdirecteur, Bert Lock, van zijn studie en had gevraagd of de boeien af konden als hij op bezoek kwam.

Bert lachte. 'Zoals je wilt John, maar pas op: het is een felle dame.'

'I know.'

'Nog meer wensen?'

'Een asbak.'

'Dat had ik inderdaad al begrepen.'

Ze zat aan dezelfde tafel als de vorige keer. Links van haar lagen een paar tijdschriften en een stapeltje foto's. Opnieuw wachtte ze af en John stak voor hen beiden een sigaret op. 'Ik heb foto's van je kinderen meegenomen.'

Hij gaf haar de twee foto's.

Tranen sprongen in haar ogen terwijl ze naar de foto's keek. 'Mijn meisjes... O, mijn meisjes.' Plotseling hield ze de beide foto's tegen zich aan. 'Mag ik ze houden?'

'Ze zijn van jou,' zei John.

Ze bleef maar kijken. 'Weet je hoe het met ze gaat?'

'Goed,' zei John. 'Ik heb ze gisteren uit school zien komen.'

Ze werd meteen achterdochtig. 'Wat deed jij daar?'

'Ik wilde weten of het goed met hen ging.'

'Jij.'

'Ja, om je gerust te stellen.'

'Wat kan jou dat nou schelen.'

'Omdat je het de vorige keer over je kinderen had.'

'Maar dan hoef je toch niet meteen naar hun school te rijden?'

'Nee, maar ze weten niet dat ik ze gezien heb.'

Stilte.

'Sorry,' zei ze na een tijdje. 'Je komt zo plotseling in mijn leven terwijl ik niets van je moet hebben. Dat van dat fototoestel zei ik zomaar. Ik noemde het duurste en beste merk dat er is omdat ik dacht dat het je wel zou afschrikken. En tot mijn verbazing kocht je het voor me. Eerst wilde ik het niet, maar het is zo'n verdomd mooi toestel.'

'That's okay.'

Ze liet hem de foto's zien. John was verbaasd over hoe mooi ze kon fotograferen. Eenmaal pratend over foto's werd Sinéad spraakzamer. 'Steeds meer magazines publiceren mijn foto's. Kijk, hier is een reportage over de winter in Nederland waarin ze ook een foto van mij hebben opgenomen. Het is nog een zwart-witfoto die ik lang geleden heb gemaakt met mijn eerste camera.'

John voelde het bloed uit zijn gezicht trekken toen hij het schip herkende dat aan de besneeuwde kade in Harlingen lag afgemeerd. Plotseling herinnerde hij zich het meisje dat een foto had genomen terwijl hij op de voorplecht stond, op die mooie winterse dag. Hij besloot niets te laten merken, want hij wilde hier eerst zelf over nadenken. Maar het werd nog erger toen hij, wijzend naar twee kleine zwarte stipjes die op de foto in de lucht hingen, vroeg: 'Wat is dit?'

'Dat zijn twee eagles,' zei Sinéad. 'Ik zag pas bij het ontwikkelen dat ik ze had gefotografeerd.'

'Eagles,' zei John verbijsterd.

'Ja, een enkele keer komen ze bij me in de buurt.'

FUCK THE PRESS

Montana, 1956

'The news is out, all over town,' zong Ray Charles op de radio, terwijl John langzaam terugreed naar de stad. 'That you've been seeheen...'

John stopte op een parkeerplaats en stapte uit. Zijn hart pompte het bloed als een razende door zijn lichaam. Hij kon bijna niet geloven wat er was gebeurd. Opnieuw had hij het angstige gevoel dat alle zekerheden in zijn leven wegvielen en plaatsmaakten voor gebeurtenissen die hij zelf niet in de hand had. Hij accepteerde het grote toeval van de foto die Sinéad lang geleden van hem had gemaakt. Maar hij snapte niet dat de eagles kennelijk ook vaak bij haar in de buurt waren. En dat twee eagles midden in de winter een paringsdans uitvoerden, sloeg helemaal nergens op.

'Morning, mister governor.' Een politieagent stapte uit zijn auto en vroeg of alles in orde was. 'Ik zag aan het nummerbord dat u het was,' legde de agent uit. 'Misschien dat er iets aan de hand was.'

'Niets aan de hand, agent,' zei John. 'Ik wilde even de benen strekken. Het is een mooie dag.'

De agent knikte. 'Inderdaad, gouverneur, het is prachtig weer voor een wandeling. U moet natuurlijk veel op kantoor zitten. Ik wens u een prettige dag verder.'

Later trof hij Chorowski tijdens de lunch en vertelde wat hem was overkomen. Chorowski was een enorme steak aan het eten en zei lange tijd niets.

'Vecht je tegenwoordig nog weleens?' vroeg Chorowski plotseling.

'Hoe bedoel je?'

'Nou, zoals we dat vroeger deden als we in havens waren. Dat jij ruziemaakte in de kroeg en we ons eruit moesten vechten.'

'Nou, die ruzies ontstonden meestal doordat jij aan andermans vrouwen zat en ik je dan moest helpen.'

'Oké, misschien was ik het.'

'Tegenwoordig moet ik me netjes gedragen.'

Chorowski dacht na en grijnsde. 'Je hebt me ooit verteld dat je erg goed was met pijl en boog,' vervolgde hij.

'Ja, in mijn jeugd was ik nogal onder de invloed van mijn tante, mede doordat ik indiaans bloed in me heb.'

'Was je echt goed?'

John ging er eens voor zitten en boog zich naar Chorowski. 'Als jij twintig meter verderop staat, schiet ik je snorharen weg.'

Chorowski keek hem strak aan. 'Dat meen je niet.'

'Dat meen ik wel.'

'Dat wil ik zien.'

'Oké.'

'Ik zet wel een appel op m'n hoofd, want ik ben er niet zeker van of je mijn snor er netjes af kunt schieten.'

'Waarom vraag je dit allemaal?' vroeg John.

'Omdat ik het gevoel heb dat er dingen gaan veranderen.'

'Tussen ons?'

'Nee, John. Niet tussen ons. Ik ben bij jou aan boord en dat blijf ik. Alleen jij bepaalt de koers. Maar als ik in de verte kijk, zie ik toch aan de horizon wat slecht weer.' Chorowski grijnsde om zijn eigen poëtische woorden.

'Call me captain,' lachte John.

'My ass.'

Vanaf de zolder boven de garage haalde John de valiezen met bogen naar beneden. Behalve recurvebogen lag er een kruisboog met korte vederloze pijlen.

Chorowski wees naar de grote bogen en vroeg waarom die zo'n vreemd model hadden. John legde uit dat de recurvebogen zich kenmerkten door de in tegengestelde richting gebogen uiteinden van de boogstaaf, waardoor ze extra krachtig waren. Ze waren gemaakt van hout waarbij dierlijke pezen op de rug van de boog waren gelijmd, waardoor de boog sterker, veerkrachtiger en onbreekbaar werd.

Chorowski kwam met de grootste appel aan die hij kon vinden. Ze gingen de tuin in en Chorowski mat twintig meter terwijl John zijn boog spande. Hij trok de boog een aantal keren flink uit en schoot een paar pijlen op een boom.

'Moet je eerst oefenen of zo?' vroeg Chorowski argwanend.
'Lang niet gedaan,' zei John.
'Mooi is dat. Durf je het wel aan?'
'Ja, hoor.'
Chorowski zette de appel op zijn hoofd, die er vervolgens af rolde. 'Misschien moet ik eerst een stetson opzetten,' zei hij.
'Ik zie zweetdruppels op je voorhoofd,' zei John.
'Die had ik ook toen ik je Lock no. 17 liet uitvaren.' Opnieuw zette Chorowski de appel op zijn hoofd. John spande de boog.
'Wilhelm Tell, had die ook zo'n boog?' vroeg Chorowski nog.
'Nee, die had een kruisboog. Die is veel nauwkeuriger,' zei John. De pijl verliet de boog en spleet de appel doormidden.
Chorowski liet een diepe zucht ontsnappen.
'Spannend?' vroeg John.
'Toen je begon te vertellen over die kruisboog, was ik wel even bezorgd.'
'Waarom deed je het dan?'
'Ik wilde zien of je het kon. Kun je ook met een geweer omgaan?'
'Nee, ik zal nooit meer met vuurwapens schieten,' zei John.
Chorowski begreep het wel.

'Weet je wat me hier gek maakt?' vroeg Sinéad aan John, tijdens zijn derde bezoek.
Hij schudde zijn hoofd.
'Die lichtgroene kleur van alle wanden. In de eetzaal, de doucheruimtes, de cellen, de recreatiekamer… Alles is hetzelfde. Welke gek bedenkt zoiets.' Haar korte donkerrode haar was weer iets langer en krulde als een helm om haar hoofd. 'Dat hebben psychologen bedacht,' ging ze verder. 'Het schijnt dat de gevangenen daarvan rustig blijven. Kleuren roepen te veel emoties op. Vandaag of morgen brand ik door van al dat groen.'
Met gespannen trekken om haar mond zat ze tegenover hem. Voor haar lag een stapel papier naast de fotocamera op tafel. John stak twee sigaretten op en wachtte af.
'Er is vandaag weer geen asbak,' zei Sinéad.
Door een klein, hoog raam met dikke tralies ervoor zag John takken heen en weer zwiepen in de wind. 'Hoor je de wind hier als het stormt?' vroeg hij.
'Nooit. Alles zit potdicht. De ramen zijn volgens mij net zo dik als

de muren.' Nerveus trok ze aan haar sigaret. 'Ze willen mijn kinderen van me afnemen,' zei ze plotseling.

'Voor altijd?'

'Ja, omdat ik veroordeeld ben tot twintig jaar gevangenisstraf. Mijn kinderen zijn dan meerderjarig.'

Ze hield de stapel papier omhoog. 'Als ik dit teken, ben ik ze kwijt en krijg ik vermoedelijk strafvermindering. Maar ik teken niet. Ik teken nooit en nu wordt het een rechtszaak.'

John dacht koortsachtig na. 'Wie is je advocaat?' vroeg hij.

'Mack Griffin. Een of andere pro deo loser die ze me hebben toegewezen. Hij zegt dat ik het best maar kan tekenen. In het belang van de kinderen, zegt-ie ook nog, omdat ze me niet meer willen zien.' Tranen welden op in haar ogen. 'Godverdomme.'

'Denk jij dat ook?'

'Ik weet het niet meer.'

'Je moet niet tekenen, Sinéad. Ik weet zeker dat je kinderen jou graag willen zien. Kinderen willen hun moeder niet kwijt.'

'Wat een zootje.'

In de keren dat hij haar had bezocht, had hij gemerkt dat haar taalgebruik veranderde en dat ze steeds harder begon te praten.

'Misschien kan ik iets doen,' zei John.

Met een ruk keken haar felle ogen hem aan. 'Jij! Ik wil niet dat jij je ermee bemoeit. Dat snap je toch zelf wel.'

'Ik bedoel het niet verkeerd.'

Uit wanhoop pakte ze de papieren en smeet ze de lucht in. De vellen dwarrelden op de grond. Een ogenblik leek het alsof ze de camera ook van tafel wilde vegen, maar ze beheerste zich. Ze stampte haar peuk op de grond uit en haar ogen haakten zich in de zijne. 'Ik begrijp sowieso niet wat jij hier doet. Ik heb je neergeschoten. Remember? Ik wilde je vermoorden. En jij zit hier doodleuk met mij sigaretjes te roken alsof er niets aan de hand is. Gezellig keuvelen en dan ga je me ook nog helpen met mijn kinderen?'

John zweeg, maar zijn ogen lieten haar niet los.

'Heb je niets beters te doen dan hier te komen? Volgens mij ben jij gewoon een shitgouverneur die niets anders doet dan een beetje vergaderen en hier wat kletsen. Je zogenaamd belangrijke positie gebruiken om mijn kinderen te helpen. Ik weet hoe gemakkelijk jij aan die baan bent gekomen. Getrouwd met een mooi poppetje en een vader die belangrijke connecties heeft. Zo ben jij erin gerold.'

Het was net alsof de woorden niet meer bij haar hoorden.

'O ja, en je wilt natuurlijk weten waarom ik het heb gedaan, want ik ben een vrouw en vrouwen schieten niet. Nou, meneer de gouverneur, ik heb het wel gedaan. En die camera van je hoef ik ook niet meer.' Woest stond ze op en liep naar de deur. Met haar vuist ramde ze op het plaatstaal en de bewaker deed open. 'Ik wil terug naar mijn cel,' snauwde ze.

'Ze blijft hier,' zei John kalm.

De bewaker aarzelde.

'Ik neem de verantwoordelijkheid,' zei John.

De deur ging weer dicht. Moedeloos ging ze zitten. John stak twee nieuwe sigaretten op. Zonder iets te zeggen nam ze de sigaret aan en met haar voeten op tafel rookte ze zwijgend de hele sigaret op.

'Wat voor man ben jij eigenlijk?' vroeg ze na lange tijd. Ze pakte de camera van tafel en haalde een film uit het folie. 'Of weet je het niet?'

John keek naar haar handen. 'Soms niet.'

'Het lijkt alsof je alleen maar nadenkt.' Geroutineerd draaide ze de film op de spoel en klapte het magazijn dicht. Ze bracht de camera naar haar gezicht en keek naar hem door de zoeker. 'Op welke momenten weet je dan wel wie je bent?' vroeg ze, terwijl de camera klikte.

Hij keek recht in de lens.

'Weet je, je hebt de uitstraling van een leider door je gestalte en je gezicht. Maar volgens mij ben je het niet echt omdat je kil en verlegen bent.'

Klik. Opnieuw nam ze een foto.

'Ik kan me ook niet voorstellen dat jij boos kunt worden of verdrietig.'

Klik.

'Ik herinner me,' ging ze verder, 'dat ik wanhopig was. Weet je dat nog?'

John knikte.

'Er was een man bij jou. Kleine, brede man met een snor die dom grijnsde en me terug duwde.'

'Chorowski.'

'Een Rus?'

'Ja. Ik ken hem al heel lang.'

'Hij is de ergste van jullie tweeën.' Ze draaide aan het diafragma. 'Toch denk ik dat jij uiteindelijk de meest meedogenloze bent.'

Klik.

'Waarom denk je dat?'

'Dat voel ik zo. Het heeft te maken met de manier waarop je kijkt en beweegt.'

John bleef in de lens kijken. 'Het is allemaal niet zo spannend, Sinéad. Ik ben een boerenzoon uit Montana en ik ben toevallig in de politiek verzeild geraakt.'

'Je hebt een getinte huid, zwart haar en blauwe ogen. Vreemde combinatie.'

'Mijn overgrootvader was een indiaan en mijn grootmoeder een negerin. Allemaal vermengd met Schots en Iers bloed. Vandaar.'

'Een echte Amerikaan. Net zoals ze op tv zeiden toen je werd gekozen, een zoon van de nieuwe wereld.'

'Zoiets.'

Nog steeds met haar gezicht achter de camera vroeg ze: 'Denk jij, John Hamilton, dat het feit dat ik jou heb neergeschoten, je heeft geholpen om gouverneur van Montana te worden?'

Hij werd lijkbleek en een moment dwaalden zijn ogen af. Later vroeg hij zich af wat hem in staat had gesteld zich te beheersen en niet onmiddellijk op te stappen. Maar hij bleef zitten en zei niets. De camera klikte niet meer.

'Sorry,' zei ze na een tijdje. 'Ik weet niet waarom ik nog zo boos op je ben. Ik heb het recht niet eens. Het lijkt alsof ik al jaren boos ben.'

Haar dunne vingers bewogen nerveus langs de camera, die nu weer op tafel lag.

Pas later, toen hij weg was en de bewaker haar wilde ophalen, zag ze de bruine A4-envelop met haar naam erop op tafel liggen. Aarzelend maakte ze de envelop open en haalde er twee vellen papier uit. Het waren kindertekeningen. Haar dochters hadden het huis waar ze woonden getekend, de school en de juf, en ook nog een prinses met daaronder MOM geschreven.

'Misschien ben je wel een indiaan in je hart,' zei ze twee dagen later toen John opnieuw langskwam.

'Misschien door mijn moeder. Die is een indiaanse in hart en ziel. In de tuin bij de boerderij staat een totempaal waar ze me als kind oude indiaanse gebruiken leerde. Ze heeft me ook leren regendansen.'

'Kun jij regendansen?' vroeg Sinéad verbaasd.

'Ja,' schepte John op.

'Gewoon dansen en hup, dan regent het.'

'Zoiets.'
Sinéad lachte spottend. 'Daar geloof ik helemaal niets van.'
Gevangenisdirecteur Bert Lock lag bijna onder zijn bureau van het lachen toen John voorstelde om Sinéad met de auto mee te nemen naar de rivier. 'Jij bent hartstikke gek,' zei hij.
'Ik wil het,' zei John.
'Ik ga wel mee. En ze blijft geboeid, want ik wil geen risico lopen.'
Sinéad zat achter in de auto toen ze de stad uit reden. Bert Lock zat achter het stuur en John zat naast hem. Na een uur kwamen ze bij een kleine rivier. Bert zette de auto stil en keek naar de stralend blauwe hemel. 'Daar heb ik nog nooit regen uit zien vallen.'
John stapte uit en liep naar de oever. Sinéad keek hem door de voorruit van de auto na en zag dat hij nog steeds een beetje mank liep. Bij de oever draaide John met een stok een cirkel in het zand. Toen begon hij te dansen, zoals zijn moeder had gedaan. Langzaam kwam hij in het ritme en zong: 'Yeeyoo, yeeyoo, yeeyoo.'
Bert besloot met Sinéad naar buiten te gaan en met kleine pasjes liep ze naar de voorkant van de auto. Ze keek naar de grote man bij het water en hoorde hem zingen terwijl hij danste. Ze zag dat het hem moeite kostte vanwege zijn heup en ze wendde haar gezicht af, met tranen in haar ogen.
'This is some guy,' zei Bert Lock.
Ze zei dat ze terug wilde. John was bezweet van de inspanning. Op de terugweg zei niemand iets. Grijze wolken schoven voor de blauwe lucht en toen ze later in haar cel door het getraliede raam naar buiten keek, viel de regen als stalen pijlen naar beneden.

Aan het eind van de dag stond Chorowski hem op te wachten. 'Ze is woest,' zei hij tegen John.
Dorothy stormde al naar buiten met een krant in haar hand. 'Wat ben jij voor rund!'
'Wat nu weer?' vroeg John.
'Weet je het nog niet? Er staat een artikel in de krant dat jij geregeld dat mens opzoekt in de gevangenis. De gouverneur nota bene! Hoe stom kun je zijn?'
John haalde zijn schouders op. 'Mijn zaak. Heeft niemand iets mee te maken.'
'O nee? Ze suggereren zelfs dat jij een verhouding met haar hebt.'
'Dat neemt toch niemand serieus,' zei John.
Met vertrokken mond en bliksemende ogen stond ze vlak voor

hem met de krant te zwaaien. 'Jij denkt dat jij je alles kunt permitteren als gouverneur, maar vergeet niet dat jij door mij in deze positie bent gekomen. Ik kan je maken en breken!'

'Dorothy, beheers je. Ga naar binnen,' zei John kalm.

Haar stem sloeg over van woede. 'Jij haalt de naam van mijn familie door het slijk. Niet te geloven wat de pers allemaal schrijft.'

'Fuck the press,' zei Chorowski.

Ze richtte haar woedende blik op Chorowski. 'Jij moet een keer je plaats weten, meneer zoetwatermatroos.'

'Call me captain,' zei hij.

De volgende middag belegde de gouverneur van Montana een persconferentie. Over de inhoud van de persconferentie werden geen mededelingen verstrekt. Alle dagbladen en radio- en televisieomroepen uit Montana waren vertegenwoordigd en zelfs journalisten van CBS News kwamen op de oproep af, in de verwachting dat John Hamilton iets zou zeggen over de berichten in de krant.

De zaal zat bomvol journalisten en fotografen. Cameramannen draaiden nieuwe rollen 16mm film in hun cassettes. Aan de lange tafel voor in de zaal zat een aantal onbekende heren in deftige pakken. Als laatste kwam John binnen. Zoals altijd zag hij er ontspannen en onberispelijk uit, ondanks het feit dat hij die nacht nauwelijks had geslapen. Vriendelijk glimlachend verwelkomde hij iedereen en met name de mensen van CBS News, want het nieuws was van nationaal belang. Het werd doodstil in de zaal.

Tot ieders verbazing begon hij te vertellen dat de Great State of Montana de afgelopen jaren een sterke economische vooruitgang had geboekt. Verbetering van de infrastructuur door de aanleg van vierbaanswegen van coast to coast en vooral een grote vooruitgang in het aantrekken van mensen met kennis en ervaring.

'De afgelopen maanden hebben we intensief overleg gevoerd met de Farmers Insurance Corporation. De FIC is in dertig staten vertegenwoordigd, met name in de noordelijke staten van de USA en in Canada. Ooit is de maatschappij vanuit een coöperatieve gedachte ontstaan, waarbij de boeren zelf eigenaar waren van deze verzekeringsmaatschappij. Een paar jaar geleden is op initiatief van deze boeren de coöperatie opgegaan in een vennootschap. Het bestuur van de FIC heeft nu besloten de activiteiten van de afzonderlijke kantoren in alle staten te bundelen tot één kantoor in Amerika. Dit vanwege een efficiëntere en meer doelmatige bedrijfsvoering, wat uiteindelijk een gunstig effect heeft op de premies die de boeren moeten betalen.'

Verbijstering in de zaal.

'Ik moet zeggen dat ik veel te danken heb aan zowel de regering van Montana als aan de directie van de FIC, bij de vruchtbare onderhandelingen om het nieuwe hoofdkantoor van dit grote bedrijf in Montana gevestigd te krijgen. Hiermee zetten we ons nationaal en internationaal op de kaart. Minimaal vijfduizend arbeidsplaatsen zullen hier de komende jaren mee gemoeid zijn. Voor een staat als Montana is dit een geweldige opsteker en ik feliciteer dan ook alle inwoners van Montana met dit mooie resultaat.'

Een zaal vol open monden. John ging zitten en gaf het woord aan Fred Dickens, CEO van de Farmers Insurance Incorporation, die vertelde dat dankzij de grote inzet en kennis op het gebied van veeteelt en akkerbouw, hij in gouverneur Hamilton en zijn mensen de juiste partners had gevonden voor zijn besluit om het hoofdkantoor van de FIC in Montana te vestigen.

De journalisten schakelden snel om en talloze vragen werden gesteld over het nieuwe hoofdkantoor. Maar aan het eind van de persconferentie was er één journalist die vroeg: 'Er heeft gisteren een verhaal in de krant gestaan over uw bezoeken aan de vrouw die eerder een aanslag op u heeft gepleegd en nu in de gevangenis zit. Heeft u dat gelezen?'

'Nee,' zei John, 'ik lees nooit artikelen over mezelf. Ik geef ook nooit commentaar op mijn privéleven. Als gouverneur treed ik alleen naar buiten in mijn publieke functie.'

'Er wordt gesuggereerd dat u een verhouding met haar hebt.'

'Meneer, u heeft kennelijk mijn vorige opmerking niet goed begrepen. Waar het hier vandaag om gaat is dat vijfduizend mensen in Montana zicht hebben op een baan. Nogmaals, ik geef geen commentaar op zaken over mijn privéleven.'

'Maar u bent toch gouverneur van Montana.'

'Dat heeft u heel goed geconstateerd,' zei John, en hij wees naar de volgende vragensteller.

Die avond was John Hamilton overal in het nieuws over het binnenhalen van het hoofdkantoor van de FIC. Zelfs de journalist die John had gevraagd naar zijn privéleven, hield zich aan de berichtgeving over de uitbreiding van het aantal arbeidsplaatsen.

Toen hij thuis kwam vond John op de keukentafel een met hanenpoten geschreven yellow pad van Dorothy. Ze schreef dat ze voorlopig bij haar ouders logeerde omdat ze zich schaamde voor John, dat de mensen haar vreemd aankeken en ze de straat bijna niet meer op durfde te gaan. Later op de avond belde zijn schoonvader om hem te vertellen hij geen verstand van vrouwen had en al helemaal niet van de fijngevoelige soort zoals Dorothy.

'Zou kunnen,' zei John.

'Je bent een verdomd handige vent John, zoals je de pers weer eens om de tuin hebt geleid. Ik heb precies door waarmee jij bezig bent.'

'Waar ben ik dan mee bezig, volgens jou?' vroeg John.

'Met andere dingen dan de job waarvoor de belastingbetalers jou hebben ingehuurd.'

'Misschien dat Dorothy hulp nodig heeft.'

'Dorothy is een fijne vrouw en gelukkig heeft ze ouders die zielsveel van haar houden.'

'Dat is mooi,' zei John, 'Ze heeft, zoals je misschien weet, een groot drankprobleem en ik hoop dat je zoveel van haar houdt dat je dat onder ogen durft te zien.'

'You're a real piece of shit, John.'

'Ik zeg het uit bezorgdheid.'

'Ik denk niet dat Dorothy verder met je wil.'

'Dat zal ik dan wel van haarzelf horen.'

'Als de pers hoort dat jullie uit elkaar zijn, heb jij echt een probleem als gouverneur.'

'Be my guest,' zei John, en hij hing op.

EAGLE PARCEL SERVICES

Arizona, 1912

Jerry Carter had het helemaal gehad met Arizona toen de staat op 14 februari 1912 met een hoop gedonder en na een veto van president Taft werd opgenomen in de Verenigde Staten. Plotseling had hij te maken met nieuwe wetten die hem allerlei beperkingen oplegden, en Jerry Carter hield niet van wetten en nog minder van beperkingen. Zijn eenmansbedrijf bestond uit een koets en vier paarden. Iedereen zei dat hij de snelste koetsier van Arizona was.

'En omstreken,' voegde hij er altijd aan toe.

Jerry Carter was een magere man met lang zwart haar. Hij droeg dezelfde hoge hoed als zijn vader vroeger in Dublin had gedragen toen hij daar nog als koetsier door de stad reed. Vlak nadat Jerry was geboren, emigreerde de familie naar New York, waarna ze verder naar het zuiden trokken en zich in de Appalachen vestigden. Na een tijdje kwamen er andere mensen uit Dublin die een halve mijl verderop kwamen wonen. Carter senior vond het te druk worden en vertrok naar Arizona. Midden op de vlakte probeerde hij een boerenbedrijf te beginnen. Maar de gewassen groeiden niet en de magere koeien gingen dood. Tot zijn vrouw er genoeg van had en tegen haar man zei dat hij alleen maar geschikt was als koetsier en nergens anders voor. De familie verhuisde opnieuw en Carter begon zijn bedrijf in Tucson, Arizona. Hij garandeerde zowel passagiers als goederen een veilige overtocht. Vanaf zeer jonge leeftijd leerde hij de kleine Jerry met geweren schieten, zodat het jongetje al op achtjarige leeftijd naast zijn vader op de bok zat en onderweg op alles schoot wat te dichtbij kwam.

Slechts een keer hadden de Apache-indianen hen tegengehouden toen de Carters als dollemannen over de vlakte reden. Jerry stond schreeuwend op de bok, met in zijn armen zoveel geweren als hij maar kon vasthouden. Brullend van het lachen lieten de indianen hen gaan nadat ze de voorste twee paarden hadden losgesneden en meegenomen. Daarna was er voor de Carters altijd vrije doorgang door het gebied.

Op een dag kwam in Tucson een telegram binnen met het verzoek om binnen vierentwintig uur een lading tachtig mijl verderop af te leveren bij het kantoor van de Railway Company.

'Double payment,' zei de telegrafist tegen Carter senior.

'Dan heb ik vier extra paarden nodig. Vraag of ze daarvoor willen betalen.'

'No problem,' kwam het antwoord ratelend binnen.

Ze spanden vier paarden voor de koets en vier paarden achter de koets, die alleen meeliepen.

De lading betrof een paar grote kisten. Na veertig mijl zag Jerry dat zijn vader plotseling vooroverklapte en verging van de pijn. Jerry hield de paarden in, maar vanaf de voetenbank siste Carter senior tegen zijn zoon dat hij het niet in zijn hoofd moest halen om te stoppen. De kisten bevatten namelijk geld- en waardepapieren en de lading moest vóór alles op tijd aankomen.

Jerry Carter reed zo hard hij kon maar toen het schuim van de paarden hem om de oren vloog, trok hij de teugels aan. Hij liet de dieren eten en drinken en wisselde de paarden. Pas toen zag hij dat zijn vader niet meer leefde. Hij sjouwde het lichaam van Carter senior op het dak van de koets, bond hem vast en boog een van de stijve armen de lucht in ten teken dat de Carters nooit opgaven.

Nadat hij was aangekomen en de bazen hem hadden betaald, begroef Jerry zijn vader ergens buiten een verwaaid stadje in de droge rode grond van Arizona. Hij huurde een koetsier in die hem in de jaren daarna vergezelde op de gevaarlijke missies die Jerry koos, omdat riskante en zware trajecten de meeste dollars opleverden. Vooral banken waren bereid de ritten van Jerry te verzekeren omdat hij altijd aankwam en altijd op tijd. Op een hete dag in de woestijn, toen de bezwete paarden niet sneller konden dan langzaam stapvoets, werden ze ingehaald door een sissende stoomtrein.

'Dit is het einde,' zei Jerry. 'Onze tijd is voorbij.'

'Je moet misschien meer paarden voor de koets spannen, dan ga je sneller,' zei Bob, die altijd met het geweer paraat naast hem op de bok zat.

'Weet je wat het is, Bob. Dit is de nieuwe tijd. Als ik vier paarden extra voor de koets span, gaan de treinen weer harder rijden en dan moet ik weer vier paarden extra voor de koets spannen en kan ik wel honderd paarden voor de koets laten lopen, maar het helpt allemaal niet. Er komt een tijd dat alles zo snel gaat dat we het zelf niet meer kunnen bevatten.'

'Daar geloof ik niks van. Er zullen altijd paarden blijven.'

'Voor de lol misschien. Maar ik ga voor de lol niet op een paard zitten. Dat doen alleen idioten.'

Jerry rechtte zijn rug en keek naar de horizon. De lucht boven de aarde trilde van de warmte en de droge vlakte spiegelde als stilstaand water. 'Zal ik jou eens wat zeggen? Ik heb het wel gehad hier in Arizona. Sinds die debiel van een president uit Washington allerlei voorwaarden verzint waarop wij bij de Verenigde Staten kunnen komen, heb ik geen goed gevoel meer over de toekomst van dit land. We krijgen hier allemaal wetten, wetten en wetten. Als jij straks een desperado van zijn paard schiet, moet je dat nog uitleggen ook. Ik denk dat ik naar Alaska ga. Daar is nog veel te doen, want de grond tilt daar op van het goud.'

'Veel te koud in Alaska,' zei Bob.

Jerry stopte de koets, stapte af en spande de twee voorste paarden uit. Het ene paard maakte hij achter de koets vast en daarna haalde hij een zadel uit de bagagekist.

'Bob,' zei hij, terwijl hij het zadel over het andere paard legde, 'ik ga naar Alaska en jij rijdt terug naar Tucson.'

'Dacht ik al,' zei Bob, terwijl hij van de bok af sprong. 'Wat moet je voor dit paard hebben?'

'It's all yours,' zei Jerry. Hij gaf de teugel over en klom weer op de bok, klakte zachtjes en reed met een grote bocht naar het noorden, zonder nog één keer om te kijken.

Drie maanden later strandde Jerry Carter in Little Big Horn in Montana omdat de wielas het begaf. Stotend rolde de koets nog een paar meter vooruit en zakte toen naar een kant en Jerry viel bijna van de bok.

De herfst dreef de warme lucht vanuit het westen naar het oosten en de temperatuur daalde die dag met minstens tien graden. Jerry besloot zijn paarden los te maken en naar het dichtstbijzijnde stadje te rijden, om daar de nacht door te brengen. Voordat hij opsteeg, gaf hij nog een trap tegen het kapotte wiel. Plotseling zag hij iets glinsteren in het zand. Met de teugel in zijn ene hand graaide hij met zijn andere hand door het zand en pakte een stuk glanzend metaal van de grond. Het was een soort halve medaille met Ierse letters op de rand. Jerry herkende de letters meteen omdat zijn vader soms zo schreef, maar hij kon niet lezen wat er stond. Hij draaide het zegel om en zag vreemde tekens die hij niet thuis kon brengen. Nog steeds stond hij naar het zegel te staren toen het begon te regenen. De eerste spetters op het metaal leken de letters verder op te lichten. Boven hem hoorde hij gekrijs van een eagle. Jerry keek omhoog toen de grote vogel vlak langs hem scheerde en verdween. Hij borg het metaal op in zijn vestzak, stapte op zijn paard en reed weg. Na enkele uren rijden kwam hij aan in een klein stadje.

'S Avonds raakte hij in gesprek met de hotelier bij wie hij een kamer had geboekt. Er waren bijna geen gasten in het hotel en de hotelier, een man met een rood opgeblazen gezicht die een wit overhemd met bretels droeg, was blij met wat aanspraak. 'Alaska?' vroeg hij verbaasd aan Jerry.

'Ja, daar hebben ze geen wetten en wel goud.'

'En daar wil je met die oude koets heen?'

'Zo ver is het niet,' zei Jerry.

De hotelier ging er eens goed voor zitten. 'Ik zal jou wat vertellen van Alaska, want ik ben er geweest. Ik ben over die grote barrière van een ijsheuvel geklauterd om bij de goudvelden te komen. Bijna niemand komt over die enorme heuvel heen, en jij kunt het met die paarden wel helemaal vergeten. Het is klauteren, terugglijden en opnieuw proberen en er is niemand die je helpt. Zelf was ik na drie maanden al terug met nog geen ons aan goud. Alle mooie claims waren al vergeven en het zijn opnieuw de rijken die het grote geld pakken. Ze hebben daar vijftig man in dienst die als een stel eksters in de rotsen rondhakken. Ik heb mannen gezien die zonder neus of tenen rondliepen omdat die eraf waren gevroren, maar ze bleven geloven dat ze de volgende dag een goudader zouden vinden.'

Hij stak een sigaret op en wees met een breed gebaar om zich heen. 'Ik run dit hotel alleen. Ik schil hier de aardappelen, ik boen de vloeren, verschoon de bedden van allerlei viezeriken en werk dag en nacht. Zelfs mijn vrouw wilde het niet meer doen en is vertrokken met een van de gasten. Maar elke dag is dit een paradijs voor mij omdat ik niet meer in Alaska ben. Waarom wil je er eigenlijk heen?'

'Er is daar nog ruimte en er zijn mogelijkheden voor pioniers. Ik kan daar opnieuw beginnen met mijn bedrijf.'

'Met die koets die nu in de woestijn staat?' vroeg de hotelier verbaasd.

'Ja.'

'Daar kun je helemaal niks mee. Zodra je buiten de nederzetting komt, loopt je koets vast en vriezen je paarden dood. Kijk, als je een business wilt beginnen, ga dan naar het oosten. Mijn broer woont in New York en die verdient geld als water in de handel met ijsblokken. Man, als je daar met je koets komt en je zaagt het dak eraf, kun je goud verdienen.'

'Maar ik wil niet naar New York, want daar hebben ze allemaal wetten en ik hou niet van wetten.'

De hotelier barstte in lachen uit. 'Wetten? In New York? In New York hebben ze helemaal geen wetten. Ja, ze hebben wel wat regeltjes en zo, maar die staan alleen maar op papier en daar trekt niemand zich wat van aan. De enigen die er wat te vertellen hebben zijn de Ieren, en ook de Italianen tegenwoordig.'

'Ieren?'

'Ja, Ieren. Die hebben daar hele clans en die zijn de baas. Er gebeurt niets zonder toestemming van de Ieren.'

'Ik ben een Ier,' zei Jerry.

'Nou, waar wacht je dan nog op?'

Jerry aarzelde.

'Ik zal je vertellen over mijn broer Joe, net als ik ook een Ier. Hij was een keer te laat bij de ijsfabriek en de voorman daar wilde hem niets meer meegeven. En ik kan je vertellen dat mijn broer Joe een verschrikkelijk aardige vent is. Houdt helemaal niet van geweld. Als kind liep hij al weg voor een vechtpartij. Maar Joe wilde die dag niet weg zonder zijn wagen vol ijsblokken. Hij heeft zeven kinderen en die kunnen niet van een hap lucht leven. En Joe voelt als vader die verantwoordelijkheid, snap je? Zijn arme kindertjes zonder eten naar bed omdat een of andere sucker meent dat het te laat is om ijs te laden. Joe pakt de honkbalknuppel van de wagen en geeft die voorman een slag voor zijn hoofd. Het bloed spuit over de stenen. Flats, ik zag het helemaal voor me toen hij het me vertelde. De politie kwam erbij en die arme Joe werd gearresteerd en mocht niet meer bij de fabriek komen. De volgende ochtend kreeg hij bezoek in de cel. Dat was iemand van de Ierse clan. Joe mocht direct de gevangenis uit en kon voortaan op elk moment van de dag zonder problemen een nieuwe lading ijs bij de fabriek halen. Snap je? Snap je hoe het werkt in New York?'

Jerry snapte het helemaal. 'Misschien moet ik ook maar naar New York,' zei hij.

Een paar dagen later passeerde hij de grens met Wyoming en Jerry zag opnieuw een eagle, die hoog in de lucht met hem mee vloog. Soms verdween de vogel een paar uur en keerde dan weer terug. Tegen de avond stopte hij vlak bij de laatste uitlopers van de Rockies en spande zijn twee paarden uit. Hij sprokkelde hout en maakte bonen met spek. De zon verdween. Jerry haalde een slaapzak uit de koets en kroop dicht bij het vuur. Hij dacht na over de eagle tot hij in slaap viel.

Op de bovenkant van een rots lag een grote zwarte ratelslang te wachten op de warmte van de zon. Op het moment dat de rode schijf boven de horizon kwam en de hemel staalblauw kleurde, dreef de eagle hoog in de lucht. Traag begon de ratelslang de eerste bewegingen te maken. De eagle sloeg zijn machtige vleugels naar achteren en in een suizende duikvlucht griste hij de slang van de rotsen. Met zijn klauwen diep in de huid van de weerloze ratelslang steeg hij weer op. Hij zocht met zijn scherpe blik de vlakte onder hem af en zijn ogen zoomden in op de man die lag te slapen bij het uitgedoofde vuur. Met grote snelheid dook de eagle tot vlak boven hem, sloeg hevig met zijn vleugels om vaart te minderen en liet de ratelslang los, die boven op de slapende man viel.

Jerry Carter schrok wakker van het geluid van klapperende vogelvleugels en schoot overeind. De ijzige ogen van de ratelslang waren vlak bij zijn gezicht. Hij had het geluk dat de slang niet meteen wist waarin hij zijn machtige kaken zou zetten. Jerry trok razendsnel zijn hoofd in de slaapzak en rolde weg. Het was doodstil en de slang schoot weg zonder geluid. Hij keek omhoog en zag de eagle hoog boven hem zweven. Met zijn blik nog steeds naar de hemel rolde hij de slaapzak op, liep naar de koets en opende zijn kist met geweren, haalde er een geweer uit met een lange loop en een statief en legde beide op de bok. Daarna spande hij de paarden in en reed de laatste heuvel op, waarachter oneindig vlak land lag tot aan Pennsylvania. Boven op de heuvel zag hij dat de eagle op de grond was gaan zitten, precies op de plek waar hij had geslapen. Jerry stapte van de bok en zette de driepoot uit. Het eenschotsgeweer had hij lang geleden speciaal laten maken door een wapensmid in Tucson om grote afstanden te overbruggen. Hij zag de vogel heen en weer springen tussen hoge pollen geel gras en zette kalm zijn geweer op het statief. Uit zijn riem trok hij een kogel, die hij in het magazijn duwde. Hij zette het raamwerk met de verticale snaar van het richtmechanisme op de lange loop overeind en duwde de kolf tegen zijn schouder, met de rechterwang tegen het ebbenhout. Kennelijk voelde de eagle dat er gevaar dreigde. Een moment lang keek hij in Jerry's richting en spreidde zijn vleugels om op te vliegen, toen de kogel zijn kop aan flarden schoot.

Jerry klapte het mechanisme in, liet de loop afkoelen en borg het geweer en statief weer in de kist. Met toegeknepen ogen keek hij naar de plaats waar de dode eagle moest liggen. Hij twijfelde of hij terug zou gaan, maar zijn nieuwsgierigheid was te groot. Verbaasd zag hij dat het een golden eagle was. Plotseling schoot hem te binnen dat er wel eens een verband kon zijn tussen het zegel en de eagle. Hij liep nog een keer om het grote beest heen en klom weer op de bok. Toen hij wegreed tilde hij zijn zwarte hoed omhoog bij wijze van afscheid.

Zes maanden later huurde Jerry Carter op Fifth Avenue in New York een hoog, smal en diep gebouw met twee openslaande houten deuren. Een schilder van twee straten verderop, ook een Ier, wist hoe hij van het halve zegel een prachtig logo kon maken. Met goudverf schilderde hij de helft van het zegel op de ene deur en daarna het zegel in spiegelbeeld op de andere deur, zodat het een geheel was als de deuren gesloten werden. In sierlijke letters verscheen de naam van het nieuwe bedrijf: EAGLE PARCEL SERVICES. Jerry liet ook een mooi mahoniehouten kastje maken met glas ervoor. Hij lakte het hout zeven keer, waarna het glanzend als een spiegel in zijn nieuwe kantoor aan de muur kwam te hangen. Precies in het midden prijkte het halve zegel.

JOE & JACK

New York, 1924

Tijdens de drooglegging in Amerika kreeg Jerry Carter 's ochtends op de laatste maandag van november 1924 bezoek van twee mannen, gekleed in dure pakken met strak gestreken overhemden, zijden dassen en gleufhoeden.

Een paar dagen daarvoor was president Calvin Coolidge met ruime meerderheid herkozen. Iedereen wist dat Coolidge de drooglegging onzin vond, maar iedereen wist ook dat Coolidge zich aan de wet zou houden en geen stappen zou ondernemen om de drooglegging van Amerika te beëindigen. Vandaar het bezoek dat Jerry Carter kreeg van twee mannen in dure pakken met zijden dassen en gleufhoeden.

Met zichtbare schouderholsters liepen ze zijn kantoor binnen en zeiden dat ze Joe en Jack heetten.

'Joe en Jack,' herhaalde Jerry. 'Zijn dat jullie echte namen?'

'Nee,' zei Joe, 'maar iedereen noemt ons zo.'

Jerry begreep het.

Ze legden hun hoeden naast elkaar op Jerry's bureau en gingen op de stoelen tegenover hem zitten.

'Wat kan ik voor jullie doen?' vroeg Jerry. Hij droeg een zwart pak met daaronder een wit overhemd zonder boorden.

'We hebben gehoord dat jij de beste vervoerder bent van het hele land,' zei Joe.

'Zou kunnen.'

'Wij zoeken iemand die transporten voor ons doet. Iemand die altijd zijn goederen aflevert en nooit te laat is. Snap je?'

Jerry knikte.

'Want wij hebben een verrekte hekel aan transporteurs die te laat zijn of die helemaal niet komen opdagen. Toch, Jack? Hebben we daar een hekel aan of niet?'

Jack zei niets en keek met samengeknepen ogen naar Jerry.
'Daarom zoeken we een betrouwbare vervoerder,' vervolgde Joe.
'En wat zou ik voor jullie moeten vervoeren?' vroeg Jerry.
Joe wuifde met zijn handen heen en weer. 'Niks bijzonders. Goederen, vanuit Canada naar New York.'
'Drank dus.'
'Kleine plukjes.'
'Ik heb geen kleine truckjes.'
Joe begon luidkeels te lachen. 'Is this guy funny, Jack?'
Jack vertrok geen spier. Het volgende moment boog Joe zich voorover en zei: 'Die drank verstoppen we tussen rollen papier die van papierfabrieken komen voor de drukkerijen in New York. Waar denk jij dat elke dag al die kranten van worden gedrukt? Nou?'
'Papier uit Canada,' zei Jerry.
Joe wendde zich opnieuw tot Jack en zei: 'Told you, this guy ain't stupid.' En daarna tegen Jerry: 'Papier uit Canada. En weet je, behalve papier wil elke New Yorker ook wat anders als hij met zijn krant aan de bar zit. Heb jij weleens een volwassen kerel die aan de bar zijn krant leest een glaasje limonade zien drinken? Ik heb dat nog nooit gezien. Daarom nemen we meteen wat whisky mee vanuit Canada, snap je?'
Jerry keek van het gladgeschoren witte gezicht van Joe naar het pokdalige opgeblazen gelaat van Jack. 'Het is illegaal,' zei hij.
'Wat nou illegaal. Wie denk je dat onze grootste afnemers zijn? Politici, hoge heren van banken, Wall Street boys en natuurlijk de dienders met witte boorden op het bureau. Niet de hardwerkende gewone mensen zoals jij en ik. Want wij krijgen niets, niente. Maar de mensen die deze wetten hebben bedacht, trekken zich er niets van aan omdat ze zo hoog vliegen dat ze bijna in de hemel zijn. Onze organisatie zorgt ervoor dat ook de gewone man in Amerika een glaasje kan drinken. Daarom betalen wij onze vervoerders dubbele tarieven, snap je?'
'Ik snap het,' zei Jerry, 'maar ik doe het niet.'
Verbaasd viel Joe terug in de stoel. Jack bekeek de binnenkant van zijn jasje. 'Snap ik niks van,' zei Joe, diep zuchtend. 'Ik zei, we betalen dubbele tarieven.'
'Ik doe het niet,'zei Jerry nogmaals.
Jack verschoof op de stoel.
Jerry keek hem strak aan en vroeg: 'Waarom zegt hij niks?'
Joe draaide zich naar Jack, keek naar hem en wendde zich weer tot Jerry. 'I do the talking. He's doin' the shootin'.'

Jerry was niet bang. Daarvoor had hij al te veel meegemaakt. In Arizona hadden indianen achter hem aan gezeten, bankrovers, mannen die op de prairie zwierven en die van postkoetsovervallen hun beroep hadden gemaakt. Jerry had heel wat mannen van hun paard geschoten. Dat had hij van zijn vader geleerd. 'Shoot, before you even think,' zei Carter senior altijd tegen zijn zoon.

En Jerry was al helemaal niet bang voor twee van die gleufhoeddebielen die dachten hem onder druk te kunnen zetten met hun dure pakken en uitpuilende schouderholsters.

De revolver in Jerry's hand kwam uit het niets. Jack zakte bij het schot dodelijk gewond in elkaar en Joe keek uiterst bleek in de hete loop van Jerry's revolver.

'Real gun slinger, right?' zei Joe met schorre stem.

Jerry wist dat hij de strijd tegen de maffia niet kon winnen. Ze zouden zijn mensen doodschieten als ze bij hem bleven werken. Ze zouden zijn trucks vernielen, net zolang tot hij overstag ging.

'Slow gunman, this eh... Jack, was his name?' zei Jerry.

'Yeah, Jack.' Joe keek opzij naar Jack die op de grond lag. 'Dead Jack.'

'Ik hou er niet van beledigd te worden,' zei Jerry.

Joe keek hem verbaasd aan.

'Twee keer het truckerstarief voor de beste vervoerder van het land. Dat is beledigend. Voor dat tarief stap ik niet eens de auto in. Snap je, Joe?'

Joe vroeg wat Jerry wilde.

'Vijftien procent van de opbrengst.'

Kleine zweetdruppeltjes parelden tussen de vette Brylcream-haren op Joe's voorhoofd. 'Ik weet niet of mijn baas daar nou zo gelukkig mee is,' peinsde hij.

'Ga maar met hem praten. Anders gaat de deal niet door.'

Joe stond op.

'Neem dit zelf maar mee,' zei Jerry, wijzend op dode Jack.

'Wat moet ik daarmee?'

'Jullie kwamen met zijn tweeën en je gaat met zijn tweeën. Je mag blij zijn dat je er zelf niet naast ligt.'

The boss himself kwam de volgende dag. Ook met gleufhoed, maar dan wel van dure, zachte grijze stof. Net als zijn pak en vest. Alsof hij de verloren zoon had gevonden, zo stond hij lachend met zijn armen breeduit voor de deur toen hij Jerry zag. Joe was ook meegekomen. Hij stond een eindje achter de boss, die meteen vertelde dat hij onder tafel had gelegen van het lachen toen hij had gehoord hoe Jack aan zijn einde was gekomen.

'Oirishman,' zei de boss, 'that's what I told Joe when he did the story. My mother was Oirish.'

Zo fel was ze, vertelde hij, dat zijn vader, een Siciliaan van de zuiverste soort, geregeld het huis uit vluchtte als zijn moeder kwaad op hem was. Vergeleken met haar was Calamity Jane een pussy. Hij stak een hand uit naar Jerry en zei dat hij Valentino heette. Jerry voelde één bonk gevaar in zijn handdruk, maar op de een of andere manier mocht hij Valentino meteen en hij vroeg of hij binnen wilde komen.

'Nee,' zei hij met de armen hoog het mooie weer in, 'laten we een stukje lopen.'

Joe werd weggewuifd en Valentino liep met Jerry de Fifth af naar het zuiden. Een paar keer klonk een autotoeter en Valentino zwaaide joviaal naar de inzittenden. Jerry besefte dat de man die naast hem liep kennelijk het hele gebied onder zijn hoede had. Zelfs de politieagent op de hoek van Fifth Avenue tikte eventjes tegen zijn pet. Plotseling realiseerde hij zich dat hij een grote fout had gemaakt door met Valentino de straat op te gaan, want iedereen wist nu dat hij met gangsters omging.

'Mijn excuses dat ik die amateurs op je af heb gestuurd,' zei Valentino. 'Ik had hen gevraagd jou eerst eens te polsen. Niet om een goedkope deal.'

'Bijna beledigend,' zei Jerry.

'Zeer beledigend,' beaamde Valentino.

Hij bleef staan en zei: 'Here is the deal. Jij rijdt voor ons en krijgt vijftien procent. No problem. Jij rijdt op tijd en ik betaal op tijd.'

'Lijkt me een goeie deal.'

Twee ijzeren handen bevestigden de afspraak.

Achter borden met verse Italiaanse spaghetti werd de samenwerking verder bezegeld. Valentino sprak honderduit en vertelde hoe zijn familie uit Sicilië naar Amerika was gekomen. En over zijn moeder die straatarm was toen ze vanuit Cork naar New York kwam.

'Mijn vader had hier meteen al een business aan de gang. Sicilianen helpen elkaar altijd. Mijn moeder was serveerster in een restaurant. Op een dag werd ze ontslagen omdat ze een grote mond had tegen de chef. Toevallig zat mijn vader daar ook te eten en die hoorde hem tegen haar schreeuwen. Mijn vader kon ook hard schreeuwen, maar nooit tegen vrouwen. Dus ging mijn vader naar die chef toe en vroeg hem zijn excuses te maken tegen mijn moeder. Die chef was a real stupid, want die schold mijn vader ook nog eens uit voor vuile spaghettivreter.'

Druk gebarend vervolgde hij: 'Mijn vader was altijd tegen iedereen beleefd. Of het nu de straatveger was of de burgemeester, hij respecteerde iedereen. En wat doe je dan, als je als vooraanstaand burger ziet dat een mooie vrouw wordt beledigd en als zo'n asshole van een chef je dan ook nog uitmaakt voor spaghettivreter?' Hij stak zijn vinger naar voren. 'You tell me, Jerry.'

Valentino trok zijn mondhoeken naar beneden en zei: 'Mijn vader had mijn moeder nog nooit gezien, maar hij kwam wel voor haar op. Real gentleman.'

'Wat deed je vader?'

'Hij greep een vork. Zo'n grote vork met drie tanden die ze in de keuken gebruiken. Hij stak dat ding zo in de neus van die chef. Twee tanden in het ene neusgat en één tand in het andere neusgat. Gillen als een speenvarken natuurlijk. Met die vork in zijn neus maakte hij zijn excuses tegen mijn moeder. Toch bleef ze kwaad op die vent en sneed nog een pluk van zijn vette kuif af. Tegen mijn vader zei ze dat ze het zonder hem ook wel had afgekund.'

'En daarna werden ze verliefd.'

'Meteen. Great love, but always great fights.' Valentino veegde zijn mond af met het servet en vroeg aan Jerry waar hij had leren schieten.

Jerry vertelde over het familiebedrijf, de schietlessen en zijn vaders motto. 'Shoot, before you even think,' zei Jerry plechtig.

Valentino barstte in lachen uit. 'Wat een prachtig motto. Shoot before you think...' Hij stopte met lachen en boog zich naar Jerry. 'Die Jack die je hebt doodgeschoten, was ook iemand die zo dacht. Shoot before you think. Dat kwam omdat hij niet kón nadenken. Zo lopen er meer rond. Think about that.'

INDIAN FUNERAL

Montana, 1957

Lucinda stierf op drieënnegentigjarige leeftijd, midden in de nacht. 's Avonds had ze nog gelezen en even met Anna gebeld om te controleren of de deur van de store op slot zat. In haar slaapkamer trok ze de rode gordijnen dicht en ging voor het laatst in haar leven op bed liggen. Een paar uur later werd ze wakker omdat ze zich onwel voelde. Eén moment wilde ze de telefoon naast haar bed pakken omdat ze voelde dat haar hart ermee zou ophouden. Maar ze draaide zich op haar zij en dacht: het is mooi geweest zo. Nog enkele beelden in haar hoofd van Anna en John en een paar ogenblikken later werd alles wit.

De volgende ochtend werd John na een telefoontje van Anna uit een vergadering gehaald. Een uur later was hij samen met Chorowski onderweg. Ze reden eerst naar het oosten via de Interstate 90 en sloegen daarna linksaf naar het noorden. John zei niets en keek naar het golvende landschap. Grote stapelwolken hingen als witte watten in de lucht.

Hij voelde zich verward. Net alsof met Lucinda's dood de weg naar het verleden compleet was afgesneden. Alsof hij niemand meer kon vragen wat er was geweest en hoe alles nu verder moest. De laatste keer dat hij Lucinda had gezien, was een jaar geleden. Samen zaten ze in het gele licht van de late middagzon op de veranda van de store.

'Er beweegt hier nooit wat,' zei Lucinda. 'Vergeleken met vroeger gebeurt hier helemaal niets meer. Niemand loopt meer, er zijn geen paarden meer, alleen nog van die grote platte auto's met gigantische vleugels achterop. Elk moment denk je dat ze zo opstijgen. Blij dat je me weer eens komt opzoeken. Ben je gelukkig?'

'Hm,' zei John.

'"Hm" wat? Je bent gouverneur van Montana. Je rijdt in een dikke Cadillac met chauffeur, je hebt een prachtige vrouw en een kind. Wat wil je nog meer?'

'Dat zegt me niet zoveel, tante. Uiterlijkheden.'

'Belangrijk genoeg voor de meeste mensen.'

'Waarom veranderen vrouwen als ze getrouwd zijn?'

'Niet alle vrouwen. En ook niet alle mannen.'

John stond op en haalde nog wat te drinken.

'Je bent onrustig. Anders,' zei Lucinda toen hij weer naast haar zat.

'Ja. Dat komt doordat ik dingen doe die ik eigenlijk niet wil. Maar ik weet ook niet wat ik wel wil.'

'En als je in beelden denkt?'

'Die staan te ver van de werkelijkheid af.'

Ze keek hem strak aan. Nog steeds met de ogen van een jonge vrouw. 'Je durft niet!'

'Dat is het niet. Ik kom er gewoon niet uit. Ik heb het gevoel dat ik meegesleept word in dingen die ik niet wil.'

'Doe je allemaal zelf.' Ze keek de straat in. Haar vingers trommelden op de leuning van haar stoel en haar ogen stonden bezorgd. 'Twaalf jaar geleden zaten we hier aan de overkant van de straat. Als een klein meisje heb jij me naar de overkant getild. Je rook nog naar Anna, weet je nog?'

John knikte en herinnerde zich de geur.

'Dat je zoekende bent in het leven, fine by me, maar ik vermoed dat je zelfs je dromen opgeeft.'

'Nee, dat is niet zo. Ze vervagen soms.'

'Dat is hetzelfde.'

Koortsachtig dacht hij na en besefte dat hij het gevoel had dat hij in een labyrint gevangenzat. Als gouverneur vroeg hij zich bijna elke dag af waarom hij die functie in godsnaam had geaccepteerd. En Dorothy die hem zelfs niet meer belde omdat ze vond dat hij zich belachelijk maakte door Sinéad te bezoeken… Wat moest hij met haar?

Lucinda zocht haar stok en ging staan, ondanks het feit dat haar benen haar bijna niet meer konden dragen. 'John, ik ben hier niet lang meer. Ik ga binnenkort naar de eeuwige jachtvelden. Maar ruim die rotzooi in je hoofd op. Vraag jezelf af wat je dromen zijn en wat je missie is. Zorg dat je in godsnaam het familiebezit terugkrijgt, want jij bent de laatste die het kan doen.' Haar hand trilde van emotie toen ze naar hem wees.

'Tante, ga alsjeblieft zitten.'

'Beloof me dat je het doet. Beloof me dat je geen tweede termijn als gouverneur najaagt. Wat is je leven als man waard als de vernedering van de familie niet wordt rechtgezet?'

John aarzelde. Hij had gevoel in een zwart gat te stappen.

'Beloof het me!'

Tranen welden op in zijn ogen toen hij de kleine breekbare vrouw zag staan. Hij stond op en nam haar in zijn armen. Ze trilde. 'Ik heb verdomme toegezegd dat jij het zou doen.'

In zijn geest donderde hij de donkere afgrond in en viel naar beneden, zonder dat hij wist waar hij zou eindigen. 'Ik beloof het,' zei John vastbesloten. 'Ik beloof dat ik geen tweede termijn aanga en dat ik op zoek ga naar het zegel.'

'Het is een heilige plaats.'

'Dat weet ik,' zei John.

'Elke idioot kan gouverneur worden. Dat heb je zelf wel gemerkt.'

Ze leunde tegen hem aan. John keek langs haar grijze haren naar de groene heuvels in de verte. Een tijdlang zeiden ze niets. In de verte kwam een open auto aanrijden.

'Dat zal Anna zijn,' zei Lucinda. 'Ik ga maar gauw overeind voordat ze denkt dat we een verliefd stelletje zijn.'

'Had best gekund,' lachte John.

Anna en John gaven Lucinda een indiaanse begrafenis, zoals ze had gewild. Met de pick-up waren ze naar de bergen gereden. Een bospad dat net breed genoeg was voor de pick-up voerde naar een oude indiaanse begraafplaats. John rook de sparrenbomen toen hij uitstapte en streek met zijn hand langs de harde dennennaalden. De oude begraafplaats met hoge houten stellages waarop de doden werden gelegd bevond zich iets verderop naast het pad dat omhoogliep. Anna had Lucinda omwikkeld in Indiaanse kleden en samen legden ze haar boven op de stellage.

'Vreemd eigenlijk, dat je na bijna honderd jaar buiten in de kou ligt.'

'Geloof jij in leven na de dood?' vroeg John.

'Ja, ik heb altijd het gevoel gehad dat ik terugkom. Maar toen ik haar zo zag liggen, had ik toch het gevoel dat ze al ver bij me vandaan is.'

'Ze zei dat ze naar de eeuwige jachtvelden zou gaan.'

'Dat komt omdat indianen altijd over de buit en over eten praten.

Ik heb nooit andere gesprekken met haar gevoerd dan over eten en het leven. Kleine dingen, grote dingen, maar nooit zinloos.'

Achtervolgd door grote stofwolken reden ze over de droge prairie terug naar History. Zoals altijd was John zich intens bewust van de aanwezigheid van Anna.

'Je moet op de weg letten,' zei ze glimlachend, toen ze merkte dat hij steeds naar haar keek.

'Ik kan het gewoon niet laten,' zei John.

Ze stopten halverwege, midden in de gele zandvlakte, bij een Caltex-benzinestation. Een dikke vrouw kwam naar buiten en vroeg wat ze wilden eten.

John vroeg wat er was.

'Breakfast,' zei ze.

'Only breakfast?'

'All day.'

'Oké. Breakfast for two.'

Nadat ze hun tank had volgegooid, ging ze naar de keuken en bakte een pan vol eieren, spek en worstjes.

'Mijn moeder maakte zich vaak zorgen om jou,' zei Anna.

'Weet ik.'

Plotseling herinnerde John zich de laatste woorden die Lucinda tegen hem had gezegd. Dat was nadat ze hem gevraagd had of hij nog steeds van Anna hield en hij niets zei. 'Als je echt van iemand houdt, weet je het zeker. Ooit is Anna je grote liefde geweest, want dat heb ik toen gezien. Zoiets komt zelden voor, John.' En toen hij wegging had Lucinda gezegd: 'Follow your heart.'

'Waar denk je aan?' vroeg Anna.

'Aan je moeder. Ze zei dat ik al heel jong verliefd op je was.'

'Ja, dat weet ik.'

'Was jij verliefd op mij?'

'Toen je twaalf was? Nee. Of dat weet ik niet. Het kwam gewoon niet bij me op. Ik denk dat ik ook niet wist wat het was.'

'Je ging met die lelijke puistenkop.'

Anna lachte. 'Het lijkt wel of je nog steeds jaloers bent.'

'Dat zal het zijn.'

Haar mooie ogen keken hem aan. 'Denk je nog weleens aan me?'

'Ja.'

'Hm. Een tijdje geleden, toen ik je in Helena belde, was je uiterst kil, mister governor.'

John wilde niets zeggen.

‘Waar denk je aan? Of mag ik dat niet vragen.’

‘Nee,’ zei John, ‘niet nu.’

Toen hij de volgende dag wegreed, was het net alsof hij een stalen springveer in zijn rug voelde die hem tegenhield. Hij vroeg Chorowski de auto aan de kant te zetten, stapte uit en liep nadenkend met zijn handen in zijn zakken de prairie in. Aan de horizon sjokte een rij Herefordkoeien vermoeid achter elkaar aan. Ze waren zo ver weg dat het licht de beesten iets boven de aarde tilde.

Hij besefte dat zijn leven van de ene gebeurtenis in de andere was overgelopen. Voor zijn gevoel was alles fragmentarisch voorbijgegaan zonder dat hij zich echt voor iets had ingespannen. Hij was opgegroeid op een prachtige ranch en wilde naar zee. Hij had reizen gemaakt, was gaan studeren, had Dorothy ontmoet en voordat hij het wist was hij getrouwd en had hij een kind. Niet veel later was hij gouverneur van Montana geworden. Zomaar, voor zijn gevoel. De inwoners van Montana vonden hem een geweldige gouverneur, omdat hij als zoon van een rancher alles van koeien en boeren wist. Hij was charmant, zag er goed uit, liep altijd op glanzende laarzen en wist precies waar hij wel en niet moest verschijnen. Zelf wist hij ook dat hij zich uiteindelijk niet kon aanpassen aan het politieke spel.

Sommige vooruitstrevende wetten die hij had ingediend waren gestruikeld omdat het de Republikeinse partij schade zou toebrengen. De voorzitter van de partij had hem geregeld op de vingers getikt omdat hij te linkse ideeën had, en opnieuw had John het gevoel dat hij een outsider was.

De koeien in de verte stonden stil en draaiden allemaal tegelijk hun koppen in zijn richting alsof hij een vreemd wezen was.

Hij sleepte met zijn dure laarzen zo diep mogelijk door het zand. Onbewust trok hij een lijn door het zand en een andere lijn loodrecht door de eerste. Hij staarde lang naar de kruising.

In zijn hoofd tuimelden de beelden door elkaar. Dorothy, Sinéad en Anna vlogen voorbij. Hij zag ze, maar alles in vage mist en onbereikbaar. Daarachter was Lucinda, als een helder beeld, trillend op haar benen en met haar smalle hand wijzend naar zijn gezicht.

Met zijn laars trok hij ook nog een cirkel om zich heen en bleef daarin staan. Het leek alsof hij een mystiek ritueel voltooid had, want hij had het gevoel dat hij de cirkel niet meer uit kon. Hij keek om zich heen naar het vlakke land. Chorowski lag in de zon op de motorkap van de gouvernementele Cadillac een sigaar te roken.

'Captain,' riep John.

Chorowski keek op.

'Heb je een kompas bij je?'

Chorowski kwam overeind, smeet de sigaar weg, haalde iets uit de auto en liep naar John. 'Ben je de weg kwijt of zo?' vroeg hij.

'Ja, behoorlijk,' zei John. 'Zou jij eens met dat kompas om mij heen willen lopen?'

Chorowski liep om John heen, net buiten de cirkel. Daarna maakte hij op grotere afstand nog een rondje. Ten slotte gaf hij het kompas aan John. 'Dit is niet goed,' zei Chorowski. 'Of jij staat met je voeten op een gigantische magneet, of er is iets anders aan de hand.'

John zag de trillende kompasnaald bewegen.

'Loop eens een stukje verder,' zei Chorowski.

'Nee, ik kan niet uit deze cirkel stappen. Ik wil het ook niet.'

Verbaasd keek Chorowski naar de cirkel in het zand die John om zich heen had getrokken. 'Tjonge jonge, jij wordt ook steeds vreemder.'

'Ik moet de chaos in mijn hoofd oplossen.'

'Chaos in je hoofd? Hoe ziet dat eruit?'

'Mistig.'

'Mistig. Dichte mist?'

'Behoorlijk. Heb jij dat nooit?'

'Nee,' zei Chorowski, 'dat heb ik niet. Maar bij jou kijk ik nergens meer van op.'

Chorowski liep hoofdschuddend een paar meter bij hem vandaan, liep weer terug, aarzelde en ging opnieuw een paar meter verderop staan. Hij keek naar de lucht, waar geen wolk in te bekennen was, en zei: 'Weet je, als zeeman vond ik je ook al wat vreemd. Je was weliswaar de beste stuurman die ik ooit gehad heb, je overzag alles, kon machtig manoeuvreren, maar ik heb altijd het gevoel gehad dat jij een haat-liefdeverhouding had met de zee. Je kende de zee; je wist precies wat er ging komen en er was niemand die beter kon zien waar ze toe in staat was. Maar je hield niet van de zee zoals ik.'

John staarde met open mond naar Chorowski.

'Mist in je hoofd,' ging de captain verder. 'Herinner jij je soms dat wij ooit gingen stilliggen bij mist?'

'Nee, we voeren door.'

'Precies, we voeren door. Niet zoals sommige pussies een beetje voorzichtig ronddrijven, nee, volle kracht vooruit. Maar wel flink op de scheepshoorn blazend, zonder radar en met oren die op de boeg lagen.'

Chorowski ging vlak achter John staan en zei: 'Ik ben wat minder gecompliceerd dan jij, maar misschien moet je die mist in je hoofd maar eens te lijf gaan met een flinke scheepstoeter en volle kracht vooruit gaan varen.' Chorowski gaf hem een flinke zet en John viel uit de cirkel.

HOGE HOED

New York, 1959

Freddy Carter wist nauwelijks waar Ierland lag. Zijn vader, Jerry Carter, had het altijd over dat mooie groene eiland aan de overkant van de oceaan waar het voortdurend regende, maar Freddy was niet geïnteresseerd. Hij wilde er ook niet naartoe, want hij hield niet van regen. Freddy wilde liever naar landen waar het warm was en waar de meisjes in luchtige rokken over straat liepen. Daarom wist hij precies waar Sicilië lag, waar zijn moeder Gloria vandaan kwam. Elke zomer ging hij samen met zijn moeder naar Sicilië op vakantie. Zodra de zomer aanbrak, vlogen ze samen vanuit New York met Pan Am Airlines naar Palermo, waar hun grote familie hen zwaaiend met Amerikaanse vlaggetjes van het vliegtuig ophaalde. Freddy was dol op Sicilië, want iedereen was altijd uiterst voorkomend tegen hem. In de bars van Palermo hoefde hij voor zijn drankjes niet te betalen en ook de dames van plezier waren uiterst gewillig.

Zijn vader Jerry was nu over de zeventig en had in de tijd van de drooglegging het geld met vrachten vol binnengereden. De samenwerking met Valentino verliep al die jaren volgens afspraak. Jerry regelde het vervoer en Valentino zorgde dat de drank klaarstond. Als het geld werd gecasht, betaalde Valentino direct de overeengekomen vijftien procent aan Jerry. Beide mannen vertrouwden elkaar blindelings. Jerry werd uitgenodigd op de bruiloft van Valentino, in een groot landhuis van de familie aan het strand op Long Island. Daar trof hij Valentino's mooie zusje. Op het gebied van vrouwen had Jerry niet veel meegemaakt in zijn leven. Buiten zijn werk leidde hij een teruggetrokken bestaan, waarin nauwelijks vrouwen voorkwamen. Van de betaalde liefde hield hij ook niet, al had Valentino hem meerdere keren uitgenodigd om hem de onbegrensde mogelijkheden op het gebied van de liefde te tonen. Maar op het moment dat hij aan Valentino's zus werd voorgesteld, met haar mooie lach en amandelvormige lichtbruine ogen, kwam hij nauwelijks meer uit zijn woorden en staarde haar met open mond aan. Jerry kon er niet meer van eten en niet meer van slapen. Een paar dagen later vroeg hij aan Valentino of hij Gloria een keer mocht uitnodigen voor een lunch.

Valentino dacht na en zei dat Jerry dit persoonlijk aan zijn ouders moest vragen. 'Gloria is nog jong, snap je. Jullie schelen ook behoorlijk in leeftijd en ze houden eigenlijk niet van gringo's.'

'Ik ben geen gringo. Ik ben een Ier. An honorable Irishman.'

Vlak in de buurt van het ouderlijk huis op Long Island, onder begeleiding van vier bodyguards, mocht Jerry op een zaterdagmiddag lunchen met Gloria. Het hele restaurant werd leeggeveegd en de vier mannen bleven buiten voor de deur staan, alsof de president met de first lady op bezoek was.

Jerry had voor de gelegenheid een nieuw zwart pak op zijn Engels laten snijden en een nieuwe hoge hoed gekocht, want hij kwam tenslotte uit een beroemd koetsiersgeslacht.

Gloria kon haar lachen bijna niet inhouden toen ze haar huis uit kwam en hem zag staan, met zijn hoge zwarte hoed op en gestoken in het strak dichtgeknoopte zwarte pak. In het restaurant kon hij zijn ogen niet van haar afhouden. Hij kletste maar wat in het wilde weg om indruk te maken, totdat Gloria haar hand op zijn arm legde en zei: 'Jerry, mijn broer zegt dat jullie vrienden zijn.'

'Klopt,' zei Jerry. 'Jouw broer en ik hebben samen heel wat meegemaakt. Ik zal je vertellen...'

'Jerry, het feit dat je een vriend bent van mijn broer, vertelt me meer dan al die verhalen. Praat gewoon met me, want ik ben maar een gewoon meisje.'

Jerry ging rechtop zitten en keek verbaasd naar Gloria. 'Nou, dat denk ik niet. Ik denk niet dat jij een gewoon meisje bent. In mijn ogen ben jij de mooiste en liefste vrouw van de hele staat New York.'

'Dat is mooi dat jij dat vindt.'

'En omstreken, want ik heb door heel Amerika gereisd.'

'Je vleit me, Jerry. Ik vind jou ook een aardige man, maar laten we beginnen met gewone gesprekken over gewone dingen.'

Aan het einde van de lunch vroeg Jerry of hij haar nog een keer mocht zien.

'Graag,' zei Gloria. 'Maar zet dan niet weer die belachelijke hoed op.'

Een jaar later was het opnieuw feest op Long Island. Jerry trouwde de liefde van zijn leven. Ze kregen een zoon. Hoewel Jerry graag meer kinderen wilde, kwamen die er niet. Gloria bleef mooi en lief en hoewel ze met de jaren steeds verder uitdijde, zag Jerry dat allemaal niet en bleef zijn leven lang verliefd op haar.

Eagle Parcel Services groeide na de drooglegging gestaag door tot een onderneming die in alle staten van Amerika werkzaam was. Het pand aan Fifth Avenue werd verbouwd tot een kantoor met twintig verdiepingen en in de staat New Jersey kwam aan de overkant van de Hudson een groot hallencomplex te staan, waar elke dag honderden trucks hun lading brachten en ophaalden.

Als baby was Freddy al gek op de grote glimmende trucks van zijn vader. 'Tuk tuk' waren de eerste woordjes die hij leerde. Zijn moeder voelde zich afgewezen omdat hij het vertikte 'mama' te zeggen en het alleen maar over tuks had. 'Niks mis met die jongen,' zei zijn vader trots. 'Hij komt tenslotte uit een vervoerdersgeslacht.'

Jerry leerde zijn zoon al jong rijden op het grote terrein. Eerst bij zijn vader op schoot en later, toen hij tien jaar was, mocht hij de vrachtauto's alleen de grote hal in en uit rijden. Op een zaterdagavond reed hij nog even de laatste truck naar binnen, toen de grote achterwielen een bewaker grepen. Freddy voelde dat de truck iets omhoog hopte, maar hij besefte niet wat er gebeurde. Pas na een korte rauwe kreet van de man zette hij de auto stil, stapte uit en zag hij dat hij de bewaker aan flarden had gereden. Hij vloog naar de portier en zijn vader kwam meteen naar de grote hal. De bewaker was dood en het ongeluk zou een behoorlijke politiezaak kunnen worden.

De bewaker verdween die nacht geruisloos en Jerry zat een uur later bij de weduwe. Hij bleef de hele nacht bij haar, want hij wilde dat zijn zoon uit handen van de politie bleef. Jerry regelde dat de weduwe de maand daarop met haar drie kinderen verhuisde naar een prachtig huis op Long Island. De school en studie van de kinderen werden betaald, een Chevrolet kwam voor de deur, de vakanties naar Florida werden geboekt en elke zaterdag werd een dikke envelop bezorgd.

Na het ongeluk ging het een tijd niet goed met Freddy. In de eerste maand had hij de meest afschuwelijke angstdromen over stuiterende monsterbanden die uit het niets de stad in kwamen rollen en een dieprood spoor achterlieten. Op straat sloeg hij de handen voor zijn ogen als hij een truck voorbij zag komen. Zijn vader probeerde hem op het terrein nog een keer te laten rijden, maar Freddy zat verstijfd achter het grote stuur en reed recht op de hekken af. Jerry greep op het laatste moment in en dat was de laatste keer van zijn leven dat Freddy achter het stuur zat.

Heel langzaam en onmerkbaar veranderde Freddy's gedrag. Misschien had het iets te maken met het ongeluk. Misschien kwam het doordat zijn vader hem altijd zijn zin gaf. Of misschien was het de vermenging van Iers met Siciliaans bloed, want ook dat kan leiden tot ontploffingen in de geest. Freddy werd arrogant, agressief en wreed in de jaren naar de volwassenheid. Hij omringde zich met vrienden die hem altijd gelijk gaven en met vrouwen die zich slaafs aan hem onderwierpen. Zijn vader zag hem nog altijd als zijn opvolger, want Freddy had een neus voor zaken zoals dat maar zelden voorkomt. Het bedrijf dat hij samen met zijn vader runde, groeide en groeide. In de staat New York waren altijd trucks van Eagle Parcel Services te zien. Freddy sloot contracten met de overheid en met de grootste fabrieken en retailers, die maar al te graag van zijn diensten gebruik wilden maken.

Freddy werd partner in de firma toen hij nog maar eenentwintig jaar was. De inkt van het papier was nog niet droog of Jerry kreeg een telefoontje. Het kwam van de grootste klant van Eagle Parcel Services, en de directeur zelf was aan de lijn. Hij vertelde dat hij fraude had ontdekt en dat hij op het punt stond aangifte te doen. Jerry stoof het kantoor uit en zat een halfuur later aan het bureau van de directeur. Het bleek dat de inkoper van het bedrijf een contract met Freddy had gesloten. De prijzen die in het contract stonden lagen ver boven de marktprijs. Dat was echter niet het enige. Freddy had het bedrijf exclusief voor vijf jaar voor alle vervoer vastgetimmerd en de directeur vertelde erbij dat de inkoper er waarschijnlijk een nieuwe auto en een paar luxe vakanties aan over had gehouden.

'We weten het niet zeker,' zei de directeur. 'Maar we kunnen twee dingen doen. Het contract verscheuren of de politie dit allemaal laten uitzoeken.'

Bij thuiskomst verscheurde Jerry de overeenkomst met het bedrijf, deed de snippers in een envelop en liet het met een koerier bij de directeur bezorgen.

Freddy ontkende niet. Freddy vond dat hij zelf het slachtoffer was geworden van de inkoper van de fabriek. Het was een loeier van een klant en hij wilde dat zijn vader trots op hem zou zijn. 'Jij maakte vroeger toch ook wel eens fouten?'

Jerry zei niets, en opnieuw spaarde hij zijn zoon.

In de maanden erna raakte het bedrijf een aantal belangrijke klanten kwijt en daalde de omzet. Op dat moment kwamen er verkeerde vrienden binnen. Ongeveer hetzelfde type mannen waarmee Jerry lang geleden te maken had gehad, maar dan zakelijker, moderner, harder en qua uiterlijk niet te onderscheiden van dominees, advocaten en bankdirecteuren. De Amerikaanse maffia had zich lang afzijdig gehouden van drugs. Maar nieuwe generaties kwamen en die hadden helemaal geen problemen met drugs. Het kostte niet veel moeite om Freddy te overtuigen van lucratieve zaken. Bovendien was het volgens zijn nieuwe vrienden risicoloos, want hij hoefde alleen maar een depot ter beschikking te stellen voor de handel die van schepen kwam en verspreid werd door Amerika. Freddy vertelde trots aan zijn vader dat hij een geweldige deal had afgesloten.

Jerry was bijna zeventig jaar en kwam nog maar weinig op het bedrijf. 'Wat voor deal?' vroeg Jerry.

'Wat opslag van spul. Meer niet. Betaalt geweldig goed.'

'Wat voor spul, Freddy?'

'Niet helemaal legaal, maar wij hebben er niets mee te maken verder. Ze doen zelf het vervoer.'

'Drugs?'

'Nou, niet helemaal.'

Jerry kon zijn oren niet geloven. Hij voelde het bloed wegtrekken uit zijn gezicht. 'Drugs dus,' zei hij.

'Wel dik betaald.'

'We gaan dit niet doen, Freddy.'

Freddy spreidde verongelijkt zijn armen uit. 'Maar je hebt het vroeger zelf gedaan.'

'Drugs?'

'Nee, drank. Ook illegaal.'

Vermoeid ging Jerry aan de grote tafel van de directiekamer zitten. Hij wuifde met zijn hand naar Freddy ten teken dat hij ook moest gaan zitten. Nerveus stak Freddy een sigaret op en hij inhaleerde de rook met korte diepe trekken. Zijn donkere ogen flitsten onrustig heen en weer.

'Inderdaad, ik heb vroeger drank vervoerd. Maar weet je, die drank ging naar de rijken en naar de mensen van de wet die het drinken van alcohol zelf hadden verboden. De drooglegging was een onzinnige maatregel en iedereen wist het. Niemand die het met die wet eens was en niemand die zich eraan hield. Maar drugs is iets anders. Dat is geen onzinnige wet, Freddy. Drugs verwoesten de levens van mensen, jong en oud, en gezinnen worden erdoor geruïneerd. Drugs leiden tot verslaving en iedereen die eraan meedoet, helpt jonge levens de vernieling in. En nog iets over de maffia. Vroeger hadden we afspraken en die werden altijd nagekomen. Maar je zult zien dat het niet ophoudt met een depot. Je wordt medeplichtig, ze krijgen je in hun macht en voor je het weet zit je er tot over je oren in. Ik wil niet dat je het doet.'

Freddy staarde langs zijn vader naar de muur en zei: 'Ik ga het wel doen.'

Lange tijd staarde Jerry naar zijn zoon. Uiteindelijk ging hij staan, liep naar de kast, haalde een bos sleutels uit zijn broekzak en zocht een tijdje naar de juiste sleutel. Met een stalen geluid ging de zware kluisdeur open en Jerry pakte een stapel papieren. Hij liep terug naar de tafel, deed een map open, haalde er een stapeltje groene vellen uit en deed de map weer dicht. Daarna schroefde hij de dop van zijn vulpen. Hij schreef de datum, een paar getallen en Freddy's naam op de vellen papier en zette ten slotte zijn handtekening eronder. Daarna schoof hij alle groene vellen naar Freddy. 'Hierbij heb je alle aandelen van Eagle Parcel Services.'

'Doe niet zo gek, pa.'

'Freddy, je bent mijn enige zoon en je zult altijd mijn zoon blijven. Wat je ook doet in je leven, je zult altijd mijn onvoorwaardelijke liefde hebben. Maar niet mijn onvoorwaardelijke steun. Het eerste is me meer waard dan het tweede en daarom doe ik dit. Je zult zonder mij verder moeten.'

In het jaar daarop kwamen er andere mensen op kantoor werken. Er ontstond een vervoersbedrijf binnen het vervoersbedrijf, met verschillende regels. Eagle Parcel Services spoot winsten en Freddy had een kast van een huis op Long Island, mooi op stand aan zee.

Op een maandagochtend in februari 1959 zat Freddy achter het reusachtige bureau op de twintigste verdieping van zijn kantoor. Een bloedmooie langbenige secretaresse bracht koffie. Zijn vorige secretaresse was niet mooi en had korte, dikke benen. Jarenlang had ze Freddy's vader bijgestaan, maar sinds Freddy de baas was, had ze een andere functie. Hij kreeg drie telefoontjes en het vierde telefoontje kwam uit Montana.

'De gouverneur van Montana, meneer John Hamilton,' zei de zachte hese stem van de secretaresse.

'Geef maar door.'

Er klonk twee keer een geklik en toen had hij John Hamilton aan de lijn. 'Mister governor, wat een verassing,' zei Freddy. 'Ik ben Freddy Carter.'

Aan de andere kant van de lijn zat John Hamilton vanachter het bureau in zijn kantoor naar buiten te kijken, waar het hevig sneeuwde. Enige tijd geleden had hij alles laten uitzoeken over het bedrijf Eagle Parcel Services. John wist dat het bedrijf in de dertiger jaren vanuit Canada illegale drank gesmokkeld had. Maar er bereikten hem ook berichten dat de zoon van van de oprichter nauwe banden onderhield met de drugsmaffia. Niettemin was Eagle Parcel Services nog steeds groot in legaal vervoer.

'Ik was nieuwsgierig,' zei John. 'Een tijd geleden kreeg ik een poststuk waarop de naam van jullie bedrijf stond. Eagle Parcel Services.'

Freddy was op zijn hoede. 'Staat ook op onze deur,' zei hij.

'Het logo viel me op, want het is een afbeelding van een oud Keltisch zegel,' zei John. 'Daarom was ik nieuwsgierig.'

'Aha,' zei Freddy.

'Ik dacht dat jullie misschien van Ierse afkomst waren.'

'Klopt. Mijn vader komt uit Dublin.'

'Uit Dublin? Mijn familie komt ook uit Ierland.'

'Ieren en Italianen vergeten hun afkomst nooit,' zei Freddy plechtig.

'Precies. Daarom vroeg ik me af wie dat logo heeft ontworpen.'

Freddy keek naar het halve zegel achter glas dat aan de muur hing. Intuïtief voelde hij dat er iets bijzonders mee aan de hand was. 'Dat zou u mijn vader moeten vragen,' zei hij.

'Wij hadden vroeger ook zo'n soort familiewapen. Ik ben geïnteresseerd in de historische achtergrond.'

'Hebben jullie dat familiewapen nog?'

John aarzelde even. 'Nee, een deel ervan is verloren gegaan,' zei hij en hoorde dat de ademhaling van zijn gesprekspartner even stokte.

'Verloren dus,' zei Freddy.

'Ja, ergens in Montana. Bijna een halve eeuw geleden. Uw vader is toch ook in Montana geweest?' blufte John.

'Zou kunnen. Maar dat kunt u hem beter zelf vragen.'

'Misschien doe ik dat wel,' zei John. 'U weet niets van de geschiedenis van het logo of van dat familiewapen?'

'Geschiedenis interesseert mij niet zo,' klonk het onverschillig.

John wist dat hij loog.

'Ik moet nu een vergadering in, gouverneur. Als u wilt, zal ik mijn vader vragen om terug te bellen.'

'Heel graag,' zei John.

Nadat hij had opgehangen, staarde Freddy lange tijd naar het zegel op de muur, pakte opnieuw de telefoon en draaide een nummer aan de overkant van de rivier ergens in New Jersey.

Hij kreeg Alfred aan de lijn. Alfred was de boekhouder van het bedrijf in het bedrijf van Freddy. 'Where the real money is,' zei Alfred altijd. Freddy legde uit dat de gouverneur van Montana hem had gebeld over het zegel dat zijn vader ooit in Montana had gevonden.

Alfred zei: 'Je bedoelt dat ding dat bij jou aan de muur hangt.'

'Ja, dat ding.'

'Misschien heeft het waarde voor die familie.'

'Ja, maar het is nu van onze familie. Mijn vader heeft het gevonden.'

'Hm,' zei Alfred terwijl hij nadacht.

'Ik heb het gevoel dat het heel oud is.'

'Middeleeuwen of zo,' zei Alfred.

Freddy wist niet precies welke jaren de middeleeuwen waren geweest, maar het klonk behoorlijk oud. 'Zoiets,' zei hij.

'Misschien is het allemaal niks,' zei Alfred.

'Zou kunnen.'

'Weet je wat,' zei Alfred, 'ik laat het ophalen en ik laat het onderzoeken door iemand die er verstand van heeft. Je weet maar nooit.'

Diep in gedachten verzonken reed John die middag naar de gevangenis, waar hij een afspraak had met directeur Bert Lock. Het telefoongesprek met Freddy had hem zeer verrast omdat hij niet had gedacht dat Freddy meer wist van het zegel.

'Wat ben jij in godsnaam van plan met Sinéad?' vroeg Bert Lock.

Het was het laatste jaar dat John Hamilton gouverneur was. Hij had zijn partij al laten weten dat hij niet herkozen wilde worden. De partijtop slaakte een zucht van verlichting, want de meesten vonden hem maar een lastpak. Met zijn ideeën dreef John ver van de Republikeinse idealen af. Vooral de maatregelen die hij had genomen om het grote aantal ongehuwde moeders in Montana financieel bij te staan, hadden kwaad bloed gezet. Hij werd voor een socialist uitgemaakt.

Maar dat was niet het enige. Privé kreeg hij ook een slechte naam omdat Dorothy weer bij haar ouders was ingetrokken. Nadat bekend was geworden dat John geregeld in de gevangenis de vrouw bezocht die de aanslag op hem had gepleegd, wilde de partijtop zo snel mogelijk van hem af. De inwoners van de staat droegen hem echter op handen. Vooral bij de boeren was John populair, want hij had ervoor gezorgd dat de invloed van boerenbelangenorganisaties sterk was toegenomen.

'Misschien dat je haar eens proefverlof kunt geven,' zei John.

'Met jou als begeleider?' vroeg Bert Lock.

'Zoiets ja.'

'Nog meer geroddel.'

'Bert, dit is mijn laatste jaar als gouverneur.'

'Dat meen je niet. Zal een mooie opschudding zijn in de partij. Weten ze het al?'

'Ik heb het ze verteld. Ik denk dat ze maar wat blij zijn dat ik wegga, want door mij zijn ze de koers een beetje kwijtgeraakt. Als Republikein heb ik te afwijkende ideeën.'

'Je bent een merkwaardige man, John. Wat wil je met Sinéad?'

'Ik wil een paar dagen met haar weg.'

Bert Lock wreef met zijn hand over zijn kale schedel. 'Ik zal het verzoek indienen,' zei hij en na een korte aarzeling. 'Ik weet wat je van plan bent, John.'

'Wat ben ik volgens jou dan van plan?'

'Je laat haar vrij. En dat doe je op je laatste dag als gouverneur.'

John stond op. 'Je had waarzegger moeten worden,' zei hij bij de deur.

JOE KENNEDY

Hyannis Port, 1959

De telefoon rinkelde naast hem op de leuning van de bank toen hij naar CBS News zat te kijken.

'Joe Kennedy, Massachusetts,' zei de stem met het typische accent van New England. John herkende de stem meteen. 'Ik bel u, gouverneur, omdat ik weet dat u gevaar loopt.'

John wachtte.

'U heeft toch gebeld met Eagle Parcel Services in New York?'

'Ja.'

'Over een zegel.'

'Hoe weet u dat, meneer Kennedy?'

'Meneer Hamilton, ik ben een Ier en Ieren kunnen emigreren naar welk land dan ook, het blijven levenslang Ieren.'

'Waarom loop ik gevaar?'

'Het is geen goed idee om dit over de telefoon te bespreken. We kunnen dit beter persoonlijk afhandelen. Morgen bijvoorbeeld, tijdens de lunch in Hyannis Port. Ligt aan de kust, u vindt het wel.'

Onder een stralende zon reed John de volgende dag in een gehuurde Plymouth vanaf het vliegveld in Boston naar het zuiden, op weg naar Hyannis Port. Links van hem lag de Cape Cod Bay, azuurblauw en vlak als een spiegel.

John had altijd het gevoel dat alles in New England een serene rust uitstraalde. De fraai gebouwde huizen en het groene landschap waren volkomen anders dan in Montana.

Bij een Stucky's-benzinestation kocht hij een koffie 'to go' en een uur later passeerde hij de brug over Cape Cod Channel. De weg boog verder af naar het oosten en hij nam Route 132 naar het zuiden tot aan Hyannis Port. De grote zomerresidentie van de Kennedy's was breed opgezet te midden van tuinen en slingerende oprijlanen. Het imposante witte huis had een clapboard structure, kenmerkend voor de zomerhuizen op Cape Cod. Een tengere man op tennisschoenen kwam naar hem toe. John Hamilton herkende het gezicht met de brede mond meteen.

'John Kennedy. En u bent gouverneur John Hamilton. Welkom.'

Aan een vlaggenmast bij het huis wapperde hoog de Amerikaanse vlag, pal naast de vlag van Massachusetts. Een zachte zeewind vanuit de oceaan nam het geluid van brekende golven mee.

Ze liepen om het huis heen in de richting van de zee.

'Wat een prachtig uitzicht,' zei John.

John Kennedy knikte en zei: 'Ik kom hier al bijna dertig jaar, elke zomer. Maar het is voor mij nog altijd een paradijs.'

Hij wees naar een man in de verte, die aan het eind van de smalle houten steiger op een vierkant plateau in een witte stoel zat.

'Dat is mijn vader. Hij wacht op u.'

Joseph P. Kennedy had een strohoed op en droeg witte kleding. Toen John dichterbij kwam, herkende hij de ronde, glinsterende brillenglazen.

Joe Kennedy was de zeventig al gepasseerd maar zijn ogen waren nog jong en levendig. Hij bleef zitten terwijl hij John een hand gaf en bood hem de stoel tegenover hem aan.

Wat John achteraf het meest verbaasde, was dat Joe Kennedy alles wist van zijn familie, terwijl zijn ogen achter de brillenglazen afstandelijk leken. John vroeg zich af waar zijn interesse werkelijk lag.

'Sorry dat ik u moest vragen om helemaal hiernaartoe te komen, gouverneur. Maar het kon niet via de telefoon. Mag ik John zeggen?' vroeg hij vervolgens, en hij schonk een glas limonade voor John in.

'Wat een geweldige locatie,' zei John.

Joe Kennedy keek om zich heen alsof hij alles voor het eerst zag en knikte kort. 'Ja, mooi voor de kinderen.' Zijn ogen priemden zich in die van John. 'Laat ik met de deur in huis vallen. Ooit heeft jouw familie een zegel in bezit gehad en dat zegel is verloren.'

John zweeg en keek terug.

'Althans, de helft. Er zijn mensen die denken dat jij weet waar een helft van het zegel is. Daarom loop je gevaar.'

'Het is gewoon een familiestuk,' zei John. 'Ik snap niet waarom ik gevaar loop.'

'Een paar dagen geleden belde een oude vriend uit New York, Jerry Carter. Hij zei dat jij zijn zoon had benaderd met vragen over dat zegel.'

'Klopt. Ik zou daar nog over teruggebeld worden, maar dat is niet gebeurd.'

'Hoe wist je dat zij iets met dat zegel te maken hadden?'

'Dat wist ik niet,' zei John. 'Ik heb begrepen dat het een groot bedrijf is dat vooral in New England werkzaam is. Ik kreeg een poststuk met een stempel identiek aan een tekening van een zegel dat ooit in onze familie was.'

'Eagleton.'

'Hoe weet u dat?'

Joe Kennedy aarzelde. Hij nam zijn bril af en poetste zwijgend de glazen met een punt van zijn witte katoenen shirt.

'Meneer Kennedy?'

'Joe is okay.'

John haalde diep adem en zei: 'Je bent een man met een enorme reputatie. Iemand die veel betekend heeft voor de katholieke Ieren in Amerika. Maar ik wil eerst weten of ik nu praat met de Amerikaanse Kennedy of de Ierse Kennedy. In het laatste geval kunnen we open kaart spelen.'

Kennedy lachte hard en kort. 'Ik ben een politicus. En een politicus bewandelt altijd meerdere wegen. Maar in dit geval overheerst mijn Ierse afkomst. Anders had ik je niet gebeld.' Joe wachtte. Opnieuw was er aarzeling in zijn ogen. 'Kijk, John, in mijn jeugd had ik – net als alle andere Ieren in de Verenigde Staten – te maken met discriminatie door de protestanten. Daardoor ben ik mijn leven lang een buitenstaander gebleven. Zoals je misschien weet, ben ik sterk geïnteresseerd in politiek, maar in mijn jeugd werden alle Ieren buiten belangrijke openbare functies gehouden. Ik had graag een mooie politieke functie gehad. Maar ik moest de business in, want in zaken zijn er geen scheidingen tussen afkomst of ras. Alleen scheidingen tussen mensen met geld en mensen zonder geld. Ik wilde me niet laten discrimineren, dus werd ik rijk en kon ik later toch de politiek in.'

'Maar geen president van Amerika.'

Met een ruk wendde Kennedy zich tot John.

'Nee,' zei hij, 'geen president van Amerika. Maar John zal het worden. De eerste katholieke Ier die president wordt.'

Er volgde een lange stilte.

'Ik weet niet alles van de Eagletons,' zei Kennedy. 'Ik weet dat jouw overgrootvader John Eagleton naar Canada is gekomen. Dat was niet zo moeilijk te achterhalen. Archieven van Grosse Isle, het leger waaruit hij in de burgeroorlog is gedeserteerd en later Montana... Nadat jij met Eagle Parcel Services hebt gebeld, vroeg ik me af of jouw overgrootvader dit zegel, of althans de helft van dit zegel, in zijn bezit heeft gehad.'

'Hij is het kwijtgeraakt. Hij heeft het aan mijn andere overgrootvader White Cloud gegeven omdat het hem zelf had gered in de burgeroorlog. Maar White Cloud werd gedood in de slag bij Little Big Horn en John Eagleton heeft het nooit teruggevonden.'

'Aha, zo zit dat dus,' peinsde Kennedy. 'En de andere helft, heb jij die nog?'

'Nee, die was in bezit van Shay Eagleton, de broer van John Eagleton. Voor zover we weten is hij in 1846 naar Schotland gevlucht.'

'Nooit meer iets van gehoord?'

'Nee, niemand weet wat er van hem geworden is.'

'Dus jij hebt het niet,' zei Kennedy.

'Nee, ik heb het niet.'

Kennedy schoof zijn voeten heen en weer over de houten planken, terwijl hij over het water uitkeek.

'Waarom loopt mijn leven gevaar?' vroeg John. 'Om een zegel dat ik niet heb? En wat is er zo belangrijk aan dat zegel?'

'Ik zal je een paar dingen vertellen die je waarschijnlijk nog niet weet. Het zegel is in 1912 door Jerry Carter in Montana gevonden toen hij met een postkoets pech kreeg bij Little Big Horn. Volgens Jerry werd hij daarna gevolgd door een grote eagle die hem zelfs nog heeft aangevallen. Hij heeft het beest doodgeschoten.'

Een koude rilling trok over de rug van John.

'Het zegel was de aanleiding voor de naam Eagle Parcel Services omdat Jerry Carter, die oorspronkelijk uit Dublin komt, zag dat het een oude Keltische beeltenis had en Ierse letters. Maar dat is niet het belangrijkste.'

John zat op het puntje van zijn stoel. 'Heeft dat bedrijf het zegel?'

'Een helft.'

'Heb jij het gezien?'

Kennedy knikte bijna onmerkbaar.

'Hoe ziet het eruit?' John kwam steeds verder naar voren.

'Rustig, John,' glimlachte Kennedy.

'Wat staat er nog meer op dat zegel?'

'Op de achterkant schijnen Ierse tekens te staan.' Joe Kennedy wachtte even. 'Jerry Carter is ook van Ierse afkomst. Hij is al oud, maar nadat jij met zijn zoon belde heeft hij met mensen in Ierland gesproken. We weten nu dat de Eagletons ooit in het bezit waren van Eagleton Castle op Mount Eagle.'

John zakte achterover. 'Dat kasteel is van onze familie,' zei hij zacht.

'I know,' zei Joe Kennedy. 'Maar ik moet je motieven weten, anders kan ik je niet helpen. Begrijp me niet verkeerd. Jerry Carter had vroeger banden met de maffia en ook ik heb met hem samengewerkt in de tijd van de drooglegging. Ik wist dat die belachelijke drooglegging in 1933 zou stoppen, want ik kende Roosevelt goed en dankzij mij is hij president geworden. Jerry Carter heeft voordat de drooglegging werd opgeheven voorraden drank in Canada aangelegd, zodat we meteen in business waren. Bovendien had ik voordat de drooglegging opgeheven werd alle merken als distributeur verkregen.'

'Maar waarom zou je me willen helpen als hij jouw vriend is?'

Joe Kennedy aarzelde. 'Jerry Carter zou jou zonder meer het zegel willen geven. Maar hij is het probleem niet. Je hebt zijn zoon Freddy gesproken en Freddy is een andere man dan zijn vader. Freddy is niet het type dat zomaar iets teruggeeft. Want als iets waarde heeft, draait Freddy's hoofd op hol.'

'Heeft Freddy ook banden met de maffia?'

Kennedy knikte. 'Maar met een ander soort maffia dan zijn vader. Mensen die alleen maar uit zijn op geld en meer geld.'

'Maar waarom zijn die lui geïnteresseerd in een klomp steen boven op een rots in Ierland?'

'Nadat jij gebeld hebt, heeft Freddy het zegel laten onderzoeken op oudheid en echtheid. Het is waarschijnlijk gemaakt in de zeventiende eeuw. Maar uit het onderzoek bleek nog wat anders. Het zegel bestaat voor een deel uit witgoud. Nikkel met goud. Ik begrijp niet dat dit al kon in die tijd, maar ik weet wel dat goud het hoofd van veel mensen op hol brengt.'

'Denkt Freddy soms dat er goud is?'

'Er is eerder goud gevonden in Ierland,' zei Kennedy. 'Freddy denkt blijkbaar dat dit zegel naar een soort goudschat zal leiden. Mensen zoals hij jagen alles na. Niet alleen om de waarde. Ze jagen het na omdat ze denken dat het van hen is en omdat ze het niet kunnen hebben dat iemand anders ermee vandoor gaat. Sommigen onder ons hebben dat, John. En sommigen onder ons zijn meedogenloos.'

'Zoals Freddy.'

'Zoals Freddy, ja. Hij denkt dat jij de andere helft van het zegel hebt en hij zal alles doen om het in handen te krijgen.'

'En zijn vader?'

'Jerry is een Ier. Ierland is zijn vaderland, zoals het dat is van jou en van mij en van alle Ieren in Amerika. We mogen nooit vergeten waar we vandaan komen. Ierland is een kwetsbaar eiland en Jerry wil niet dat het verpest wordt door hebzucht en maffia.' Kennedy stond op. 'Kom, laten we een eindje lopen. De lunch wacht straks op ons.'

Ze liepen over het pad dat in een boog vanaf de pier langs de voorkant van het huis langs hagen en tuinen liep. 'Vaak loop ik hier alleen,' zei Kennedy. 'Vooral op dagen dat het regent. Dan denk ik altijd aan Engeland, waar ik een tijdje heb gewoond als ambassadeur. Mijn oudste zoon Joseph is in 1944 boven het Kanaal omgekomen tijdens een missie met een vliegtuig vol bommen die explodeerden. Hij zou naar huis komen, maar wilde nog één keer met zijn kameraden mee. Ik had hem aan de telefoon en zei dat hij niet moest gaan. Ik had er een misselijkmakend gevoel bij toen hij wel ging. Alsof ik het wist.' Het bleef even stil. 'Ik had met hem afgesproken dat hij in de toekomst president van Amerika zou worden. Nu moet John het doen. Die kan het ook wel, bright guy, maar ik heb hetzelfde ongeruste gevoel.'

'Dat hij geen president wordt?'

'Mensen zijn sneller bezorgd wanneer ze ouder worden. Geloof je in het noodlot?'

'Ik denk dat alles wat de mens doet een optelsom is voor de toekomst.'

'Dus toeval bestaat niet?'

'Dat weet ik niet. Misschien noemen we de dingen die we niet kunnen verklaren toeval. Ik geloof dat elk individu zijn eigen lot kan bepalen.'

'Dat laatste meen je niet, John,' zei Joe Kennedy. 'Jouw overgrootvader kwam naar dit land. Hij moest vluchten en na generaties ben jij degene die het zegel moet vinden en het kasteel terug moet brengen in jullie familie... Dat is een lotsbeschikking, John, waar jij niet om gevraagd hebt.' Hij bleef staan en zei toen: 'Maar niets dient zich in volle omvang aan. Het ontvouwt zich langzaam en altijd verrassend. Hoofdstuk na hoofdstuk, zonder dat je er invloed op hebt. De enige troost is dat het zowel positief als negatief kan zijn, maar het is onontkoombaar. Vertel me, John, wat weet jij van eagles?'

Ze gingen op een bankje zitten, in de schaduw van een groepje bomen. John vertelde over de eagles, dat ze met zijn overgrootvader waren meegereisd van Ierland naar Canada, soms vliegend en soms dagenlang zittend op de hoge ra's van het schip. Hoe een eagle zijn leven had gered. Hij sloot zijn verhaal af met de twee eagles boven zee in Harlingen toen Sinéad een foto van hem maakte.

Joe Kennedy deed zijn bril af toen hij naar gezicht van John staarde. 'Daar ligt het geheim. Het begin van de oorsprong,' zei hij. 'Holy shit, wat een verhaal. Sorry voor de uitdrukking.'

'De tijd speelt ook een rol. Volgens mijn overgrootvader kan het kasteel na de onafhankelijkheid van Ierland terug worden geëist door de familie. Zonder zegel is het voor eeuwig verloren aan de Engelsen.'

'Dan mag je wel opschieten, want tijd wist alle sporen uit.'

'Die Carter uit New York, waarom heeft hij jou hierover ingelicht?'

'Jerry Carter hoorde van het telefoongesprek tussen Freddy en jou.'

'Kennelijk heeft de familie dat zegel ergens verloren in Montana,' was Jerry's conclusie.

'Zou kunnen,' zei Freddy.

'Dan is dat zegel van die Ierse familie,' besloot Jerry.

'Wil je het dan zomaar teruggeven?'

'Het is niet van ons. Ik heb het alleen maar gevonden.'

'Dan is het nu van jou. Misschien heeft het grote waarde. Ik heb weleens iets gelezen over oude schatten die worden teruggevonden.' Freddy zuchtte. 'Jij wordt op je ouwe dag toch wel heel fatsoenlijk.'

'Ben ik altijd geweest, Freddy. Ik wil dat je het meteen teruggeeft. Het is mijn zegel.'

'Oké, oké, maak je niet druk.'

Twee weken later belde Freddy zijn vader met het heuglijke nieuws dat het zegel van goud was. Jerry smeet woest de telefoon op de haak, stapte in zijn auto en reed direct naar het kantoor van Freddy. De langbenige secretaresse vroeg hees of hij een afspraak had, maar Jerry negeerde haar en stapte zonder kloppen het kantoor van Freddy binnen. Freddy schrok en zei: 'Hé pa, kom je even kijken?'

'Jij had mij beloofd dat je het zegel terug zou geven.'

Freddy ging staan, met zijn armen wijd. 'Pa, ik heb het voor jou gedaan. Ik wist dat dit iets bijzonders was. Dat laten we toch niet lopen?'

Jerry ging vlak voor hem staan. Zijn gezicht was wit weggetrokken. 'Denk jij dat ik om een paar spetters goud de maffia in Ierland wil hebben? Of dat ik op mijn geweten wil hebben dat een stelletje hebberige gouddelvers de mooie bergen van Ierland omploegt? Geen sprake van. Hier met dat zegel!'

Freddy keek met een lege blik naar zijn vader. 'Ik heb het niet. Alfred is ermee bezig.'

'Alfred?'

'Pa, het kan toch geen kwaad om uit te zoeken wat we precies in handen hebben. We kunnen het zegel alijd nog teruggeven.'

'Je hebt maar de helft.'

'Die John Hamilton heeft waarschijnlijk de andere helft. Of misschien weet hij waar de andere helft is.'

'In godsnaam, Freddy, hij is gouverneur.'

'Niet lang meer, pa.'

'Freddy, ik wil dat zegel terug. Ga naar Alfred en haal het op.'

Zijn zoon zei lange tijd niets.

'Freddy!'

'Sorry pa, het is te laat. Mijn partners willen erachteraan en ik ook.'

Freddy zag zijn vaders gezicht rood worden, maar de vuist die hem vol in zijn gezicht trof, zag hij niet aankomen. Steun zoekend bij zijn bureau stond hij op en wendde zich trillend van woede tot zijn vader.

'Don't even try, my son,' zei Jerry waarschuwend. Hij draaide zich om en beende met grote passen het vertrek uit.

'Ik heb dat zegel vroeger gezien,' zei Joe Kennedy. 'Het hing bij Jerry op zijn kantoor aan Fifth Avenue. Jerry Carter is een man van eer. Hij ging samenwerken met de maffia omdat die in de tijd van de drooglegging een betrouwbare vervoerder nodig had voor drank. Jerry Carter heeft nog nooit een lading niet afgeleverd. Daarom genoot hij groot respect bij de Italianen. Maar zijn zoon is meedogenloos en zal achter jou aan gaan om te weten te komen waar de andere helft van het zegel is.'

'Nu al?' vroeg John kalm.

'Nee, niet zolang je gouverneur bent. Ze wachten tot je uit beeld bent.'

'En jij moest mij benaderen van Jerry Carter?'

Joe Kennedy knikte.

'Maar hoe kom ik aan dat deel van Freddy?'

'Jij bent niet bang, zie ik.'

‘Nee. Ik wil mijn familiebezit terug.’

‘Nou, je krijgt het vast niet door het netjes te vragen.’

John moest lachen bij het idee.

‘Je bent een sterke man. Je zult het zegel zelf moeten halen.’

‘Ja, misschien moet ik dat doen.’

‘Ik zal tegen Jerry zeggen dat je eraan komt. Dat zal hij niet erg vinden.’

‘Zijn zoon wel.’

‘Freddy zal lastig worden,’ beaamde Kennedy. Plotseling verzachtten zijn ogen en legde hij zijn hand op Johns arm. ‘Fight for your castle and for the home of the birds.’

Ze liepen naar een grote picknicktafel, waar de familie Kennedy al had plaatsgenomen. Joe introduceerde John Hamilton als de gouverneur van The Great State of Montana en stelde vervolgens zijn familieleden voor. Aan het eind van de tafel zat John Kennedy, die hem naast zich uitnodigde.

Joe zei tegen iedereen: ‘So, my children, treat him well, because he is a fine Irish gentleman. And he is a good friend of mine.’ Na een kort knikje naar John verdween hij in huis.

Na de lunch zei John tegen John Kennedy: ‘Ik wens je veel succes in de race.’

Kennedy lachte breed. ‘We zullen zien. Mijn vader weet in elk geval zeker dat het gaat lukken.’

Chorowski haalde hem op van het vliegveld. John ging naast hem zitten en vertelde wat Joe Kennedy had gezegd.

Chorowski knikte. ‘Ik had wel gedacht dat er iets zou gebeuren. Misschien dat ik beter bij je in de buurt kan blijven.’

‘Niet nodig. Zolang ik gouverneur ben, gebeurt er niets.’

‘Neem in godsnaam een revolver.’

‘No.’

‘Pijltjes schieten?’

‘Je moet iets voor me doen.’

‘Oké.’

Aan de keukentafel in zijn huis maakte John een tekening van een mes. Hij zette de exacte maten erbij en liet de tekening aan Chorowski zien. Aan zijn snor plukkend bekeek Chorowski de tekening nauwkeurig. ‘Wat is dit voor ding?’

‘Ik zal het je uitleggen,’ zei John. ‘Het is een klein zwaar mes, maar aan de bovenkant vrij dik. Vandaar de bloedgleuven. Aan de bovenkant is een stuk opengemaakt met een sleuf waarin een loden kogel kan rollen. Als ik het mes gooi, schiet de kogel naar voren waardoor het mes een enorme snelheid krijgt.'

'Jezus christus,' zei Chorowski, 'wat een moordwapen.'

John schoof een ander papiertje naar Chorowski. 'Dit is het adres waar je het moet laten maken. De eigenaar kent me omdat ik altijd mijn bogen bij hem heb gekocht.'

'Het kan nog steeds niet tegen een revolver op.'

'Ik wil twaalf van die messen in een foedraal. De eigenaar weet wat mijn wensen zijn,' zei John, en liep de keuken uit.

HORIZON

Oregon, 1959

Naast elkaar stonden ze op het strand van de Stille Oceaan bij Newport in Oregon. Sinéad fotografeerde als een panshot de hele horizon. De zee was kalm.

'Waarom maak je zoveel foto's?' vroeg John.

'Dan kan ik in de verte kijken als ik weer in mijn cel zit. Ik hang ze naast elkaar op zodat ik een mooi uitzicht heb.'

Ze waren die ochtend met het vliegtuig uit Helena vertrokken. Sinéad had een proefverlof van drie dagen. Onderweg was ze stil geweest en keek ze alleen maar uit het raam naar buiten, waar de Rocky Mountains onder hen voorbijschoven.

In de huurauto volgde John de 101 South langs de kust naar beneden. Vanwege het mooie weer had hij een open auto gehuurd en op het moment dat ze de kustweg op draaiden, werd het koeler en roken ze de zee.

'Ik heb zin in krab,' zei Sinéad plotseling.

'Dan eten we krab. Ze hebben hier heerlijke krab uit Alaska.'

Vlak buiten South Beach stopten ze bij een restaurant aan zee, waar ze borden vol krab aten en brood in gesmolten boter doopten.

'Hebben ze in Friesland ook krab?' vroeg John.

'Ja, alleen niet van die grote. Maar bij ons was dat vroeger veel te duur. Mijn vader viste op de Waddenzee en soms op de Noordzee. We aten bijna alleen maar vis. Ik wilde graag vlees eten, maar ook dat was te duur en als kind snapte ik er niets van want overal waar je in Friesland keek, liepen koeien rond.'

'Hoelang heb je je ouders niet gezien?'

'Lang. Ze zijn nog nooit in Amerika geweest.'

John vroeg het aarzelend: 'Hebben jouw ouders...'

'Nee,' zei ze meteen, 'ze hebben Mary en Caroline nog nooit gezien.' Ze hield op met eten en keek langs John in de verte. 'Ik heb al een tijd niets meer van ze gehoord. Soms ben ik zo bang dat ik mijn kleine meisjes kwijt ben.'

'Dat ben je niet,' zei John.

Met een ruk focusten haar ogen zich op John. 'Hoe weet jij dat?'

John wist niet hoe hij moest zeggen dat hij het had tegengehouden. 'Je hebt dat stuk waarin je toestemming moest geven voor adoptie toch niet getekend?'

'Nee, dat zal ik nooit tekenen.'

'Dan zijn het nog steeds jouw kinderen.'

Ze wilde het strand op.

John had de laatste dagen last van zijn heup, waardoor hij een beetje stijf liep. Hij zag hoe ze naar hem keek. Plotseling bleef ze staan. 'Ik vraag me zo vaak af wat voor man jij bent.' Ze klonk bijna geïrriteerd. 'Je dringt mijn leven binnen. Je stuurt een hartstikke duur fototoestel en je brengt me tekeningen van mijn kinderen. En nu neem je me mee uit de gevangenis en probeer je ook nog te verbergen dat je mank loopt.'

John zei niets.

'Maar er is iets in je wat ik niet zie. Iets wat ik niet ken en waar ik niet eens in de buurt kom. En ondertussen doe je aardig. Godverdomme, snap je het dan niet? Ik heb je bijna vermoord en jij loopt doodleuk met mij op een zonnig strand alsof er niets gebeurd is.'

Ineens was de grote man vlakbij en hij pakte met beide handen haar schouders vast. 'Nee, Sinéad. Ik voelde toen alleen maar minachting en was niet eens geïnteresseerd in wie het had gedaan. Voor mij was je alleen maar een of andere gek die mij had neergeschoten en ik wilde je vertrappen als een insect. Als ze je de doodstraf hadden gegeven, was ik blij geweest.'

Langzaam liet hij haar los. Verstijfd bleef ze staan en keek verbaasd hoe zijn bleke ogen weer normaal van kleur werden. Zwijgend liepen ze langzaam over het natte zand, niet wetend wat ze moesten zeggen. Wolken dreven in platte schijven over hen heen en aan de uiteinden van de zee hoorden ze het klikkend geluid van kleine golven.

Hij voelde hoe haar hand in de zijne gleed.

'Wanneer veranderde het?' vroeg Sinéad.

John kneep zijn ogen tot spleetjes en keek naar de hemel, terwijl hij diep ademhaalde omdat hij er bijna niet meer aan kon denken.

'Ik zag een foto van je in een magazine. Koeien die midden in de nacht dicht tegen elkaar aan stonden, verlicht door de bliksem. Toen ben ik gaan uitzoeken wie je was en waar je vandaan kwam, en kwam ik erachter dat je twee dochters had en...'

Tranen welden op achter haar gesloten ogenleden en persten zich tussen haar wimpers door. Ze kneep hard in zijn hand.

Later zaten ze met hun rug tegen een duin te kijken naar de zon, die heel langzaam zakte. Sinéad haalde haar fototoestel tevoorschijn.

'Ik heb de zon een keer horen sissen toen hij het water raakte,' zei John.

'Dat kan niet,' zei Sinéad.

'Dat dacht ik ook. Maar toen ik goed luisterde, hoorde ik het echt.'

Langzaam werden de schaduwen langer, kleurde de lucht donkerblauw en zakte de zon achter de horizon.

'Niks gehoord,' zei Sinéad, en ze nam een foto van hem.

In het donker liepen ze terug over het strand.

Hoe het kwam dat ze even later plotseling stonden te zoenen, wist geen van beiden.

Toen ze verder liepen, voelde hij pijnscheuten in zijn heup.

'Te vroeg,' zei Sinéad.

'Wat is te vroeg?'

'Wij, ons. Dit voelt niet goed.'

De maan verschool zich achter wolken en het werd pikdonker. Ze vonden het restaurant waar ze die middag hadden gegeten en gingen op het verlichte terras tegenover elkaar zitten. Een kleine olielamp stond tussen hen in.

'Waar slapen we vannacht?' vroeg Sinéad.

'Er is een Best Western hier vlakbij.'

'Slaap ik bij jou?'

'Nee, ik heb twee kamers gereserveerd.'

'Dus je was niks van plan.' Plotseling keek ze hem als een klein meisje aan. 'Ik wil bij jou slapen vannacht. Gewoon tegen je aan. Misschien dat de dromen dan ophouden.'

'Waar droom je over?'

'Mijn kinderen, dat ik ze nooit meer zie. Soms over de zee, over waar ik vroeger woonde.'

'Ik heb je gezien. Lang geleden, toen we elkaar nog niet kenden.'

Hij zei het zomaar, zonder dat hij het van plan was. Ze keek hem bevreemd aan. 'Het was in een haven. Harlingen. Jij was daar ook, op een zondagochtend. Het had gesneeuwd en je maakte foto's van het schip waarop ik als stuurman voer.'

Sinéad friemelde nerveus aan het fototoestel in haar handen. Even leek het alsof ze weg wilde vluchten achter de lens maar John hield haar tegen. 'Herinner je je die man voor op het schip toen je foto's maakte?'

Ze had het al begrepen en knikte heftig. 'Je had een korte dikke jas aan, met een soort bontkraag.' Fel vervolgde ze: 'Hoelang wist je dit al?'

'Al een tijdje,' gaf John toe. 'Ik zag de foto in een reportage die je me liet zien.'

Hij gaf haar een aangestoken sigaret.

'Waarom heb je niets gezegd?'

'Omdat alles zo verwarrend was. Vooral toen je vertelde dat er soms eagles bij je in de buurt zijn.'

Ze keek hem verbijsterd aan.

'In onze familie worden we soms ook vergezeld door eagles. Niet iedereen, maar een aantal wel, zoals mijn overgrootvader John Eagleton. Mijn oma is een Eagleton.'

Sinéad zakte sprakeloos achterover in haar stoel, terwijl de tranen over haar wangen liepen.

John pakte haar hand en vroeg: 'Waarom zeg je niets?'

Langzaam draaide Sinéad haar hoofd om en ze keek John recht in zijn ogen. 'My God,' zei ze nauwelijks hoorbaar. 'Het zijn niet alleen die eagles die we gemeen hebben. John, we zijn familie...'

'Onmogelijk!' zei John.

Ze keek van hem weg alsof ze zich afvroeg wat ze moest doen. Uiteindelijk zei ze: 'Mijn overgrootvader was ook een Eagleton. Shay Eagleton. Hij kwam uit Ierland en is in 1846 naar Schotland gevlucht. Waarschijnlijk is hij de broer van jouw overgrootvader.'

John voelde geratel in zijn hoofd alsof duizenden puzzelstukjes tegelijkertijd in elkaar pasten en hij dacht aan de woorden van Joe Kennedy over het noodlot en had het gevoel dat hij er met duizelingwekkende vaart in werd getrokken.

Sinéad en John begonnen dwars door elkaar heen over de familie te vertellen. Ze waren vol ongeloof dat de Eagletons elkaar na meer dan honderd jaar weer hadden ontmoet. Sinéad vertelde over haar kant van de familie: de vlucht van haar overgrootvader, de reden dat haar grootvader Brennan een andere achternaam kreeg en ten slotte over haar vader die nooit ophield haar te vertellen over het zegel en dat hij niet degene zou zijn die het zou vinden, en John vertelde over het zware leven dat John Eagleton had gehad en over Rachel die verkracht en vermoord was. Sinéad luisterde ademloos en met glanzende ogen in het licht van de olielamp.

De ober zei dat het restaurant dicht ging en dat de stoelen buiten opgeruimd werden.

Ze reden een stille weg op. Sinéad zat tegen hem aan op de voorbank van de auto. Bij een benzinestation parkeerden ze en gingen het wegrestaurant binnen. Ze namen tegenover elkaar plaats op lichtblauwe kunstleren banken en dronken koffie.

John kon steeds niet geloven wat er allemaal gebeurde.

'Maar jij bent degene die het zegel moet terugvinden,' zei Sinéad.

'Met jou?'

'Nee, John. Het heeft jouw hele leven beheerst. Niet dat van mij.'

'Jij vertegenwoordigt wel de andere kant van de Eagletons.'

Ze knikte.

'Die foto die je maakte boven de Waddenzee met twee eagles. Ik begrijp nu waarom ze daar zaten. Ze wilden ons samenbrengen. Omdat jij en ik het zegel moeten terugvinden.'

'Voor dat kasteel? Straks moet ik er ook nog verplicht wonen met jou.'

John lachte en streek met zijn hand door zijn haar. 'Zou het zover gaan,' vroeg hij zich hardop af, 'dat door het feit dat we elkaar gemist hebben in Harlingen, jij later naar Montana bent gekomen en dat...'

'Alsjeblieft, John, nee.'

Hij pakte haar hand. 'Toch zullen we het samen moeten doen.'

Ze sliepen die nacht in één bed. Sinéad lag dicht tegen John aan. Maar om vier uur in de ochtend werden ze beiden wakker en dronken koffie op het balkon, terwijl het langzaam begon te schemeren.

'Ik heb vannacht van je gedroomd,' zei ze.

John zei niets.

'Iemand schoot je dood.'

'Weet je waar het was?' vroeg John.

'Het was een soort bedrijfsterrein met allemaal grote vrachtauto's.'

Ze schonk nieuwe koffie in uit een stalen thermoskan.

'Ik denk dat je gelijk hebt,' vervolgde ze. 'Ik heb inderdaad het gevoel dat we het samen moeten doen. Al is het alleen maar om degene tegen te houden die jou dood wil schieten.'

John deed zijn mond open. Vlug legde ze haar vinger op zijn lippen. 'Niets zeggen,' fluisterde ze.

Gedurende de zomer nadat hij met Sinéad in Oregon was geweest, voelde John dat de spanning in zijn geest en lijf toenam. Hij wist dat hij niets te vrezen had zolang hij nog gouverneur was. Maar hij wist ook dat het daarna niet lang zou duren voordat hij bezoek zou krijgen uit New York. Dat was tijdens zijn gesprek met Joe Kennedy wel duidelijk geworden. Er gebeurde nog iets in zijn hoofd. Sinds hij meer wist over de andere lijn van de familie, werd de drang om beide helften van het zegel terug te vinden met de dag sterker. Hij dacht niet alleen over Ierland, maar hij droomde ook over Ierland, en toen hij op een ochtend de telefoon opnam, noemde hij per ongeluk de naam Eagleton.

'Wie?' vroeg een vrouwenstem aan de andere kant van de lijn.

'Sorry,' zei John.

Het was Dorothy.

'Maar goed dat Montana straks van jou verlost is,' zei ze, 'want je raakt steeds meer de weg kwijt. Daarvoor bel ik trouwens niet, want dat zoek je zelf maar uit. Zodra je bent afgetreden, wil ik van je scheiden. Tussen ons wordt het toch nooit meer wat en bovendien heb ik een nieuwe vriend. Dat je het even weet. Dit vrouwtje blijft niet eeuwig wachten totdat haar man weer normaal doet. Je doet het zeker al met die lange rooie uit de gevangenis. Eerst schiet ze je bijna dood en even later lig je ergens op het strand met haar te rommelen. Lekker fris stel. Ik snap niet dat je het kunt.'

'Leuke vriend?' vroeg John rustig.

'Erg leuke vriend. Hij is accountant. Registeraccountant zelfs.'

'Interessant.'

'Hij heeft meer hersens in zijn hoofd dan jij. Niet iemand die met andere vrouwen rotzooit. Veel te intelligent en betrouwbaar. Als je accountant bent, moet je uiterst betrouwbaar zijn.'

'En Jeanne?'

'Die blijft voorlopig bij mij.'

'Ik ben haar vader.'

'Net alsof jij je zoveel van haar aangetrokken hebt. Ik ben toch degene die haar het beste kan opvoeden. Sinds je gouverneur werd, ben je nauwelijks thuis geweest. Misschien met de kerstvakantie. Mijn advocaat stuurt wel papieren. Ik hoef niets van je te hebben, want mijn vriend heeft geld zat.'

Ze hing op en John staarde lang naar de telefoon.

GOUD

New York, 1959

Alfreds zus was getrouwd met de rijke joodse antiekhandelaar Jonathan Steinway, die op Fifth Avenue een winkel had met zeven verdiepingen. Achter de glazen pui hingen honderden antieke Perzische tapijten, stonden manshoge vazen uit China en gouden olifanten uit India, Afrikaans ivoor van de slagtanden van neergeschoten olifanten, opgezette Golden Eagles uit Ierland, nog meer tapijten uit India, kasten vol bloemrijk Engels porselein dat de hele dag rinkelde door het trillen van het gebouw vanwege het drukke verkeer op Fifth Avenue en zilveren bestekken met uitbundige heraldiek erin gedrukt, keurig verpakt in wit, zacht krakend papier. De opgezette eagles vielen in de uitdragerij wat uit de toon, maar het was een hobby van Jonathan. Hij was gek op Golden Eagles uit Ierland. Dus toen Alfred met het halve zegel bij hem voor de deur stond, was Jonathan meteen geïnteresseerd. Zwaar hijgend en zwetend vanwege zijn omvang bekeek hij vanachter zijn dikke brillenglazen het zegel aan alle kanten.

'Wat een prachtig smeedwerk,' zei Jonathan, na een uitgebreide inspectie met een vergrootglas.

Alfred was niet geïnteresseerd in prachtig smeedwerk, alleen in waardevol smeedwerk. Hij zat op een antieke stoel in de winkel en rookte aan een stuk door sigaretten. Met toegeknepen ogen keek hij naar zijn zwager en vroeg zich af waarom alle orthodoxe joden van die dikke brillenglazen hadden. Misschien omdat ze al op jonge leeftijd van die piepkleine lettertjes moesten lezen. Zelf hield Alfred ook van lezen. Vooral van de financiële balansen van bedrijven in bedrijven, want die cijfers waren altijd goed.

'Volgens mij is het eeuwen oud,' zei Alfred, terwijl hij zijn loszittende toupet rechttrok.

Jonathan knikte, keek nog eens en nog eens, en legde het zegel onder de loep op de grote antieke tafel. 'Goud,' constateerde hij uiteindelijk met een voldane zucht.

'Dat vermoeden hadden we al. Maar waar komt het vandaan?'

'Het heeft oude Keltische tekens, maar ik denk dat het pas in de zeventiende eeuw is gemaakt. Misschien in Ierland, misschien in Schotland.'

'Volgens Freddy ligt daar een goudschat,' zei Alfred.

'Freddy ziet overal goud,' zei Jonathan. Hij draaide het halve zegel om en bestudeerde een soort code. 'Waar is de andere helft van het zegel?'

'Daar zijn we mee bezig,' zei Alfred.

'Weten jullie waar het is?'

'We hebben een vermoeden, maar ik kan er niet over praten.'

'Ierland heeft een prachtige cultuur,' zei Jonathan.

Alfred ging staan en legde zijn hand op Jonathans schouder. 'Hoelang heb jij geen vakantie gehad?'

'Ik hoef niet met vakantie,' zei zijn zwager afgemeten.

'Ik maak me soms zorgen over mijn zuster, want ze is al jaren niet op vakantie geweest. Dat zit me echt dwars, Jonathan. Daarom willen Freddy en ik graag iets voor jullie doen. Je zoon past op de winkel en jij gaat samen met Sue een weekje op vakantie naar Ierland. We hebben het beste hotel voor je gereserveerd met alles erop en eraan en jullie reizen eerste klas naar Dublin. Jij en Sue.'

Jonathan wilde protesteren, maar Alfred was hem voor: 'Je hoeft me niet te bedanken. Graag gedaan. En als je je verveelt, zoek je maar eens uit hoe het met het zegel zit. Hier zijn foto's. Voor- en achterkant. Tot in detail en laat ze nergens slingeren want op de achterkant staat een code.'

Jonathan wist dat het geen zin had om ertegenin te gaan. Daarvoor kende hij Alfred te goed. Hij wist ook dat hij al zijn tijd in Ierland nodig zou hebben om iets te weten te komen over de achtergrond van het zegel.

Een week nadat Jonathan met zijn vrouw naar Ierland was gevlogen, kwamen de eerste telexberichten uit Dublin Alfreds kantoor binnen. Jonathan had in de bibliotheek van Dublin allerlei boeken gelezen om alles over de Eagletons te weten te komen.

'Jullie hebben geen idee hoe interessant deze geschiedenis is. Ze zijn de verre nazaten van de beroemde High King Brian Boroimhe,' schreef hij, gevolgd door een lang verhaal over het kasteel en de eeuwenlange strijd tegen de Engelsen.

Alfred las de tekst voor aan Freddy. 'Er is ook vermeld dat een deel van de familie naar Canada is geëmigreerd.'

'Wat kan mij die geschiedenis schelen,' zei Freddy. 'Schrijft hij niets over het goud?'

'Dat komt misschien nog,' zei Alfred.

'Zeg dat hij het kasteel moet opzoeken. Als dat van die familie is geweest, ligt daar ook goud. Straks staan de graafmachines al klaar voordat wij er zijn.'

Maar in de dagen daarop bleek uit de telexberichten dat de Egletons in 1653 een geheime overeenkomst hadden gesloten met een Engelse lord, waar verder niets over bekend was.

'Dat is het zegel natuurlijk,' zei Freddy. 'Dat zegel geeft recht op het kasteel en daar ligt het goud onder de grond. Is-ie al onderweg?'

'Ja, dit bericht komt uit Galway, aan de westkust. Dus hij is vlakbij.'

'Maar goed dat ik meteen wist dat het meer was dan een familiestukje toen ik die Hamilton aan de lijn had. Die asshole gaat achter ons zegel aan, Alfred. De andere helft heeft hij ergens verstopt. We hebben het in zijn huis niet kunnen vinden, maar zodra hij gouverneur af is, grijpen we hem.'

'Waarom gaan we daarop wachten?'

'Een gouverneur die plotseling is verdwenen? Het hele land gaat hem zoeken.'

'Zou hij iets van het goud weten?'

'Maakt niet uit,' zei Freddy, onverschillig een sigaret opstekend. 'Het is ons goud. Mijn vader heeft het zegel gevonden en hij verdient het goud.'

'Je bent een genereuze man, Freddy.'

'Altijd geweest,' zei Freddy, en hij veegde zorgvuldig wat gevallen as van zijn dure Italiaanse pak.

Jonathan ondernam de reis naar Mount Eagle in een kleine Morris. Samen met Sue voorin geperst reed hij over de smalle wegen door groene heuvels.

'Ik snap niet dat ze hier aan de verkeerde kant van de weg rijden,' zei ze.

'Dat komt nog uit de tijd van de ridders,' wist Jonathan. 'Die passeerden elkaar links zodat ze zich rechts met een zwaard konden verdedigen als het nodig was.'

'Dan zijn alle linkshandigen zeker naar Amerika geëmigreerd,' zei Sue, 'want daar rijden ze rechts.'

Jonathan wist niets in te brengen tegen deze logica.

'Verbaast me trouwens ook niks,' ging ze verder. 'Jij hebt twee linkerhanden.'

Nog meer logica.

Het machtige kasteel stond boven op Mount Eagle, vlak bij Dunbeg Drystone Fort. Zwetend en hijgend liepen ze een stukje de berg op.

'Niemand thuis,' zei Sue.

'Hoe weet je dat?'

'Je denkt toch niet dat daar iemand woont. Elke keer dat stuk omhoog.'

Jonathan keek naar het kasteel, zag dat er niets bewoog en vroeg zich af wat hij moest doen. Hij had zelf ook geen zin om verder naar boven te klauteren en ondanks dat hij geen geoloog was, leek dit hem geen plek waar het goud voor het oprapen lag. Hij wroette met zijn linkerschoen in de grond en zag iets glinsteren. Toen hij moeizaam bukte, zag hij dat het een stukje glas was. Uiteindelijk liepen ze terug naar de auto.

Alfred las de volgende dag in het telexbericht dat er niemand op het kasteel was en dat er verder ook in geen velden of wegen mensen waren te bekennen die goud aan het opgraven waren.

'Mooi,' zei Freddy. 'Want het goud zit vast ergens onder in het kasteel. We wachten tot die Hamilton in Montana geen gouverneur meer is en dan halen we hem op.'

'Niemand die hem mist. De mensen in Montana hebben genoeg van hun gouverneur. Hij naait die Sinéad op het strand van Oregon en zijn vrouw woont bij haar ouders.'

Freddy had een hoop lol. 'Mooie foto in de krant, toch?'

ZWART BLOED

Montana, 1960

Ze stond vlak achter hem en keek mee langs zijn schouder hoe hij de pijlen een voor een losliet, suizend op weg naar de enige boomstam in de wijde omgeving.

Het was een mooie zomeravond en zachte wind kwam vanuit de bergen in het noordwesten.

'Je bent te haastig,' zei Anna, nadat John een paar keer het doel gemist had.

'De afstand is te groot voor deze boog,' zei John.

Ze schudde haar hoofd. 'Vroeger heb ik je zien schieten met deze boog en toen kon je het met je ogen dicht.' Ze stond tegen hem aan en legde haar kin op zijn schouder. Hij voelde haar lichaam tegen zijn rug.

Het was een maand voordat zijn termijn als gouverneur zou aflopen en hij wist dat zijn leven daarna drastisch zou veranderen.

Bij zijn thuiskomst uit Oregon voelde hij dat er iemand binnen was geweest tijdens zijn afwezigheid. Hij kon niets vinden, maar hij wist het gewoon. Terwijl hij door de keuken liep, ging de telefoon. Het was Chorowski.

'Heb je de krant gezien?' vroeg Chorowski.

'Nee,' zei John.

'Ze hebben je gefotografeerd op het strand in Oregon.'

'Blijf hangen,' zei John en liep naar de brievenbus buiten. Op de voorkant van de krant stond een grote foto van hem en Sinéad, samen wandelend over het strand.

'Wie heeft deze foto gemaakt?' vroeg John.

'Geen idee. Ik heb de redactie gebeld en de foto schijnt rechtstreeks op het adres van de krant te zijn bezorgd. Ze weten niet wie de afzender is.'

'Ik denk dat Eagle Parcel Services hier meer van weet,' zei John.
'Dat denk ik ook. Al zou je je nog bedenken voor een tweede termijn, dat kun je nu wel vergeten.'
'Iemand denkt dat ik de andere helft van het zegel heb.'
'Waarschijnlijk wel. Ik wil voorstellen dat ik bij jou kom logeren.'
'Nog niet. Ik ga een paar dagen weg,' zei John in een opwelling.
'Naar Ierland?'
'Nog niet.'
De volgende ochtend legde hij zijn bogen achter in de Cadillac en reed naar History.

De zon kreeg een oranjerode kleur en hoge wolken dreven langzaam over de bergen en zakten als dunne mistbanken op de grond. In de verte zag John een haas door het hoge gras rennen. Hij spande zijn boog en kneep zijn ogen halfdicht. De pijl trof de haas in het midden van zijn lijf. Door de kracht van de inslag vloog het beest ruim een meter zijwaarts en bleef liggen.
'Ons avondmaal,' zei John en liep naar het dode dier.
'Prachtig schot. Zie je wel dat je het nog kunt?'
's Avonds, tegenover Anna voor de tent, was het alsof tijd en gebeurtenissen door elkaar begonnen te lopen en zijn zintuigen scherper werden en zijn bloed kronkelend naar nieuwe wegen zocht. Starend in het vuur dacht hij aan zijn overgrootvader, die hij plotseling helder voor zich zag. Het leek wel of hij droomde, zo duidelijk doemde de man met de gebroken ogen, bijna wit van de staar, voor zijn geest op. De tijd klonterde samen alsof alle eeuwen zich in één moment samenbalden. In het vuur zag John een man met ontblote rug die hard op metaal sloeg. En plotseling werd hij opgetild en zweefde hij boven de velden. Hij zette zijn handen op de grond, alsof hij houvast zocht. Maar zijn handen voelden geen grond, alleen de harde veren van een eagle, waarop hij hoog boven de aarde vloog. Onder hen de onmetelijk grote oceaan, waar golven als steile wanden tegen elkaar botsten. Hoge rode rotsen in de mist, met daarboven het grijze steen van een kasteel.
Ze stonden allemaal om het vuur en hij zag de witte veren van White Cloud en het donkere gezicht van Orla. Op het moment dat de eagle begon te dalen, maakte een onbeschrijflijke dorst zich van hem meester en hij smakte met zijn lippen. Even dreef hij weer omhoog, maar toen zag hij zijn overgrootvader voor zich staan, met de rug naar hem toe, die probeerde met zijn hand in de vage verte

te reiken. John strekte zijn hand ver naar voren, voorbij zijn overgrootvader en voorbij de vier mannen in grijze pijen, naar de grote man die wijdbeens stond te wachten. In zijn hand had hij het zegel, dat hij naar voren bracht. John reikte zo ver hij kon en bijna kon hij het metaal aanraken.

Met een schok werd hij wakker en zag de lichtbruine ogen van Anna die hem bezorgd aankeek. De zon tikte aan de horizon en het licht verschoof naar het westen.

Hij dronk het water dat ze hem gaf en keek om zich heen. In zijn hoofd was alles glashelder. Anna zei niets en ging weer tegenover hem zitten. In de verte hoorde hij het trage klapwieken van een vogel die wegvloog.

'Misschien is het voor het eerst dat al je bloedlijnen samenkomen,' zei Anna de volgende ochtend, toen ze voor de tent zaten. Formaties kleine vogels bewogen snel door de lucht, elke keer een andere figuur vormend.

Nog voor het eerste licht was John wakker geworden. Hij herinnerde zich de keren dat Lucinda hem had verteld dat hij degene was die op zoek moest naar het zegel. Maar voor het eerst begreep hij wat ze bedoelde. Met zijn ogen dicht dacht hij aan vroeger terwijl hij dicht tegen Anna aan ging liggen.

Hij viel opnieuw in slaap en werd wakker van de geur van koffie. Hij haalde zijn hand door zijn lange haar en kroop naar buiten. Anna zat op haar hurken bij een klein vuur pannenkoeken te bakken.

'Wat heb jij liggen dromen vannacht,' zei ze.

John vertelde wat hij gedroomd had. Zwart en rood bloed, de veren van White Cloud en het gezicht van Orla. Anna bleef hem aankijken en vroeg zich af waarom zijn stem was veranderd.

'Maar waarom White Cloud en Orla?' peinsde John.

Ze zei dat het zijn bloedlijnen waren.

'Het is net alsof ze allemaal vlakbij zijn,' zei John.

'Jouw familie kent een grote geschiedenis,' zei Anna. 'Misschien ook wel een tragische geschiedenis. Maar jouw familie komt voort uit vele volkeren. Dat is in je gaan zitten en nu pas wordt dat verenigd.'

Na een tijdje zei ze: 'Het lijkt wel of er een vloek op jouw familie rust.'

John schudde zijn hoofd. 'Nee, het is geen vloek. Eeuwen geleden is er een zegel gesmeed waarin een belofte lag besloten. Mijn overgrootvader John Eagleton moest Ierland verlaten en nam het halve zegel mee. Dat heeft hij als een enorme verantwoordelijkheid gevoeld, juist omdat hij wist dat hij niet degene zou zijn die terug zou keren naar Eagleton Castle. Het zegel werd in tweeën geslagen in de hoop dat de familie ooit weer zou worden herenigd en het zegel weer een eenheid zou vormen. De dag waarop White Cloud stierf en het zegel verdween, moet verschrikkelijk voor hem zijn geweest. Voor zijn gevoel moet de opdracht uit zijn handen zijn gegleden. In mijn vader vond hij ook niet degene aan wie hij die verantwoordelijkheid kon toevertrouwen, dus was ik de volgende.'

'Hij wist dat jij het moest zijn, want ik heb hem vaak horen praten met Lucinda over wat ze moest doen als hij er niet meer was.'

'Ja, jouw moeder is voor hem een belangrijke schakel geweest.'

'Ik ben bang dat jou iets overkomt. Het is net alsof de toekomst een zwart gat is,' zei ze.

'Er overkomt mij niets,' zei John rustig.

'Waarom jij?'

'Dat weet ik niet. Misschien heeft elk mens een missie in het leven. Dit is mijn missie en ik besef nu dat de voorbereiding al op jonge leeftijd is begonnen.'

Er klonk gekrijs van vogels. Ze vochten om een plaatsje op een tak van de enige boom in de omgeving.

'Je hebt ooit gezegd dat de eagles je beschermen,' zei Anna.

'Op de een of andere manier zijn ze verbonden met mijn familie. Lucinda vertelde me iets dat John haar had verteld: dat de eagles het kasteel op Mount Eagle verlieten toen de Eagletons er wegtrokken.'

John stond op, liep naar Anna's pick-up en haalde zijn bogen uit de achterbak. Samen liepen ze naar de boom.

'Als kind zag ik je ook altijd boogschieten. Zou dat met het zegel te maken hebben?'

John glimlachte. 'Dat weet ik niet. Ik vond het vooral spannend en interessant omdat ik een indiaanse familie heb. En misschien ook wel omdat jij half indiaans bent en ik altijd indruk op je wilde maken.'

'Doe je dat nog steeds?'

John spande zijn boog en de pijl kwam precies in het midden van de stam terecht. Hij draaide zich naar haar toe. 'Ja, nog steeds,' zei hij.

Ze aarzelde en zei toen: 'Het kan niet, John.'

'Wat kan niet?'

'Wij, jij en ik. Je hebt nog zo'n lange reis te gaan.'

'Dat heeft niets met onze gevoelens te maken.'

Hij pakte haar handen, maar ze maakte zich los en liep bij hem weg. 'Jij denkt je dat je de strijd kunt winnen met die pijl en boog van je,' zei ze, bijna boos van wanhoop.

'Niet iedereen schiet zomaar op mij.'

'Natuurlijk doen ze dat wel. Dacht je dat die Kennedy jou voor niks gewaarschuwd heeft? Het gaat hier om de maffia John, en die ruikt goud. Zodra ze weten dat jij achter het zegel aan gaat, schieten ze je dood. Koop in godsnaam een revolver!'

Ze liep met grote stappen terug naar de pick-up en haalde haar eigen revolver uit het kastje.

'Ik wil het niet,' zei John. 'Ik wil geen vuurwapen.'

Ze spande de haan en schoot met een oorverdovende knal op de boomstam, waar een stuk schors van afspatte. Tot haar verbijstering kletste op het zelfde moment een pijl naast de kogel in het hout.

Ze liet haar revolver op de grond vallen en begon wanhopig te huilen. 'Ik ben zo bang dat je het niet overleeft. Ik droom er zelfs van.'

Meteen was hij bij haar en sloeg zijn armen om haar heen. Ze trommelde met haar vuisten op zijn borst. Hij liet haar begaan en hield haar vast tot ze kalmeerde. Hij proefde het zout van haar tranen en haar vochtige ogen bleven hem aankijken. 'Dat indruk op mij willen maken,' zei ze zacht, 'is dat omdat je nog steeds verliefd op me bent?'

'Ja, en het gaat nooit meer over.'

Ze hield haar lippen tegen zijn lippen en fluisterde: 'Denk je nog steeds dat ik je vrouw ben?'

'Ik hou van je. Al vanaf het moment dat ik je als kind voor het eerst zag.'

Anna hield haar hoofd iets naar achteren. 'Waarom ben je dan getrouwd met die dame in Helena?'

'Ik was verliefd op haar.'

'Ook al.'

'Voor mijn gevoel was het tussen ons onmogelijk. Jij was voor mij onbereikbaar.'

'Onbereikbaar.'

'Ja. Je zei niet wat je voor me voelde. Jij was in mijn ogen nog altijd veel meer vrouw dan ik man was, en ik voelde me onzeker.'

'Nu nog steeds?'

'Nee.'

Ze keek om zich heen het lege land in. 'Waarom hou je van me?' vroeg ze.

'Om alles. Omdat je in mijn hart woont, omdat je zowel mijn toekomst als mijn herinnering bent en omdat je verpletterend mooie benen hebt.'

Opnieuw kwam ze tegen zijn lippen aan staan. 'Ik ben zo bang, John.'

'Hoeft niet. Ik zal er altijd voor je zijn.'

De vogels zaten stil tussen de bladeren. Beneden in de schaduw lagen John en Anna in het zachte gras. Net zo lang tot het bijna donker was.

'We gaan vandaag anders oefenen,' zei ze de volgende ochtend, toen John weer op de boom begon te schieten. Ze zocht een paar grote stenen en bond een sjaal voor zijn ogen.

'Schakel alles uit in je hoofd,' zei ze. 'Als ik een steen gooi, moet je erop schieten.'

Ze ging vlak bij hem staan, gooide een steen weg en bukte zich snel om zelf niet geraakt te worden. John bleef stil staan en probeerde de richting te bepalen waar de steen was gevallen. Het schot sloeg nergens op.

'Niet nadenken,' zei Anna, en ze gooide nog een steen.

De pijl verliet de boog op het moment dat de steen de grond raakte.

'Helemaal mis,' zei Anna.

'Ik word duizelig,' zei John na een uur. Zijn schoten waren nog net zo hopeloos als toen hij begon.

'Dat moet ook. Alleen je oren en je intuïtie zijn belangrijk.'

Ze pauzeerden en John deed zijn blinddoek af. 'Dit werkt niet,' zei hij.

Anna was echter onverbiddelijk. 'Je hebt vaardigheden nodig die niemand heeft.'

Opnieuw bond ze hem de blinddoek voor en ditmaal voelde John dat hij direct naar een ander bewustzijn wegzakte. Zijn oren registreerden het gesuis van de steen door de lucht en zonder zich ervan bewust te zijn dat hij de pijl losliet, schoot hij in de richting van de steen. Hij hoorde het metaalgeluid nog voordat de steen de grond had geraakt. Anna keek met open mond naar wat er gebeurde. Bij de volgende stenen die ze weggooide, schoten de pijlen er vlak langs en soms raakten ze de steen.

John kon zelf bijna niet geloven dat dit mogelijk was.

'Sommige indianen konden het ook,' zei Anna.

'Hoe weet je dat?'

'Mijn grootmoeder Eileen heeft me dat verteld. Sommige krijgers konden in volle galop vanaf een paard midden in de nacht een doel raken.'

'Dank je,' zei John, 'dat je me dit hebt laten zien. Ik ben me meer dan ooit bewust van de vaardigheden die ik van mijn voorvaderen heb geërfd.'

Ze reden terug naar History en toen John door wilde rijden naar Helena, trok Anna hem mee de auto uit.

'Ik heb iets gedroomd bij het kampvuur,' zei John toen ze samen in bed lagen. 'Ik denk dat ik de laatste Eagleton heb gezien die op het kasteel woonde.' Hij vertelde hoe hij bijna het zegel aanraakte toen hij in zijn droom langs John Eagleton naar het metaal had gereikt.

'Kon je zien wat erop stond?'

'Nee, maar het was alsof het zegel gloeide.'

'Waarom denk je dat hij de laatste bewoner van Eagleton Castle was?'

'Omdat het zegel waarschijnlijk pas gesmeed is toen de Eagletons vertrokken.'

'Kon je zien hoe hij eruitzag?'

'Vaag, omdat hij in een soort mist stond. Hij had een lange mantel aan en stond wijdbeens met zijn armen op de rug.'

'En zijn gezicht?'

'Ik durf het bijna niet te zeggen,' zei John, 'het was net alsof hij op mij leek. Alleen had hij een baard.'

'Misschien was jij het, want jij staat ook altijd wijdbeens met je armen hoog op de rug. Net alsof je samengevouwen vleugels hebt.'

'Nee, ik was het niet. Ik voel dat deze man heeft geleefd.'

Anna huiverde. 'Jee, wat vreemd. Bijna griezelig.'

John sloeg een arm om haar heen en trok haar naar zich toe. 'Waarom ga je niet met me mee op zoek naar het zegel?'

'Dat kan niet. Je bent niet voor niets Sinéad tegengekomen. Zij kan je helpen zoeken naar de andere helft van het zegel. Zonder haar vind je het nooit, John en ik hoop dat ik je heb kunnen helpen om je te wapenen voor de dingen die nu gaan gebeuren. Dit is de grens aan wat we samen kunnen doen. Wat hierna gebeurt, weten we beiden niet. Je leven zal in elk geval sterk veranderen.'

John had bijna niet meer aan Sinéad gedacht sinds hij haar had teruggebracht naar de gevangenis. Toen hij haar na het verlof terugreed, had hij gezien hoe ze ertegen opzag om weer haar cel in te gaan.

'Volgens mij ben je ook verliefd op Sinéad geweest,' zei Anna.

John glimlachte. 'In Oregon hebben we staan zoenen aan het strand. Maar daarna was het over.'

'Je hoeft je niet te verontschuldigen. Jij bent iemand die van meerdere vrouwen kunt houden.'

Met trieste ogen keek ze in de verte. 'Vanaf nu zal alles in het teken staan van het zegel. De tijd dringt en alles zal eraan onderhevig zijn. Zelfs onze liefde, en daarom zal het lang duren voordat we weer bij elkaar zijn.'

De laatste weken vlogen voorbij. De herfst ramde met volle snelheid Montana binnen en de zon liet zich niet meer zien. Woeste wolken vol regen struikelden over de Rocky Mountains en veroorzaakten rivieren vol kolkend water die in grote lussen de bergen af kwamen. Op de dag dat John aftrad als gouverneur draaide de wind naar het noorden en vroor alles in één dag vast. In Helena sneeuwde het en de stad bewoog zich glibberend door de vuile witte drab. De kranten schreven alleen maar over John F. Kennedy die tot president van Amerika was gekozen.

Johns laatste taak was de ondertekening van het vrijlatingsbevel van Sinéad. Daarna belde hij met gevangenisdirecteur Bert Lock.

'You really did it?' vroeg deze.

'Yes,'

'I'll tell her.'

Na de overdracht aan de nieuw gekozen democratische gouverneur, vertrok John meteen naar zijn nieuwe appartement in een buitenwijk van Helena. Het was een eenvoudige woning die hij had gehuurd, want het was niet zijn bedoeling om er te blijven. Toen hij boven langs de drie slaapkamers liep, dacht hij opnieuw aan zijn dochter Jeanne, die hij al maanden niet had gezien. Dorothy weigerde haar categorisch elk contact met haar verderfelijke vader. Als gouverneur kon hij weinig doen, omdat hij niet in de publiciteit wilde. Hij besloot Dorothy te bellen.

Tot zijn verbazing was ze poeslief aan de telefoon en ze vertelde honderduit dat ze zo gelukkig was met haar nieuwe vriend. 'Niet om op jou af te geven, hoor,' zei ze, 'maar zeg nou zelf, we pasten voor geen meter bij elkaar.'

'Kan ik Jeanne zien?' vroeg hij.

'Ja hoor. Mijn vriend zegt ook dat een kind recht op haar vader heeft.'

'Oké. Ik haal haar vrijdag op.'

'We wilden toch een weekendje samen weg. Is Oregon leuk?'
'Vooral de krab is heerlijk,' zei John, en hij hing op.
De dag daarop reed hij met de auto naar de gevangenis. Voordat hij wegging besloot hij niet meer zonder wapens op pad te gaan, nu hij geen gouverneur meer was. Hij hing het foedraal met de twaalf kleine messen aan de binnenkant van zijn colbert. Een boog en een kruisboog lagen op de achterbank. Het was tien uur in de ochtend en opnieuw sneeuwde het.
Omdat hij geen gouverneur meer was, moest hij buiten de slagboom wachten. De bewaker in het hokje die hem talloze keren had doorgelaten zonder naar zijn identiteitsbewijs te vragen, dirigeerde deze keer John met één handbeweging naar het parkeerterrein.
Even later ging de grote stalen deur open en kwam ze naar buiten. Ze was gekleed in een rok en liep op hoge hakken. Johns scherpe ogen richtten zich op haar terwijl ze met langzame, ritmische passen op hem af kwam. De sneeuw leek haar niet te deren.
Hij stapte uit de auto en bleef bij de slagboom wachten. Het laatste stuk begon ze zo hard ze kon te rennen in de glibberige sneeuw. John ving haar op en hijgend lag ze in zijn armen.
'Je hebt het echt gedaan,' zei ze lachend. 'Ik was zo bang dat je je zou bedenken.'
Ze gingen in de auto zitten en Sinéad vroeg of ze een sigaret mocht. John haalde twee sigaretten uit het pakje Camel, stak ze beide aan en gaf er een aan Sinéad.
Terwijl ze rookten, overhandigde hij haar een envelop. Het was een officieel document van de rechtbank waarin stond dat Sinéad weer zelf voor Mary en Caroline mocht zorgen nu ze een huis en baan had. Ze bleef maar naar het papier kijken. Eerst de voorkant en daarna de achterkant, waar niets op stond.
'En bij wie ben ben ik dan aan het werk?' vroeg ze argwanend.
'Bij mij.'
'Bij jou? Jij hebt ook geen werk. Jij bent een werkloze gouverneur.'
'Wij gaan samen achter het zegel aan.'
Haar mond viel open. Lange tijd keek ze door de besneeuwde voorruit naar buiten. 'Jij wilt nu echt achter het zegel aan,' zei ze uiteindelijk. En toen, met een diepe zucht: 'Je lijkt mijn vader wel. Die wilde het ook altijd en toen hij het niet kon, wilde hij dat ik het deed.'
'Sinéad, we kunnen niet anders.'
Ze keek naar boven.

'Nee, de eagles zijn er vandaag niet,' lachte John. 'Veel te veel sneeuw.'

'En later met de familie op dat koude kasteel wonen?'

'Dat zien we dan wel weer. Maar Eagleton Castle moet weer in handen van Eagletons komen, al is het alleen maar voor de vogels met wie onze familie een eeuwig verbond heeft.' Plotseling schoot John iets te binnen. 'Misschien hebben we meer van die vogels weg dan we doorhebben. Is het je opgevallen dat niemand van onze familie een bril nodig heeft? Ik durf te wedden dat jouw vader ook geen bril heeft.'

'Dat is het,' zei ze. 'We moeten eerst naar mijn vader. Die kan ons misschien verder helpen.'

'That's a start,' zei John en hij zette de motor aan.

De delegatie uit New York kwam eerder dan John had verwacht, want op de terugweg naar Helena werden ze gevolgd door een zwarte limousine.

'Niet achterom kijken,' zei John. 'We worden gevolgd.'

Sinéad bleef uiterst kalm. 'Is het om mij?'

'Nee, dit zijn gangsters uit New York. Ze denken dat ik de andere helft van het zegel heb.'

Bij de volgende afslag reed John de weg af. Ze kwamen op een smalle binnenweg terecht met aan beide kanten sparren. De grote auto achter hen volgde op korte afstand. John begon langzamer te rijden.

'Waarom ga je er niet vandoor?'

'Dat helpt niet,' zei hij. 'Ze blijven achter ons aan zitten.'

Ze trok wit weg. 'Jezus, John, ze gaan ons toch niet vermoorden.'

'Hm,' zei John, en plotseling schoot de auto achter hen naar voren en denderde hen met brullende motor voorbij. Meteen daarop zwenkte de wagen naar rechts, waardoor John klem werd gezet.

Voor hen stapten twee mannen tegelijk uit. Tot zijn eigen verbazing vroeg John zich af waarom foute mannen altijd dure, opzichtige pakken droegen.

Langzaam draaide hij het raam open. De twee mannen wandelden kalm naar hen toe. Allebei hadden ze een grote revolver, die met een klem aan hun broeksriem zat bevestigd.

'Mister Hamilton, I presume?' grapte de ene grijnzend.

John knikte.

'Wij willen graag dat u met ons mee gaat.'

'Waarnaartoe?' vroeg John, en hij deed langzaam zijn portier open.

De man tegenover hem balanceerde zelfverzekerd heen en weer op zijn voeten. 'Meneer Carter zou u graag willen zien.'

John wees naar Sinéad. 'Ik ben bang dat ik eerst de dame thuis moet brengen.'

Plotseling versnelde alles. De man voor hem trok zijn revolver, maar voordat hij kon richten, was Johns mes al onderweg. Het metaal schoot vooruit en trof de man vlak onder zijn kin in zijn keel. Luid rochelend viel hij achterover. De ander schrok hevig en rende terug naar zijn auto. Johns tweede mes ramde met zo'n geweld door het zijraam van de auto dat de man afboog en rennend het bos in vluchtte. Kalm opende John het achterportier, ritste in één beweging het foedraal open, haalde er de lange boog en een pijl uit en spande de pees door met zijn volle gewicht aan het uiteinde van de boog te gaan hangen. Vervolgens ging hij rechtop staan en legde de pijl horizontaal. De man verderop was blijven staan en had zijn revolver getrokken. Kennelijk was hij over zijn eerste schrik heen, want hij kwam met langzame stappen terug. Het eerste revolverschot joeg tientallen vogels uit de bomen en de kogel sloeg in een spar achter John.

'John, kijk uit!' gilde Sinéad.

Maar John stond wijdbeens te wachten en de man kwam behoedzaam naderbij. Op veertig meter afstand liet John de pijl los. Vol ongeloof keek de gangster naar de lange dunne stok die uit zijn lichaam stak voordat hij omviel. John ontspande zijn boog, veegde het mes schoon aan het pak van de andere man, raapte het tweede op van de grond en stapte weer in de auto.

Bijna angstig keek Sinéad hem aan. 'Wie ben jij eigenlijk?' vroeg ze.

'Ik ben je familie,' zei hij glimlachend.

'Mooie familie heb ik,' zei ze en ze vroeg: 'Moet je de politie niet bellen of zo?'

'Nee, die lijken worden straks wel opgehaald.'

'Jezus, wat een geweld. Dat is wat ik steeds heb gevoeld bij jou en waar ik maar niet achter kwam. Waar heb je dit in godsnaam allemaal geleerd?'

'Van mijn tante Lucinda.'

'Tante Lucinda. Ook zo'n killer zeker.'

Hij moest lachen bij het idee. 'Tante Lucinda was een lieve oude dame,' zei John. Hij nam de afslag naar een wegrestaurant. 'Als jij twee koffie haalt, zal ik even bellen.'

‘Met de politie?’

‘Nee, met de opruimdienst.’

Met de Payphone buiten draaide John het nummer van de operator. Hij vroeg om een collect call met Freddy Carter. Binnen vijf seconden was Freddy aan de telefoon.

‘Mister Hamilton, what a suprise,’ klonk het joviaal.

‘Freddy Carter, ik wil je even zeggen dat bij exit 12 op de Interstate 90 een paar van je mensen liggen.’

Even bleef het stil. ‘Wat heb je met ze gedaan?’ Freddy’s stem klonk nu uiterst kil.

‘Ze hadden een uitnodiging voor me, maar ik heb helaas geen tijd.’

‘Weet de politie het?’

‘Nee, ik denk dat jij de zaak sneller hebt opgeruimd.’

‘Jij hebt de andere helft van dat zegel en als je verstandig bent, geef je dat aan mij.’

‘Iets wat niet van jou is, kun je ook nooit houden’ zei John raadselachtig.

‘Grote woorden, Hamilton. We zullen zien hoelang je het volhoudt.’ En hij hing op.

LYTS FAMKE

Friesland, 1960

De hele zondagmiddag keek Shay door het keukenraam naar buiten, waar de sneeuw als een wit laken over de weilanden lag. Tooske zette steeds opnieuw thee omdat haar dochter Sinéad zou komen en zei tegen Shay dat hij geduld moest hebben, want het was een lange rit naar Friesland vanaf Amsterdam.

Pas toen het licht begon te vervagen, zag Shay in de verte een auto aankomen. 'Daar zijn ze,' zei hij, terwijl hij zijn jas aantrok.

Tooske zette snel opnieuw thee en smeerde brood.

En ineens was Sinéad daar, in een dikke jas en verwilderde rode haren. Tooske had zich voorgenomen om niet te huilen, maar ze kon zich niet beheersen en de twee vrouwen bleven elkaar maar vasthouden. Shay kwam de keuken binnen met aan elke hand een dochter van Sinéad. Mary en Caroline, moe van de reis, keken verdwaasd om zich heen. Er was thee, limonade en een grote schaal suikerbrood.

Met haar hand in de grote eeltige knuist van haar vader liep Sinéad later de zeedijk op. De houten vissersschepen waren verdwenen. Vissers van tegenwoordig hadden trawlers liggen in Harlingen en andere grote havens.

'Allemaal voorbij,' zei Shay. Zijn ogen waren nog even levendig als op de dag dat ze was vertrokken. Boven op de dijk bleven ze staan. 'Wat ben je lang weggeweest,' zei hij. 'Mary en Caroline zijn al zo groot.'

'We hebben elkaar veel te lang niet gezien.'

'Waarom schreef je zo weinig uit de gevangenis?' vroeg Shay.

'Het spijt me,' zei Sinéad.

'Vaak ben ik bang geweest dat je dood zou gaan in die gevangenis,' zei hij zacht, terwijl hij met zijn hand die van Sinéad bleef omklemmen.

Sinéad rechtte haar rug en zei: 'Ik heb John meegebracht, maar het is een ongelooflijk verhaal.' Ze vertelde dat John een afstammeling was van John Eagleton.

Shay kon het niet direct bevatten en ging midden op de dijk in de sneeuw zitten. 'Deze John?' vroeg hij.

'Ja, deze John. Het is een lang verhaal.'

Zwaar ademend en met zijn ogen gesloten zat Shay lange tijd roerloos. 'Hoe hebben jullie elkaar in godsnaam gevonden?' vroeg hij toen.

En plotseling, zonder enige waarschuwing, begon Sinéad te huilen, zoals ze nooit meer had gehuild sinds ze Friesland in haar jeugd had verlaten. Beelden van haar leven, en vooral van die middag in een corral midden in de vlakte van Montana, schoten door haar hoofd.

Met zijn hand hield Shay haar hoofd tegen zich aan en liet haar begaan.

Ze snikte met grote uithalen en vertelde hem wat er was gebeurd vanaf het moment dat ze uit New York was weggereden. 'Ik heb jullie zo gemist,' besloot ze haar relaas.

'Ik ben zo blij dat je terug bent,' zei hij. 'Mijn kleine meisje dat altijd met haar fototoestel rondliep. Net alsof je meer zag dan anderen.'

'Dat komt door de eagles.'

Shay glimlachte.

Sinéad voelde dat hij rilde van de kou, maar Shay wilde op de dijk blijven. 'Je hebt een zwaar leven gehad,' zei hij.

'Fucking heavy,' zei ze en ze kneep in zijn hand.

'Mar noch altyd myn lytse famke,' zei hij.

Shay vertelde het verhaal dat hij van zijn grootmoeder in Schotland had gehoord, over hun vreselijke tocht door Ierland en later over zee naar Scrabster in Schotland. 'Altijd vertelde ze me dat de Eagletons elkaar weer zouden ontmoeten, omdat het zegel naar eenheid zou zoeken. En toen ze dood was, kreeg ik een brief waarin ze me schreef dat ik achter het zegel aan moest gaan. Toch wist ik dat ik niet de aangewezen persoon was. Toen mijn zoon en jouw broertje stierf, dacht ik dat het zou eindigen. Vooral toen jij wegging naar Amerika had ik het gevoel dat alles verloren was.'

De nacht was pikzwart toen ze terugliepen naar het huis. De hard bevroren sneeuw kraakte onder hun voeten. 'En plotseling ben je hier met een man uit een ver verleden. Alsof het allemaal buiten ons om is gegaan.'

Shay kreeg haast en wilde naar John. Sinéad keek glimlachend toe hoe de oude en de jonge man struikelden over de talloze vragen die ze aan elkaar stelden. John de Amerikaan en Shay de Fries, die Engels praatte met een onvervalst Schots accent. Beiden aten haastig en toen Tooske zei dat de heren niet alleen aan tafel zaten, duwden ze elkaar na de laatste hap bijna de deur uit om buiten verder te praten. Ze liepen in het donker door Paesens-Moddergat. Kleine huizen met nederige mensen achter glas in spaarzaam verlichte kamers. John keek naar Shays verweerde gezicht.

Ze liepen over de harde sneeuw tot aan de rand van het dorp. De hoge zeedijk stak eindeloos wit af tegen de zwarte nacht.

'Wat ongelooflijk,' zei John, 'dat meer dan honderd jaar geleden jouw grootvader en mijn overgrootvader beiden Ierland hebben verlaten. De een naar het westen en de ander naar het oosten. En dat onze wegen uiteindelijk toch samenkomen.'

Shay knikte. Hij zei dat Sinéad hem uit de gevangenis had geschreven en dat het hem speet dat het op zo'n gewelddadige manier was gebeurd.

John vertelde dat hij Sinéad eerder had gezien in de haven van Harlingen, toen ze een foto van hem maakte op de Montana.

'Dat herinner ik me,' zei Shay opgewonden. 'Dat was op een zondag toen we in Harlingen in een restaurant zaten aan de haven. Ze wilde ineens naar de haven om foto's te maken. En jij stond op dat schip? Onvoorstelbaar.'

'Dat is niet het enige. Toen ik later die foto bekeek, zag ik dat op de achtergrond twee eagles elkaar aan de poten vasthielden in de lucht.'

Shay bleef abrupt staan en keerde zich vol verbazing naar John. Zijn ogen leken zelfs in het donker bijna griezelig blauw en leken dwars door hem heen te kijken. 'Mijn grootvader had zijn leven te danken aan de eagles toen hij door Ierland trok met Sinéad. Later, op Schiermonnikoog, waren er soms eagles, en toen mijn zoontje stierf heb ik er ook een gezien.'

John zag de pijn op het gezicht van Shay. Na een tijdje zei hij zacht: 'Volgens mijn tante Lucinda uit Montana zijn de Ierse Golden Eagles met John Eagleton mee gereisd op het schip naar Canada.'

'Er is een oud verhaal,' zei Shay, 'dat zich ruim duizend jaar geleden afspeelt. Mijn grootmoeder Sinéad vertelde het me soms. Zij had het van haar man Shay en Shay had het weer van zijn vader en die weer van zijn vader. Misschien gaat het terug naar Henry Eagleton die het kasteel in 1653 moest verlaten. Want toen verlieten alle eagles het kasteel en daarna zijn ze nooit weer teruggekeerd. Het verhaal, of misschien wel de legende, is dat High King Brian Boroimhe ooit het leven heeft gered van een eaglejong en dat daarmee het verbond tussen de Eagletons en de eagles is ontstaan.'

'Maar wat is dat voor verbond? Alsof de eagles willen dat we teruggaan naar Mount Eagle.'

'Er zijn veel dingen die we niet kunnen verklaren.' Shay keek hem aan. 'Leg mij maar eens uit waarom jij achter het zegel aan zit. Vanwege een oud kasteel aan die onherbergzame kust van Ierland? Ik denk het niet. Ik denk dat je niet anders kunt. De geschiedenis zit in je bloed en het zegel dringt zich aan je op.'

'Nee, dat is het niet alleen,' zei John. 'Het is de gekrenkte trots van onze familie. Die is na driehonderd jaar nog steeds voelbaar. De historische vernedering van de Eagletons, van wie niet alleen hun bezit, maar ook hun geschiedenis is afgenomen. Dat is wat voelbaar en voortdurend aanwezig is en steeds weer is het van generatie op generatie doorgegeven omdat het ooit zo is besloten. Niet alleen door de mensen maar ook door de eagles.'

Shay huiverde van de kou en keek naar de grote gestalte van John, die wijdbeens voor hem stond met zijn handen op zijn rug. Hij knikte begrijpend. 'Je lijkt het verleden en het heden in je te dragen. John Eagleton moet jou de opdracht hebben doorgegeven. Hoe, dat weet ik niet, maar jij bent degene die de geschiedenis moet rechtzetten.'

Met zijn tweeën bestudeerden ze aan de keukentafel de landkaarten van Ierland en Schotland. Tooske zat in de voorkamer met Sinéad te praten. De meisjes lagen boven te slapen.

Shay liet zien waar Scrabster lag, in het noorden van Schotland. Zijn vinger bewoog langs de kust naar het westen, waar zijn grootouders vandaan waren gekomen. 'Mijn grootmoeder zei dat ze Ierland ergens in het noordoosten hadden verlaten.'

'Heeft Shay Eagleton het zegel in Ierland achtergelaten?' vroeg John.

'Volgens mijn grootmoeder wel, want ze heeft het nooit gezien. En hij heeft haar nooit verteld waar het precies is. Hij zei alleen dat de vindplaats de oorsprong is.'

'Heb je foto's?' vroeg John.

Shay liep naar de slaapkamer en kwam terug met een houten kistje, waar hij een kleine foto uit haalde. De gekartelde foto was van begin 1905 en was vervaagd, maar Shay en Sinéad waren er nog duidelijk op te zien. Ze stonden naast elkaar op een grote steen. Hij was een tengere man met een verweerd gezicht en een schapenwollen trui. Sinéad leek jong en keek ondeugend in de lens.

John probeerde zich voor te stellen hoe Shay Eagleton vanaf het zuidwesten naar het noordoosten was gereisd. 'Waar heeft hij Sinéad gevonden?' vroeg hij.

'Ergens in een uitgestorven dorp in het noordwesten.'

'Merkwaardig,' zei John. 'Dan moet hij vanuit het zuiden eerst naar het noordwesten zijn gereisd. Niet erg logisch. In het hele land was geen voedsel meer te vinden en toch heeft hij een omweg gemaakt.'

'Misschien om de Engelsen af te leiden,' zei Shay.

John schudde zijn hoofd. 'Sinéad heeft het zegel waarschijnlijk nooit gezien. Dus ergens onderweg heeft hij zijn helft verstopt.'

'Misschien vlak bij het kasteel, want dat is de oorsprong.'

John legde een liniaal vanaf de plaats vanwaar Shay Eagleton was gevlucht naar het westen. 'Hij wilde misschien eerst naar de kust vluchten. Wellicht om zich tijdelijk te verschuilen.' Zijn vinger bewoog langs de Shannon omhoog naar Galway Bay.

'Aran Islands,' zei Shay meteen.

Johns hand lag stil naast de eilanden.

'Hij is op de Aran-eilanden geweest,' vervolgde Shay. 'Daar komt onze familie oorspronkelijk vandaan. Brian Eagleton was een bastaardzoon van High King Brian Boroimhe. Die trouwde vier keer, maar verwekte ook een kind bij een IJslandse prinses. Brian Boroimhe wilde zijn tweede huwelijk niet in gevaar brengen en liet zijn zoon opvoeden door zijn neef, die chief was op de Aran Islands. Daar kreeg hij de naam Brian Eagleton.'

'Vanwaar die naam?'

'Ik weet het niet precies. Er gaan vele verhalen, maar het schijnt dat Brian Eagleton vanaf zijn geboorte een speciale band met eagles had. In ieder geval vocht Brian Eagleton met zijn vader in de oorlog tegen de Denen. Toen zijn vader op hoge leeftijd omkwam, werd Brian Eagleton verbannen naar het zuidwesten van Ierland, waar hij het meest onherbergzame gebied van Ierland moest beschermen tegen vijanden. Daar heeft hij het kasteel laten bouwen.'

John volgde de route opnieuw op de kaart en vroeg zich af hoe Shay Eagleton in zijn vlucht op de Aran-eilanden was beland. Daarna was hij verder gevlucht, dwars door Ierland met Sinéad op zijn rug, meer dan tweehonderdvijftig mijl door onherbergzaam land.

Hij keek opnieuw naar de foto van Shay en Sinéad in Schotland. Iets in het beeld vertelde hem dat hij op Aran Islands moest zijn, maar hij wist niet wat het was.

'Het is de oorsprong,' zei hij.

'De eilanden?'

'Ja, ik denk dat het zegel daar ligt,' zei John.

Sinéad en haar moeder kwamen uit de voorkamer.

'Willen jullie nog thee?' vroeg Tooske.

John vertelde over de eilanden en zei dat hij er samen met Sinéad naartoe wilde.

'En Caroline en Mary dan?'

'Die kunnen hier wel een poosje logeren,' zei Tooske.

Sinéad aarzelde.

Shay begreep dat ze bij haar kinderen wilde blijven. 'Anders gaan jullie over een paar dagen weg. Het zegel ligt er als het goed is al driehonderd jaar, dat blijft nog wel even liggen. Friesland is mooi in deze tijd van het jaar.'

SYMMETRISCHE PATRONEN

Ierland, 1960

Jonathan liep naar de balie van het autoverhuurbedrijf op Limerick Airport om de sleutels van de Morris in te leveren. Hij had net een telefoontje met een tierende Freddy Carter achter de rug, die hem had verteld dat hij onmiddellijk terug moest gaan naar het kasteel op Mount Eagle en daar moest wachten tot John Hamilton zou komen. Want Freddy wist zeker dat Hamilton het kasteel zou gaan opeisen met de helft van het zegel.

'Hoe kan hij het kasteel opeisen met een half zegel?' vroeg Jonathan.

'Ik weet zeker dat die Hamilton onderweg is naar het kasteel.'

'Maar er woont daar helemaal niemand.'

'Ja, dat heb je al eerder gezegd, maar dat geloof ik niet. Volgens mij heb je daar maar wat rondgelopen. Zaten de deuren dicht?'

'Potdicht,' loog Jonathan.

'Dus je bent ernaartoe gegaan, hebt beleefd op de deur geklopt en niemand deed open. Zoiets?'

'Zoiets, ja.'

'Zou het kunnen dat niemand je heeft gehoord?'

'Zou kunnen.'

'Denk jij dat die Hamilton ook zal weggaan als er niemand opendoet nadat hij beleefd op de deur heeft geklopt?'

'Geen idee.'

'Nou, ik denk het niet,' zei Freddy.

'Meneer Carter, het heeft geen zin. Niemand heeft iets aan een half zegel. U niet en meneer Hamilton ook niet.'

Freddy begon steeds harder te schreeuwen. 'Ik wil dat je er opnieuw naartoe gaat en dat je zorgt dat je binnenkomt. Ga door de deur, graaf een tunnel of vlieg over de muren heen, whatever.'

'Ik ben niet goed in vliegen,' zei Jonathan.
'Huur een helikopter, man!'
Maar Jonathan had schoon genoeg van Ierland, waar het elke dag waaide en regende. Hij wilde dolgraag terug naar zijn winkel. 'Ik blijf hier niet,' zei Jonathan.
'Wat zeg je?' brieste Freddy.
'Ik zei dat ik hier niet blijf. Ik ga terug naar New York.'
Freddy ontplofte en schreeuwde door de telefoon dat nog nooit iemand het had gewaagd om zijn bevelen niet op te volgen.
Jonathan wachtte rustig het geraas af en toen Freddy ophield, zei hij: 'En Sue wil al helemaal niet blijven.'
'Dan blijf jij maar alleen!'
'Sue en ik kunnen niet zonder elkaar. Sue niet zonder mij en ik niet zonder haar. Vraag maar aan Alfred, die weet hoe het zit.'
Freddy wierp zijn secretaresse het boekje van Pan Am Airlines toe. Ze bladerde het snel door, maar kon de vliegtijden zo gauw niet vinden. Freddy hief van wanhoop zijn arm de lucht in en zei: 'Jonathan, ik kom meteen naar Ierland. Blijf daar totdat ik er ben.'
'Meneer Carter...' Hij wilde nog zeggen dat Freddy vooral zijn regenjas mee moest nemen, maar de lijn was al dood.
Terwijl Jonathan de autosleutels overhandigde aan de man achter de balie en de rekening betaalde, kwam een grote man in een lange zwarte jas naast hem staan bij het andere loket.
'John Hamilton. Ik heb een auto gereserveerd.'
Jonathan verstijfde. Vanachter zijn brillenglazen keek hij voorzichtig opzij en zag dat John de papieren invulde. Jonathan was klaar en liep bij de balie weg naar Sue, die op hem stond te wachten. Hij keek opnieuw naar John Hamilton, die nog met zijn rug naar hem toe voor de balie stond. Vervolgens liep hij zo hard als zijn zware lijf toeliet naar een telefoon.
'Freddy is al op weg naar het vliegveld,' zei de zwoele stem aan de andere kant van de lijn, al vroeg Jonathan zich af wat hij moest doen. De intercom kwam tot leven en verzocht de passagiers met bestemming New York in te stappen. Jonathan aarzelde. Sue had geleerd dat ze hard moest optreden als haar man het even niet meer wist. 'Als je nu niet opschiet, squeeze ik je ballen tot je zelf opstijgt,' zei ze bits en liep met grote stappen naar de gate. Jonathan volgde gehoorzaam, maar zag nog net dat John Hamilton zich bij een vrouw met een grote bos rode krullen voegde.

Met trage bewegingen slingerde de ferry over de lange deining vanuit Galway op weg naar de Aran Islands. Het was windstil en de dikke rook uit de schoorsteen bleef bewegingloos hoog in de lucht hangen, als een lang zwart spoor. Sinéad en John stonden op de voorplecht en hij keek in haar ogen, die schitterden van levenslust. Na elke golf gleed het schip in een dal waarbij de boeg tot de ankerkluizen in het water zakte, druipend weer omhoog kwam en de volgende hoogte beklom. Sinéad snoof diep de geur van de zee in. 'Heerlijk, deze vrijheid,' zei ze. 'Soms kan ik nog niet geloven dat ik niet meer terug hoef naar mijn cel.'

'Volgens mij de belangrijkste beslissing die ik als gouverneur heb genomen.'

Sinéad glimlachte. 'Dat zal niet iedereen met je eens zijn. Misschien de boeren van Montana, want die waren erg op je gesteld.'

Ze keek hem lange tijd aan. Haar hand streek langs de zijkant van zijn gezicht. Hij keek in haar heldere lichtblauwe ogen. Plotseling voelde hij zich sterk tot haar aangetrokken, maar tegelijkertijd dacht hij aan de corral in Montana, waar hij door haar toedoen bijna het leven had gelaten. Hij vroeg zich af wie ze werkelijk was.

In de verte doemde Inis Mór op, het grootste eiland van de Aran Islands, dat door het hoogteverschil scheef in zee leek te liggen. Een uur later meerden ze aan in de kleine haven.

Pas toen de twee eagles klapwiekend opstegen, besefte John dat de vogels waren meegereisd met de ferry. Ze vlogen landinwaarts over het dorp heen, naar de westkust van het eiland.

Op hetzelfde moment landde een grote metalen vogel van Pan Am op het vliegveld van Dublin. Onder de passagiers bevonden zich Freddy Carter, Alfred en een zekere Brook. Een boom van een kerel, ruim twee meter lang, met gemillimeterd blond haar en een meisjesnaam. Zijn vader had hem Brooklyn genoemd en niemand wist waarom. De ambtenaar van de burgerlijke stand had hem nog verteld dat het een meisjesnaam was, maar zijn vader vond Brooklyn een prachtige naam, want het was de mooiste stad ter wereld. Brooklyn werd Brook en later noemden sommigen hem Mr. Sharpshooter.

De drie mannen wilden meteen doorreizen naar Limerick, maar er ging geen vliegtuig meer. Ze besloten een auto te huren; Ierland was tenslotte maar klein.

Geen landschap ter wereld dat er zo vreemd en zo desolaat uitziet als de kalksteenplaten op het eiland Inis Mór.

De afgelopen nacht was de wind sterk toegenomen. Zware oceaangolven beukten op de kust, spatten in witte zoute regen omhoog en vielen op de grijze platen. Kronkelende zoute riviertjes vormden nieuwe landschappen.

Vanuit het dorp hadden John en Sinéad zich met paard en wagen naar de andere kant van het eiland laten rijden. Bij de kalksteenplaten wilde de koetsier niet verder, omdat het paard dat altijd vertikte.

'Ik heb alles geprobeerd,' zei de koetsier, 'en hij doet het niet. Ik heb hem worsten voorgehouden maar hij beweegt geen inch.'

'Misschien moet je hem iets anders geven,' zei Sinéad. 'Een wortel of zo.'

'Lady, dit paard geeft niks om wortels. Eén keer in de week krijgt hij een worst van de slager en dan doet-ie alles wat ik wil, maar hij komt niet op de platen.'

Samen liepen ze naar zee. Overal om hen heen stonden ruïnes van vroegkerkelijke gebouwen. De Soorney-tempel, Sint Kyrans, Kilchoran, de MacDuagh-tempel, en verderop zagen ze de zestiende-eeuwse burcht van Arkyn's Castle.

'Jezus, wat een kerkhof hier,' zei Sinéad. 'Dat mensen hier hebben geleefd.'

John bekeek de plattegrond van het eiland. Hij vroeg zich af waar Shay Eagleton op het eiland was geweest.

'Ik denk dat hij hier als visserman heeft gewerkt,' zei Sinéad, die zijn gedachten raadde. 'Voor de rest was hier toch niets te doen.'

John had de lange boten waarmee de vissers van Inis Mór de zee op gingen zien liggen op het strand in het noordoosten.

Dikke wolken kwamen plotseling vanuit het niets aandrijven en binnen enkele minuten begon het hard te regenen. Ze besloten terug te gaan naar het dorp. Bij de haven keken ze hoe de vissermannen terugkeerden met het tij en zware netten de wal op sleepten.

'Er is iets met die truien,' zei John opeens.

'Schapenwol. Heel dicht gebreide vette schapenwol. Bestand tegen elk weer. Zelfs het water glijdt eraf,' zei Sinéad.

'Hoe weet jij dit allemaal?'

'Gelezen in een verkoopfolder. Voor de eilanders zijn deze truien een belangrijke bron van inkomsten.'

John keek naar de mannen en zag hoe de truien waren gebreid met verticale kabels in symmetrische patronen. Iedere trui leek een specifiek patroon te hebben. Plotseling wist hij het: 'Die foto van Shay Eagleton en Sinéad. Daarop droeg jouw overgrootvader ook zo'n trui.'

Sinéad knikte nadenkend. 'Je hebt gelijk. Ik herken het nu ook. Dat zou betekenen dat hij hier is geweest.'

De nacht brachten ze door in Kilmurvey House, de residentie die vroeger van de O'Flaherty's was geweest. De volgende ochtend vroeg huurden ze fietsen en samen gingen ze op weg.

De wind draaide van het westen naar het zuiden en even later trokken de wolken weg en kwam de zon tevoorschijn. Ze reden langs de eindeloze stonewalls, met velden waar schapen in mager gras graasden. Dicht bij zee was het kalksteen glinsterend groen gekleurd door zeegras. Hoog in de lucht verscheen een eagle. John volgde de cirkelende bewegingen van de roofvogel boven zijn hoofd. Plotseling daalde de eagle en vlak boven de aarde vloog hij naar het zuiden, in de richting van de drie grote schiereilanden.

'Het lijkt wel of hij ons iets wil laten zien,' zei Sinéad.

De eagle kwam terug en scheerde in een duikvlucht over hun hoofden heen.

'Ja,' zei John, 'hij wil ons inderdaad iets laten zien.'

Pas toen de eagle opnieuw naar beneden viel en op nog geen meter afstand voor Johns gezicht fladderde en vervolgens bijna recht omhoog vloog, zag Sinéad wat het beest wilde. 'Ik denk dat hij wil dat je mee de lucht in gaat.'

John stond wijdbeens met zijn handen op de rug naar boven te turen. 'Inderdaad, hij wil me iets van bovenaf laten zien,' zei hij.

'Kun je een beetje vliegen?' vroeg ze lachend.

John dacht na en zei: 'Misschien wel.'

Op de terugweg naar Galway hadden ze wind en stroom van achteren mee. De rook uit de schoorsteen van de ferry dreef ver voor het schip uit.

KOUDE VOETEN

Ierland, 1960

Hij zat alleen in een van de grote Engelse chesterfields in de hoek van de bar van het hotel in Galway. Zijn glimmend zwarte haar was strak achterovergekamd en hij ging gekleed in een blazer met gouden knopen, een wit overhemd en een beige broek. Zijn arm lag op de hoge leuning met een mooie slanke hand die een sigaret omhooghield. Een glas whisky stond onaangeroerd op het tafeltje. Sinéad voelde zijn sterke uitstraling op het moment dat ze binnenstapte.

De wijze waarop hij naar haar glimlachte, vertelde haar direct dat hij een Amerikaan was. Ze wilde iets aan de bar bestellen om mee te nemen naar haar kamer voordat ze ging slapen. Plotseling stond hij naast haar en vroeg wat ze wilde drinken. 'Ze hebben hier de beste whisky van de wereld,' zei hij.

Ze keek in bruine levendige ogen en vroeg zich af hoe gevaarlijk hij was.

'Freddy Carter,' zei hij, en hij gaf haar een hand.

In de gevangenis had ze geleerd om anderen onbevreesd aan te blijven kijken. Haar ogen weken geen moment, ondanks dat haar hart bijna stilstond toen ze zijn naam hoorde. Even was er paniek in haar hoofd en wilde ze zeggen 'Nice to meet you', om vervolgens terug te gaan naar haar kamer. Maar ze besefte dat hij haar niet kende. Ze vroeg zich af hoe ze John moest waarschuwen die boven op zijn kamer zat. Waarom ze bleef, wist ze niet maar ze besloot iets met hem te drinken.

'Sinéad,' zei ze, en hij bestelde een whisky voor haar.

In de leren chesterfields zaten ze tegenover elkaar. Hij vroeg of ze Iers was omdat ze zo'n mooie Ierse naam had, Sinéad vertelde dat ze uit Nederland kwam en vroeger in New York had gewoond.

Zijn ogen gleden langs haar benen en hij vroeg of ze in Ierland op vakantie was.

'Nee. Ik ben hier voor mijn werk,' zei Sinéad. 'Ik ben fotografe en maak een reportage van Ierse ruïnes voor een magazine.'

'Werk je alleen?' vroeg Freddy.

Sinéad knikte en terwijl ze hem uitlegde waarom ze het liefst zonder anderen werkte, vroeg ze zich af waarom ze hem zo aantrekkelijk vond. Alles aan hem leek uiterst beheerst, net alsof hij alles in zijn leven onder controle had. Ze keek aandachtig naar zijn gladgeschoren gezicht.

Freddy vertelde dat hij vanuit Amerika naar Ierland was gekomen omdat zijn familie voortkwam uit een oud koetsiersgeslacht en zijn vader in zijn jeugd nog als koetsier in Dublin had gereden. Hij had in Amerika een grote business opgebouwd en deze aan hem overgedragen en nu wilde Freddy de zaken uitbreiden naar Ierland.

'Een soort eerbetoon aan de old man,' zei Freddy. 'Bovendien kan ik me meteen een beetje verdiepen in de geschiedenis van mijn familie.' En toen, zonder overgang: 'Wat heb je mooie ogen.'

Tot haar eigen verbazing en irritatie tintelde haar huid bij zijn woorden.

De barman kondigde aan dat hij ging sluiten. Freddy wilde nog even een stukje lopen en vroeg of ze meeging. Buiten klonken flarden Ierse muziek. Via Bridge Street liepen ze door Claddagh Quay naar Dun Aengus Dock, aan de kust waar twee grote ferryboten stil aan de lange pier lagen. Vlakbij glinsterde de modder van de drooggevallen zeebodem in het maanlicht. Sinéad herkende de geur en de aanblik van vroeger in Paesens-Moddergat wanneer ze op de dijk stond en keek naar haar vader die door de zuigende klei terugkwam van zijn vissersboot.

Freddy zag dat ze huiverde, trok zijn jasje uit en sloeg het om haar schouders. Ze rook zijn prettige geur en naast elkaar liepen ze verder langs de kust.

'Hou je van de zee?' vroeg Sinéad.

'Niet van deze zee,' zei Freddy, die daarna vertelde dat zijn moeder Siciliaanse was en dat ze vroeger met vakantie naar Sicilië gingen waar de zee blauw en warm was. 'De zee in Ierland is net als de Ierse muziek. Vol dramatiek.'

'Toch ook mooi?'

'Prachtig,' zei Freddy. 'Maar ik heb er niets mee. In mijn jeugd zaten we vaak 's avonds in Sicilië buiten te eten en altijd was er muziek. Mannen van het eiland en mannen die uit Amerika met vakantie terugkwamen, speelden dan samen.'

'Kwamen er dan zoveel mensen terug?'

'Vergeet niet dat de mensen uit Sicilië veel later naar Amerika kwamen dan de Ieren. Mijn vader heeft me vaak verteld over de grote verhuizing vanuit Ierland in een tijd dat er geen terugkeer mogelijk was, waardoor alle familiebanden werden verbroken. Bij de Sicilianen gebeurde dat niet omdat ze altijd maar tijdelijk wilden gaan en de verbindingen tussen de continenten al veel beter waren geworden. Bovendien hechten Sicilianen enorm aan familie en werd vanuit Amerika veel financiële steun gegeven aan de achtergebleven mensen op het eiland.'

'Maar waren die verbindingen er ook vanwege de maffiapraktijken?' vroeg Sinéad terwijl ze hem aankeek.

'Maffia?' Armen wijd uitgespreid. 'Maffia was er ook bij de Ieren. Elke bevolking vormde eigen clans uit lijfsbehoud waardoor de eigen cultuur lang in stand bleef en later deel werd van de Amerikaanse cultuur. Maar kijk eens naar de Engelsen. Wat die niet hebben geroofd uit Ierland en uit Amerika. Noemen we dat ook maffia?'

'Ben jij van de maffia?'

Freddy barstte in lachen uit. 'Jezus, wat ben jij direct.'

'Nou, zeg eens eerlijk?'

'Sommigen zouden zeggen dat ik in die zin een echte Siciliaan ben.'

'En wat vind jezelf?'

'Hey, I'm just a businessman,' zei Freddy.

Verderop stonden drie zwervers zich te verwarmen rond een vuur dat gestookt werd in een oud olievat.

'En je vader?'

'Mijn vader is altijd een eerbare koetsier geweest en gebleven. Altijd in dienst van de mensheid. Maar niet iedereen zal zo over hem oordelen, omdat hij vroeger illegaal drank heeft vervoerd tijdens de drooglegging. Maar ik vind dat hij juist heeft gehandeld.'

'Leeft hij nog?'

'Niet zo lang meer,' zei Freddy.

Ze liepen langs de zwervers die opkeken en naar hen toe kwamen. Vuile zwarte handen kwamen dreigend naar voren. Freddy bleef met zijn handen in z'n broekzakken staan en keek de drie zwervers stuk voor stuk onbevreesd aan. De handen weken en de mannen liepen terug naar hun vuurvat. Toen hij de zwarte tenen van een van de zwervers door de voorkant van de schoenen heen zag steken, aarzelde hij even. Hij viste een stapel Ierse ponden uit zijn broekzak en liep terug naar de zwervers.

'Mijn vader vertelde me dat de kinderen vroeger in Dublin geen schoenen hadden in de winter. Omdat ze altijd koude voeten hadden, bleven de Ieren klein, want met koude voeten groei je niet,' zei hij tegen Sinéad.

'Dat zei je vader.'

'Ja, en nog heel veel andere dingen.'

'Maar deze zwervers zijn al oud, dus die groeien niet meer.'

'Maakt niet uit,' zei Freddy. 'Het klopt gewoon niet dat mensen geen schoenen hebben.'

Via het noorden liepen ze terug naar het hotel.

'Wat voor bedrijf heb je in Amerika?' vroeg Sinéad.

'Ik zit in de transport. Eagle Parcel Services. We werken nation wide.'

Hoewel Sinéad het wist, schrok ze toen Freddy de naam van het bedrijf noemde. 'Groot bedrijf?'

'Nogal,' zei Freddy. 'We rijden ongeveer met duizend trucks.'

'Heb je zelf ook op trucks gereden?'

'Na mijn tiende jaar heb ik nooit meer gereden. Geen truck en geen auto.'

'Alleen vóór je tiende?' vroeg Sinéad verbaasd. 'Leg me dat eens uit.'

Freddy negeerde haar vraag en ze wist dat ze niet moest aandringen.

'Mijn vader is nu over de tachtig,' zei Freddy. 'De laatste maanden kleedt hij zich weer net als vroeger. Zwart pak met de hoge koetsiershoed op en geen stap meer naar buiten.'

'Wat doet hij dan?'

'Hij draait alleen nog maar Ierse muziek. En ook vaak countrymusic van de Carter Family. Vooral dat van Bury Me Under The Weeping Willow. Elke dag weer. Mijn moeder wordt er gek van. Vroeger dansten ze samen in de kamer op Siciliaanse muziek.'

'Wat is Siciliaanse muziek?'

Met zijn hand als een toeter voor zijn mond danste Freddy voor haar uit, luid zingend.

Ze dacht aan John op het strand die voor haar een indiaanse regendans uitvoerde.

Hij draaide zich om en stond vlak voor haar. 'Vreemd dat jij alleen bent. Nooit getrouwd geweest?'

'Ja, ooit, met een oorlogsfotograaf uit New York. Ik dacht dat hij de liefde van mijn leven was maar toen we eenmaal getrouwd waren, veranderde alles.'

'Ik dacht dat alleen vrouwen veranderden als ze getrouwd zijn.'

'Mannen ook. Ze gaan zich allemaal afhankelijk gedragen en uiteindelijk zitten ze vol zelfbeklag omdat ze hun moeder zoeken in hun vrouw. En als ze die niet vinden, gaan ze vreemd en hup, next! In ieder geval, zo ging het bij die van mij. Altijd maar zeuren over zijn werk en de promotie die maar nooit kwam en uiteindelijk lag het allemaal aan mij en aan het gebrek aan seks.'

Freddy schaterde het uit. 'Ja, zo zijn mannen.'

'En jij waarschijnlijk ook.'

Opnieuw onverwachts: 'Was de seks goed?'

'Nee,' zei Sinéad. Bijna had ze erachteraan gezegd dat ze lang in de gevangenis had gezeten. Ze schrok van haar eigen openhartigheid en wist dat ze met Freddy Carter op haar hoede moest zijn. Ondertussen vertelde hij over het mooie maar arme Sicilië.

'Wat zijn de kleuren van het eiland?' vroeg Sinéad.

'In de zomer is alles bruin van de hitte. Maar in het najaar komen de zachte regens waardoor alles weer groen wordt. Op de Etna gaat het sneeuwen.'

'Voel jij je een Italiaan?'

Hij had zijn armen wijd uitgespreid. 'Nee, Siciliaan. De Italianen hebben altijd ons land leeggeroofd door hoge belastingen waarvan alleen Noord-Italië profiteerde.' En bijna op samenzweerderige toon: 'Kijk, Sinéad, zo is de maffia ontstaan. We namen wraak op de Italianen via politieke corruptie. Stemmen werden verkocht en wie geld had, verdween naar het noorden of naar Amerika.'

Bij de ingang van het hotel vroeg hij wat ze de volgende dag ging doen. Sinéad zei dat ze het nog niet wist. Hij knikte en bedankte haar voor de wandeling.

Ze vloog naar boven en bonsde op de deur van Johns kamer. Hij deed meteen open en keek haar bezorgd aan. 'Waar was je? Ik heb je een paar keer op je kamer gebeld.'

Sinéad glipte snel naar binnen. 'Ik heb Freddy Carter ontmoet.'

Verbluft keek hij haar aan. 'Jij hebt wat?'

Ze vertelde van de ontmoeting met Freddy en de wandeling langs de kust.

'Niet te geloven,' zei John na lange tijd.

'Hij vroeg me wat ik morgen ga doen. Hij denkt dat ik alleen ben.'

'Ga niet met hem mee. Hij is levensgevaarlijk.'

'Hij lijkt me aardig.'

John keek haar aan. Het stak hem dat ze hem aardig vond. 'Sinéad,' zei hij kalm, 'je weet wat er gebeurt als hij erachter komt wie je werkelijk bent.'

Ze was anders. Bijna opgewonden door de plotselinge ontmoeting. 'Dit geeft ons de kans om bij het zegel te komen.'

'Gangsters, vooral de Italianen, zijn aardig, galant en warm. Tot hun belangen in het geding zijn. Dan veranderen ze in meedogenloze moordenaars. Dit zijn andere mensen, Sinéad.'

'Vertel me hoe het dan moet? Want op het moment dat hij jou ziet, is elke kans verkeken.'

'Dit is niet de manier.'

Sinéad wist niet waarom ze het wilde maar ze zei dat ze Freddy's leven wilde binnendringen om erachter te komen waar het zegel was. John schudde zijn hoofd.

'Wees alsjeblieft niet bang. Hij schiet me heus niet zomaar neer. Jij moet morgenochtend een ander hotel nemen. Ik blijf hier en ik hou hem wel op afstand.'

John aarzelde. 'Laat je niet inpalmen door zijn charmes,' zei hij. 'Ik laat wel een briefje achter in welk hotel ik zit. Morgenochtend ben ik weg.'

Bezorgd hield hij haar vast bij de deur. 'Wees alsjeblieft voorzichtig.'

Ze glimlachte en stapte de gang in, op weg naar haar eigen kamer.

Met zwiepend geraas steeg de helikopter op vanaf het vliegveld ten oosten van Galway. De piloot naast John droeg een donkerblauw jack met op zijn schouders vier dunne gouden strepen. Hij had een roodharige snor en een grote Ray Ban-zonnebril op. Voordat ze vertrokken, hadden ze kort het vluchtplan doorgesproken. John had Eagleton Castle nog nooit gezien en wilde daarom eerst naar Mount Eagle voordat ze naar de Aran Islands zouden gaan.

Toen de helikopter voldoende hoogte had, vloog de piloot richting zuid-zuidwest. Via Galway Bay, vlak langs The Burren Mountains, zag John in de verte de brede Shannon liggen. Boven het water van de rivier begon de helikopter hevig te schudden.

'Gebeurt altijd hier,' zei de piloot kalm door de microfoon. 'De Shannon is een enorm tochtgat en de wind versnelt vanuit zee.'

Loop Head werd gepasseerd en de piloot wees naar voren. 'Dingle Peninsula,' kraakte de microfoonstem.

John zag het machtige schiereiland in de verte hoog oprijzen uit zee. Door de microfoon vroeg hij om met een boog om het schiereiland heen te vliegen tot Slea Head in het westen. De piloot knikte en vloog langs de noordwestelijke kust van Dingle Peninsula. Bij Sybil Point daalde de helikopter en vlogen ze vlak naast de rode zandstenen rotsen, die beneden op de vloedlijn helemaal uitgehold waren door eeuwenlang gebeuk van de oceaan. Na vijf mijl draaide de helikoper boven Great Basket Island en vloog in oostelijke richting op Slea Head aan, op het uiterste puntje van Mount Eagle. De vuurtoren was kleiner dan hij had gedacht en stond boven op de rotsen bijna vijfhonderd meter boven zee. Lage uitgezakte wolken dreven onder hen voorbij. Even werd Dingle Peninsula aan het oog onttrokken en toen daalde de helikopter verder.

'There she is,' klonk de stem van de piloot.

John keek naar beneden. Op nog geen mijl afstand van de vuurtoren lag Eagleton Castle. Hij werd er koud van toen hij het fraaie kasteel beneden zich zag liggen. Grote torens staken hoog in de lucht. John zag dat het gebouw pal noord-zuid was gebouwd, met aan de beide zijden grote gebouwen, verbonden door een grote binnenplaats en aan weerskanten hoge dikke muren die naar de grond toe in een gebogen lijn uitwaaierden. Langzaam daalde de helikopter. John zag dat de binnenplaats groot genoeg was voor een landing en hij wees naar beneden.

'No permission,' grijnsde de piloot. Hij liet de helikopter bijna zakken tot op de hoogte van de torens. De binnenplaats was verlaten en John vroeg zich af of er nog wel iemand woonde. De piloot zwenkte naar rechts en vloog aan de oostkant van het kasteel langzaam vlak boven de grond, langs de dikke grijsstenen muren. John keek naar de laaghangende wolken die voorbij de torens dreven waardoor het leek alsof hij terugging in de tijd.

De piloot wees naar boven om aan te geven dat ze omhoog gingen. John bleef gebiologeerd kijken totdat wolken het kasteel aan het oog onttrokken.

In een rechte lijn over zee werd koers gezet naar Inis Mór. Hobbelend op de wind vlogen ze langs de hoge westkust van het eiland naar het noorden. Bij Dog's Head in het zuidoosten draaiden ze honderdtachtig graden richting Kilmurvy in het noorden. Gebouwen, kalksteenplaten en ruïnes trokken onder hen voorbij.

John zag niets wat hem opviel en vroeg de piloot om te landen op de kalksteenplaten.

'Niet te lang,' zei de piloot. 'Eigenlijk is dit verboden.'

De helikopter daalde en kwam met een lichte schok op de grond terecht. John stapte uit en liep een eindje van de helikopter vandaan. Hij wreef met zijn hand door zijn haar en dacht koortsachtig na. De eagle kwam vanuit het niets en vloog over zijn hoofd naar het zuiden.

'Waar ben je naar op zoek?' vroeg de piloot, die naast hem kwam staan.

'Een oud familiebezit,' zei John. 'Een soort medaillon.'

De piloot keek eens om zich heen en vroeg zich kennelijk af hoe iemand een medaillon vanuit de lucht op een eiland kon vinden.

Precies op het middaguur, op het moment waarop de zon de grootste snelheid aan de hemelboog krijgt, brak het licht door de wolken heen en stond de zon recht in het zuiden. De eagle kwam terug in het felle licht van de zon en vloog opnieuw rakelings over John heen naar het noorden.

'Wat doet dat beest hier?' vroeg de piloot.

'Die wil iets aan me vertellen dat ik niet begrijp.'

Opnieuw kwam de eagle terug en vloog weer in de richting van de zon.

'Waarom vliegt dat beest zo heen en weer?'

'Dat is het,' zei John. 'Hij vliegt pal noord en pal zuid. Terug naar de helikopter!'

Hij rende bijna voor de piloot uit. De eagle was hoog boven in de lucht toen ze opstegen.

'Wat heb je dan gezien?' vroeg de piloot.

'Vlieg nou maar,' zei John. 'Het moet een van de ruïnes zijn, want de eagle verwijst naar het kasteel dat noord-zuid staat. Dus moet het iets uit de oudheid zijn.'

Hoog in de lucht speurde John naar een aanknopingspunt. Maar toen ze weer bij de andere kant van het eiland waren aangekomen, had hij nog niets anders gezien dan ruïnes die allemaal waren gebouwd van grijze steen.

'Terug, nog een keer,' zei John.

'Mijn brandstof raakt op,' zei de piloot.

'Nog één keer. Langzaam.'

Zoevend ging de helikoper traag over het land, zigzaggend over ruïnes uit een ver verleden. John dacht aan Shay Eagleton, die naar dit eiland was gevlucht en een plaats moest zoeken waar hij het zegel veilig kon opbergen zodat latere generaties het konden vinden.

Hij deed zijn ogen dicht en zag een magere man in lompen haastig over het eiland lopen en vroeg zich af of hij achternagezeten werd. Hij dacht aan de eagle, die vanaf de zon uit het zuiden was gevlogen maar in zijn hoofd zag hij nu Shay lopen als een schaduw in laaghangend zonlicht uit het westen. Hij opende zijn ogen en keek in de richting van de oceaan toen hij de ruïne zag. Het kleine gebouwtje stond net als het kasteel pal noord-zuid.

'Daar is het,' zei hij, wijzend.

'We moeten terug,' zei de piloot.

'Zet me dan maar af. Ik ga wel met de ferry terug.'

Vlak boven de grond sprong John uit de helikopter die meteen weer opsteeg en richting Galway vloog.

Langzaam liep hij naar de ruïne waarvan alleen nog de afgebrokkelde muren overeind stonden. Met zijn vingers langs de ruwe muren strijkend liep hij eromheen. Hij stapte over een stapel omgevallen stenen naar de binnenplaats. De vloer was van dikke platen en binnenin aan de noordkant van het gebouw, stond een kleine stenen kist met daarop een platte steen als deksel. John keek verder in het rond maar kon niets anders ontdekken. Hij besloot het deksel te verwijderen en met veel krachtsinspanning schoof hij het een stuk opzij. Op de bodem lagen verrotte planken. Vermoedelijk was dit vroeger een voorraadkist geweest. Hij schoof de planken opzij en stuitte op steenachtige grond. Intuïtief wist hij dat het zegel hier niet in lag. Hij schoof het deksel terug en liep heen en weer door de binnenruimte, met zijn laarzen stampend op de dikke platen in de hoop een hol geluid te horen. Daarna klopte hij op de muren. Aan de oostelijke kant van de ruïne zat een klein vierkant raam met vier verticale stijlen, gemaakt van op elkaar gestapelde steentjes om de wind te breken. Hij keek door het raam naar buiten en zag zijn hoofd als een schaduw buiten de ruïne op de grond liggen.

John dacht na. Het was vijf uur in de middag en de zon stond laag en naderde het westen. Hij wist dat de snelheid van de zon langs de hemel bijna tot stilstand was gekomen en zag de zon door het raam van de ruïne op de grond schijnen. Heel langzaam verschoof het licht op de grond omdat de zon nog iets verder zakte, zodat de afstand van het licht op de grond tot de ruïne groter werd. Gebiologeerd volgde hij de bewegingen van het licht en plotseling, vlak boven de horizon, stond de zon stil en zakte langzaam naar beneden. De steen waarop het laatste licht was gevallen, lag voor hem en was niet groter en niet kleiner dan alle stenen die overal lagen. Gefladder kwam naderbij. Een eagle streek neer op een van de muren van de ruïne terwijl hij de steen optilde.

Eén helft van het Eagleton-zegel lag er, gebonden in leer. Minutenlang staarde John naar het metaal en hij schreeuwde het uit van vreugde terwijl hij het zegel omhoog hield in de duisternis.

John besefte dat hij te laat was voor de ferry en besloot in de ruïne te blijven. Met zijn hoofd op zijn jasje lag hij op de harde grond naar de hemel te staren. Zijn hand omklemde het zegel als een schat.

De regen kwam de volgende ochtend tegelijk met zonsopkomst. Terwijl druppels water op zijn gezicht petsten, dacht hij terug aan zijn tante Orla, met wie hij in de regen in een auto door Montana reed om boeken rond te brengen bij de ranchers en dat ze zei dat hij niet van suiker was.

DEEP SHIT

Galway, 1960

De bos rode rozen die de kamer van Sinéad werd binnengebracht, was nog omvangrijker dan de trolley met ontbijt die erachteraan werd geduwd. Want Freddy Carter was verliefd. Net zo verliefd als zijn vader lang geleden op de zus van Valentino op Long Island. Freddy was weleens eerder verliefd geweest, meestal kortstondig en meestal op een heleboel meisjes tegelijk. Maar nu reikten zijn gevoelens tot diep in zijn buik. Toen hij 's avonds na de wandeling met Sinéad op zijn hotelkamer aankwam, wist hij dat het helemaal mis was. Boy, you are in deep, deep shit, dacht hij, want Freddy wist heel goed dat mannen die verliefd zijn meestal hun verstand verliezen. Freddy had zijn verstand nog nooit verloren. Hoe aantrekkelijk zijn langbenige secretaresse er ook uitzag en hoe vaak hij haar ook had genomen op het groene bureaublad tussen twee telefoontjes door en soms zelfs tijdens een telefoontje, hij hield zijn hoofd erbij. Er was nog iets anders wat Freddy verwarde. Vanaf het moment dat hij Sinéad voor het eerst zag, wist hij wie ze was. Hij voelde het, hij rook het en bovendien had hij haar herkend van de foto in de krant toen ze samen met John aan de westkust op het strand liep.

'Leuk bloemetje,' zei Sinéad tegen Freddy toen ze hem beneden bij de koffie trof.

Freddy glimlachte en vroeg wat ze die dag ging doen. Hij zag er weer onberispelijk uit. Haar glad naar achteren gekamd, superglad geschoren en lichte aftershave die haar aan de zee deed denken.

'Ik ga foto's nemen in de omgeving.'

Freddy vroeg of hij mee mocht.

Sinéad reed langs de kust naar het westen. Bij Spiddle brak de zon door de grijze wolken en daar stopte ze om foto's te maken. Er was helemaal niets om foto's van te maken want het kleine strand was vuilgeel en de zee had zich ver teruggetrokken. Ze knipte wat foto's terwijl Freddy vlak bij haar op een steen sigaretten rookte en naar de krijsende zeemeeuwen keek.

'Droom je weleens dat je kunt vliegen?' vroeg hij.

Ze maakte een foto van hem en vroeg zich af wat de bijna onbeheersbare aantrekkingskracht was. Zijn bruine glanzende ogen keken haar aan terwijl hij glimlachte. Sinéad kon bijna niet meer ademhalen en wist ook niet meer hoe ze samen verder moesten rijden.

Het volgende ogenblik stond Freddy voor haar. Zijn handen grepen haar vast en trokken haar naar zich toe. Hard kwamen hun monden op elkaar. Bijtend en zuigend op elkaars lippen als wilde dieren. Hard wrijvende handen over elkaars wangen, snuivend als paarden, duwden ze hun benen wild in elkaar. Monden wijd open tegen elkaar en de bijna onhoorbare stem van Freddy fluisterde haar naam. Ogen, bruin en blauw met gele sterren. Ze rook hem als een intens vertrouwde geur van zweet, sigaretten en zee.

Freddy keek om zich heen. Verderop stonden verlaten zomerhuisjes. Hij sleurde haar mee. Het slot van de deur sprong binnen vijf seconden open en Freddy keek naar binnen. Het was een eenkamervertrek met rieten stoelen, een kooktoestel en een onopgemaakt bed in de hoek. Terwijl hij Sinéad vasthield, duwde hij met zijn voet de deur achter hen dicht. Het volgende moment rolden ze grommend het bed in.

Freddy lag met een rood hoofd bezweet achterover en met zijn armen wijd terwijl Sinéad in de kasten zocht of er iets te eten was. Na een hele middag rollebollen in bed en over de vloer en staand tegen alle muren van de cottage, waarbij een antieke schemerlamp met glazen kap was omgevallen en in duizend stukken uiteen was gespat en Freddy ondanks bebloede voeten niet van opgeven wist, hadden ze beiden honger en dorst. Maar zelfs de kraan was afgesloten. Buiten klonk het geluid van een wiekende helikopter.

Sinéad peuterde een stuk glas uit Freddy's grote teen en bond het af met de witte pochet uit zijn blazer.

Stil rookten ze sigaretten terwijl ze naar het plafond staarden. Opnieuw golfde verlangen in hen beiden op. Als magneten werden hun lichamen naar elkaar toe getrokken en opnieuw joegen ze omhoog naar 'uncharted territories', zoals Freddy het een uur later zo mooi zei in een pub verderop, waar ze fish and chips aten met een tot de rand gevuld glas Engels bier.

Sinéad slurpte het glas in één keer half leeg en zuchtte: 'Dorst.'

Freddy, met de mond vol vis, moest onbedaarlijk lachen. Hun handen grepen elkaar onderwijl vast met in elkaar gestrengelde vette patatvingers. Monden vol bier goten ze in elkaar over. Bijna als kleine kinderen, giechelend over de patat en de vette vis, kregen ze een boze blik van de eigenaar met hangsnor achter de tap van de pub.

In de auto op de terugweg zoenden ze, al slingerend over de weg. Freddy's jasje was scheef en verkreukeld en Sinéads witte blouse zat vol zwarte strepen. In het hotel namen ze de lift omhoog naar de presidentiële suite die Freddy had gehuurd. Sinéad verbaasde zich over de enorme luxe toen ze binnenstapte. Met één knop floepten alle schemerlampen aan. Freddy opende de grote glazen deur naar het terras. Vanaf de grond beschenen lampen de bloembakken die overal stonden. Sinéad liep naar de rand van het terras, vanwaar ze de verlichte stad kon overzien. Freddy kwam met twee glazen whisky en zette die op de balustrade. Met zijn armen om haar heen stond hij achter haar en drukte zich tegen haar billen aan. Voorzichtig maakte hij haar rok los die naar beneden gleed. Sinéad stond iets voorover en toen Freddy haar langzaam opnieuw nam, rilde ze van genot en emotie.

'Blijf slapen vannacht,' zei hij.

Plotseling, als een mokerslag, dacht ze aan John. Verwarring in haar hoofd. Freddy zag het meteen en wist dat hij niet moest aandringen.

'Ik moet even tot mezelf komen,' zei Sinéad.

Freddy glimlachte.

Bijna wankelend van alle seksgeweld kwam ze haar kamer binnen en vond de envelop met een briefje van John waarin hij vroeg hem te bellen. 'Groot nieuws,' schreef hij. Sinéad wist direct dat hij het zegel had gevonden. Het was alsof het allemaal zinloos was. Ze ging op de rand van het bed zitten om haar gedachten te ordenen. Ze staarde opnieuw naar het briefje en besloot John pas de volgende ochtend te bellen, toen de telefoon ging.

'Ik maakte me ongerust,' zei John.

'Over mij?'

'Ja. Je begeeft je tenslotte in het hol van de leeuw.'

'Valt wel mee. Freddy Carter is een aardige man.'

Ze had de neiging om te giechelen.

'Aardige man? Hm, pas maar op. Ben je nog iets te weten gekomen?'

'Nee, we hebben het niet over het zegel gehad. Want dan weet hij meteen wie ik ben. En jij?'

John vertelde hoe hij het zegel had gevonden op Inis Mór. Hij voelde dat Sinéad maar half luisterde. 'Wat is er gebeurd?'

Ze zei dat ze moe was door alle indrukken. John wist dat er iets anders was. 'Wat doe je morgen?' vroeg hij.

'Weet ik nog niet. Waarschijnlijk foto's maken in de omgeving. En jij?'

'Ik reis morgenochtend naar Dublin. Ik probeer erachter te komen wat de tekens betekenen.'

'In welk hotel zit je?'

'Vlak bij jou. Galway Bay hotel. Klein en onopvallend.'

Sinéad besefte dat ze hem het gevoel gaf dat ze onverschillig deed. 'John... '

'Ja.'

'Ik laat wel een bericht achter in het hotel waar ik ben. Je hoeft niet ongerust te zijn.'

'Je klinkt zo anders.'

'Weet ik,' zei Sinéad.

'Is er iets gebeurd tussen jou en Freddy?'

'John, alsjeblieft, ik kan nu niet verder praten,' zei ze met verstikte stem en ze hing op.

John staarde lang voor zich uit en wist dat ze bezweken was voor de charmes van Freddy.

Op het moment dat Sinéad de telefoon ophing, ontving Freddy Brook en Alfred in zijn suite. Ze waren die avond teruggekomen van Mount Eagle. Voordat ze boven kwamen, had hij langdurig onder de douche gestaan, zich zorgvuldig geschoren en een schoon wit overhemd aangedaan. Een nieuwe blazer kwam uit krakend papier en een schone witte pochet werd met de wijsvinger in een punt het borstzakje in geduwd.

De beide mannen vertelden dat ze niemand hadden aangetroffen bij het kasteel.

'Uitgestorven,' zei Alfred, met nadruk op elke lettergreep. 'De poorten zijn hermetisch gesloten. Volgens mij woont er niemand meer.'

Freddy liep ongeduldig door de woonkamer van de suite heen en weer.

'Mijn zwager Jonathan heeft ook een telegram gestuurd,' zei Alfred. 'Toen hij uitcheckte en zijn auto terugbracht, stond hij naast John Hamilton die op dat moment een auto wilde huren.'

'Waarom vertel je me dat nu pas?' vroeg Freddy geïrriteerd. Hij besefte dat hij een inschattingsfout had gemaakt door de mannen naar Mount Eagle te sturen terwijl John Hamilton waarschijnlijk ook in Ierland zou zijn.

'Jonathan zag ook dat John nog een vrouw bij zich had. Eentje met een grote bos krullend rood haar.'

Freddy staarde naar Alfred terwijl de aderen aan de zijkant van zijn schedel opzwollen.

Alfred keek hem verbaasd aan en vroeg: 'Zei ik iets verkeerd?'

'Ga de hotels in de buurt af om te vragen of er een John Hamilton te gast is,' zei Freddy. 'Laat me weten waar hij zit.'

'Hoe weet je dat?'

'Dat weet ik,' zei Freddy. 'Schiet nou maar op.'

'Moeten we hem dan oppakken?' vroeg Brook verheugd.

'Nee, laat me weten waar hij zit en dan gaan we kijken waar hij heen gaat.'

Toen de mannen de suite hadden verlaten, liep Freddy naar het balkon. Hij voelde zich verraden en tegelijkertijd verlangde hij er heftig naar om opnieuw bij Sinéad te zijn. Zoals gezegd, mannen die verliefd zijn verliezen hun verstand. Bijna wilde hij haar bellen om te vragen of ze wilde komen. Maar net als Sinéad voelde ook hij zich verward.

SCHERPSCHUTTER

Dublin, 1960

Op het moment dat hij op de trein naar Dublin stapte, zag hij dat hij gevolgd werd door twee mannen. Een kleine donkere en een lange blonde. Ze stapten helemaal achter in de trein. John zat ergens in het midden en keek naar het landschap dat langzaam voorbijschommelde. Boomwallen, kleine stukjes land vol met stenen. Groene stukjes land zonder stenen, afgebakend met stonewalls, oude verzakte boerderijen met daken van riet of golfplaten, vervallen gebouwen die scheef hingen, een berg autowrakken vlak langs het spoor. Na een uur kwamen ze aan bij Midland Great Western Railway station in Athlone. Een groot grijs rechthoekig gebouw met aan de voorkant een bordje waarop stond dat het uit 1851 stamde en een plat dak. Uit de talloze schoorstenen boven op het dak kringelde antracietkleurige rook. Trolleys met voedsel werden de trein binnengeduwd. Langzaam reden ze over de brug over de Shannon. De rivier was hier niet meer dan een smal water vol met drijvende rommel. John zag hoe een oud matras onder hem voorbijdreef.

Geluid van de piepende schuifdeur en een rammelende trolley kwam binnen. Een meisje in uniform vroeg of hij iets wilde eten en John bestelde een Iers ontbijt compleet met eieren, ham, black pudding en gloeiend hete koffie. Na Mulligar werd het landschap steeds vlakker en met het middaguur reden ze Pearse Station in Dublin binnen.

John stapte vlak voor het Trinity College uit de taxi. Een tweede taxi stopte een blok verderop. Twee mannen stapten uit en keken hoe John een van de grote gebouwen binnenstapte.

'Wat moet hij daar?' vroeg Brook aan Alfred.

'Geen idee,' zei Alfred.

‘Moeten we Freddy niet bellen?’ vroeg Brook.
‘Laten we eerst maar even kijken.’
‘Maar Freddy zei dat we hem meteen moesten bellen als we hem hadden.’
‘We hebben hem nog niet,’ zei Alfred.
‘Lijkt me niet zo’n probleem,’ zei Brook, ‘ik haal hem zo voor je op.’
‘Wacht nou maar even,’ zei Alfred nerveus.
In een van de kamers zat John tegenover de bejaarde professor Derry O’Brien, met wie hij een afspraak had. De professor hield een vergrootglas vast en bestudeerde nauwkeurig het zegel.
‘Heeft u enig idee hoe oud het is?’ vroeg de professor.
‘Ik vermoed dat het stamt van rond 1650. Het is aan de westkust gemaakt.’
‘Hoe komt u hieraan?’
‘Het is oud familiebezit. Overgegaan van generatie op generatie. Maar er staat iets op de achterkant dat mij nieuwsgierig heeft gemaakt. Een soort code die ergens naar verwijst.’
Opnieuw bekeek de professor de achterkant en vervolgens de afgeslagen zijkant. ‘Weet u waar de andere helft van het zegel is?’
John schudde zijn hoofd. ‘We weten alleen dat het ooit doormidden is geslagen.’
De professor glimlachte. ‘Dat moet met een verdomd scherp voorwerp zijn gedaan.’
‘Met een zwaard.’
‘De Ierse letters op de achterkant verwijzen naar Dublin,’ zei O’Brien, ‘en dan zie ik twee afdrukken. Het lijken twee opengeslagen boekjes maar zeker weet ik het niet. Jammer dat we de andere helft niet kunnen zien. De westkust, zei u?’
‘Op Mount Eagle, Dingle Peninsula.’
‘Misschien dat ik er even een collega bij haal. Een geoloog.’
O’Brien kwam even later terug met een jongeman in tweedpak. Opnieuw werd er door het vergrootglas geloerd.
‘Dit metaal komt niet van de westkust,’ zei de geoloog, ‘want dit is witgoud. Althans aan de buitenkant. Wat ik niet begrijp, is dat de kern van ijzer is. Ook dat komt niet van de westkust, want daarvoor is het metaal te hard gezien het feit dat de grond daar uit zandsteen bestaat. Wat me ook verbaast, is de legering van goud met nikkel. Dat werd misschien wel toegepast in het verre oosten maar niet in Ierland.’

Hij wreef over de bovenkant van het zegel. 'Onvoorstelbaar knap smeedwerk voor die tijd,' zei hij terwijl hij met zijn vingers langs de kleine Ierse letters gleed. 'Als u wilt, kan ik een uitgebreid onderzoek doen en dan zult u het zegel bij ons moeten achterlaten.'

John schudde zijn hoofd. 'Het metaal interesseert me minder dan de betekenis van de tekens op de achterkant.'

Professor O'Brien zei: 'Het spijt me, ik weet niet wat ermee bedoeld wordt. Ik heb in de geschiedenis nooit dergelijke tekens gezien.'

John wist nu dat hij de andere helft van het zegel in handen moest krijgen. In de bibliotheek liep hij langs de lange rij diepe nissen waar duizenden en duizenden boeken in oneindige rijen boven elkaar stonden. Zijn ogen zochten iets van herkenning. Hij besloot een hotel te zoeken zodat hij de volgende dag terug kon komen om na te gaan of er historische gegevens van de Eagletons in de bibliotheek aanwezig waren. Hij stapte naar buiten en zag de beide mannen meteen staan aan het eind van het lange groene gazon tussen de bomen en liep tot halverwege het middenpad en bleef staan. Wijdbeens, met zijn armen op zijn rug en met een strakke blik gericht op de beide mannen die op hem af kwamen lopen. Brook grijnsde toen hij vlak voor John stond. Alfred kwam erbij en zei dat meneer Freddy Carter hem dringend moest spreken.

'Dat heeft hij me al eerder gevraagd,' zei John.

'Deze keer is het menens,' zei Brook.

John keek naar Brooks hand, die in zijn jaszak zat.

'Heb je daar een pistool of zo?' vroeg John.

Brook knikte.

'En wil je daar zomaar mee schieten, midden in Dublin?'

Brook keek hem met kille ogen aan. 'Als je niet meegaat wel. Orders van meneer Carter.'

'Brook is een scherpschutter,' zei Alfred.

John keek onverschillig om zich heen.

'Niemand die je helpt,' zei Alfred.

Brook wilde de dreiging nog verder opvoeren en deed een stap naar voren. Alfred vertelde later dat hij nauwelijks iets had zien bewegen, want plotseling stond John naast Brook en een mes stak dwars door de jas heen, in de hand waarmee Brook een pistool vasthield. In dezelfde beweging trok John het mes terug en liep door. Brook gilde het uit van de pijn en trok zijn gewonde lamme hand uit zijn jaszak. Alfred, die door Freddy nooit bij bloederige zaken werd betrokken, viel bijna flauw. Toen de taxi wegreed, zag John nog steeds de beide mannen staan. Brook, met een bebloede hand en Alfred, druk gebarend.

In dichte regen stoof John de volgende middag door het lege landschap vanuit Galway naar Limerick International Airport. In sommige gaten in de weg lagen diepe plassen waardoor de kleine auto soms tot de assen door het water heen moest.

Boven de Burren Mountains westelijk van hem, hingen samengepakte diep grijsblauwe wolken met daaronder dreigende slepende draden van regen. Even later begon het zwaar te onweren. Hij passeerde druipende huisjes aan de linkerkant van de weg, een klein weiland met drie koeien die tegen elkaar aan stonden en twee mensen met een groen zeildoek boven het hoofd. Op het moment dat hij noordelijk van de Shannon reed, hielden de regen en het onweer op en verschenen er lichtblauwe vlekken tussen de wolken.

John was die ochtend met de trein uit Dublin aangekomen in Galway en vond een briefje op zijn hotelkamer. Tot zijn verbijstering las hij dat ze samen met Freddy Carter die middag terug zou gaan vanuit Limerick naar New York.

Freddy had een telefoontje gehad van Alfred uit Dublin. Alfred vertelde wat er bij de bibliotheek was gebeurd en Freddy was in woede uitgebarsten.

'Is er nou helemaal niets wat ik aan jullie kan overlaten?' vroeg hij woest.

'Hij was zo fucking snel.'

'Nee,' zei Freddy, 'jullie waren te langzaam.'

'Boss, je hebt geen idee.'

'Ik heb een prima idee, Alfred. Ga maar terug naar New York, Ik zie jullie daar.'

Hij trilde van kwaadheid en vermoedde dat John Hamilton nu op zoek zou gaan naar Sinéad. In één ogenblik besloot hij om haar mee te nemen naar New York in de hoop dat John hem achterna zou komen. Want in New York zou John geen schijn van kans meer maken.

Aan Sinéad, die even later zijn kamer binnenkwam, vroeg hij: 'Zin om een dagje mee te gaan naar New York? Ik moet even een probleem oplossen met de zaak en daarna komen we weer terug.'

Sinéad schrok hevig en vroeg hoelang ze weg zouden blijven.

'Hooguit twee dagen, dan zijn we hier weer,' zei Freddy. 'Bovendien is het maar een uurtje of zes vliegen vanuit Limerick. Ik zou het heerlijk vinden om met jou samen te gaan.'

'Ik moet even nadenken,' zei ze.

'Denk maar even,' glimlachte Freddy terwijl hij blokjes ijs in twee glazen whisky gooide.

Voor het grote raam keek ze naar buiten. Ze besefte dat ze tussen twee mannen stond die elkaars vijanden waren en die allebei de helft van het zegel hadden. Ze voelde zich gevangen in een labyrint van plichten en verlangens.

Freddy gaf haar whisky en met fluwelen ogen vroeg hij opnieuw of ze meeging.

Sinéad glimlachte. 'Twee dagen?'

'Hooguit,' zei Freddy.

John klapte de auto half op het trottoir van het vliegveld en rende de vertrekhal binnen. Zijn ogen vlogen langs de incheckbalies en vervolgens naar de ingang van de gates. Bij de douane werd hij tegengehouden. In de verte zag hij haar naast Freddy lopen, op weg naar het vliegtuig. Hij boorde zijn ogen in haar rug en ze draaide zich om. Een fractie van een seconde keken ze elkaar aan en toen Freddy ook achteromkeek, had John zich al omgedraaid.

Met een misselijk gevoel liep John terug naar de hal en boekte direct een vlucht voor de volgende dag. Daarna liep hij naar de rij telefoons en belde Chorowski.

Vanuit haar brede leren stoel aan het raam keek Sinéad naar buiten hoe het vliegtuig door de laatste flarden dikke wolken het zonlicht binnenvloog. Haar vingers waren verstrengeld in die van Freddy. Ze keek opzij naar zijn gezicht. 'Waar denk je aan?' vroeg ze.

'Aan jou.'

'Waarom?'

'Ik vroeg me af waarom ik nu pas voor het eerst in mijn leven verliefd ben. En ook zo verdomde bang ben om je weer te verliezen.'

Plotseling had ze het gevoel dat netten zich om haar heen dichttrokken. Freddy was verliefd, dodelijk verliefd en zou alles doen om haar te houden. De afgelopen twee dagen waren als een roes geweest waarin ze een totale bevrijding had gevoeld. Elke aanraking van Freddy zette haar lijf in lichterlaaie, maar diep in haar hart wist ze dat het alleen maar tijdelijk zou zijn.

'Trouw met me,' fluisterde hij in haar oor.

Ook dat nog, dacht ze. Maar ze bleef kalm en nam zijn gezicht in haar handen en kuste hem langdurig. 'Take it easy. We kennen elkaar nog maar net twee dagen.'

De stewardess kwam glimlachend langs om te vragen wat ze wilden eten.

MOUNT EAGLE

1654

Kletterende paardenhoeven stoven op 1 januari 1654 door de nacht. Vier ruiters op weg naar het oosten in lange donkergrijze pijen zaten ver voorovergebogen in het zadel. Zware golven van hagelbuien als harde witte spikkels in de nacht, sloegen op de ruiters neer. Mount Eagle lag vlak achter hen. Lord Forsyth stond peinzend in een van de oostelijke torens en keek de nacht in.

Naast hem stond zijn spichtige kleine vrouw die hem vroeg waar de vier monniken heen reisden.

'Dublin,' zei Lord Forsyth.

'Waar in Dublin?'

'Geen idee,' zei Lord Forsyth. 'De bestemming is geheim.'

'Met welk doel?' vroeg ze.

'Om de leaseovereenkomst veilig te stellen, vermoed ik.'

Haar ogen flitsten onrustig heen en weer. 'Er is meer,' zei ze.

'Ja, dat zegel.'

'Nee, niet alleen dat zegel. Ik heb het gevoel dat er andere documenten zijn.'

Lord Forsyth keek haar verbaasd aan. 'Wat bedoel je?'

'Stel dat de Ieren ooit onafhankelijk worden,' zei ze met haar krassende stem, 'dan zijn we het kasteel weer kwijt. Misschien is het beter dat die monniken niet op de plaats van bestemming aankomen.'

'Ierland zal nooit onafhankelijk worden. Engeland staat geen grondgebied af.'

'Herinner je onze dwaze Engelse koning Charles. Als Cromwell niet had ingegrepen, had jij dit kasteel nooit gehad,' zei ze, met haar bleke waterige en typisch Engelse ogen de duisternis instarend. 'Misschien moeten die monniken nooit in Dublin aankomen.'

Lord Forsyths lippen krulden en hij pakte haar met zijn duim en

wijsvinger bij haar wang. 'Je bent een ondeugende vrouw,' zei hij.
Ze vleide zich tegen hem aan. 'Ik wil alleen dat je ons nieuwe familiebezit beschermt. Dat kan alleen jij, want jij bent een machtig man.'

Nog geen uur later verlieten acht soldaten het kasteel. Verlicht door toortsen volgden ze het smalle, glibberige pad naar beneden. Op volle snelheid joegen ze daarna langs Brandon Mountain en bogen af bij Slieve Mish Mountain, naar het noorden. De monniken hadden zes uur voorsprong en de soldaten wisten dat ze door het lage land eerst naar de Shannon zouden rijden omdat daar vlak land was. Stacks, de aanvoerder van de soldaten, was zeer bedreven in achtervolgingen en wist dat hij de monniken al ingehaald zou hebben voordat ze bij de rivier zouden zijn. De opdracht die hij mee had gekregen van Lord Forsyth, was simpel. Dood de monniken en breng alle bewijzen terug naar het kasteel.

Mist dreef vanuit zee de Shannon op en hulde zich om de vier monniken heen die stapvoets langs de oever in ondiep water reden. Het spattende geluid werd gedempt door de drijvende witte vlagen die verderop als rook omhoogstegen tegen de bergwanden van de Glannaruddery Mountains. Plotseling hief de voorste monnik zonder omkijken de hand omhoog en direct stonden de vier paarden stil. De voorste monnik stapte af, spreidde zijn mantel wijd en ging liggen met zijn oor op de grond.

'We worden gevolgd,' zei hij.

'Hoeveel?' vroeg een andere monnik.

'Minder dan tien ruiters. Ze rijden snel, maar dat doen ze waarschijnlijk de hele nacht al. Ze hebben ons ingehaald voor daglicht. Laten wij onze paarden sparen totdat ze vlakbij zijn.'

In hetzelfde tempo reden ze in oostelijke richting door.

Het waren de vier broers Chulainn, directe afstammelingen van Cú Chulainn, de belangrijkste held en halfgod uit de eerste eeuw. Zoon van de God Lugh en Deichtine, zuster van de koning van Ulster. Cú Chulainn doodde als kind de waakhond van de smid Culann's toen het grote beest hem aanviel. Op zeventienjarige leeftijd verdedigde hij zich in Ulster helemaal alleen tegen de legers van koningin Medb of Connacht in The Cattle Raid of Cooley. Vooral door de angstaanjagende manier van oorlogvoeren vanuit zijn karros, getrokken door twee monsterachtig grote zwarte paarden, naast zijn loyale menner Láeg, richtte hij grote verwoestingen aan binnen de vijandelijke legers. Door zijn enorme macht in Ierland verkreeg hij het recht om met elke vrouw te slapen die hij wilde. De mannen van Ulster waren bang dat hij hun vrouwen en dochters zou stelen en stuurden hem daarom naar Schotland, in de hoop dat hij zou omkomen in de strijd tegen de strijdster Aife. In het tweegevecht tussen de halfgoden bleek dat ze even sterk waren, maar Cú Chulainn riep naar haar dat haar paarden en wagens, zaken die haar het meest aan het hart gingen, van de kliffen waren gevallen en overmeesterde haar toen ze achteromkeek. Hij spaarde haar leven met als voorwaarde dat ze hem een zoon zou baren en toen ze zwanger raakte, keerde hij terug naar Ierland, waar hij de mooie Emer schaakte. Een huwelijk werd geweigerd door Forgall maar Cú Chulainn stormde daarop diens fort binnen, doodde vierentwintig soldaten en nam Emer mee. Forgall viel van de hoge muren en stierf. Het was het gebied waar Chonchobar de scepter zwaaide en die had daarom het recht om met elke vrouw te slapen in de huwelijksnacht maar hij wilde niet in conflict komen met Cú Chulainn en daarom sliep iemand in de eerste nacht tussen Conchobar en Emer in.

Later kreeg Cú Chulainn een relatie met Fand, vrouw van Manannán MacLir. Emer besloot haar te doden, maar toen ze zag hoe sterk Fands liefde voor Cú Chullainn was, besloot ze hem op te geven. Fand, geraakt door Emers generositeit, keerde terug naar haar man. Cú Chulainn werd gek van verlangen en Emer verzocht de druïden om hem te genezen. Zowel Cú Chulainn als Emer dronken een toverdrank waardoor ze alles vergaten.

Cú Chulainn doodde zijn eerste zoon toen die hem opzocht in Ierland omdat hij zich weigerde te identificeren. Zelf stierf de vrijwel onverslaanbare krijger in een gevecht tegen Lugaid MacConroi. Voordat hij doodging, bond hij zichzelf vast aan een steen, zodat hij staande stierf, en pas toen er een grote vogel op zijn schouder landde, was Lugaid ervan overtuigd dat hij dood was.

Henry Eagleton, de laatste Eagleton op het kasteel, ontmoette in zijn jeugd tijdens zijn training tot krijger in een eenzaam noordelijk klooster in de Blue Stack Mountains, de vier broers. Badb Chulainn (kraai), Connal (krijger), Cathbad (druïde) en Láeg (wagenmenner). Elke dag na zware lichamelijke trainingen, zat Henry tussen de broers op de binnenplaats van het klooster waar urenlang gezwegen werd. Op een avond, toen het nog licht was, verscheen een eagle aan de horizon. Hij draaide boven de binnenplaats een rondje en vloog weer weg. Niemand zei iets maar de volgende avond

verscheen de eagle opnieuw en Henry zei dat hij naar huis moest.
'Vanwege die eagle?'
'Die komt van Mount Eagle. Hij zegt dat ik moet gaan.'
Henry vertelde over zijn voorvaderen en over High King Brian Boroimhe, die een eaglejong had teruggebracht naar Mount Eagle. De vier broers keken hem met grote verbazing aan en Láeg haalde hout om vuur te stoken want de nacht zou lang zijn.
Badb, de oudste van de broers, vertelde de legende die sinds de dood van Cú Chulainn was opgehouden te bestaan en die nergens meer beschreven was.
Emer en Cú Chulainn hadden in het geheim een tweeling gekregen die was verwekt in de nacht waarin ze de toverdrank hadden gedronken. De ene zoon werd een krijger en de andere zoon trok naar het noorden waar hij zich als een drüide tussen de mensen vestigde.
Badb staarde voor zich uit in het vuur en zei: 'Sommigen hebben gezegd dat de krijger nakomelingen kreeg bij vele vrouwen en uit een van die familielijnen is High King Brian Boroimhe voortgekomen. De andere zoon bracht ook veel nakomelingen voort en een van hen stichtte, toen St. Patrick bisschop werd in Ierland, dit klooster.'
'Waarom toen?' vroeg Henry.
'Niet uit religieuze motieven, maar hij voorzag dat Ierland een bezette natie zou worden. Religie veroorzaakt vaak oorlogen omdat iedereen denkt dat hij God aan zijn zijde heeft... Na de Denen kwamen de Engelsen en de Ieren werden onderdrukt. Hun cultuur, hun taal, hun mannen, hun vrouwen en kinderen. Om de eenheid van de Ieren te bewaren, werd de Sacred Brotherhood opgericht. Niet om te vechten of oorlog te voeren, maar om de verbindingslijnen tussen de Ieren onderling in stand te houden.'
'Wat bedoel je daarmee?'
'In dit klooster leven meer dan twintig mannen. Onze vrouwen leven verderop in dorpen, net als onze kinderen. De mannen zorgen ervoor dat opdrachten binnen het geheime verbond worden doorgegeven. Als monniken zijn we onzichtbaar. Vroeger voor de Denen en nu voor de Engelsen. We kleden ons in donkergrijze pijen en bedekken onze gezichten zodat we alleen maar een schaduw zijn.'
'Maar aan wie geven jullie dan boodschappen door?'
'Aan iedereen die deel uitmaakt van het verbond. Overal in het land.'
'Maar waarom zijn jullie dan zulke goede krijgers?' vroeg Henry.
'Omdat onze verbindingslijnen door elk gebied van Ierland lopen

en naar elke plaats. Onze boodschappen en opdrachten worden altijd uitgevoerd, onder alle en de meest gevaarlijke omstandigheden.'

'Waarom vertel je me dit?' vroeg Henry.

'Omdat je ons ooit nodig zult hebben.'

De mist trok langzaam weg en de vier monniken bleven een ogenblik staan nadat ze de noordelijke uitloper van Glannaruddery Mountains hadden gepasseerd. In de verte hoorden ze het geroffel van paardenhoeven. In de nog grijze kleuren zwol het geluid plotseling aan toen de troep soldaten op paarden met wit schuimende bekken de bocht om kwam vliegen.

Boven het geluid van de rammelende paardenhoeven hoorden de monniken het schurende metaal van zwaarden die uit de schede werden gehaald. Als een vertraagd beeld begonnen de paarden van de vier monniken te gallopperen. Op schootsafstand joegen de vier broers hun beesten op tot volle snelheid. Conall, de strijder, reed achteraan. Hij trok twee pijlen van zijn rug en spande de boog. Zonder overgang zwenkte hij dwars uit en schoot beide pijlen tegelijk af op de voorste soldaat, die door zijn eigen snelheid in de messcherpe punten vloog. Connall wachtte het resultaat van zijn actie niet af maar reed voluit achter zijn broers aan. Nadat de voorste soldaat was gevallen, hielden de anderen hun paarden in.

'Langzaam,' zei Badb, 'hun paarden zijn helemaal afgedraaid. Voorlopig moeten ze rusten. Conall, great shot.'

Ze besloten een andere route te nemen zodat vlak land werd gemeden. Via de zuidelijke hellingen van de Galty Mountains, en uiteindelijk langs de oostelijke kant van de Wicklow Mountains, zou de tocht lang en zwaar worden.

ROZE MARMER

New York 1960

Ze werd wakker door de koele wind die door de opengeschoven glazen schuifdeuren naar binnen kwam. Vanuit het enorme bed bleef ze lang kijken naar de lichte doorzichtige gordijnen die zacht heen en weer bewogen. Beneden klonk het monotone gedreun van het verkeer op Fifth Avenue, met in de verte het gejank van een sirene.

De vorige avond waren ze geland in New York en met een limousine rechtstreeks naar Freddy's grote kantoor aan Fifth Avenue gereden. De lift trok hen langs de kantoren helemaal omhoog naar de privévertrekken van Freddy. Sinéad verbaasde zich over de overdadige maar smaakvolle inrichting van de grote vertrekken. De woonkamer en slaapkamer lagen naast elkaar, met aan de voorkant een breed dakterras. Terwijl ze de witte zijden kamerjas aantrok, moest ze denken aan het bijna bezorgde gezicht van Freddy waarmee hij naar haar had gekeken toen ze samen in bed lagen. Bijna verlegen had hij haar aangeraakt. Sinéad voelde zich verscheurd tussen verlangen en schuldgevoel. Freddy sliep die nacht onrustig en talloze malen zocht zijn hand haar. Bij het eerste licht kon ze zijn aanwezigheid niet langer weerstaan. Terwijl hij sliep ging ze boven op hem liggen en snoof diep de geur tussen zijn borstharen in zich op. Hij bleef met zijn ogen dicht op zijn rug liggen, armen wijd, terwijl ze langzaam begon te bewegen. Met haar lippen in zijn hals, langs zijn oren en wang en met haar tong tussen zijn gesloten ogen, zoute smaak proevend, vingers in zijn mond. Terwijl kleuren in haar hoofd begonnen te buitelen, zakte ze diep in hem en voelde ze hoe onomkeerbaar de explosie bij beiden kwam. Sterren ontploften in haar hoofd en zijn lichaam kromde zich als een brug op het grote bed.

Hij lag nog steeds stil toen ze van hem af rolde en de zeldzaamheid besefte van het gezamenlijke genot.

Met tranen in haar ogen staarde ze lange tijd naar het plafond, wetend dat de dingen niet zo zouden blijven. Voorzichtig raakte hij haar hand aan en hun vingers verstrengelden zich in elkaar.

Ze liep naar buiten, naar het terras, waar een bleke zon door dunne bewolking heen een beetje warmte gaf. Over de balustrade keek ze naar beneden, waar stromen auto's en gele taxi's naast elkaar voortraasden. Plotseling zag ze de man aan de overkant van de avenue staan, naast een geparkeerde witte auto. Hij stond tegen de motorkap geleund en keek haar aan. Sinéad staarde terug, maar de man wendde zijn blik niet af. Hij kwam haar bekend voor, maar hij was te ver weg om het goed te zien. Ze liep terug de slaapkamer binnen en haalde haar fototoestel tevoorschijn, schroefde een sterke telelens op het objectief en liep terug naar het balkon.

Door de lens herkende ze Chorowski onmiddellijk, die naar haar grijnsde, en aarzelend stak Sinéad haar hand omhoog. Ze vroeg zich af hoe Chorowski wist dat zij hier was, wendde zich van het balkon af en liep weer naar binnen.

Te midden van Italiaans roze marmer liet ze het bad vollopen. In de grote spiegel keek ze naar zichzelf, ze vond dat ze er vermoeid en gespannen uit. Met haar vingers streek ze door haar rode krullen toen ze de deur van het appartement hoorde opengaan. Snel stapte ze tussen het schuim door het bad in.

Onberispelijk gekleed als altijd stond Freddy in de deuropening en vroeg of ze koffie wilde. Sinéad knikte glimlachend.

'Heb jij weleens zoiets meegemaakt?' vroeg Freddy terwijl hij op de rand van het bad ging zitten.

'Je bedoelt zoals vannacht?'

'Ja, ik dacht dat ik droomde. Ik heb nooit geweten dat dit bestond.'

'Nee, ik ook niet.'

Hij wilde zeggen dat ze voor elkaar geschapen waren en dat ze nooit meer zonder elkaar konden en dat hij haar nooit meer kwijt wilde.

'Vind je het mooi hier?' vroeg hij.

'Overweldigend.'

'Misschien kunnen we in het weekend naar Long Island gaan,' zei Freddy. 'Daar heb ik een huis aan zee. Heel romantisch.'

'We zouden toch terug naar Ierland gaan?'

Freddy knikte. 'Ik wilde je voorstellen om een paar dagen later te gaan, want ik heb vrijdag nog een afspraak. Maar je kunt eerder weg als je echt wilt...'

Sinéad wilde niet alleen naar Ierland terug. Behalve haar gevoelens voor Freddy was er nog een andere reden: ze wist nog niets van het zegel.

'Zakelijke afspraak?' vroeg ze.

'Ja, een nieuwe klant die me wil spreken.'

'Siciliaanse klant?' vroeg ze plagend.

Freddy glimlachte. 'Zoiets.'

'Goed, ik ga met je mee naar Long Island,' zei Sinéad.

Ze zag dat hij blij was.

'Je zult het geweldig vinden. Ik heb daar een fantastisch huis aan zee met een groot zwembad.'

Freddy stond op. 'Heb je zin om straks samen te lunchen?'

'Ja, graag', zei Sinéad terwijl ze zich achterover liet zakken in het bad.

'Kom naar mijn kantoor als je klaar bent. Met de lift één verdieping lager.'

Toen Freddy weg was, strekte Sinéad zich behaaglijk uit in het warme badwater. Ze genoot van de luxe waarmee Freddy haar omringde. Maar ze voelde ook dat hij zijn rijkdom gebruikte om indruk op haar te maken. Hij was waarschijnlijk niet anders gewend. Ze vroeg zich af of ze hier gevoelig voor was. Ze vroeg zich ook af in hoeverre zijn zaken wettig waren. John had haar verteld dat Eagle Parcel Services naast legale transporten ook drugs vervoerde.

Ze stapte uit bad en droogde zich af. In de slaapkamer stond een pot koffie op de salontafel, daarnaast één rode roos in een zilveren vaasje.

Kon iemand die zo attent was als Freddy echt een misdadiger zijn? Ze dacht terug aan de autorit met John, waarin ze werden klemgereden. Waarom meende Freddy aanspraak te kunnen maken op het Eagleton-bezit? Ging het werkelijk om goud?

De lange benen van de secretaresse waren het eerste wat ze zag toen Sinéad de lift uit stapte. Ze zat achter een bureau driftig te typen en deed net alsof ze Sinéad niet zag. Op het moment dat Sinéad iets wilde zeggen, stond ze op en klopte op de zware mahoniehouten deur van Freddy's kantoor.

Freddy keek verheugd op vanachter zijn bureau toen ze binnenkwam. Alles was even perfect en luxe ingericht als zijn appartement. Een grote leren zit in het midden, een wand vol familiefoto's. Bruine en verbleekte foto's van Sicilië, met daarop mannen met petten naast vrouwen in lange schorten en kinderen op blote voeten. Mannen met hoed in chique pakken, vrouwen koket lachend, sommigen met de hand aan een hoedje, vrolijke kinderen, poserend voor grote Amerikaanse auto's. Aan de andere wand een boekenkast met standaardwerken, gebonden in leer, en een glazen kast met tientallen schaalmodellen van alle trucks waar Eagle Parcel Services ooit mee had gereden.

Sinéad liep langs de familiefoto's en zag een foto waarop een jeugdige Freddy gearmd stond met een tengere man met hoge hoed op.

'Mijn vader,' zei Freddy. 'Hij is de oprichter van dit bedrijf. Begonnen in Arizona op postkoetsen. Hij heeft tegen indianen gevochten, tegen desperado's, en nooit in zijn leven is het voorgekomen dat de goederen niet op tijd aankwamen.'

Freddy keek haar trots aan. 'Voor zijn opdrachtgevers was hij zo betrouwbaar als de bank.'

Sinéads adem stokte toen ze plotseling zag waarvoor ze was gekomen: het halve Eagleton-zegel. Het lag in een houten kastje dat aan de muur hing, tussen de familiefoto's. Freddy zag Sinéads interesse en besloot haar het zegel van dichtbij te laten zien. Hij haalde een kleine koperen sleutel uit zijn bureaulade, opende het kastje en pakte het zegel.

'Mijn vader wilde oorspronkelijk naar Alaska maar ging uiteindelijk naar New York om een business op te zetten. De Ieren waren in die tijd oppermachtig in New York, samen met de Italianen. Onderweg heeft hij dit zegel gevonden ergens in de prairie van Montana. Het is een half medaillon waarop een eagle is afgebeeld.'

'Vandaar de naam Eagle Parcel Services,' zei Sinéad.

Een van de drie telefoons op Freddy's bureau begon te rinkelen. Freddy nam na enige aarzeling op, sprak kortaf, maar verzuchtte uiteindelijk: 'Verbind maar door naar mijn andere kantoor.'

Een moment lang keek hij naar Sinéad, legde toen het zegel op zijn bureau en zei: 'Ik ben zo terug.'

Sinéad stond te trillen op haar benen. Ze wilde blijven staan omdat ze niet durfde te bewegen, maar tegelijkertijd wist ze dat ze iets moest doen. Ze liep naar het bureau. Toen ze het zegel wilde aanraken, kwam de langbenige secretaresse binnen om te vragen of ze koffie wilde. Sinéad zei dat ze geen koffie wilde.

'Meneer Carter is zo terug,' zei de secretaresse.

'Oké.'

Sinéad ontplofte bijna van ongeduld.
'Het duurt niet lang. Meestal heeft meneer Carter korte gesprekken.'
Sinéad knikte. De deur ging eindelijk zacht dicht. In één beweging ritste Sinéad haar tas open en haalde haar fototoestel tevoorschijn. Met nerveuze vingers draaide ze een lens op het objectief en pakte daarna het zegel van het bureau. Ze legde het in de vensterbank om voldoende licht te krijgen en nam van zowel de voorkant als de achterkant een paar opnamen. Bij elke klik van de sluiter kromp ze in elkaar. Snel borg ze haar camera weg en legde het zegel terug op het bureau. Terwijl Sinéad nerveus wachtte, vroeg ze zich af of ze het zegel wel precies had teruggelegd zoals Freddy het had achtergelaten. Ze wist het niet zeker en besloot om het zegel terug te leggen in het kastje.
De deur ging open. Freddy keek naar Sinéad.
'Ik heb het zegel maar weer in het kastje gelegd,' zei Sinéad.
Freddy keek een moment naar het kastje. 'Dank je. Sorry dat ik even moest onderbreken. Laten we eerst maar gaan lunchen.'
Onderweg in de limousine trok de spanning uit haar lichaam. Freddy trok haar op de achterbank naar zich toe.
'Verplaats jij je altijd zo door New York?' vroeg ze.
'Wat bedoel je?'
'Met zo'n belachelijk grote auto.'
'Dat doe ik vandaag voor jou.'
'Waarom rijd je nooit zelf?'
'Ik heb geen rijbewijs.'
'Nooit gehad?'
'Nee, ik wil niet zelf rijden.'
'Heb je nooit gereden?'
'Vroeger, toen ik nog jong was, mocht ik soms een stukje rijden op de trucks. Daarna heb ik het nooit meer gedaan.'
'Is er iets gebeurd?'
Freddy staarde naar buiten en Sinéad zag zijn gezicht verstrakken. Na een tijdje zei hij: 'Ja, er is vroeger iets gebeurd, maar daar wil ik niet over praten.'
De eigenaar van het Italiaanse restaurant kwam enthousiast naar buiten op het moment dat de limousine voor de deur stilstond. Hij omhelsde Freddy en de beide mannen begonnen meteen druk in het Siciliaans te praten. Freddy stelde Sinéad voor en vertelde haar dat Victor zijn grote vriend was met wie hij vroeger vaak naar Sicilië op vakantie was geweest. Ze liepen naar binnen en Sinéad zag tot haar

verbazing dat een paar protesterende klanten op een mooie plaats aan het raam werden weggebonjourd naar een tafel achter in de zaak. Binnen dertig seconden werd de tafel afgeruimd en schoongeveegd en konden ze gaan zitten.

'Had jij deze tafel gereserveerd?' vroeg Sinéad.

Sinds hun binnenkomst leek alles aan Freddy anders. Zijn gebaren waren groter en drukker.

'No, I never make reservations,' zei hij met omlaaggetrokken mondhoeken.

'Ze sturen gewoon de mensen weg als jij komt.'

Met zijn handen wijd: 'Ik ben deel van de familie hier.'

Zijn ogen vlogen door het restaurant. Victor kwam naar hun tafel en vertelde wat het menu was. Daarna ging het gesprek verder in het Siciliaans. Sinéad keek door het raam en zag tot haar verbijstering de witte auto van Chorowski aan de overkant geparkeerd staan. Victor ratelde maar door maar wendde zich ineens naar Sinéad. 'Ik vertelde Freddy net dat hij geluk heeft met zo'n mooie vriendin,' zei hij. Hij legde zijn hand op Freddy's schouder. 'He's a fine gentleman.'

Drankjes werden gebracht. Dunne glazen roze champagne. Victor toostte mee en verdween naar de keuken. Sinéad zag hoe Chorowski aan de bar ging zitten.

'Spreek je nog vaak Italiaans?' vroeg Sinéad.

'Bijna nooit meer.'

'Spreek je het vloeiend?'

'Ja, maar ik spreek het tegenwoordig te weinig.' Freddy vertelde hoe vroeger de Italianen en Sicilianen in wijken apart woonden in New York, waarbij de banden met het moederland sterk in stand bleven. 'Mijn grootvader kwam eerst alleen naar Amerika, want hij wilde net als de meeste Sicilianen hier maar tijdelijk wonen. Pas later kwam het gezin ook over omdat de situatie in het moederland beroerd bleef. Intussen was hij al een paar keer naar Sicilië terug geweest. Ook in mijn jeugd gingen mijn moeder en ik bijna elk jaar naar Palermo op vakantie en daar bleven we dan een maand of twee.'

'Jouw vader niet?'

'Hij voelde zich niet thuis daar. Maar aan de andere kant miste hij zijn vrouw verschrikkelijk als ze zo lang wegbleef.'

Sinéad zag dat Chorowski naar de toiletten liep. Ze was bloednerveus en dwong zichzelf tot kalmte. 'Waar zijn de toiletten hier?' vroeg ze.

Freddy wees naar achteren.

Zo kalm mogelijk liep Sinéad het restaurant door. In de gang achter de bar zag ze hem staan. Rechts was de deur van de vrouwentoiletten. Ze keek naar binnen en zag dat er niemand was. Snel wenkte ze Chorowski en samen stapten ze het vrouwentoilet binnen. Sinéad draaide de deur op slot.

'John vraagt zich af...'

Vlug legde ze haar vinger op zijn lippen.

'Geef me je telefoonnummer,' zei ze terwijl ze haar fototoestel uit haar tas haalde.

Chorowski schreef een nummer op een papiertje en vroeg fluisterend: 'Waar ben je allemaal mee bezig, Sinéad?'

Ze draaide de spoel van de film in de cassette rond tot het einde en haalde de film eruit. Ze likte aan het sluitzegel, plakte de rol dicht en gaf die aan Chorowski.

'Hier staan foto's op van beide kanten van het zegel. Zorg dat John die krijgt want dan heeft hij de hele code. Het zegel kon ik niet meenemen.'

Chorowski grijnsde.

'John zegt dat je een verhouding hebt met die Freddy Carter. Klopt dat?'

'Iwan, ik kan het je allemaal niet uitleggen. Maar zeg tegen John dat het goed met me gaat.'

Ze deed de deur van het slot af en keek naar buiten. 'Ga, Iwan.'

Hij wilde nog iets zeggen, maar ze duwde hem al naar buiten. Sinéad wachtte even en liep daarna terug naar haar plaats. Toen ze weer zat bedacht ze dat ze eigenlijk nog hoognodig moest.

Freddy stoorde zich zichtbaar aan het harde gelach van drie mannen een paar tafeltjes verder. Hij riep een van de obers en fluisterde iets in zijn oor. De ober knikte en liep naar de drie mannen. Eén van hen keek achterom en stond op. Hij liep op Freddy af.

'Bent u misschien Freddy Carter?'

Freddy keek hem koud aan en knikte kort.

'Ik ben David Cheney. Mijn excuses dat we te veel lawaai maken.'

'That's okay,' zei Freddy.

'Het is zeker niet onze bedoeling om andere gasten te storen.'

'I understand.'

'Niets vervelender dan dat anderen lawaai maken terwijl je met een mooie vrouw zit te eten,' ging Cheney verder, met een blik naar Sinéad.

Freddy hield zijn handen voor zich omhoog. 'Oké, oké.'

'Wel toevallig dat ik u hier tref, meneer Carter, want ik probeer al enige tijd een afspraak met u te maken. Ik ben namelijk de nieuwe voorzitter van de New Jersey Truckers Union en ik wilde graag eens met u praten of de mensen die bij uw bedrijf werken geen lid van de Union willen worden.'

Freddy's ogen begonnen op te bollen en rode adertjes kronkelden door het oogwit.

'Ik denk niet dat onze mensen belangstelling hebben,' zei hij met ingehouden woede.

'Dat zegt u, meneer Carter, maar volgens sommigen heeft dat te maken met de aard van werkzaamheden in uw bedrijf.'

'Meneer...'

'Cheney.'

'Meneer Chimney, ik begrijp niet waar u het over heeft.'

'Dat zal ik u vertellen, meneer Carter. We weten dat het in New York stikt van de maffia. Ze zitten overal. Uw bedrijf opereert vanuit New Jersey en in New Jersey willen we niets te maken hebben met de maffia.'

Freddy begon rood aan te lopen maar deed moeite zich te beheersen. 'U beledigt me.'

'U vindt dat ik u beledig?'

'Ik zit hier met mijn verloofde rustig te lunchen en eerst stoort u ons door luid te lachen en dan komt u ongevraagd aan mijn tafel met de bedoeling mij te beledigen.' Freddy wendde zich van Cheney af.

Cheney rechtte zijn rug en sprak op luide toon tegen Freddy zodat iedereen het kon horen. 'Meneer Carter, ik vertegenwoordig de Union en ik sta niet toe dat truckers in New Jersey werken voor de maffia.'

Freddy pakte zijn servet, vouwde dat langzaam op, legde het op zijn bord en stond op. In een snelle beweging pakte hij Cheneys oor beet en trok het met een ruk naar de zijkant. Cheney gaf een korte gil. Het werd doodstil in het restaurant en Freddy trok Cheney langs de tafeltjes naar de uitgang. Victor, als altijd gedienstig, hield de deur al open. Freddy had zijn nagels in de achterkant van het oor gezet, dat begon te bloeden. Op het trottoir liet Freddy hem los en zei: 'Listen punk, if I see you or any other Chimney again, I'll kill you.'

'Cheney,' wist de ander nog uit te brengen.

'Fuck you,' siste Freddy, en trapte keihard tegen de zijkant van Cheney's knie, waarna de man hard op het trottoir viel.

In het restaurant was het nog doodstil. Hij stak zijn handen in onschuld omhoog. 'Mijn welgemeende excuses, dames en heren. Die meneer daarbuiten beledigde mij en mijn verloofde. Ik kan niet toestaan dat iemand mijn verloofde beledigt. Dit is een fantastisch restaurant dankzij mijn goede vriend Victor. Hij is een welgemanierde gentleman en zo zijn de gasten.'

Victor wilde al gaan klappen maar Freddy hield zijn hand nog omhoog. 'Wacht, nog één ding. Misschien is uw lunch een beetje verstoord. Dat wil ik niet op mijn geweten hebben. Victor, all lunches are on me.'

Onderweg naar zijn tafel werd Freddy bedolven onder de complimenten.

'Jezus, wat ben jij een patser,' zei Sinéad.

'Hoe is je lunch?'

'Daar heb ik het niet over. Eerst die vent op zo'n manier de deur uit werken om daarna ook nog even de show te stelen met dat theatrale gedrag.'

'Ik vond dat hij jou beledigde.'

'Mij?'

'Ja, hij beledigde jou door mij te beledigen.'

Sinéad zag aan zijn gezicht dat hij het meende. Ze vond zijn gedrag vreselijk, maar moest er ook wel om lachen. 'Siciliaanse belediging,' zei Sinéad.

'Whatever. Koffie?'

Bewegingsloos lagen zijn handen op tafel. Met haar vinger volgde ze slingerend de contouren van zijn vingers.

TWO KEYS

Ierland, 1960

Zachte motregen viel uit egaal grijze lucht. Bij de hoge poort aan de zuidelijke kant van Eagleton Castle staarde John lang naar de verweerde en gescheurde dikke planken van de dubbele deuren. Het was alsof in honderd jaar niemand naar binnen of buiten was gegaan. Aan weerskanten van de deuren groeide onkruid tegen de stenen muren omhoog. Een paar armetierige struiken hadden zich uit de rotsen gewrongen en waren scheef gegroeid door de wind.

John rook de zeedamp en liep omlaag naar de kust, waar zware oceaangolven spattend uiteensloegen. Hij hief zijn hoofd omhoog en proefde de zoute smaak van de neervallende druppels. Via een modderig pad liep hij terug naar de oostkant van het kasteel, langs de lange grijze muur. Grote stenen in verschillende vormen die met oneindig geduld op elkaar waren gestapeld tot een onwrikbare massiviteit. Glibberend over het hellende modderpad liep hij door tot de noordelijke ingang. Het geluid van de zee lag achter hem en hij voelde de stilte die om het immense gebouw hing. Tot zijn grote verbazing zag hij dat de noordelijke poortdeuren openstonden. Langzaam liep hij verder totdat hij de binnenplaats zag, die uit grote zwartgranieten platen bestond. De lage gebouwen aan de binnenkant van de verbindingsmuren waren sierlijk gebouwd, met fraai gevormde daken en kleine glas-in-loodramen. Het geheel deed sprookjesachtig aan. Op het moment dat hij onder de poort door wilde lopen, kwamen slepende voetstappen achter hem aan. Met een ruk draaide hij zich om en zag een oude vrouw met felrode lippen en een boodschappentas naar zich toe komen. Ze liep vlak langs John, maar ze deed net alsof ze hem niet zag terwijl ze hem passeerde en de binnenplaats op liep. Geklik van hoge hakken op de stenen en de poort werd als door een onzichtbare hand achter haar gesloten. Hij luisterde naar de wegstervende voetstappen tot het weer stil was. Zelfs de regen hield op. John keek naar de beide noordelijke torens, die hoog in de lucht staken.

Met de auto reed hij langs de zuidkust naar het plaatsje Dingle waar hij een hotelletje zocht voor de nacht. Laat op de avond belde hij Chorowski om te vragen of hij al iets meer van Sinéad wist.

'Zag ze er goed uit?' vroeg John nadat Chorowski hem op de hoogte had gesteld.

'Ik denk dat ze een verhouding heeft met die Carter.'

Het stak hem dat Chorowski het zei.

'Toch heeft ze foto's gemaakt.'

'Dat is zo. Ze heeft het moeilijk. Twee mannen en twee halve zegels. Niet eenvoudig, John.'

'Komt wel goed,' zei hij, vooral tegen zichzelf.

'Vroeger heb ik weleens twee vrouwen gehad,' zei Chorowski. 'One key in the pocket all right, two keys in the pocket plenty of noise,' zei hij erachteraan.

'Ik moet die foto's hebben,' zei John.

'Ze worden nu ontwikkeld, dus ik kan ze morgenochtend versturen. Dan heb je ze over twee dagen.'

'Dat duurt te lang,' zei John, die niet kon wachten. 'Ga naar een persbureau of een krant in New York en vraag of ze die foto's kunnen overseinen.'

'Overseinen?'

'Ja, dat kan tegenwoordig. Hoe denk jij dat die persbureaus hun foto's zo snel de hele wereld in krijgen? Morgenochtend rijd ik naar Limerick en ga ik naar de krant om te kijken of ze die foto's kunnen ontvangen. Ik stel de reis naar New York voorlopig uit, want ik wil eerst die foto's zien. Maar blijf haar alsjeblieft volgen.'

De *New York Times* wilde tegen betaling de foto's de volgende dag wel overseinen naar Ierland. Chorowski wilde er beslist bij zijn, want de foto's mochten niet in verkeerde handen vallen. Hij stond naast een van de mensen van de fotoredactie, die de foto op een stalen rol bevestigde en het telefoonnummer van de plaatselijke krant in Limerick draaide. Op het moment dat de lijn open was, begon het apparaat hevig te piepen en draaide de rol langzaam om. Aan de andere kant van de oceaan stond John ongeduldig te wachten op het moment dat de foto's binnenkwamen.

'Zesenzeventig dollar,' zei de fotoredacteur toen Chorowski vroeg wat hij hem verschuldigd was.

'Dat meen je niet.'
'Weet je wat zo'n apparaat kost?'
'Geen idee.'
'Nou, als je dat zou weten, dan weet je ook dat ik een schijntje vraag voor het overseinen van deze foto's.'
John vroeg hetzelfde aan de andere kant van de oceaan, maar de man van de fotoredactie keek nieuwsgierig naar de nog natte plaat en zei: 'Volgens mij is dit iets interessants.'
'Zou best kunnen,' zei John.
'Als het wat is, wil ik de primeur.'
'Dat is goed,' zei John, 'het kan trouwens nog wel even duren.'
'In Ierland hebben we geen haast.'
In zijn hotelkamer bekeek John de foto's nauwkeurig. Hij was opgewonden toen hij het andere deel van het zegel voor het eerst zag. Vooral omdat de code op de andere helft van het zegel bestond uit dezelfde afbeelding, die leek op de twee opengeslagen boekjes. Zijn eerste gedachte was dat het een herhaling was van de andere kant van het zegel. Hij besloot Shay in Friesland te bellen.
'Hoe is het met Sinéad?' vroeg Shay. 'Is ze bij je?'
'Nee, Sinéad zit in Amerika. Ze weet waar het zegel van mijn overgrootvader is.'
'En de andere helft?'
'Die heb ik gevonden. Op de Aran Islands.'
Het bleef doodstil aan de andere kant van de lijn. Tooske, die naast Shay zat, zag hoe hij tranen in de ogen kreeg toen John vertelde hoe hij het zegel had gevonden. Shay kon geen woord meer uitbrengen en Tooske nam de telefoon van hem over.
'John, hij is helemaal over zijn toeren. Alles goed met jullie?'
'Prima,' zei John. 'Hoe gaat het met de kinderen?'
'Het zijn zulke lieve kinderen. Op school gaat het geweldig. Ze beginnen al een beetje Fries te spreken.'
'Tooske, mag ik Shay nog even, want ik moet hem dingen vragen.'
Shay kwam weer aan de telefoon. 'Dit had ik nooit durven hopen.'
'Nee, ik ook niet. Maar op de achterkant van het zegel staan op elke helft twee afbeeldingen die op opengeslagen boeken lijken. Ik heb geen idee.'
Tooske, die meeluisterde, zei: 'Do moast der hinne.'
Shay aarzelde.
'Je hele leven denk je al aan dat gekke zegel. Ga er gewoon naartoe. Misschien kun je John helpen.'

'Wat zegt Tooske?' vroeg John, die de Friese conversatie niet verstond.

'Dat ik naar je toe moet.'

'Lijkt me niet verkeerd. Vlieg maar naar Dublin, want daar rij ik morgen naartoe. Ik haal je wel op van het vliegveld.'

John nam de volgende ochtend de zuidelijke route via Waterford naar Dublin. De rit was een behoorlijk eind om, maar hij wilde langs de oostkust via de N11 rijden. Na de middag, tussen Wicklow en de Ierse zee, stopte hij bij een klein visrestaurant dat aan het strand lag. Zeemeeuwen achtervolgden vissersbootjes die langzaam met netten voeren in de vlakke zee. Het kleine grijze restaurant was gebouwd uit op elkaar gestapelde stenen en bij de ingang hing een bordje met daarop geschreven 'The Four Monks'.

'Denk om je hoofd,' zei de restauranthouder toen John door de lage deur naar binnen stapte. 'Mensen waren vroeger wat kleiner,' voegde de man eraan toe.

'Hoe oud is dit restaurant dan wel niet?' vroeg John.

'Three hundred and fifty one years,' galmde de baritonstem van de restauranthouder, alsof hij de score van een dartswedstrijd meedeelde. Hij had een rond hoofd en een ronde buik waar een hagelwit schort omheen gebonden was. 'Oudste visrestaurant van Ierland, maar de vis is van vandaag.'

John lachte. 'Hoe komen jullie aan de naam The Four Monks?'

'Dat is een lang verhaal. Ik zal het je vertellen. Maar eerst zal ik een heerlijk visje voor je bakken.'

Shay stond nog steeds bij de deur en staarde naar buiten.

De aanvoerder van de soldaten, Stacks, besefte dat hij de monniken had onderschat en onnodig had laten ontsnappen. Nu ze gewaarschuwd waren, zouden ze een andere route kiezen en zou hij alles in het werk moeten stellen om te voorkomen dat ze vóór hem Dublin zouden bereiken. Op vermoeide paarden reden ze door naar Limerick waar ze konden wisselen. Stacks besloot daarna in hoog tempo door te jagen volgens de kortste route naar Dublin. Als hij dan de monniken onderweg niet in zou halen, waren ze via de zuidelijke route gereden die meer bescherming bood. In dat geval zou hij eerder in Dublin zijn dan de monniken en vanuit daar naar het zuiden kunnen rijden om ze op te wachten. Gedurende de dag reden de mannen zo snel mogelijk naar Nenagh waar ze een paar uren sliepen en met verse paarden halverwege de nacht verder reden. Tussen de Golden Vale Mountains en Slieve Mountains stuitten ze op een legerplaats van Engelse soldaten, die zo vriendelijk waren om hen opnieuw van verse paarden te voorzien. Tegen het eind van de volgende dag zagen ze in het oosten de Wicklow Mountains liggen.

'Waar gaan we langs?' vroeg een van de soldaten.

'We steken tussen de Wicklows en Dublin door naar de kust en dan komen we ze tegen,' zei Stacks.

Vanuit het zuiden reden de vier monniken stapvoets langs de oostkust omhoog. Het was vroeg in de ochtend, de rode zon lag nog op het water. De voorraden die ze hadden meegenomen waren uitgeput omdat ze tijdens hun tochten zo veel mogelijk bewoond gebied wilden vermijden. De boogschutter had een paar hazen weten te schieten die ze op een klein vuur hadden geroosterd. Het was niet veel, maar de monniken waren gewend aan lange tochten met weinig proviand. De stenen herberg aan zee ten noorden van Arklow was een pleisterplaats voor zeelieden en rovers, want daar stelde niemand vragen. De vier mannen stapten af en lieten hun paarden een eindje verder tussen de struiken lopen.

'Terwijl die monniken hier binnen zaten te eten, kwam een heel leger Engelsen over de bergen naar beneden,' vertelde de restauranthouder terwijl John een groot stuk gebakken kabeljauw verorberde.

'Hoeveel soldaten?' vroeg John.

'Ik weet dat de geschiedenis altijd overdrijft. Volgens mijn grootvader waren het er tientallen, zoveel waren het er waarschijnlijk niet, maar het was toch wel een klein leger. Ze stonden te paard op een rij voor de deur, en mijn over-, over-, overgrootvader ging naar buiten om te vragen wat ze wilden.'

'Er zijn vier mannen bij jou,' snauwde Stacks.

'Ik zal eens kijken,' zei de herbergier en hij draaide zich om.

'Naar buiten met die monniken,' schreeuwde Stacks, 'want anders kost het jou de kop.'

'Wat wilden die Engelsen met die vier monniken?' vroeg John.

'Geen idee. Maar het vermoeden bestaat dat zij geheime documenten naar Dublin moesten brengen.'

John stopte met kauwen terwijl zijn ogen zich vernauwden. Hij moest denken aan de droom die hij had gehad, waarin hij vier monniken had gezien naast de smid. Hij kon bijna niet geloven dat hij hier op het spoor van die monniken was gekomen.

'Je vis wordt koud,' zei de herbergier.

John hoorde hem nauwelijks en speurde met zijn ogen over de stenen vloer alsof de tijd de sporen eeuwenlang had vastgehouden. Hij stond op en liep naar buiten, en richtte zijn blik naar de Wicklow Mountains waar de wolken als een wattendeken over de bergkammen heen lagen. Hij voelde hoe de wind begon aan te halen en kouder werd. Plotseling draaide de wind en begon het hard te regenen. John bleef om zich heen kijken.

De herbergier stond in de deuropening en wenkte hem naar binnen.

'Regende het toen die monniken hier waren?'

'Het regent vaak in Ierland.'

Badb hoorde Stacks buiten schreeuwen en de herbergier kwam doodsbleek binnen.

'Met hoeveel zijn ze?' vroeg Badb.

'Zeven,' zei de herbergier.

'Is er een andere uitgang?'

De herbergier schudde zijn hoofd. 'We hebben zelfs geen kelder.'

Láeg de wagenmenner blies tweemaal op een fluitje.

'Open de deur, ga naar buiten en zeg dat we eraan komen. Zorg dat je dekking hebt,' zei Badb.

De herbergier keek bezorgd. 'Waar zijn jullie paarden?'

'Die komen eraan,' zei Láeg.

Buiten begon het te hozen.

'Kan niet beter,' zei Badb.

De herbergier opende de deur en schreeuwde naar buiten dat de monniken eraan kwamen.

Gedreun van paardenhoeven kwam snel dichterbij. Vier zwarte paarden denderden met grote snelheid van de achterkant van de herberg de hoek om, naar de ingang van de herberg. Ze renden zij aan zij, vlak naast elkaar alsof het buitenste dier de andere wilde beschermen.

Vlak voor de deur schoot het voorste paard naar voren en Láeg sprong erbovenop, gevolgd door Connall, die op het tweede sprong. In vlagen van regen schoten de soldaten pijlen af.

'Richt op de paarden!' schreeuwde Stacks.

Badb sprong als laatste en zag hoe vlak voor hem het paard van zijn broer Cathbad in de hals werd getroffen. De voorbenen van het dier knikten dubbel in het zand en Cathbad klapte voorover op de hals van het paard. In één beweging trok Badb zijn broer van het paard af en met een machtige zwaai zette hij Cathbad voor zich neer. Cathbad viel opzij, Badb trok hem weer overeind en voelde kleverig bloed aan zijn handen en pas toen zag hij de pijl die uit de rechterzij van zijn broer stak.

De paarden vlogen vooruit, op weg naar de Wicklow Mountains. Een smalle pas bood bescherming en meteen hielden de mannen hun paarden in. Voorzichtig legden de broers Cathbad op zijn linkerzij op de grond. Met zijn mes sneed Badb de grijze kleding om de pijl los en zag dat de punt diep naar binnen was gedrongen. Cathbads bezwete gezicht was lijkbleek; lichtrood bloed liep in een klein straaltje uit zijn mond. Badb bewoog voorzichtig de pijl heen en weer, draaide de pijl een stukje en trok in één beweging de punt eruit. Kreunend draaide Cathbad zich op zijn rug en keek met ogen vol witte schitteringen naar zijn broer.

Badb hield zijn hand onder het hoofd van Cathbad, die zwaar begon te rochelen. Cathbad wilde nog iets zeggen, maar plotseling hield zijn adem op en doofde het licht in zijn ogen.

BREAKING NEWS,

New York State, 1960

Het was een bende in Freddy's hoofd.

Op zondagmiddag liepen Sinéad en hij over het strand van Long Island, langs de lijn waar het water ophield. Kleurrijke vliegers hingen hoog in de lucht tussen laaghangende witte wolken. De glinsterende vlakke zee was vol vissersbootjes en zeevogels, meedrijvend op het tij.

Misschien was het zo'n bende in Freddy's hoofd omdat Sinéad zo ontspannen leek en hij het gevoel kreeg dat er iets was gebeurd dat hij niet wist. Ze bleef zo ongrijpbaar en Freddy hield niet van vrouwen op wie hij geen vat had. Freddy hield van vrouwen die hem bewonderden en die hem dat minstens drie keer per dag vertelden.

Er was iets veranderd sinds Sinéad op zijn kantoor was geweest. Ze was nog even gepassioneerd als daarvoor maar toch was er iets in haar houding dat hem leek te ontwijken.

'Blijf staan,' zei Sinéad terwijl ze haar fototoestel tevoorschijn haalde.

Freddy stond aan de vloedlijn in het late gele licht toen ze hem door de lens zag staan.

Met zijn handen in de zakken van zijn witte pantalon en de vlakke oceaan achter hem keek hij haar glimlachend aan.

'Hou je hoofd recht,' zei ze.

Ze aarzelde om af te drukken en toen ze uiteindelijk op de knop drukte, hoorden ze beiden de harde klik van het toestel. Als versteend bleven ze staan terwijl ze elkaar aankeken. Haar hart bonsde omdat ze wist dat hij het wist.

Freddy's glimlach lag nog steeds op zijn gezicht, maar zijn ogen werden koud en keken dwars door haar heen.

's Avonds, terug in New York, verdween Freddy naar zijn kantoor om te werken. Tegen middernacht kwam hij naar boven en zei tegen Sinéad dat hij naar zijn bedrijf in New Jersey moest om een probleem op te lossen. Freddy kwam die nacht niet meer terug en Sinéad viel tegen de ochtend boven op de dekens in slaap. Zes uur later werd ze wakker en zette de televisie aan.

Breaking News.

De dochter van de 'former governor of Montana' John Hamilton was die nacht ontvoerd. De ontvoerders hadden nog geen eisen gesteld, maar de politie verwachtte die binnen enkele uren te ontvangen.

Volledig verdoofd keek Sinéad door de open schuifdeur naar buiten. Haar gezicht voelde strak als een ijzeren masker. Zelfs toen ze een fladderend geluid hoorde, bewoog ze niet. Een grote eagle landde op de rand van de balustrade en leek Sinéad aan te kijken. Vervolgens keek de grote vogel naar rechts en naar links, vloog omhoog en verdween door de 54ste straat naar het westen.

Op dezelfde zondagmiddag landde Shay in Dublin. In de aankomsthal zag hij in de verte John al staan. Hij stak met zijn lange gestalte boven iedereen uit.

Zodra ze in de auto zaten, vroeg Shay: 'Heb je het bij je?'

'Wat?'

'Het zegel.'

John lachte en haalde het tevoorschijn. Shay kon het opnieuw bijna niet geloven. En meteen erachteraan: 'En Sinéad?'

'Zit nog in Amerika. Hopelijk zien we haar gauw.'

Later in de bar van het hotel vertelde John over zijn reis dwars door Ierland naar Dublin.

'Hoe weet je dat die vier monniken met het Eagleton Castle te maken hebben?'

'Ik heb ze in mijn droom gezien. En toen ik bij de herberg kwam en het verhaal van de herbergier hoorde, wist ik het zeker. De monniken uit mijn droom waren daar geweest.'

Shay staarde opnieuw naar de achterkant van het zegel en bekeek de foto's van de andere helft. 'Misschien zijn dit tekens van documenten,' zei hij.

'Vier documenten?'

Shay dacht na en bestelde nog een groot glas donker bier. 'Niet noodzakelijk,' zei hij.

'Je bedoelt dat de code achterop eerder duidt op een vindplaats?' vroeg John.

'Ik denk dat de monniken die de beeltenissen in het zegel hebben gegraveerd een plaats voor ogen hadden. Het lijkt geen directe verwijzing naar een document waarin het eigendomsbewijs van Eagleton Castle is vastgelegd. Dat jij nu weet dat ze waarschijnlijk documenten bij zich hadden, konden zij niet voorzien. Zij konden je alleen op weg helpen met een code waardoor je weet waar je moet zoeken.'

John glimlachte. 'Met andere woorden: de code van vier opengeslagen boekjes verwijst naar een plaats en niet naar één document of meer documenten. Slim gedacht, Shay.'

'Komt door het Ierse bier, denk ik. Mijn vader Brennan brouwde zijn eigen bier en stookte Schotse whisky die hij op Schiermonnikoog verkocht. Hij zei altijd dat je door het drinken van bier slimmer werd, en misschien is dat ook wel zo. Maar van de whisky werd je allemachtig beroerd en dronken. Uiteindelijk is hij er zelf aan overleden.'

Shay draaide het halve zegel rond in zijn hand en vervolgde: 'Ik denk dat het boeken zijn waar we naar moeten zoeken.'

'Wat voor boeken?'

'Dat weet ik niet. Misschien is het één boek en hebben de monniken alleen maar alle vier hun beeltenis in het zegel gezet. Net het evangelie.'

GRAFTON STREET

Dublin, 1654

Kletterende hoeven denderden in gestrekte draf in de pikzwarte nacht door Grafton Street in Dublin. Drie mannen, diep weggedoken in hun zadels, capuchons over hun hoofd. Laég de wagenmenner voorop en daarachter Badb en Connal. Het holle geluid van de paardenhoeven weerkaatste tegen de hoge huizen in Grafton Street.

Een paar uur eerder waren ze in het zuiden van Dublin ternauwernood ontsnapt aan de Engelse soldaten die hen achterna zaten. Via smalle straten en steegjes hadden ze weten te ontkomen en waren ze teruggereden naar de rand van de stad. Daar hielden ze zich in de drassige weiden van St. Stephen's Green schuil tussen de bomen, totdat de nacht volledig zwart was gekleurd. Tegen middernacht reden ze, op hun hoede, opnieuw Dublin binnen. De straten waren uitgestorven, alsof iedereen naar binnen was gevlucht. Toen ze de achtervolgers achter zich hoorden, wist Badb dat het te laat was om opnieuw te vluchten.

'Naar Trinity!' zei hij en gaf zijn paard de sporen.

Met volle snelheid reden ze af op de kruising tussen Grafton Street en College Green toen ze de Engelse soldaten zagen die aan weerskanten van de straat, in het donker verscholen tegen de huizen stonden. Badb aarzelde een moment maar Láeg denderde met zijn paard langs hem heen, recht op de soldaten af.

Het volgende moment werd een touw strakgespannen en Badb zag hoe het paard van zijn broer struikelde. Het beest sloeg met zijn hoofd tegen de grond, het achterlijf kwam omhoog en klapte toen naar voren, bovenop Láeg. Connal en Badb kwamen een fractie later tegelijk met hun paarden omhoog over het touw en vlogen langs de soldaten, dwars door een regen van pijlen. Met kletterende hoeven reden ze tot het eind van Grafton Street en bleven daar staan. Achter zich hoorden ze het luide gehinnik van het paard van Láeg, dat niet meer overeind kon komen. Geschreeuw van soldaten en het doffe geluid van zwaarden. Connal wilde terugkeren om Láeg te redden, maar Badb riep dat ze door moesten rijden en dreef zijn paard de pleinen van Trinity College op. Hij sprong van zijn paard bij een lage deur aan de zijkant van de bibliotheek en zag Connal met scheef hangend hoofd op zijn paard zitten.

'Ik ben geraakt,' hijgde Connal toen Badb hem opving.

Bloed gutste uit zijn rechterzij. De pijl was afgeketst op zijn ribben, maar had door de kracht het bot versplinterd. Snel trok Badb zijn broer door de lage houten deur mee naar binnen. Hij scheurde repen stof van zijn onderhemd en bond het met een riem over de wond heen.

'Waarom wilde je Láeg niet helpen?' vroeg Connal, zwaar hijgend.

'Ik hoorde hun zwaarden,' zei Badb. 'Vóór alles moet onze opdracht uitgevoerd worden en niets mag in handen vallen van de Engelsen. Kun je lopen? We moeten verder.'

Connal knikte, maar uit zijn gezicht sprak pijn.

Via een trap kwamen ze in de long room van de bibliotheek. Badb stak een fakkel aan en keek langs de eindeloze rij boeken.

Als in slow motion reed Badb Chulainn door een dikke deken van mist. Het leek alsof paard en ruiter door de wolken reden. Achter hem schoven andere ruiters door het grijs-witte landschap.

Badb had Dublin verlaten in de schemering van een nieuwe dag. Zijn broer Connal had hij dood achter moeten laten in de tuin van de bibliotheek bij College Green. Badbs laatste missie lag ten noorden van Dublin en vlak nadat hij de stad had verlaten, vertelden zijn oren hem dat de Engelse soldaten langzaam dichterbij kwamen. Aan het heftige gesnuif van zijn paard hoorde hij dat het dier niet lang meer op volle snelheid kon lopen. Zwenkend naar het noordoosten hoorde hij hoe het gedreun van de hoeven dichterbij kwam. Boven de mist doemde een heuvelrug op en de vierkante toren van een vervallen kerk. Hij stuurde zijn paard de helling op en moeizaam zwoegde het dier naar boven.

Tussen hoge beukenbomen, waarvan de takken in de toppen naar elkaar reikten als een dak, lag een veld met weggezakte grafstenen. Zijn komst werd gevolgd door hevig bladergeruis en het gekrijs van honderden kraaien die uit de bomen vlogen. Zigzaggend tussen de grafstenen joeg Badb zijn paard over een boomwal heen en reed de grasheuvel op. De Engelsen waren nu vlak achter hem en Badb keek links en rechts om dekking te vinden, totdat hij voor zich twee aarden wallen met een diepe greppel ertussen zag. Hij dwong het paard naar beneden en trok het dier onmiddellijk omver om het te beschermen. De soldaten kwamen vrijwel meteen daarna de heuvel over en vanuit zijn dekking schoot hij de voorste soldaat dood. Zorgvuldig richtte Badb opnieuw, ditmaal op Stacks. Op het moment dat hij de pijl losliet, werd hij zelf zo hard getroffen dat hij rondtolde van de klap.

John keek in de long room naar de boekenkasten die tot aan het hoge gewelfde plafond reikten. Plank na plank was volgepakt met boeken in verschillende formaten. Veel banden van bruin leer, gemarkeerd met letters en nummers. Ook op de houten pilaren waren letters geschilderd die verwezen naar de planken, waarvan sommige met prachtig uitgesneden ornamenten. Tussen de hoge kasten stonden lessenaars die lang geleden door studenten waren gebruikt. Hoog op een van de vele ladders tegen de boekenkasten zocht een man in wit stoffig licht naar een boek.

Shay bevond zich aan de andere kant van de long room en vroeg zich af waar ze moesten beginnen met zoeken. Hij liep naar John en hij bestudeerde intussen de boeken die hij rij na rij passeerde.

'Het moet in elk geval een oud boek zijn,' zei John even later.

Shay keek eens om zich heen. 'Daar staat het hier vol mee. Ik heb nog geen nieuw boek gezien.'

'Ja, maar het moet iets zijn wat al heel oud is. En religieus wellicht?'

'Vanwege die monniken? Iedereen in Ierland was monnik,' zei Shay. 'Ik denk eerder dat het iets moet zijn geweest dat de Ieren met elkaar heeft verbonden.'

'Dat is religie. De oorlogen zijn in Ierland altijd gevoerd vanwege het geloof.'

Plotseling schoot Shay iets te binnen. 'St. Patrick! Daar moeten we naar zoeken. Hij is degene die het katholieke geloof naar Ierland heeft gebracht en wij zijn vanwege het katholieke geloof ons bezit kwijtgeraakt.'

Daniel Flower stond al veertig jaar kaarsrecht in de long room. Hij was een tengere man met grijs haar en een bril die te groot leek voor zijn smalle gezicht. In die veertig jaar had hij alleen maar naar de ruggen van boeken gekeken. Vierenhalf miljoen boeken bevatte de bibliotheek, maar Daniel Flower wist blindelings elk boek te vinden. Hij zag het als zijn heilige plicht om elke bezoeker die naar een werk vroeg, onmiddellijk en zonder aarzeling de plaats van het boek te wijzen. Twintig jaar geleden was hem iets gevraagd waar hij geen antwoord op wist. 'A black day in my life,' had Daniel gezegd tegen zijn vrouw toen hij die avond thuiskwam. Na een onrustige nacht nam hij zich voor dat dit niet weer zou voorkomen en hij nam met zijn fotografisch geheugen elk nieuw document, elke nieuwe uitgave op zodra het de bibliotheek binnenkwam.

John vroeg hem naar een oud boek waarin St. Patrick was beschreven.

Daniel Flower knikte, zei 'This way, gentlemen' en liep met kaarsrechte rug parmantig voor de beide mannen uit.

Achter glas lagen met de hand geschreven en gedecoreerde boeken.

'Dit wordt het Book of Armagh genoemd,' zei Daniel Flower met zachte stem, waar geen spat Iers in zat. 'Dit boek bevat meer van de Bijbel dan alle andere boeken uit die tijd. Er zitten brieven in van St. Patricks belijdenis en andere geschreven documenten over Ierlands apostel.'

John staarde naar het verweerde omslag.

'Hoe oud is dit boek?' vroeg Shay.

'Ongeveer twaalfhonderd jaar. Uit dezelfde tijd als de vier manuscripten van de The Book of Kells.'

John voelde een rilling over zijn rug trekken. 'Zouden we... Zouden we dat boek ook mogen zien?'

Daniel Flower keek een ogenblik in Johns ogen. 'This way, gentlemen.'

Ze liepen naar een ander deel van de bibliotheek en daar lagen in een houten vitrine vier kleine boeken. 'Dit is het belangrijkste boek van Ierland. Meer dan duizend jaar geleden geschreven, waarschijnlijk rond het jaar achthonderd. De uitvoering is uniek door de prachtige illustraties in de fraaiste kleuren. We weten helaas niet wie het Book of Kells geschreven heeft, maar zeker is dat meerdere personen eraan gewerkt hebben. Ook in de decoraties zijn verschillende stijlen te ontdekken.'

'Het zijn vier boeken,' zei Shay.

'Het is gebonden in vier boeken, maar in feite is het één boek.'

John keek aandachtig naar de vitrine met daarin de vier kleine manuscripten uit een ver verleden. 'Waar gaat het Book of Kells over?'

‘Eigenlijk is het een gospelboek,’ vertelde Daniel Flower. ‘Vier verschillende schrijvers vertellen het verhaal van het evangelie. Matthew, Mark, Luke en John. De symboliek daarvan is even magistraal als prachtig weergegeven. Ik heb de boeken één keer mogen bestuderen. Op de eerste bladzijden van het boek staan enkele figuren, verlucht met prachtige decoraties en patronen. Die figuren zijn een man, een leeuw een kalf en een eagle.’

‘Ik weet in welk deel de eagle staat,’ zei John.

De mond van Daniel Flower vertrok tot een samengeknepen glimlach. ‘Niet iedereen weet dat.’

‘Nee, ik heb het nooit ergens gelezen, maar het staat in het deel van St. John.’

Daniel Flower keek hem verbaasd aan.

‘Er is nog iets met dat boek,’ zei John. ‘Ergens in dat boek moet een document verborgen zijn. Of misschien ligt het er wel los in.’

De ogen van Daniel Flower achter de brillenglazen werden groot. ‘Onmogelijk,’ fluisterde hij, alsof hij tegen zichzelf sprak. ‘Onmogelijk dat ik hiervan niet op de hoogte zou zijn.’

‘Misschien mag ik u iets laten zien. Kunnen we ergens rustig gaan zitten?’ vroeg Shay.

Nerveus keek Daniel Flower om zich heen en vroeg zich af wat hij met deze twee mannen, met hun afschuwelijke Schotse en Amerikaanse accenten, aan moest. Maar de gedachte dat de eerste de beste toerist iets zou weten wat hij niet wist, was onverdraaglijk. In een stoffig kamertje dat verscholen lag achter de boekenkasten, legde John de helft van zijn zegel en een foto van de andere helft op tafel. Hij vertelde kort over het Eagleton Castle en de ongelooflijke geschiedenis van zijn familie. Daniel Flower knikte regelmatig tijdens Johns verhaal.

‘De code op het zegel bevat vier opengeslagen boeken. Het is gemaakt door vier monniken die er hun stempel in hebben gezet.’

Daniel vloog overeind. ‘De nazaten van Cú Chulainn.’

‘Ik begrijp niet wat u bedoelt.’

‘Dit zegel is gemaakt door monniken uit het noorden, nazaten van Cú Chulainn. Zij hebben altijd voor de onafhankelijkheid van Ierland gevochten door boodschappen door het hele land te bezorgen. Zij kwamen door alle linies heen. Er was niets wat deze moedige mensen tegenhield.’

‘Hoe weet u hier zoveel van af?’ vroeg John.

‘Ik weet toevallig heel veel van Ierland,’ zei Daniel Flower zacht.

'Dan zijn het ook deze monniken geweest die met de documenten naar Dublin zijn gereisd. We hadden geen idee waar we moesten zoeken, maar toen u vanochtend de naam van het Book of Kells noemde, wist ik dat ik daar moest zijn.'

'Waarom wist u dat?'

'Omdat', zei John, 'de vier delen in feite één boek vormen. In het zegel staat een code gegraveerd die volgens mij verwijst naar het Book of Kells, dat ook uit vier delen bestaat.'

Zolang Daniel Flower in het Trinity College werkte, had hij zich altijd precies gehouden aan de voorschriften van zijn werkgever. Vanaf de vroege ochtend tot de late avond stond hij keurig opgesteld in de long room en er was nog nooit één moment geweest dat hij ging zitten, zoals sommige van zijn collega's weleens deden. Nooit overtrad hij de voorschriften en geen dag was er geweest dat hij niet als eerste binnenkwam. Er waren meerdere momenten geweest waarop hij in grote woede had kunnen uitbarsten. Dat was één keer gebeurd omdat de directeur een kleine opmerking had over de kwaliteit van zijn versleten jacquet. Daniel Flower moest rondkomen van weinig geld, maar zijn vrouw zorgde altijd dat zijn jacquet netjes was geborsteld en dat de plooi haarscherp in de broek zat. Hij had die keer willen uitbarsten naar de directeur. Daniel werd elke keer overgeslagen bij salarisverhogingen, terwijl de directeur zelf met zijn vette salaris in een dure auto door zijn chauffeur naar huis werd gereden. Daniel Flower kende echter zijn plaats en vroeg niet om een hoger salaris. Hij wist dat hij op één terrein altijd de meerdere was van iedereen en dat was zijn gigantische kennis van de inhoud van de bibliotheek van Trinity College.

Hij overwoog daarom slechts een fractie van een seconde om met het verhaal van John en Shay naar de directie te stappen, maar verwierp dat idee bijna direct. Op geen enkele manier wilde hij de directeur deelgenoot maken van zijn specifieke kennis, want zo lag die macht alleen bij hem.

Uit een lade van een klein bureautje tegen de wand haalde hij een sleutel en zei: 'Wacht hier.'

Waar hij de moed vandaan haalde, wist hij later nauwelijks te verklaren. Maar Daniel Flower wandelde op zijn dooie gemak naar de vitrine, deed de sleutel in het slot, draaide links en tweemaal rechts, opende de klep, viste in één beweging St. John eruit, draaide de vitrine weer op slot en liep schijnbaar kalm terug naar de kamer waar John en Shay zaten.

'Dit is,' zei hij hijgend, 'tegen alle voorschriften in.'
'Dat gevoel had ik al,' zei John.
'Het spijt me dat ik niet kan toestaan dat het aangeraakt wordt,' zei Daniel Flower terwijl hij witte handschoenen uit zijn jasje haalde. 'Ik moet dit heel voorzichtig doen, want het papier kan breken.'
John zag zweetdruppels op het voorhoofd van Daniel Flower. 'Het lijkt alsof het gerestaureerd is,' zei John.
'Klopt. Het is ooit gestolen, ongeveer negenhonderd jaar geleden. Het boek had een gouden omslag en dat is nooit meer teruggevonden. Meer dan driehonderd jaar bevindt het boek zich nu in de bibliotheek en het wordt voordurend bewaakt tegen invloeden van vochtigheid en temperatuurverschillen,' zei Daniel Flower terwijl hij de stijve pagina's omsloeg.
'Daar zit het niet,' zei Shay. 'Het zit in de rugband achter het boekblok.'
'Hoe weet jij dat?' vroeg John.
'Omdat iedereen dat zo deed vroeger.'
De smalle koker die Daniel Flower voorzichtig uit het boek trok, bevatte een opgerold stuk uiterst dun papier. Voorzichtig rolde hij het papier open en een gedetailleerde kaart van Dublin en omstreken werd zichtbaar. De wegen, de weilanden en zelfs de afrasteringen en sommige gebouwen waren in kaart gebracht. Ademloos staarden de drie mannen naar het eeuwenoude papier en hun ogen vlogen langs de lijnen op zoek naar aanwijzingen.
Met een ruk keek Daniel op en keek door zijn brillenglazen naar John. 'Onbegrijpelijk dat u dit wist.'
John was zelf enigszins teleurgesteld omdat hij had verwacht dat dit het document zou zijn waarmee hij het legitieme bezit van Eagleton Castle kon aantonen. Onder aan het papier stond iets geschreven in het Iers. De letters waren zo klein dat ze vrijwel niet te lezen waren. Daniel Flower ging een vergrootglas halen en bracht ook meteen het boek terug naar de vitrine.
'Dit is het gevaarlijkste dat ik ooit in mijn leven heb gedaan,' zei hij toen hij terug was.
'U bedoelt met het boek.'
'Ja. Maar het is ook spannend. De gedachte alleen al dat er eeuwenlang een document in de bibliotheek lag waarvan niemand het bestaan wist, is reuze opwindend.'
'Moet u dit ook melden bij uw meerdere?' vroeg John.

Terwijl Daniel Flower zich met het vergrootglas over het papier boog, zei hij: 'Dat zou ik wel moeten doen, maar ik doe het niet. Want dan wordt het ons uit handen genomen en is het maar de vraag wat ermee gebeurt.'

'Zou u ons willen helpen met het vinden van het eigendomsdocument?' vroeg John. Hij voelde dat Daniel Flower niets liever wilde maar het niet durfde te vragen.

Opnieuw de samengetrokken glimlach, maar zijn ogen werden vochtig. 'Sir,' zei hij, 'I would be honoured and I would be delighted.' Hij stond plechtig op, gaf zowel Shay als John een hand en zei: 'My name is Daniel Flower, but please call me Daniel.'

Hij ging weer zitten, nam het vergrootglas en las langzaam de Ierse teksten voor. 'Deze kaart leidt tot het bewijs van het legitieme bezit van het Eagleton Castle en het omringende land, zoals ooit beschreven in het register, en behelst tevens het bezit van de landerijen. Vanaf drie punten op de kaart kunnen kompaspeilingen worden genomen, waarbij het snijpunt van de drie lijnen de vindplaats is. Vanaf Ardgillan Castle de richting 278 graden; vanaf The Lighthouse of Malahide de richting 305 graden; vanaf Fairy Castle de richting 327 graden. Het Eagleton-zegel is het enige instrument dat geschikt is om als kompas vanaf de plaatsen van aanwijzingen de juiste richtingen te bepalen die tot dit snijpunt leiden.'

'Dus het zegel is een kompas,' zei Daniel.

'Ja,' zei John, 'blijkbaar. Maar ik begrijp niet waarom uitsluitend het zegel als kompas kan dienen. Elk kompas kan de richting bepalen.'

'Hier staat het,' zei Daniel terwijl hij verder las. 'De richtingen die het zegel als kompas aangeeft, sluiten het gebruik van elk ander kompas of ander magnetisch instrument uit. Dat begrijp ik niet.'

John dacht even na en zei toen: 'Elk magnetisch kompas kent fouten. In de eerste plaats omdat het magnetische noorden afwijkt van het geografische noorden, maar dat is voor elk kompas hetzelfde. Daarnaast is er altijd een kompasfout die veroorzaakt wordt door omgevingsfactoren en de fouten in het kompas zelf. Dat wordt de kompasfout genoemd. Meestal is dat een kleine fout van enkele graden... Ik vermoed dat er in het zegel een grote, zeer afwijkende kompasfout is aangebracht en dat betekent dat we absoluut het hele zegel in handen moeten krijgen.'

'Als ik het goed begrijp is het zegel een geheel eigen type kompas,' zei Shay.

'Ja, de makers van het zegel hebben er van binnen magneten in aangebracht op zodanige wijze dat het noorden op dit kompas afwijkt ten opzichte van andere kompassen.'

'Dat begrijp ik niet,' zei Shay.

'Ik zal het je uitleggen,' zei John. 'Het aardmagnetisme, dus de richting waarin een kompas haar noorden vindt, kent een afwijking die van jaar tot jaar heel langzaam verandert ten opzichte van het geografische noorden. Dat aardmagnetisme verschuift elk jaar iets. De hoek tussen het ware noorden en magnetische noorden heet variatie en dat is een correctie die toegepast moet worden om het magnetische noorden naar het geografische noorden te herleiden zodat je dat kunt overbrengen op de kaart. Daarnaast kent elk kompas een eigen kompasfout en die is afhankelijk van omgevingsfactoren en van het instrument zelf. Dat maakt het zegel als kompas uniek, want normaal kent de kompasfout een kleine afwijking, die men deviatie noemt, echter de makers hebben daar vermoedelijk een grote afwijking van gemaakt. Dit om te voorkomen dat iemand die deze kaart zou vinden met een willekeurig kompas het document zou kunnen vinden.'

'Hoe weet je dat?' vroeg Daniel verbaasd.

'Ik ben jarenlang zeeman geweest en als stuurman op schepen is deze kennis voor de navigatie uiterst belangrijk.'

'I see. Maar één ding begrijp ik niet. Waarom een kaart? De informatie had toch gewoon op papier kunnen staan.'

'Inderdaad. Ik denk dat de makers zich hebben afgevraagd hoeveel eeuwen het zou duren voordat de kaart zou worden gevonden en of dan de kenmerken zoals The Lighthouse nog zouden bestaan. Maar de juiste plaats vinden zal nog moeilijk genoeg zijn. De vraag is hoe accuraat de kaart is omdat oude kaarten onbetrouwbaar zijn. Dit is een kaart getekend volgens het magnetische noorden en dat betekent dat de opgegeven peilingen kompaspeilingen zijn, die gecorrigeerd moeten worden naar ware peilingen en in een moderne kaart moeten worden overgezet.'

'Maar ze hebben voor de bepaling van de richting toch deze kaart gebruikt?'

'Vermoedelijk wel,' zei John. 'Want alle punten, inclusief de vindplaats, konden worden uitgerekend. Om de ware peilingen te verhullen zijn vervolgens de correcties toegepast van variatie en deviatie en die zijn als kompaspeilingen in de kaart gezet. Wij moeten de plaats vinden door andersom te redeneren en daarvoor is absoluut het zegel nodig.'

'Waar is de andere helft?' vroeg Daniel.

'Bij iemand in Amerika die het niet graag wil afstaan.'

Op de terugweg liepen Shay en John via Grafton Street terug naar hun hotel. 'Beroemde straat is dit,' zei Shay. 'Tenminste, volgens mijn grootmoeder Sinéad Eagleton. Heel wat oorlogen zijn hier uitgevochten.'

'Dat voel je ook,' zei John.

Bij binnenkomst in de lobby werd John meteen tegengehouden.

'We zijn de hele ochtend al op zoek naar u,' zei de hotelmanager. 'Er is een vreselijk bericht binnengekomen. Uw dochter is ontvoerd en niemand weet nog door wie.'

In één ruk trok het bloed uit Johns gezicht en kromp zijn maag ineen van angst.

'Het spijt me dat ik...'

'Boek een vlucht naar New York, laat iemand boven mijn koffer pakken en regel een taxi voor me.'

'Ik hoop dat ik u nog op het vliegtuig krijg.'

'Doe alles wat nodig is.'

Daarna belde John met Chorowski, die hem vertelde dat het bericht die ochtend op het nieuws was geweest.

'Freddy Carter?' vroeg John.

'Ligt wel voor de hand.'

'En Sinéad?'

'Niets van gehoord. Misschien weet ze het nog niet.'

'Captain, ga langs dat bedrijf van Carter in New Jersey. Het ligt vlakbij de Hudson aan de linkerkant. Misschien moet je zeggen dat je komt solliciteren of verzin een ander verhaal. Zorg dat je hoe dan ook binnenkomt.'

'Oké. Wanneer kom je aan?'

'Vannacht, als het goed is. Ik weet niet hoe laat. Ik logeer in het Lexington hotel.'

'We vinden haar wel terug, John.'

'I know.'

'Zal ik met je meegaan?' vroeg Shay bezorgd.

'Nee, ik ga alleen,' zei John. 'Misschien is het goed dat jij eerst teruggaat naar Friesland, want voorlopig blijf ik in Amerika.'

Het was alsof hij zich daarna afsloot van alles om zich heen. Tot het moment dat de taxi kwam, stond hij met opgevouwen armen achter op zijn rug, wijdbeens voor zich uit te staren.

Volledig over haar toeren staarde ze naar moeders en nanny's met spelende kinderen in Central Park. Sommigen zaten op bankjes en anderen lagen op plaids in het gras. Een eindje verder een groep jongeren die American football speelde. Een vieze grijze zwerfhond op leeftijd kwam langs het pad trippelen, links en rechts kijkend of er wat te halen viel. Toen het beest langs Sinéad liep, snuffelde hij even onder haar bankje en liep weer door zonder enige notitie van haar te nemen.

Die ochtend, toen ze de tv-beelden zag, wist ze onmiddellijk dat Freddy Carter achter de kidnapping zat. Volledig van de kaart zag ze hoe de eagle wegvloog en plotseling sloeg een verlammende angst toe, omdat ze wist dat Freddy tot alles in staat was. Toen hij op het strand het geluid van het fototoestel had gehoord, wist hij dat hij verraden was en had hij keihard teruggeslagen. Tot haar opluchting was de deur van het appartement niet op slot, zoals ze even had gevreesd. Ze vermande zich, besloot tegen Freddy te zeggen dat ze wegging en stapte even later de lift uit. De langbenige secretaresse glimlachte vals. 'Meneer Carter is er niet.'

Sinéad keek door de open deur Freddy's kantoor in.

'Hij zei dat hij niet voor vanavond laat terug is.'

'Zei meneer Carter dat?' vroeg Sinéad achteloos. Ze liep Freddy's kantoor binnen en net toen ze met de gedachte speelde dat ze nu gemakkelijk het zegel zou kunnen meenemen, zag ze tot haar verbijstering dat het kastje leeg was.

'Ik weet niet of meneer Carter het goed vindt dat u in zijn kamer rondloopt', zei de secretaresse die plotseling achter haar stond.

Op straat liep Sinéad met snelle passen en wist niet waar ze naartoe wilde. Bij het Grand Central Station bleef ze staan. Een volgevreten duif landde vlak voor haar en keek met scheve kop in afwachting van broodkruimels.

'Sodemieter op,' zei Sinéad en ze liep verder. Haar hoofd liep over van allerlei gedachten. Spijtgevoel dat ze zich zo had laten meeslepen door Freddy overheerste. Ze had het zegel moeten pakken toen ze de kans had en nu was door haar nalatige gedrag Jeanne ontvoerd.

Later in de middag liep ze de toegangspoort van het Central Park

Zoo door. Bij de vogelkooien bleef ze staan en keek naar een blauwe tropische vogel, met fel bruinoranje ogen en prullaria van hoge veren met witte uiteinden boven op zijn kop. Plotseling voelde ze beweging van de lucht boven zich. Haar ogen vernauwden zich toen ze de eagle al hoog in de lucht zag zweven. Langzaam dreef de vogel naar het westen. Sinéad liep de dierentuin uit, passeerde de East drive die door het park liep en volgde de 57ste straat, tot ze bij de Hudson op 12th Avenue terechtkwam. De eagle vloog boven de Hudson naar het zuiden. Ze liep door totdat ze zag dat de eagle verder naar het westen vloog. Ze vroeg zich af wat ze moest doen, maar ze bleef het gevoel houden dat ze het beest moest volgen. Ze hield een taxi aan en zei dat ze via de 78 over de Hudson naar New Jersey wilde.

'Any address?' vroeg de chauffeur.

'Not yet.'

Even draaide hij zich om en Sinéad glimlachte.

'Oké,' zei de chauffeur en zette de meter aan.

Vlak over de brug bij Newport zag ze dat de eagle bijna stil hing in de lucht. Ze vroeg de chauffeur om de volgende afslag te nemen en haar dan af te zetten. Ze betaalde vier dollar en stapte uit. Op hetzelfde moment zag ze het grote gebouw met daarop de gouden letters EAGLE PARCEL SERVICES. Op het met hekwerk en prikkeldraad omheinde terrein stonden honderden vrachtauto's en bestelwagens. Bij de poort was een slagboom met daarnaast een glazen hokje met een portier die elke bezoeker controleerde. Ze keek naar het dak van het gebouw. De eagle zat helemaal rechts en Sinéad wist dat Jeanne daar was opgesloten.

Chorowski had die ochtend telefonisch gesolliciteerd bij Eagle Parcel Services en was uitgenodigd voor een gesprek. Bij de ingang van het grote terrein in New Jersey werd hij doorgestuurd naar de personeelschef in een klein stalen kantoor midden in de hal waar trucks stonden geparkeerd. Ook het bureau en de stoelen waren van staal. De chef was een man met varkensoogjes en droeg een groene klep op zijn hoofd. Hij knikte onverschillig toen Chorowski binnenkwam zonder hem een hand te geven.

'Iwan,' las de chef op van een vel papier dat voor hem lag.

'Chorowski,' vulde Chorowski aan.

'Russisch zeker.'

'Amerikaan,' zei Chorowski.

‘Klinkt Russisch,’ zei de personeelschef. Hij bestudeerde opnieuw het sollicitatieformulier nauwkeurig. ‘Oké, old man,’ zei hij toen, ‘waar heb je ervaring mee?’

‘Transport en logistiek,’ zei Chorowski.

‘Bij welk bedrijf?’

‘Bij een scheepvaartmaatschappij. Eerst heb ik gevaren en later heb ik op kantoor logistiek gedaan,’ loog hij erachteraan.

‘Op zee?’

‘Ja.’

‘Dat is wat anders dan op de weg. Hoe ben je begonnen op zee?’

‘Voor de mast. Matroos.’

‘Dekzwabber dus.’

‘Als u het zo wilt noemen,’ zei Chorowski die inmiddels de varkensogen aan de andere kant van de tafel wel wilde dichttimmeren.

‘Dat komt mooi uit, want we zoeken iemand met ervaring in dekzwabberen. Vegers voor de hal, want onze baas houdt van schone hallen waar je van de vloer kunt eten. Twaalf uur vanmiddag kun je beginnen. Loop maar naar die meneer daar in de witte overall, hij zal je alles uitleggen. Drie dollar per uur.’

Chorowski kreeg een overall, een pasje en een veger toebedeeld en werd naar een gigantische hal gestuurd, die helemaal schoongeveegd moest worden. De voorman was een neger die zei: ‘Als je klaar bent meld je je bij mij, dan kom ik controleren. Daarna is er nog een hal. Flink doorvegen want het moet om acht uur vanavond klaar zijn.’

Om zeven uur die avond stapte John zijn hotelkamer in New York binnen. Op het moment dat hij de deur achter zich dichttrok, begon de telefoon te rinkelen.

‘Carter,’ klonk de kille stem voordat John iets had kunnen zeggen.

‘Jij hebt mijn dochter,’ zei John.

‘Luister goed Hamilton. Hier is de deal. Jij je dochter en ik je zegel. Anders zie je je dochter nooit weer. Je hebt dertig seconden.’

John vroeg zich razendsnel af of hij Freddy naar Sinéad zou vragen, maar hij wist niet zeker wat Freddy wel of niet wist. ‘Je hebt geen idee wat jou gaat overkomen als je mijn dochter iets aandoet.’

‘Nog tien seconden. Wat gaan we doen? Je dochter morgen bij het vuilnis of ik het zegel.’

‘Waar en wanneer?’

‘New Jersey. Vanavond tien uur. Loop de laatste vijfhonderd meter naar de ingang van Eagle Parcel Services. Meld je eerst aan en rij dan naar het midden van het grote terrein. Stap uit je auto met het zegel en blijf daar staan.'

De verbinding werd verbroken.

Sinéad liep om het hele terrein heen zonder dat ze ook maar één mogelijkheid zag om binnen te komen. Naarmate de middag vorderde, kwamen er steeds meer trucks aanrijden die een lange rij vormden voor de slagboom. Gele lampen aan beide kanten van het hek floepten aan. Ze vroeg zich af of Freddy binnen was en besloot naar de portier bij de slagboom te gaan om te vragen naar meneer Carter. 'Wait,' zei de portier en hij draaide een nummer. Intussen drukte hij op een knop om de slagboom omhoog te laten gaan voor de volgende truck.

'Wat is uw naam, miss?' vroeg de portier toen hij iemand aan de lijn had.

'Sinéad. Sinéad van der Zee.'

'Sinéad Vanderzee,' gaf de portier door.

De truck reed langs het hokje en draaide walmend het terrein op. Sinéad bedacht dat het nog maar een week geleden was dat ze Freddy voor het eerst ontmoette. Twee magneten die tegen elkaar aan gekletst waren. Net zo plotseling als die gekomen was, was de aantrekkingskracht weer verdwenen. De volgende truck reed langs het raam en bleef staan. De chauffeur vertelde de portier dat er noodweer aankwam. Ze keek naar boven, waar de lucht veranderde in dreigend grijsblauw.

De portier gaf zijn telefoon aan Sinéad. 'Voor u, miss.'

De stem van Freddy klonk neutraal: 'Sinéad, wat doe jij hier?'

'Ik was nieuwsgierig naar je bedrijf.'

'Een andere keer wil ik het je graag laten zien. Helaas zit ik nu in een crisisoverleg. Gedonder met een klant die zijn spullen niet op tijd heeft. Zal ik je laten terugbrengen?'

'Hoeft niet, ik heb nog een taxi staan.'

'Oké. Waarschijnlijk ben ik laat vanavond.'

Ze keek naar de verlichte kantoren op de bovenste verdieping van het gebouw. In een van de kamers ging het licht uit, en ze wist dat hij nu in het halfdonker voor het raam naar haar stond te kijken. Ze gaf de telefoon terug aan de portier en op het moment dat ze het hokje uit stapte, zag ze Chorowski naar de uitgang lopen. Bang dat ze samen met hem gezien zou worden, liep ze snel naar de uitgang en stak de straat over.

Chorowski bleef een ogenblik aan de andere kant staan, keek om zich heen toen hij haar hoorde roepen. Het grommende geluid van een zware dieselmotor reed tussen hen door.

'Wat doe jij hier?' vroeg Sinéad toen hij grijnzend de straat overstak.

'John is terug in New York. We gaan op zoek naar Jeanne.'

'Ze zit in dit gebouw.'

'Hoe weet jij dat?'

Terwijl ze de straat uit liepen, vertelde Sinéad van de eagle.

'Laten we John bellen,' zei Chorowski. 'Hij zit in het Lexington.'

Ze stapten een coffeecorner binnen met groene en blauwe neonverlichting op de gevel. Sinéad ging zitten en bestelde koffie voor hen beiden. Chorowski stond buiten bij de payphone. De receptioniste die hem doorverbond, zei even later dat meneer Hamilton waarschijnlijk niet op zijn kamer was.

'We moeten binnen zien te komen,' zei Sinéad, toen ze achter hun kartonnen koffiebekers zaten.

'Er is maar één ingang,' zei Chorowski.

'En welke is dat?'

'De hoofdingang. De rest is hermetisch afgesloten. Alle buitenhekken staan onder stroom. De enige mogelijkheid is dat we met een truck naar binnen rijden.'

'Gewoon een truck. Zal er dan wel eentje van de firma moeten zijn. Hoe komen we aan zo'n truck?'

Chorowski dacht na en zei na een tijdje: 'Geen idee. Laten we gewoon maar zoeken.'

Ze liepen terug naar de ingang van Eagle Parcel Services, waar voortdurend vrachtauto's naar binnen reden. Ze zagen hoe de portier elke truck aanhield, het identiteitsbewijs van de chauffeur controleerde en pas dan de slagboom omhoog liet.

'We zouden een vrachtauto kunnen onderscheppen,' zei Chorowski.

Sinéad knikte, maar ze had geen idee wat hij bedoelde. Ze liepen naar de auto van Chorowski die op een buitenterrein stond geparkeerd. Ze voelden hoe de wind begon te krimpen naar het noorden. Vanaf grote hoogte kwam koude lucht stotend naar beneden en blies op de grond alle kanten uit.

Chorowski stuurde de schuddende auto de weg op in de richting waar de vrachtauto's vandaan kwamen. Op de parallelweg van 12th Street begon het hevig te hagelen. Witte brokken ijs, zo groot als knikkers, kletterden met veel kabaal op het dak van de auto. Binnen enkele minuten was de hele omgeving wit en lag er een dikke berg ijs op de motorkap. Het verkeer reed uiterst langzaam en Chorowski zag door een mist van neerslag hoe een eind verder de trucks vanaf de Interstate 78 via 12th Street voorzichtig rechtsaf sloegen richting 7th Street. Traag reed hij verder en volgde een truck door de donkere 7th Street. De hagel hield op en ging over in natte sneeuw. De truck minderde vaart en sloeg linksaf 6th Street in, op weg naar Eagle Parcel Services. Chorowski draaide de auto en zette hem precies op de hoek van de straat neer.

Hij maakte het handschoenenkastje open en haalde een Beretta 9 mm tevoorschijn. 'Kun je hier mee omgaan?' vroeg Chorowski.

'Ik kan wel een beetje schieten,' zei Sinéad.

'Dat is me bekend,' grijnsde hij. Hij liet een paar keer zien hoe ze het pistool moest doorladen en het magazijn moest verwisselen. Daarna duwde hij twee lege magazijnen vol met glimmende kogels en gaf het pistool aan Sinéad.

'Heb je zelf nog wel een wapen?'

Vanonder zijn stoel haalde hij een Smith & Wesson 29 magnum .44 tevoorschijn.

'Jezus,' zei Sinéad, 'we gaan toch niet op olifantenjacht?'

De volgende vrachtauto reed voorbij en Chorowski zag tevreden dat zijn auto hinderlijk in de weg stond, waardoor de truck flink vaart moest verminderen om de bocht door te komen.

Hard toeterend trok de zware vrachtauto na de bocht weer ronkend op. Chorowski stapte uit en zag in de verte opnieuw felle koplampen op zich af komen. Hij ging achter de auto staan, deed de kofferbak open, haalde er een rol touw uit en gooide dat naar Sinéad, die intussen ook was uitgestapt.

'Als de truck stilstaat kom je naar me toe,' zei hij.

Met sissend geluid kwam de truck naderbij door de vieze natte sneeuw. De chauffeur remde zwaar af. Kennelijk zag hij de auto van Chorowski pas op het laatste moment, waardoor hij een ruime bocht moest nemen. Chorowski zag het glimmende embleem van Eagle Parcel Services op de zijkant van de cabine en liep snel naar voren. Vlak voordat de chauffeur weer wilde optrekken, sprong Chorowski op de treeplank, rukte het portier open en hield zijn wapen tegen het hoofd van de chauffeur. 'Stop the vehicle!' schreeuwde hij.

Piepend en schokkend kwam de zware wagen tot stilstand.

'Naar achteren,' zei Chorowski, wijzend op de smalle slaapcabine achter de chauffeurstoel. Sinéad stond inmiddels naast de truck en gaf hem het touw.

'What the fuck is going on?' schreeuwde de chauffeur in paniek.

'Shut up,' zei Chorowski en duwde de man plat op het bed, waar hij hem razendsnel vastbond. Sinéad zag dat de volgende vrachtauto eraan kwam en ging achter het stuur zitten, zette de truck in de eerste versnelling en trok langzaam op.

Hijgend kwam Chorowski naast haar zitten. 'Ik wist niet dat je ook truckdriver was,' zei hij.

'We moeten zijn identiteitsbewijs hebben,' zei Sinéad.

Chorowski keek om zich heen.

'Zonneklep,' zei Sinéad.

Chorowski vouwde beide kleppen naar beneden. Niets. Ze waren al dicht bij de poort.

'Waar heb je je kaartje?' vroeg Chorowski. De chauffeur zei niets.

'Zet de truck maar aan de kant,' zei hij tegen Sinéad.

'Kan niet. Er zit een andere truck achter ons. Als die ons passeert, vraagt hij misschien of er iets aan de hand is.'

'Er zijn wel meer vrouwelijke chauffeurs.'

'Niet bij Freddy Carter.'

Chorowski draaide zich met zijn revolver om naar de chauffeur. De man droeg zijn identiteitskaart om zijn hals. Chorowski trok hard aan de ketting. De chauffeur schreeuwde het uit van de pijn maar de ketting brak niet. Chorowski trok nog een keer.

'Kun je hier ergens afslaan?' vroeg Chorowski.

'Gaat niet meer.'

'Langzamer rijden.'

'We wandelen bijna.'

Met nog een harde ruk brak de ketting. Meteen daarna gaf Chorowski de chauffeur een geweldige slag op het hoofd met zijn revolver, zodat de man buiten bewustzijn raakte.

Chorowski keek naar het identiteitsplaatje. 'Deze meneer lijkt helemaal niet op jou.'

'Kun jij rijden?'

'Nee. Jij rijdt.'

'Die klootzak heeft een bril. Waar is zijn bril? Mijn haar valt te veel op.'

Chorowski graaide tussen de spullen achterin, vond een pot Brylcream en een pet. Snel smeerde hij een flinke klodder vet door

Sinéads haar, trok het met zijn vingers achterover en zette haar de smoezelige pet op. De poort was nog tweehonderd meter weg.

'Bril!'

'Waar heeft die fucker zijn bril?' Chorowski zocht overal. Geen bril. Sinéad minderde nog meer vaart en reed zo langzaam dat de truck achter haar begon te toeteren.

'Alleen een zonnebril.'

'We lopen vast!' gilde Sinéad terwijl ze de wagen langzaam door de poort naast het controlehokje manoeuvreerde.

Ted Turner zou die avond vrij hebben. Hij had geruild met een collega omdat Ted in New York de Yankees wilde zien. Zijn broer Little Turner zou voor het eerst als pitcher van het team aan het werk zijn. Niemand wist hoe Little Turner aan zijn naam kwam, want hij was bijna twee meter lang. Little Turner was niet alleen lang, hij had ook een zeldzaam talent om loeiharde ballen te gooien. In het begin vlogen de ballen alle kanten uit, maar de trainer wist dat hij met Little goud in handen had en liet hem net zo lang gooien tot hij vanaf tientallen meters afstand met de bal een vlieg op de muur kon pletten. Zo goed was Little Turner.

Vanavond was de kampioenswedstrijd tussen de Yankees en de Red Sox en Ted wilde hoe dan ook zijn broer zien spelen, en had zijn avondwacht bij de poort van Eagle Parcel Services al weken geleden geruild met een collega. Vrolijk neuriënd in de badkamer besprenkelde hij zich rijkelijk met Old Spice, keek nog eens in de spiegel of zijn haar goed zat, en toen ging de telefoon.

Het was zijn baas, die Ted vertelde dat hij moest komen omdat zijn vervanger plotseling ziek was.

The motherfucker, dacht Ted.

Hij probeerde aan zijn baas uit te leggen dat zijn broer een heel belangrijke wedstrijd speelde en dat hij daar graag bij wilde zijn, en vroeg of er niet iemand anders was die zijn wacht kon overnemen.

'No,' zei de baas, die eraan toevoegde dat het controleren van de trucks die de poort bij Eagle Parcel Services passeerden, minstens zo belangrijk was als lullige balletjes slaan. Ted besefte dat zijn baas niets begreep van de grote betekenis van baseball en probeerde het nog een keer op een andere manier, door te vertellen dat hij dit al maanden geleden geregeld had.

'This is your watch, my boy,' zei de baas.

'I'm not coming,' zei Ted.

Even bleef het stil aan de andere kant van de lijn. 'Wat zei je jongen? Zei je dat je vrijdag je laatste paycheck kwam ophalen? Was dát wat je zei?'

Ted keek de kamer in en zag zijn drie kleine kinderen naast elkaar op de bank tv kijken. Mooie bruine kindergezichtjes in nieuwe zondagse kleren en hij besefte dat hij het zich niet kon veroorloven om morgenochtend geen werk meer te hebben, want de firma betaalde goed.

'I said, I'm coming.'

'You're coming?'

'Yes, I am.'

'So did I misunderstand you, boy?'

'I guess so.'

'Fine. Eight o'clock sharp.'

Op het moment dat de truck het poortje naderde, zat Ted Turner naar het kleine tv-scherm te kijken voor zich op het stalen bureau. In zijn spiegel aan de zijkant van het hokje zag hij de lichten van de truck aankomen.

Little Turner stond in het speelveld op de heuvel en Ted keek hoe zijn broer langzaam de bal draaide in zijn hand. Ted meende ook te zien hoe zijn broer vanuit zijn ooghoeken opzij keek naar het eerste honk. Daar stond Hank van de Red Sox al een beetje vooruitgeschoven, op weg naar het tweede honk. Ted wist dat zijn broer wist dat Hank razendsnel kon rennen, maar soms ook grote risico's nam.

De truck kwam langszij en Ted hield zijn hand omhoog als teken dat de chauffeur moest wachten. Hij schoof het zijraam een stukje open zonder dat zijn ogen het kleine tv-scherm loslieten.

Met open mond en met zijn gezicht dicht op het tv-scherm zag Ted wat zijn broer ging doen. Hij keek hoe Little Turner zijn ene been optrok, ogen strak op de slagman, zijn arm naar achteren zwaaide, nog verder zijn been optrok en plotseling een halve slag draaide, waarbij de bal als een kanonskogel dwars uitvloog richting het eerste honk. Red Sox Hank was te ver vooruit gelopen en kwam te laat terug op het eerste honk. Ted gilde van plezier omdat zijn broer die gluiperd van een Hank eruit geknikkerd had. Bijna achteloos kwam de smalle bruine hand door het schuifraam naar buiten en gebaarde dat de chauffeur van de truck door kon rijden. Met een diepe zucht trok Sinéad op. Ze hoorde Ted nog steeds brullen en van blijdschap met zijn hand op het stalen bureau slaan.

Om precies halftien die avond draaide John de brug op, over de Hudson naar New Jersey. De hele avond had hij nagedacht hoe hij zijn dochter veilig uit de handen van Freddy kon krijgen, omdat hij er vrij zeker van was dat Freddy hem wilde vermoorden nadat hij eenmaal het zegel had bemachtigd. Hij passeerde de brug en verliet Interstate 78, reed de uitrit af, draaide naar rechts, onder de 78 door en reed 7th Street op. Een bord met in grote letters Eagle Parcel Services wees hem naar links. Hij sloeg af, en zag al snel de grote gebouwen en loodsen. Langzaam reed hij langs de hoge, verlichte omheining en zette de auto stil voordat hij de poort had bereikt. Hij stapte uit en bleef lange tijd naast zijn auto staan. Half op het dak leunend tuurde hij met zijn scherpe ogen langs de gebouwen en over het uitgestrekte terrein, waar trucks heen en weer reden. Hij bleef minutenlang scannen maar had nog steeds geen idee waar Jeanne kon zijn. Hij keek op zijn horloge en zag dat het kwart voor tien was, hij opende het achterportier en pakte het foedraal dat op de achterbank lag. Nadat hij de boog uit het foedraal had gehaald, spande hij de pees door met zijn gewicht aan de boog te hangen. Daarna legde hij de boog terug op de achterbank, legde er twee pijlen naast en zette vier andere pijlen vast in de klem op de schacht van de boog. Nog eenmaal keek hij naar het terrein, ging weer achter het stuur zitten en reed in de richting van de poort.

De wedstrijd was nog in volle gang en Yankee Little Turner gooide de ballen met enorme snelheid en onnavolgbare kromming op de slagman af, zodat de spelers van de Red Sox, eeuwige vijanden van de Yankees, geen enkele bal meer de goede kant op sloegen. Ted wist het zeker. Little Turner zou morgenochtend in de kranten de nieuwe Joe DiMaggio zijn en de Yankees zouden glansrijk kampioen worden. Het stadion van de Yankees in de Bronx barstte bijna uit zijn voegen en bij de zoveelste prachtige worp van Little Turner had Ted tranen in zijn ogen, van blijdschap en omdat het hem zo vreselijk speet dat hij niet aanwezig was bij de wedstrijd.

De auto stond plotseling naast hem en Ted schrok van de kille blauwe ogen van de man achter het stuur.

'Ik kom voor Freddy Carter,' zei de man met zachte stem.

Ted keek naar hem, naar de telefoon en vervolgens weer naar hem. 'Hebt u een afspraak meneer?'

De man knikte. Op het moment dat Ted de telefoon pakte, stond de man naast hem, greep hem bij zijn lichtblauwe shirt met embleem en siste: 'Eerst de slagboom open en daarna bel je maar.'

Ted wist niet hoe snel de slagboom omhoog moest.
Met stationair draaiende motor reed John het terrein op. Halverwege het terrein stuurde hij met knerpende banden naar rechts en liet de auto tot stilstand komen. Terwijl hij uitstapte, zag hij de portier bellen.
'Asshole,' brieste Alfred boven in het kantoor door de telefoon.
Tegenover hem zat Freddy die grauw wegtrok van woede. 'Heeft hij hem doorgelaten?' vroeg hij.
Alfred knikte.
'Fire the sucker,' zei Freddy, en zo zou Ted Turner alsnog worden ontslagen.
Mr. Sharpshooter, Brook, zat tegenover Freddy aan de grote tafel. Naast hem zaten nog twee mannen die net als bankdirecteuren gekleed waren in pakken met een dubbele rij knopen. Mannen die soms door Freddy werden ingehuurd voor speciale klussen, de 'opruimdienst'. Meestal hadden de medewerkers van de opruimdienst korte namen die zelfs hun eigen moeders nooit hadden gehoord. De een heette Bob en degene die naast hem zat heette Dan.
Freddy dacht na over de ontstane situatie en vroeg zich af waarom John Hamilton met zijn auto naar binnen was gereden.
'Misschien heeft hij wapens bij zich.'
Freddy schudde zijn hoofd. 'Hij heeft geen vuurwapens. Messen, en pijl en boog.'
'Is het soms een indiaan?' vroeg Dan.
'Nee, het is de voormalige gouverneur van Montana,' zei Freddy.
'No kidding,' zei Dan.
'Onderschat hem niet. Hij is bloedsnel. Twee mannen van mij zijn gedood in een gevecht met hem. Brook heeft ook al eens kennis met hem gemaakt, right, Brook?'
Brook keek naar het litteken op zijn rechterhand.
'Oké,' zei Freddy, 'we doen het zo. Brook, jij gaat via de trap het dak op en neemt je telescoopgeweer mee. Laat je niet zien. Op het moment dat ik mijn arm omhoog steek, schiet je hem neer.'
Brook glimlachte. 'En het meisje?'
Freddy aarzelde een moment. 'Ik wil geen getuigen,' zei hij toen. 'Bob, jij blijft hier bij dat kind. Wij rijden met de wagen naar hem toe en als we vlakbij zijn, doe je alle lichten van het terrein uit zodat hij niets meer kan zien. Als Alfred je belt, kom je met haar naar ons toe.'
Ze liepen de trappen af naar beneden. In de hal stapten Freddy

en Alfred achter in de verlengde limousine en Dan ging achter het stuur zitten.

Vrijwel zonder geluid kwam de zware auto in beweging.

'Groot licht,' zei Freddy. Ze reden door de wijde deuren het terrein op, in de richting van John. Op dertig meter afstand bleef de auto staan en toen ging alle verlichting op het terrein uit.

Sinéad en Chorowski hadden ruim een uur gewacht achter een grote vrachtauto die in de hal geparkeerd stond. Ze zagen Freddy en twee onbekende mannen in de limousine stappen en naar buiten rijden.

'Waar gaan ze naartoe?' vroeg Sinéad.

'Geen idee, maar er zal vast nog iemand binnen zijn.'

Ze gingen door een stalen deur naar binnen. Het trappenhuis was verlicht door felle neonlampen en zonder aarzelen liep Chorowski de trap op.

'Neem je pistool in de hand,' fluisterde hij, 'en vergeet je veiligheidspal niet.'

De eerste verdieping leek uitgestorven. Alle deuren stonden open en de verlichting op de kantoren was uit. Opnieuw namen ze de trap, deze keer naar de bovenste verdieping, en behoedzaam liepen ze de gang door. Plotseling bleef Chorowski staan en wees naar boven. Ze hoorden schuifelende voetstappen.

'Er is iemand op het dak,' fluisterde Chorowski. Hij ging een van de kantoren binnen en liep samen met Sinéad naar het raam.

'Jezus,' zei Sinéad zacht. 'Dat is John.'

Ze keken naar de felle koplampen van de limousine die op Johns auto schenen.

'Een ruilafspraak,' zei Chorowski, en hij besloot dat er nu snel actie moest worden ondernomen. Aan het eind van de gang zagen ze dubbele houten deuren. 'Freddy's kantoor?' vroeg hij.

'Absoluut,' zei Sinéad. Met een korte aanloop barstte Chorowski met zijn volle gewicht door het mahoniehout en rolde het kantoor binnen. Bob sprong overeind en greep naar zijn revolver, maar keek het volgende ogenblik in de loop van het pistool van Sinéad, die in de deuropening stond. Op dat moment begon de telefoon te rinkelen.

'Neem op,' zei Chorowski, die weer overeind stond.

Bob vroeg zich kennelijk af of Sinéad daadwerkelijk zou schieten en zijn hand aarzelde tussen de telefoon en zijn revolver.

Chorowski zette zijn wapen tegen het hoofd van Bob. 'Neem die telefoon op. Bij een verkeerd antwoord ben je dood.' Bobs bleke blauwe ogen keken Chorowski ijzig aan. Langzaam nam hij de telefoon op.

'Bring her down,' zei Alfred.

Bob zei niets.

'Oké?' vroeg Alfred.

'Oké,' zei Bob toonloos.

Chorowski drukte de haak naar beneden. 'Waar is ze?' vroeg hij.

'Don't know,' zei Bob.

Het volgende moment ramde Chorowski de lange loop dwars door het stralend witte kunstgebit van Bob, diep in zijn keel. Bob sloeg rochelend achterover. En toen hij het geluid van een stalen klik hoorde, wist Bob dat het menens was. Hij wees naar een kast met een schuifdeur.

Sinéad opende de deur en zag dat de kast leeg was. Met haar hand betastte ze de achterwand van de kast tot ze aan de zijkant een kleine ronde knop voelde, die ze indrukte. De achterwand schoof langzaam een stuk omhoog en verbijsterd zag ze Jeanne in de kleine ruimte liggen, geboeid, geblinddoekt en met grijze tape over haar mond. Voorzichtig trok ze het meisje via de kast het kantoor binnen. Chorowski sloeg die dag voor de tweede keer iemand bewusteloos met de kolf van zijn revolver.

Terwijl ze werd losgemaakt knipperde Jeanne met haar ogen tegen het felle licht. Chorowski zei haar dat ze veilig was. Voorzichtig trok Sinéad de tape van haar mond en Jeanne schokte van de pijn en emotie.

'Niet schreeuwen,' zei Sinéad.

'We moeten gaan,' zei Chorowski en tilde Jeanne overeind.

Sinéad keek het kantoor nog een keer rond en aarzelde. Ineens vloog ze op het bureau van Freddy af en trok als een bezetene alle laden open. In de onderste la lag, alsof het daar achteloos was neergesmeten, de helft van het zegel dat de Carters sinds 1912 in hun bezit hadden. Ze schrok er zelf van dat ze het zegel eindelijk had gevonden. Een seconde lang staarde ze naar het metaal, toen griste ze het uit de la en rende Chorowski en Jeanne achterna die al halverwege de gang waren.

John stond naast zijn auto toen hij de limousine met verblindend felle lichten op zich zag afkomen. Direct nadat de limousine tot stilstand was gekomen, gingen er drie portieren open en stapten drie mannen tegelijkertijd uit.

'Nice to meet you, mister Hamilton,' zei Freddy met een glimlach.
'Waar is mijn dochter?' vroeg John.
'Het zegel, meneer Hamilton.'
John pakte het zegel van de voorbank en hield het omhoog.
'Alfred, ga bellen,' zei Freddy.
'Waarom schiet je hem niet gewoon neer?' fluisterde Alfred nerveus.
'Alfred, just make the call.'
'Waar is ze?' vroeg John nogmaals.
'Geduld, meneer Hamilton. Ze komt zo. We doen het als volgt. Uw dochter loopt van mijn auto naar uw auto. Daar blijft ze staan en u gooit het zegel in mijn richting. Als zij of u instapt zonder dat ik het zegel heb, schieten we u beiden dood.'
Dan hing over het portier van de limousine en grijnsde naar John terwijl hij een enorme revolver op hem richtte.
'Waar blijft ze?' vroeg Freddy zacht aan Alfred die weer terug was.
Een grommende zware dieselmotor kwam uit de verte snel naderbij. Twee grote koplampen kwamen van achter in het terrein recht op hen af.
Freddy begreep de situatie onmiddellijk.
'Achteruit,' schreeuwde hij terwijl ze alle drie in de auto sprongen. Met piepende en rokende banden scheurde de zware limousine achteruit. Denderend kwam de truck uit het donker naar voren en reed tussen de twee auto's door. John keek met verbazing naar Sinéad, die hoog boven hem achter het stuur van de truck zat. Ze schreeuwde door het open raam dat hij moest vluchten want ze hadden Jeanne bevrijd. Meteen draaide ze scherp naar links in de richting van de poort, en gaf gas.
Op datzelfde moment kwam een koffiebruine Buick aan de andere kant van de slagboom tot stilstand. Ted schoof het raampje open en keek naar het gelukkige gezicht van zijn vrouw Mary en naar de enthousiaste blikken van zijn kinderen achter in de auto. Het was halfelf en zijn vrouw had een uur eerder vanuit het stadion gebeld dat ze hem zou komen ophalen. Hij gebaarde dat ze even moest blijven staan, want de portier die hem zou aflossen kon elk moment arriveren. Door het schuifraam heen hielden ze elkaars hand even vast. Ted zag hoe haar blije gezicht veranderde in een angstige grimas en hoe ze begon te gillen.
Pas op het laatste moment zag Sinéad de Buick met de gedoofde lichten naast het glazen portiershokje. In een flits zag ze dat er men-

sen in de auto zaten en ze reageerde onmiddellijk. Ze minderde snelheid door het stuur naar rechts te trekken, vervolgens naar links en opnieuw naar rechts, trok aan de handrem, schakelde twee versnellingen terug en toen de grote vrachtauto ging glijden, trok ze het stuur recht en besefte dat de truck nog steeds te veel vaart had. Op nog geen dertig meter van de slagboom schakelde ze met loeiende motor krakend terug naar de tweede versnelling en besloot een schuiver te maken door het stuur helemaal naar links te draaien.

'Hou je vast,' gilde ze tegen Chorowski en Jeanne en drukte de toeter in.

Als een vertraagd beeld begon de hele laadbak van de truck als een staart om de cabine heen te draaien en kantelde de truck op de zijkant.

Ted zag het gevaarte op zich af komen en sprong het hokje uit.

'Weg hier,' schreeuwde hij.

Op de achterbank gilden de kinderen en hij zag hoe Mary's handen het stuur van de Buick als een bankschroef omklemden, zodat haar knokkels bijna wit waren. De laadbak van de truck versplinterde het hokje en schoof het staal en glas vooruit, tegen de Buick aan, die zijwaarts werd meegesleept totdat het geheel tot stilstand kwam, op nog geen centimeter afstand van de betonnen palen waaraan de slagboom bevestigd was.

'Dat ging maar net goed,' zei Chorowski.

Op het moment dat ze alle drie uit de truck klommen, keek Ted met ontzetting naar zijn zwaar gedeukte auto, waarvan het koetswerk minstens twintig centimeter smaller geworden was. De wielen hingen bijna naakt aan de assen. Ted rukte aan het linker voorportier, dat niet meegaf. Nadat hij nog een keer hard trok, viel het hele portier van de wagen. Ted zei tegen zijn vrouw: 'Schuif eens op,' startte de motor en reed hobbelend achteruit als gevolg van een kromme wielas. Niemand zei iets. Zijn kinderen niet, zijn vrouw niet en ook Ted zelf niet, die de Lieve-Heer boven hem stilletjes bedankte en ook nog beloofde dat hij in het vervolg elke zondag naar de kerk zou gaan in plaats van te kijken naar de verderfelijke preken van televisiedominees, tenminste, als hij deze keer veilig thuis zou komen.

De stem van Freddy schalde over het terrein: 'Geen beweging, jullie staan allemaal onder schot. Hamilton, het zegel.'

John stond doodstil, wijdbeens naast zijn auto. Hij had de boog in zijn hand en twee pijlen lagen op de pees.

Dan grinnikte meesmuilend en zei: 'Hij gaat echt indiaantje spelen.'

Freddy gebaarde geïrriteerd met zijn hand. ' Hamilton! Je wilt je dochter toch niet verliezen, mag ik hopen?'

John deed een paar stappen zijwaarts en bleef opnieuw staan. Hij voelde dat er meer was dan Dan met zijn grote revolver die op te grote afstand stond om gericht te kunnen schieten.

Opnieuw schreeuwde Freddy en John zag hoe hij zijn arm omhoog bracht. John bleef staan en sloot zijn ogen terwijl hij zijn boog spande. Hij dacht terug aan de bergen en aan Anna en draaide langzaam om zijn as om oriëntatie te zoeken. Hij wist dat hij zich in onmiddellijk gevaar bevond.

Brook zag hem vanaf het dak ronddraaien met zijn gespannen boog en glimlachte, want hij voelde zich oppermachtig nu hij het leven van John Hamilton elk moment kon beëindigen. Hij tilde de lange loop van zijn geweer iets omhoog, zag de drie anderen doodstil naast de gekantelde cabine van de truck staan en dacht over wie de volgende zou zijn nadat hij John had gedood.

Met zijn vinger gespannen om de trekker keek hij door de kijker naar het kruis in het vizier dat precies midden op het hoofd van John Hamilton stond. Opeens hoorde hij heftig gefladder van een vogel en nog geen seconde later suisde een van de pijlen vlak langs zijn oor en boorde de andere dwars door zijn rechteroog zijn hersenen binnen.

Dan begon in het wilde weg om zich heen te schieten. Razendsnel dook John terug achter zijn auto, spande opnieuw zijn boog en joeg een pijl in de richting van Dan die tegen het gepantserde glas van de auto afketste. Freddy zag vanuit de auto hoe de gebogen donkere gestalte van John snel zigzaggend over het terrein op hen afkwam.

'Dan, naar binnen,' schreeuwde Freddy.

Maar Dan was niet bang en wilde zijn uitmuntende staat van dienst als 'opruimer' graag in stand houden en niet als opgejaagd wild wegrennen voor iemand met een pijl en boog. Kalm herlaadde hij zijn revolver en op het moment dat hij het magazijn dichtklapte, voelde hij de vernietigende pijn van de pijl die zijn rechterbovenbeen binnendrong. Hij wankelde en schoot in de lucht toen de tweede pijl trillend in zijn andere bovenbeen bleef staan. Vloekend en razend viel hij op zijn zij, keek naar zijn benen, vloekte nog harder toen hij zag dat zijn nieuwe zijden pantalon aan flarden was en onder het bloed zat, en ten slotte ging hij met een diepe zucht op zijn rug liggen, wachtend op de genadeklap. Maar het enige wat hij hoorde, waren wegstervende voetstappen en stemmen die langzaam in het donker verdwenen.

BLUE STACK MOUNTAINS

Ierland, 1961

John keek omhoog naar wolken die als zachte wattenbollen opstegen vanaf de bergen, hoog de hemel in, waar ze uiteendreven alsof ze daarboven tegen een plafond aan botsten. Aan beide zijden van het pad dat door een groene vallei slingerde, stonden groepjes verwaaide naaldbomen. In de verte lagen de Blue Stack Mountains, 470 miljoen jaar geleden ontstaan uit heftige vulkanische uitbarstingen. Ooit waren deze bergen hoger dan de Himalaya.

Hij passeerde een stenen dam over een uitgedroogde beek en meteen veranderde het landschap in harde bruine rotsgrond en massa's losse stenen. De hele dag liep hij stevig door, totdat hij tegen de avond bij de bergketen aankwam. De witte wolken van die ochtend veranderden in langgerekte eilanden met dreigende zwarte onderkanten. Snel verzamelde hij het weinige hout in de omgeving, maakte vuur en mengde water met een klein blik groentesoep. Na deze karige maaltijd zette hij op vlakke grond een tentje op en scheerde de lijnen door het gewicht van stenen. Nauwelijks was hij klaar toen het eerste zware onweer als een verre echo losbarstte. Even later kwam de regen en lag John door het tentdoek roerloos te kijken naar de bliksemschichten en dacht na over Henry Eagleton, die in 1653 het kasteel had moeten verlaten. Sinds John terug was in Ierland, droomde hij vrijwel elke nacht dezelfde droom en elke keer was het alsof hij dichter bij de uitgestoken hand van zijn verre voorvader kwam. Maar hij zag ook dat het licht in zijn dromen steeds meer doofde en dat Henry Eagletons ogen bijna niet meer zichtbaar waren. De laatste nachten zag hij alleen nog dode witte vingertoppen die zich naar hem uitstrekten en John voelde zich alsof hij werd meegesleurd naar de andere zijde. Ook dacht hij voortdurend aan de monniken die hij eerder in zijn dromen had gezien. En het ritmisch geluid van vluchtende paardenhoeven wilde maar niet verdwijnen uit zijn hoofd, waardoor hij het gevoel kreeg dat hij niet veel tijd meer had.

Met Sinéad was hij de dag ervoor naar Donegal gereden, ten zuiden van de Blue Stack Mountains. Ze brachten de nacht door in een kleine kamer in een hotel aan de Donegal Bay.

's Nachts was Sinéad wakker geschrokken en zag John bij het raam staan, kijkend naar de zwarte nacht. Hij had verteld van zijn dromen en Sinéad maakte zich grote zorgen. Niet alleen vanwege de dromen, maar ook omdat hij sterk vermagerde en zijn gezicht diepe sporen vertoonde.

'Ik ga morgenochtend de bergen in,' zei John toen ze naast hem kwam staan.

'Ik ga mee,' zei Sinéad.

'Nee, ik ga alleen.' Zijn stem klonk vastbesloten.

'Probeer nog even te slapen,' zei ze.

Hij schudde zijn hoofd in het donker.

Ze pakte zijn hand en vroeg of hij dan mee naar buiten wilde.

Water kabbelde op het steenstrand aan hun voeten. De Atlantische Oceaan lag als een slapende reus rustig ademend voor hen.

'John, het zegel, dit alles vreet je op. Je ziet er slecht uit. Soms ben ik bang dat je doodgaat.'

'Omdat ik voel dat de tijd me overmeestert.'

'Waarom laat je je dan zo meeslepen in je dromen?'

'Door die dromen weet ik hoe ik verder moet. Het zegel moet weer worden samengesmeed.'

'Dat kan toch iedere smid?'

'Nee, het moet door dezelfde monniken gebeuren die ooit het zegel hebben gemaakt. Het gewicht, de hoeveelheid metaal en de samenstelling moeten exact hetzelfde zijn als voorheen. Anders komen er afwijkingen in het magnetisme en dan vinden we het document nooit.'

Sinéad keek in de richting van de donkere bergen en huiverde. Met een Land Rover bracht ze hem zover de weg toeliet in de richting van de Blue Stack Mountains. 'Je had beter te paard kunnen gaan,' zei ze toen hij uitstapte.

'Geen paarden,' zei John. Even kneep hij in haar hand en liep daarna naar het noorden.

Druppels water welden door het tentdoek heen en vielen op zijn gezicht. Hij schoot overeind en kroop de tent uit. Voor hem lag een middeleeuws aandoend grijs landschap van rotsen en bergen in zachte motregen. Zonder nog acht te slaan op de lekke tent, begon hij de helling op te klauteren en wist niet precies waar hij heen ging. Halverwege bereikte hij een klein plateau dat als een pad om de westelijke kant van de berg heen liep. Aan de noordkant van de helling zakte John plotseling weg in een laag grind en kleine brokken steen en gleed meters naar beneden. Hijgend bleef hij een tijdje liggen en vroeg zich af waar hij heen moest. Hij hoorde geruis van water en klauterde weer omhoog. Rechts van hem lag een klein meer waar een waterval in uitmondde. De afgebrokkelde muur van een ruïne lag daarachter, op een plateau op de volgende bergkam. Minutenlang staarde hij omhoog naar de eeuwenoude muur en met wijd open ogen trok hij het beeld naar zich toe. Hij zag een dunne rookpluim omhoog kringelen en ging zo snel mogelijk verder. De zon stond al op zijn hoogst toen hij bij de volgende bergkam aankwam, waarvan het gesteente zo steil omhoog stak dat John de ruïne bovenop niet meer kon zien. Met zijn vingers gleed hij langs het harde graniet. Daarna liep hij een eindje terug en vroeg zich af hoe hij ooit boven zou komen, want de ruïne leek een onbereikbaar eiland hoog in de lucht. Boven hem dreef een grote eagle op de wind en hij keek hoe de vleugels van het beest heen en weer wrikten tussen de luchtstromen. De ogen van mens en dier haakten zich in elkaar vast. Bijna had hij het gevoel dat hij zelf kon vliegen en dat zijn wil zo sterk was dat hij kon opstijgen. Met zijn armen op zijn rug en zijn ogen gesloten bleef hij een tijdje staan, maar bedacht toen dat het vandaag geen goede dag was om te vliegen.

Ratelend geluid kwam van boven en tot zijn verbazing zag hij een kleine houten vlonder naar beneden zakken die met een ketting was verbonden aan een zwenkarm boven op de berg. De vlonder plofte op de grond en bleef daar liggen. Zonder aarzelen stapte John op de vlonder en meteen daarop werd hij omhoog gehesen. Halverwege de berg zag hij een adelaarsnest, waarin een jong zat dat hem met een scheve kop volgde op zijn weg naar boven.

Moeizaam draaide een oude man aan de roestige slinger van de winch de vlonder omhoog. Zodra Johns ogen boven de rand verschenen, stopte hij met draaien en keek John aan. 'What took you so long?' vroeg hij met zacht krakende stem.

Verbijsterd keek John naar de man, in dezelfde lange grijze pij als de monniken over wie hij zo vaak had gedroomd. Zijn gezicht, wit als van een dode, zat vol diepe groeven die aan de lijnen op een oude landkaart deden denken. Met kromme rug draaide hij de vlonder het laatste stukje omhoog en trok vervolgens met een geitouw de arm van de kraan naar binnen.

'Hoe wist u dat ik zou komen?' vroeg John.

Met de vuisten in zijn zij probeerde de oude man overeind te komen. Gele versleten tanden grijnsden. 'Mijn naam is Patrick Chulainn. Nazaat van Badb Chulainn. Jij bent Eagleton, neem ik aan.'

John keek om zich heen. Het plateau bestond uit één grote stenen plaat die in een ver verleden omhoog gedrukt leek te zijn. Tegen de bergwand stonden de resten van een gebouw, de ruïne die John die ochtend had gezien. In dat gebouw hadden waarschijnlijk de monniken geleefd. Er hing een vreselijke stank op het plateau en overal lagen resten vlees die door zeemeeuwen werden weggepikt. Opnieuw keek hij naar de man in zijn grijze versleten pij, terwijl het langzaam tot hem doordrong dat Patrick Chulainn een nazaat was van de vier monniken die de reis met het document hadden volbracht.

'Er waren toch veel meer monniken?' vroeg hij.

'Ooit. En mijn zonen hadden moeten doorleven totdat Ierland helemaal bevrijd is, want de Engelsen houden nog steeds zes counties bezet in Noord-Ierland.'

'Waar zijn je zonen dan?'

'Nadat Ierland weer onafhankelijk was en zesentwintig counties onder beheer had, vochten mijn zonen samen met de IRA om de Engelsen uit de laatste zes counties te verdrijven. Alle drie zijn ze omgekomen in Amerika toen ze met wapens voor het Ierse leger wilden vertrekken. De kustwacht heeft hun schip de grond in geboord. Ik heb nog zo geprobeerd ze te overtuigen niet naar Amerika te gaan, want onze opdracht is nooit meer geweest dan het overbrengen van boodschappen. Maar zij vonden dat ze dit moesten doen.'

'Maar hoe wist u dat ik zou komen?'

'Omdat ik de laatste Chulainn ben. Ik ben in leven gebleven om het zegel weer tot eenheid te smeden. Je bent net op tijd.'

Patrick Chulainn liep in de richting van de stookplaats, waar vuur zachtjes brandde. Met zijn gekreukelde hand gebaarde hij naar het opgestapelde hout. 'Al meer dan tien jaar ben ik hier opgesloten op de rots. Niemand weet meer van mijn bestaan. Al het hout heb ik van de deuren en van de ramen gesloopt. Bedden, tafels, stoelen, alles. Dit is het laatste.'

Krijsend vlogen plotseling de zeemeeuwen weg en John keek omhoog. Vlak boven hen hing stil in de lucht een eagle die iets losliet. Met een klap viel een dode haas naast de beide mannen op de grond.

Patrick keek nauwelijks op en knikte. 'De eagles houden me in leven.'

'Om het zegel?'

'Ik kan niet zeggen wat het verbond is tussen de eagles en de Eagletons. Dat zijn geheimen die wij niet kunnen verklaren. Ik denk dat het verbond voorbij is als jij weg bent.'

'Ik kan je mee terug nemen naar beneden.'

Patrick schudde zijn hoofd. 'Geen sprake van. Ik heb lang genoeg geleefd.' Met een ijzeren pook rakelde Patrick Chulainn het vuur op. Zwarte rook vloog suizend omhoog.

'Wat is er gebeurd met de vier monniken die de documenten naar Dublin hebben gebracht?' vroeg John.

'Long story,' zei Patrick.

John zag hoe de oude man plotseling om het vuur scheen te dansen.

'De kunst is,' zei Patrick, 'om het zegel zonder toevoeging van nieuwe materialen aan elkaar te smeden. Anders verliest het zijn kracht.'

'Hoe bedoel je?'

'Het is een magneet, een kompas, en door andere materialen krijgt het afwijkingen en zul je nooit vinden wat je zoekt.'

'Wat zoek ik dan?' vroeg John.

Abrupt haalde Patrick de pook uit het vuur. 'Alleen jij, die het zegel hebt, weet wat je zoekt en het zegel zal je de weg wijzen. Je hebt het trouwens toch wel meegenomen hoop ik.'

Zwijgend haalde John de beide helften tevoorschijn. Nauwkeurig bestudeerde Patrick de scherpe randen waar het zegel door het zwaard was geraakt.

'Maar zijn die monniken ooit teruggekomen?' vroeg John.

Patrick gooide nieuw hout op het vuur. Starend naar de vlammen zei hij: 'Ze hebben hun missie volbracht.'

'Je bedoelt de documenten.'

'Ik weet niets van documenten.'

'Maar zijn de monniken ooit teruggekomen?' vroeg John nogmaals op zachte toon.

'A long story too,' zei Patrick. 'Maar onthoud op je zoektocht dat alles kan veranderen door de eeuwen.'

Suizend vloog het vuur als een zuil omhoog en John deinsde achteruit. Patrick Chulainns huid gloeide rood op terwijl hij de beide zegelhelften met een lange tang in het verzengende vuur hield. Met zijn hoofd gebogen prevelden zijn kreukelige lippen woorden die John niet begreep. Het metaal gloeide wit op en hoog boven zijn hoofd grepen wolken in elkaar en werd het donker.

Patrick haalde de tang uit het vuur en bekeek het zegel, waarvan de oppervlakte leek te gloeien, nauwkeurig. Opnieuw bracht Patrick de tang in het vuur. John keek naar de witte hand van de oude man en moest denken aan de hand van Henry Eagleton, de hand waar hij zo vaak van had gedroomd. Een moment lang gleed hij terug in de droom, maar hij zag alleen nog de lege ruimte van de binnenplaats van Eagleton Castle.

'Ze zijn weg,' hoorde hij de stem van Patrick zeggen.

'Wie?' John schrok op.

Patrick stond naast hem terwijl hij het zegel sissend in een emmer water onderdompelde.

'De code is weg,' zei Patrick Chulainn terwijl hij het zegel uit het water haalde en de achterkant aan John liet zien. De vier beeltenissen van de boeken waren verdwenen. 'Het zegel is weer tot eenheid gekomen. Mijn taak zit erop,' zei Patrick.

'Waarom is de code weg?' vroeg John.

'Omdat je een deel van de missie hebt volbracht. De code die jou de weg heeft gewezen, is kennelijk niet meer van toepassing en staat voor anderen niet meer open. Je bent de enige.'

'Alsof het zegel een eigen wil heeft.'

'Niet het zegel, John. De Chulainns hebben uitgevoerd wat jouw familie ooit bepaald heeft. Namelijk het herstel van de geschiedenis die zo sterk in jouw familie besloten ligt. Het zegel is alleen maar de drager door de tijd.'

'Een stuk metaal?'

'Je weet beter. Het zegel beschikt over magnetische krachten die we niet kunnen zien, maar die er wel zijn. Er zijn ook andere krachten die we niet kunnen zien en die zelfs niet door instrumenten kunnen worden gemeten.'

'Vaak is me verteld dat de beide helften van het zegel naar eenheid zochten.'

Patrick keek om zich heen en tilde de dode haas van de grond. 'Honger?' vroeg hij. 'Ik kan die beesten niet meer zien.'

'Laat me je alsjeblieft meenemen.'

Patrick schudde zijn hoofd, zei niets meer, ging op zijn hurken zitten en trok de kap van de pij tot ver over zijn gezicht. Het vuur doofde langzaam en John bleef midden op het plateau staan, wijdbeens en met zijn handen op de rug, totdat het ochtendlicht kwam, met de felrode gloed van de zon, die het licht door een smalle doorgang tussen twee rotsen perste. John keek naar Patrick Chulainn die nog steeds op zijn hurken zat en toen John hem aanraakte, viel de oude monnik om, wit en verstijfd, alsof hij al jaren dood was.

ANGEL

New York

Voor het eerst sinds hij een man was geworden, had Freddy zich niet geschoren. Drie dagen lang niet, want sinds drie dagen keek hij overdag wezenloos vanaf de witleren bank door het glas van zijn appartement naar buiten. 's Avonds als het donker werd, kwam de langbenige secretaresse langs en dan ragde hij met haar de halve nacht de kamer rond en zette haar weer buiten voordat het licht werd.

In de paar uren dat hij sliep droomde hij van Sinéad, totdat het licht onverbiddelijk door de gordijnspleten zijn kamer binnendrong en hij wakker werd. Het laatste droombeeld was altijd hetzelfde: haar gezicht, omlijst met donkerrode krullen, boven het stuur van de grote truck en haar ogen gericht naar de verte. Zonder hem te zien, reed ze recht op hem af.

Zijn lichaam voelde uitgeput terwijl hij naar buiten staarde. Klikkende hakken op de gang. Nauwelijks voelbare wind van de deur die open en dicht ging. Zachte voetstappen op het tapijt. Lange benen onder een korte rok stonden voor hem. Haar geur bedwelmde hem voor een moment en met zijn gezicht tussen haar benen duwde hij de droombeelden uit zijn hoofd. Maar toen hij die nacht bovenop haar lag, zag hij rood haar uitgewaaierd liggen op het zijden laken. Hij schrok, maar toen hij opnieuw keek was het beeld weg. De leegte knalde als een hol vat bij hem naar binnen. Starend naar de lange benen onder hem zag hij alleen maar een omhulsel en toen ze kirrend begon te lachen, vertrok zijn mond in minachting en met één voet duwde hij haar het bed uit.

'Go away,' zei hij en begroef zijn gezicht in het kussen.

Zacht slopen de benen de kamer uit en als een gewond dier gromde en jankte Freddy in het dons. Kreunend en rollend van zij naar zij, voelde hij voor het eerst in zijn leven het intense verdriet dat liefde soms met zich meebrengt. Tegelijkertijd welde woedende machteloosheid in hem omhoog omdat hij wist dat hij haar voorgoed kwijt was. Midden in de nacht in de marmeren badkamer jankte hij op de toiletpot met zijn hoofd in zijn handen. Hij dacht terug aan de gebeurtenissen uit zijn jeugd, waardoor hij nooit meer het stuur van een auto had aangeraakt. Zelfs met Sinéad had hij er niet over willen praten. Eén ogenblik zag hij de bloederige aanblik van de man die hij op zijn tiende had overreden met het grote wiel van de truck, maar hij duwde alles vervolgens terug in de vuilnisemmer van zijn hoofd. Terwijl hij het deksel openhield, stampte hij heel snel ook Sinéad naar binnen en sloeg het deksel weer dicht. Hij stond op, waste zijn handen, ging op bed liggen en dacht na over wraak totdat om vijf uur in de ochtend de telefoon rinkelde.

'Ze zitten in Ierland,' zei Alfred.

'Wat doen ze daar?'

'Volgens mij krijgen ze hulp om de bewijzen in handen te krijgen.'

'Weet je wie hen helpt?'

'Wacht eens, we hebben hem gezien bij de universiteitsbibliotheek. Misschien heeft hij daar naar aanwijzingen gezocht.'

Freddy dacht na. 'Neem deze keer echte professionals mee,' zei hij.

Alfred begreep dat hij het volgende vliegtuig moest nemen.

'Ga naar die bibliotheek en vraag het personeel daar of ze iets weten van het zegel.'

'Ik denk dat ze me vreemd aankijken,' zei Alfred.

'Degene die dat doet, moet je dus niet hebben. Degene die schrikt van jouw vraag, die weet meer.'

Alfred knikte aan de andere kant van de lijn. 'En dan?'

'Hoe bedoel je: en dan?'

'Wat moet ik er dan mee?'

De aderen in Freddy's voorhoofd zwollen op van de onnozelheid van Alfred. 'Dan zorg je ervoor dat hij alles vertelt wat hij weet en daarna zorg je ervoor dat hij nooit meer in contact komt met die verdomde Hamilton.'

Hij voelde woede in zich opkomen en besloot impulsief om zelf ook naar Ierland te gaan. 'Ik kom achter jullie aan,' zei hij. 'Zoek intussen die vent op met wie Hamilton heeft gesproken.'

Freddy smeet de hoorn op de haak, nam een lange, hete douche en schoor zich zorgvuldig glad. Hij trok een wit overhemd aan, een beige broek en donkerblauwe blazer, stak een pochet in zijn borstzakje en ging zitten. Hij was onrustig omdat hij tot de volgende dag moest wachten voordat hij naar Ierland kon. Hij ging met de lift naar beneden en liep Fifth Avenue af.

Na middernacht, voor de deur van Joe's kroeg Under The Railway, liep hij Angel tegen het lijf.

Ze had wild, halflang geblondeerd haar, liep op cowboylaarzen en droeg een kort zwartleren jack. 'Freddy?' vroeg ze.

Hij herkende haar aan de kleur van haar staalblauwe ogen. 'Angel? Crazy Angel?'

'Don't call me crazy,' zei ze.

In zijn jonge jaren, toen Freddy nog met zijn ouders in Queens woonde, was Angel lid van een straatbende. Iedereen noemde haar Crazy Angel omdat ze zo fel kon vechten en nooit van ophouden wist. De meeste jongens in de buurt waren doodsbang voor haar, want Angel was meedogenloos en wreed.

Ze was geboren op een kleine boerderij upstate New York. Haar vader was een drankzuchtige Russische emigrant die op doorreis in Buffalo naast haar moeder, een jong meisje op vakantie, stond te kijken naar het donderende geweld van het water dat bij de Niagara Falls naar beneden stortte. Ze waren meteen verliefd en kwamen in het noorden van New York State terecht, vlak bij de Canadese grens, waar ze met wat geld van de bank en nog een lening van een boerin die plotseling weduwe was geworden, tien hectare land en twintig magere koeien overnamen. Angel herinnerde zich nog de jaren dat ze als kind 's ochtends vroeg met haar moeder in de warme stal de koeien molk terwijl haar vader ronkend zijn roes lag uit te slapen. Op de momenten dat hij geen drank in zich had, was het de aardigste en meest filosofische man op aarde want niemand begreep het leven beter dan hij. Maar dat kwam maar sporadisch voor. De boerderij ging steeds verder achteruit en de koeien werden een voor een geslacht omdat er geen geld voor eten meer was. Nadat de laatste koe was verdwenen, werd haar vader zo dronken dat hij haar moeder met een groot vilmes te lijf ging. Angel was twaalf toen ze haar vader als een wildeman tekeer zag gaan. Ze trok in wanhoop het jachtgeweer van de muur en schoot haar vader dood. Haar moeder werd opgenomen in het ziekenhuis en Angel kwam terecht in een tehuis voor 'moeilijke kinderen'. Ze miste haar moeder en wist zelfs niet of zij nog leefde, maar elke keer als ze naar haar moeder vroeg, kreeg ze straf. Vier jaar lang vocht ze met de leiding en met de andere kinderen van het tehuis. Uiteindelijk vluchtte ze op de dag dat ze zestien werd en sloot zich aan bij een straatbende in New York.

Dat is waar Freddy haar leerde kennen. Midden in de nacht werd hij wakker van een hoop geschreeuw op straat en hij keek door zijn slaapkamerraam naar buiten, waar Angel vocht met twee jongens van een andere straatbende. Freddy rende de trappen af naar beneden, vloog de straat op en zag dat een van de jongens een mes in zijn hand had. In volle vaart deed Freddy een sliding, trapte de messentrekker keihard tegen de zijkant van zijn knieën en hoorde een knak. De ander ging op de vlucht en Freddy moest Angel tegenhouden omdat ze de achtergebleven jongen maar in zijn gezicht bleef trappen.

'Weg hier!' siste Freddy en trok haar mee.

'Voor het eerst dat een vent mij helpt,' hijgde Angel naast hem. In een steeg greep ze hem vast en perste haar mond op zijn lippen. Freddy was totaal overdonderd en duwde haar terug. Haar staalblauwe ogen keken hem tegelijkertijd bevreemd en bewonderend aan.

'Niet nu,' zei Freddy.

Een jaar later werd ze gearresteerd, amper zeventien jaar oud. Op de kade van Battery Bay had ze de ballen van haar vriend afgesneden nadat ze hem dronken had gevoerd, omdat hij met een meisje uit een andere buurt had geslapen. Onder luid gejuich van de andere bendeleden smeet ze het hele zaakje naar de meeuwen in het water.

Freddy had haar daarna nog één keer gezien, een paar jaar later. Hij was haar op de stoep van het St. Lukes-Roosevelt Hospital tegengekomen, waar ze hem aanklampte en een verward verhaal vertelde. Hij nam haar mee naar een hotel, waar ze direct na aankomst in slaap viel. Freddy was uiteindelijk ook in slaap gevallen en toen hij de volgende dag wakker werd, was ze weg en daarna had hij haar nooit meer gezien.

'Je ziet er slecht uit,' zei Angel nu.

Freddy keek haar aan. Ze was nog even mooi als vroeger en haar ogen stonden nog steeds wreed. Vanuit de zijkant van haar linkeroog liep een litteken. Ze zag dat Freddy ernaar keek. 'Van een of andere dronken klootzak die met zijn vette pens op me ging liggen en probeerde een Aziaat van me te maken omdat hij dat zulke mooie vrouwen vond.'

'Zal die wel niet overleefd hebben, denk ik.'

'Dat denk ik ook niet,' zei ze en liep voor hem uit Under The Railway in.

'Wat doe je tegenwoordig?' vroeg Freddy.

'Ik werk freelance,' zei ze

'Freelance? Dat klinkt alsof je journalistiek werk doet.'

'Dat is het ook een beetje. Ik moet voor sommige van mijn opdrachtgevers mensen opsporen omdat ze het zelf niet kunnen of niet durven, en dus vragen ze mij.'

'Je bedoelt dat je anderen omlegt.'

Angel zei niets.

'Werk je alleen?' vroeg Freddy.

'Nee, ik werk voor een agentschap dat mensen verhuurt.'

'Je vermoordt dus mensen voor geld.'

'Niemand wordt zomaar vermoord, Freddy. Dat hebben ze in de regel aan zichzelf te danken. Jezus, wat ben jij een mietje geworden in die deftige kleren van je.'

Freddy zei niets en keek naar haar handen, die ondanks haar gewelddadige leven ongeschonden waren.

'Waarom zie je er zo beroerd uit?' vroeg ze plotseling. 'Je bent toch een succesvol man? Is je meisje weggelopen?'

'Ook dat,' zei Freddy, en hij bestelde met twee vingers omhoog naar de bar twee bourbons.

'Dacht ik wel,' zei Angel.

'En jij?'

Ze boog zich naar hem toe en zei: 'Weet je, vroeger was ik verliefd op je. Je was mijn held toen je me hielp met die klootzakken die me wilden neersteken. Nog nooit had iemand me geholpen. Ineens waren jullie weg en woonden in zo'n protserig huis op Long Island. Ik heb het een keer gezien. Aan het strand, met zo'n idiote oprijlaan. Ik begreep er niks van. Het is over Freddy, ik moet niets meer hebben van de liefde. Ik heb mannen voor de fun en de fuck en soms laat ik ze leven.'

Freddy schoot in de lach. 'Net als bij sommige soorten spinnen.'

In één teug dronk ze haar glas leeg. 'Vertel me wat jij doet,' zei ze ernstig.

Hij vertelde voorzichtig over het bedrijf dat hij van zijn vader had overgenomen, en onder het vijfde glas bourbon en haar staalblauwe ogen die hem strak bleven aankijken, vertelde hij alles. Het was ver na middernacht toen voor de eerste keer de naam Eagleton Castle viel.

'Als ik het goed begrijp, zit je in een enorm gevecht met die John Hamilton. Wat is dat voor man?'

'Geen idee,' zei Freddy. 'Maar hij is levensgevaarlijk. Sneller en effectiever dan wie dan ook.'

'Scherpschutter?'

'Ja, maar niet met vuurwapens. Je wilt het niet geloven, maar hij schiet met pijl en boog.'

Er krulde zich een glimlach om Angels lippen. 'Interessant,' zei ze.

'Iets anders is ook interessant. Ik ben er zeker van dat in dat kasteel goud ligt begraven.'

'Hoe weet je dat zo zeker?'

'Het zegel is van witgoud. Ik vermoed dat John Hamilton er meer van weet, want waarom zou hij anders achter dat kasteel aan gaan?'

'Mensen hebben soms vreemde motieven.'

Hij aarzelde omdat hij niet wist hoe hij het haar moest vragen.

'Waarom ga je niet gewoon naar die Hamilton toe en schiet je hem dood?'

'Omdat ik daarmee het zegel niet heb. Dat moet ik in handen zien te krijgen.' Freddy vertelde van Brook, die in het pikkedonker op het dak van Eagle Parcel Services door John Hamilton werd doodgeschoten.

'Ik zie het al,' zei Angel, schijnbaar nauwelijks onder de indruk. 'Je hebt mijn hulp nodig, anders wordt het niks.'

'Zeg maar hoeveel je wilt hebben,' zei Freddy enthousiast en opgelucht.

'Maakt niet uit. Je hebt mij vroeger ook geholpen.'

'Je krijgt een deel van het goud.'

'Geld is nooit een motivatie, Freddy. Ook niet bij jou. Zeg me je werkelijke motieven en dan help ik je.'

ADMIRALITY CHARTS

Dublin, 1960

'Het lijkt alsof je anders bent,' zei Sinéad toen ze 's avonds in een klein restaurant aan de haven kabeljauw aten.

'Hoe bedoel je?' vroeg John.

Sinds hij was teruggekomen van de Blue Stack Mountains, was John meer ontspannen.

'Ik was net op tijd bij Patrick Chulainn, want als ik later was gekomen was de band met het verleden gebroken. Ik denk dat mijn dromen ook zullen ophouden.'

'Het was alsof die dromen je zouden vermoorden,' zei Sinéad.

John schudde zijn hoofd. 'Ik was meer wanhopig dat ik te laat zou zijn en dat de aanwijzingen zouden verdwijnen.'

Toen ze hem met de auto had opgehaald, had ze voor het eerst het complete zegel aan één stuk gezien. 'Hoe kan het dat de code is verdwenen?' vroeg ze.

John keek door het raam naar de talloze lichten op de ferryboot die binnenkwam. 'Geen idee. Volgens Chulainn omdat een deel van de missie is volbracht.'

'Klinkt behoorlijk griezelig. Gek eigenlijk dat jij de enige bent van de familie die zo sterk in het verleden werd getrokken.'

'Niet helemaal. Generaties lang zijn het zegel en de geschiedenis doorgegeven van vader op zoon. Zolang de familie in Ierland woonde, werden alle leden elke dag op de feiten gewezen en was het een vanzelfsprekendheid dat het kasteel weer familiebezit zou worden zodra Ierland onafhankelijk werd. Het veranderde toen de broers in 1846 uit Ierland vluchtten met elk de helft van het zegel. Zij voelden de heilige plicht om de nazaten van het belang van het kasteel te overtuigen, maar onze familie woonde ver weg van Ierland in andere landen en de geschiedenis verbleekte.'

Sinéad glimlachte. 'We werden Amerikanen en Friezen.'

'Inderdaad, en daardoor vervaagde het verleden. Wat moesten we nog met een tochtig kasteel ergens in een land waar het altijd regent?'

'Bovendien is de geschiedenis niet terug te draaien.'

'Maar zaken kunnen wel worden rechtgezet.'

Sinéad keek recht in zijn ogen. 'Waarom jij?'

'Jij ook. Het waren twee eagles die boven zee vlogen.'

Ze schudde haar hoofd en haar glanzend donkerrode haar bewoog mee. 'Nee, ik ben niet meer dan een instrument in dit alles. Zonder jou had ik nog steeds in de gevangenis gezeten.'

'Alles was anders geweest,' zei John.

Met haar kin op haar hand steunend zei ze: 'Ik vraag me vaak af waarom plotseling iemand in een familie boven alles uit stijgt. Zoals met Johann Sebastian Bach. Generaties lang muziek en plotseling lijkt alles zich samen te ballen in één groot talent.'

'Sinéad, ik ben geen groot talent en ik stijg zeker niet boven de rest uit.'

'Je beschikt wel over speciale eigenschappen, zoals een bijna dierlijke snelheid en fysieke kracht. Ik zag het toen we uit de gevangenis wegreden en achtervolgd werden door die twee mannen. Wat een geweld, ik zag hoe je veranderde...'

'Je doet net alsof ik over bovenaardse krachten bezit, maar dat is niet zo.'

'John, nogmaals, waarom jij? Waarom niet je vader, of mijn vader?'

'Geen idee. Achteraf weet ik dat deze missie vanaf mijn jongste jaren aanwezig was. De drang om te oefenen met wapens en om naar zee te gaan.'

'En om gouverneur te worden?'

John schudde zijn hoofd. 'Nee, dat niet. Ik wilde mijn noodlot ontvluchten en mijn eigen leven leiden. Alsof ik wist dat de familiegeschiedenis een groot deel van mijn leven zou gaan beheersen. Vooral omdat mijn tante Lucinda er voortdurend op aandrong dat ik de missie op me moest nemen. Daarom verliet ik History en ging ik studeren en later de politiek in. Ik vond het politieke leven al snel razend interessant en voor ik het wist, zat ik in een maalstroom van gebeurtenissen.'

'Dus zo vergat je je missie. Maar wanneer kwam die weer terug?'

'Op de dag dat ik het logo van Eagle Parcel Services zag op de doos waarin jouw fotocamera zat.'

Ze keek hem aan. 'We zijn er nog niet,' zei ze na een tijdje.

'Nee,' zei John.
'Freddy zal proberen ons te vermoorden.'
John bestelde koffie.
'Heb je sigaretten?' vroeg Sinéad.
Hij stak twee sigaretten aan en gaf er een aan haar.
'Doe je dat eigenlijk bij alle vrouwen?'
'Nee, dit doe ik alleen voor jou.'
'Er staat geen asbak op tafel,' zei ze.
De ober kwam met twee koffie en een porseleinen asbak.
'Waren jullie erg verliefd?' vroeg John opeens.
Sinéad liet een diepe zucht. 'Verschrikkelijk. Vooral de eerste paar dagen. Daarna ging het weg, tenminste, bij mij.'
'Wat was het?'
'Een explosie. Iets wat ik nog nooit heb meegemaakt. Freddy Carter was charmant, lief en attent en tot over zijn oren verliefd op mij. Hij zei zelf dat hij nog nooit zo verliefd was geweest. Toch kwam Freddy's andere kant weer snel naar boven. Hij is meedogenloos, wreed en uiteindelijk zonder gevoel. Iets in hem is volledig vernield en wat het is dat weet ik niet. Was je erg bezorgd?'
'Ik had geen idee waar je mee bezig was. Pas toen Chorowski vertelde dat je foto's had gemaakt van het zegel was ik gerustgesteld. Maar ik was wel bang dat Freddy je iets zou aandoen.'
'Dat deed hij ook. Door je dochter te ontvoeren. Ik voelde me erg schuldig.'
'Vandaar je heroïsche actie met de truck.'
Sinéad had er nog steeds plezier om. 'Ik kan je bijna niet vertellen hoe blij ik was toen ik Jeanne meenam en ook nog het zegel. Het voelde alsof ik mijn escapades op die manier een beetje goedmaakte. Toch heb ik geen spijt,' zei ze er zachtjes achteraan.
John moest lachen om haar ondeugende blik. 'Je valt gewoon op foute mannen.'
'Dat doen veel vrouwen. Foute mannen zijn spannender. Jij bent ook een foute man, want jij zult nooit trouw zijn aan één vrouw. En je bent gevaarlijk.'
'Ook dat nog', lachte John.
Later, midden in de nacht, kwam ze zijn kamer binnen. Ze ging tegen hem aan liggen en vroeg: 'Wat gaat Freddy doen, denk je?'
John draaide zich om en nam haar in zijn armen. 'Hij zal wraak nemen. We zijn nog niet van hem af.'
'Dan blijf ik maar bij jou vannacht.'

'Heel verstandig,' zei John. 'Dan gebeuren er tenminste geen rare dingen.'

De telefoon rinkelde luid en onheilspellend.

Daniel Flower stapte om kwart over acht zijn huis binnen. Op het kastje in de hal lag een briefje dat zijn vrouw bij haar zuster was en dat het avondeten in de oven stond. Daniel Flower woonde in een lang en smal appartement boven een winkel. Een gang liep van de voorkant naar de achterkant, met links en rechts de vertrekken. Via een buitentrap kon de voordeur worden bereikt.

Daniel Flower trok zijn dunne jas uit en hing deze zoals elke dag keurig op een hanger aan de kapstok. Hij liep naar de keuken aan het eind van de gang, waar hij de oven aanzette en aan de keukentafel ging zitten. Vervolgens sloeg hij *The Irish Times* open. Die avond had hij met John gesproken over de mogelijke locatie van het document. John besloot een Admirality Chart te kopen omdat daarop de exacte coördinaten van de opgegeven punten stonden die op de oude kaart waren vermeld.

'Maar de Admirality Charts geven toch alleen de kusten weer?' vroeg Daniel.

'Klopt,' zei John, 'maar de aangegeven punten liggen allemaal aan de kust, omdat de posities van deze landmerken het meest betrouwbaar waren.'

'Dan zou je, als je de afwijking van het zegel kent, de kompaspeilingen die in de oude kaart staan kunnen omzetten in ware peilingen, zodat je de coördinaten van de vindplaats hebt.'

John glimlachte. 'Heel goed, Daniel.'

De krant ritselde toen Daniel een pagina omsloeg. Zijn ogen gleden over het papier, maar hij las niet; zijn gedachten waren nog bij het gesprek. Plotseling schoot hem iets te binnen. Hij sloeg de krant dicht, liep naar de woonkamer en haalde een grote atlas uit de kast. Terug aan de keukentafel vergeleek hij de kaart van Ierland met de oude kaart uit de bibliotheek. Met een potlood omcirkelde hij op de kaart in de atlas de drie punten zoals die op de kaart waren weergegeven. Daarna bedacht hij vele varianten van richtingen, waarbij de drie lijnen elkaar konden kruisen ergens tussen de drie punten in. Ten noord-noordwesten van Dublin bleef zijn vinger onder een naam stilstaan. Hij verweet zichzelf dat hij er niet eerder aan had gedacht, omdat het zo voor de hand lag. Hij klapte de atlas dicht, legde het zware boekwerk aan de kant en haalde het eten uit de oven. Terwijl hij de eerste happen nam, sloeg hij *The Irish Times* weer open en las aandachtig totdat het krantenpapier licht ritselde door een windvlaag. Daniel keek op en er trok een misselijkmakend gevoel door zijn lichaam. Intuïtief wist hij dat hij in groot gevaar was. Zonder geluid te maken stond hij op en liep op zijn tenen naar de gang. Toen hij voorzichtig de gang in keek, zag hij de voordeur op een kier staan. Meteen besloot hij door het raam van de keuken naar buiten te vluchten. Hij draaide zich om en liep geruisloos naar het raam. Met een daverende klap zag hij in slow motion de scherven van het keukenraam op hem af komen. Stukken glas drongen zijn lichaam binnen. Een kogel suisde vlak langs zijn hoofd en liet een groot gat achter in de keukendeur. Glibberend over zijn eigen bloed stond hij op en rende de gang door naar de woonkamer, in een poging om te vluchten. Achter zich hoorde hij snelle lichte voetstappen en opnieuw klonk een schot. Hij voelde dat zijn linkerbeen werd weggeslagen, tolde om zijn as en viel met zijn hoofd hard op de grond. Met wijd open ogen keek hij verbijsterd naar boven, in het gezicht van een blonde vrouw die glimlachend op hem neer keek.

Hij verstond de gefluisterde woorden niet, maar de trage klakkende voetstappen die vanuit de hal dichterbij kwamen, klonken onheilspellend. Freddy Carter, zoals altijd onberispelijk gekleed, stapte de kamer binnen. Met zijn handen in de zakken van zijn lange jas keek hij om zich heen. Daniel Flower probeerde zich ondanks de hevig stekende pijn iets op te richten, maar toen hij in de koude emotieloze ogen van Freddy keek, werd hij doodsbang.

Freddy boog voorover tot vlak bij Daniels oor en zei zacht: 'Meneer Flower, we weten dat u John Hamilton kent en dat u met hem heeft gesproken. U gaat ons alles vertellen wat u weet.'

Ze sleepten hem mee naar de keuken, waar ze de oude kaart vonden die opgevouwen op de tafel lag. 'Wat is dit?' vroeg Freddy.

Daniel was in zijn leven nog nooit met geweld in aanraking gekomen en vond zichzelf ook niet de meest moedige man, want voor de meeste dreigementen in zijn leven was hij weggelopen. Maar hij wist dat hij deze dag niet zou overleven en besloot niets meer te zeggen.

Zonder dat hij zich herinnerde wat er gebeurd was, lag hij later weer op de gang, met zijn beide handen verbrijzeld en zijn gezicht opgezwollen van de vuistslagen. Hij hoorde stemmen en voetstappen die steeds verder weg klonken. Plotseling kwamen gehaast tikkende voetstappen terug en zijn keel kneep zich samen van angst, gevolgd door een harde knal en het gevoel alsof iemand hem met een knuppel keihard in zijn buik ramde. De voetstappen stierven weg en de voordeur viel dicht. Daniel bracht zijn hand naar zijn buik en voelde kleverig warm bloed. Koortsachtig dacht hij na, draaide zich om en begon op zijn ellebogen naar de voordeur te kruipen. Brede sporen bloed sleepten zich over de witte marmeren tegelvloer. Bij elke meter voelde hij dat het bloed uit zijn lichaam werd gepompt. Koud zweet gutste over zijn gezicht en zijn ogen waren bijna verblind door tranen van pijn en wanhoop. Vlak voor de deur reikte hij naar de zwarte telefoon die op het lage kastje stond. Zijn verbrijzelde hand viel terug en bleef liggen.

Beelden van stromend rood water door de heuvels waar de Egletons vandaan kwamen. Hij spoelde aan bij een grote stenen pilaar midden op een groene heuvel. Met een schok kwam hij weer bij zijn positieven en dacht in zijn laatste minuten aan 1798 en de honderden lijken die onder de stenen pilaar waren begraven.

Steunend op zijn linkerelleboog kwam hij overeind en stootte de telefoon van het kastje af. Met zijn gebroken, bebloede handen draaide hij moeizaam een nummer.

Hij hoorde Johns stem in de verte, alsof hij zich al in een andere dimensie bevond. Hij hijgde zwaar maar kon geen woord meer zeggen. De telefoon viel uit zijn hand en hij sleepte zich verder naar voren, tot hij niet verder kon. Hij draaide zich half op zijn zij en hield zijn hand op zijn buik. De pijn nam af en Daniel besefte dat hij doodging. Het visioen van de heuvel kwam terug. Ditmaal waren het oude bomen en ruisende bladeren, met op de achtergrond het geluid van een rivier.

Hij kwam nog een keer bij bewustzijn en schreef met bebloede vingers een laatste boodschap aan John en Sinéad op het marmer.

Het huis was al omsingeld door politiewagens met blauwe zwaailichten toen John en Sinéad arriveerden. Politieagenten in uniform zetten het gebouw af met geelzwarte linten om nieuwsgierige omstanders op afstand te houden.

John stapte uit en bekeek het hoge donkere appartement. 'Blijf hier zitten,' zei hij tegen Sinéad. 'Ik probeer via de achterkant binnen te komen.'

Met grote passen liep hij om het huis heen naar de achterkant, waar hij het kapotgeschoten raam van de keuken zag, ging onder het balkon staan, boog diep door zijn knieën, sprong omhoog en bleef met één hand aan de rand hangen. Zwaaiend aan één arm trok hij zich iets omhoog en greep met zijn andere hand een metalen stijl vast. In één beweging trok hij zich verder naar boven en stapte even later door het keukenraam. Op de gang klonken talloze stemmen. Zijn ogen vlogen door de keuken en namen alle details als een foto in zich op. Vervolgens stapte hij de gang op en zag verderop allemaal mensen rond de dode Daniel Flower staan. Flitslicht van een fotocamera weerkaatste op de muren. Met grote passen liep John naar het slachtoffer. Iemand keek hem vreemd aan, maar John keek alleen maar naar het zwaar toegetakelde lichaam en zag de letters die Daniel Flower in de laatste minuten van zijn leven met zijn eigen bloed op het marmer had geschreven: MAP.

'Wie bent u?' vroeg een politieman in burgerkleding.

'Huisarts,' zei John. 'Ik ben gebeld.'

De politieman knikte naar Daniel. 'Niet veel meer aan te doen.'

John zei niets. Hij keek opnieuw naar de letters en vroeg zich af wat Daniel hem wilde vertellen. De boodschap was niet bedoeld om hem te vertellen dat Freddy de kaart had meegenomen, want daar was hij zelf wel achter gekomen. Het was iets anders.

'Misschien dat u dit gebied wilt verlaten. Vraagt u buiten maar naar inspecteur Doyle, die zal u een paar vragen stellen.'

John knikte. Hij besefte dat hij niet langer kon blijven. Hij liep door de lange gang terug naar de keuken. Hij dacht opnieuw aan de bloederige letters. Map. Kaart. Atlas. Het glas in de keuken kraakte onder zijn schoenen terwijl hij terug liep naar het raam. Op het moment dat hij zijn voet door het gat wilde steken, draaiden de beelden terug vanaf het moment dat hij het huis was binnengestapt. Hij keek achterom en zag de dikke atlas op de keukentafel liggen. Voetstappen en stemmen naderden. Snel griste hij het boekwerk van de tafel en terwijl hij door het raam naar buiten stapte, hoorde hij iemand roepen. Meteen sprong hij van het balkon, liep op volle snelheid door het struikgewas en verdween in het donker.

Tien minuten later stapte hij naast Sinéad in de auto. Ze vroeg niet of Daniel Flower dood was. Ze wist het. 'Freddy?'

John knikte.

Hij reed weg en Sinéad sloeg haar handen voor haar ogen. Even later zei ze zacht snikkend: 'Jezus, wat heb ik over ons afgeroepen door met hem om te gaan?'

'Het is niet jouw schuld,' zei John.

'Was het erg?'

'Ja.'

Ze sloegen rechtsaf en reden het centrum van Dublin binnen.

'Freddy heeft de kaart,' zei John.

'Shit.'

Bij het Fitzgerald Hotel stopten ze en beiden stapten uit.

Op de hotelkamer legde John de atlas op het bed en hij zocht de kaart van Ierland op. Tot zijn grote opluchting ontdekte hij de drie punten die Daniel met potlood had aangestipt, met daarnaast de kompaspeilingen in graden.

'Maar Freddy heeft ook een kaart,' zei Sinéad.

'Hij heeft het zegel niet, dus hij kan geen peilingen maken.'

'Maar op de kaart staan de richtingen aangegeven.'

'Inderdaad, maar het zegel is het enige kompas met de juiste afwijking. Daarom kan hij nooit de juiste plaats kan vinden.'

'Kan hij er niet op een andere manier achter komen?'

'Onmogelijk. Dan moet hij het zegel vergelijken met een ander kompas.'

John keek naar Sinéads verslagen gezicht. Ze zat op de rand van het bed. 'Heeft Daniel erg moeten lijden?' vroeg ze.

Hij vertelde haar wat hij had gezien. Ze bleef hem zonder iets te zeggen aankijken, haar ogen vol tranen. Uiteindelijk slikte ze en zei: 'Freddy Carter... wat een verschrikkelijke man.'

John zei niets.

'Waarom geven we hem niet aan?' vroeg ze.

'Niet nu.'

'Dan zijn we tenminste van hem af.'

'Integendeel, dan wordt alles bekend en zal heel Ierland zich ermee gaan bemoeien.'

'Laten we hem dan zomaar gaan? Hij heeft Daniel vermoord, alleen maar omdat hij ons hielp.'

'We kunnen nu niets doen.'

Ze stond op en liep heen en weer. 'Ik wil naar buiten. Alleen.'

'Dat laatste gaat niet,' zei John. 'We gaan samen.' Hij scheurde de kaart uit de atlas en stak die in zijn binnenzak.

Sinéad keek hem aan. 'Waarom neem je de kaart mee?' vroeg ze.

'Veiligste plaats.'

'En het zegel?'

Hij stak zijn hand in zijn kraag en trok een zware ketting omhoog, waar het zegel aan bungelde. Toen ze goedkeurend knikte verborg hij het weer onder zijn shirt.

In de motregen liepen ze zwijgend langs St. Stephen's Green. Op het moment dat ze de straat wilden oversteken, zei Sinéad: 'Het is net alsof jij niets voelt. Geen verdriet, geen woede, geen wraakgevoelens... niets.'

John bleef staan. 'Het spijt me dat het zo lijkt.'

Het volgende ogenblik vlogen zijn ogen naar het begin van de straat waar een donkere auto, glimmend van de regen, langzaam naderbij kwam. Onmiddellijk trok John Sinéad uit het licht vandaan mee naar achteren. In één beweging trok hij het foedraal los waarin zijn messen hingen. De auto reed stapvoets verder en John stapte naar voren, tot aan de rand van het trottoir. Wijdbeens en met zijn handen op de rug keek hij naar de auto. Eén moment leek het alsof de auto stil zou blijven staan. Plotseling trok de wagen weer op en reed door het rode stoplicht in de richting van het centrum.

Uren later, nog voor de zon opkwam, schrok John wakker. Hij staarde door het raam naar buiten, waar Dublin onder een deken van grijze mist lag. Hij dacht terug aan de kaart die Freddy had gestolen uit Daniels huis. Plotseling schoot hem te binnen dat Lucinda hem lang geleden had verteld over een afwijking van magnetische lijnen in de buurt van Mount Eagle. Maar hij dacht ook terug aan het moment, midden in de prairie, toen Chorowski hem de cirkel uit duwde. Hij trok zijn badjas aan en liep van het slaapvertrek naar het afgescheiden zitgedeelte. Op het tafeltje naast de bank stonden een telefoon en een schemerlamp. Hij knipte de lamp aan en draaide een lang telefoonnummer.

'Je hebt geluk dat je me thuis treft, want ik sta op het punt om naar het vliegveld te rijden,' zei Chorowski.

'Hoe laat kom je aan in Dublin?'

'Acht uur morgenavond.'

'Daniel Flower is vermoord,' zei John.

Even bleef het stil aan de andere kant van de lijn. John hoorde Chorowski ademen. 'Freddy?' vroeg hij uiteindelijk.

'Ja.'

'Hij geeft maar niet op...'

John vertelde dat de kaart was gestolen en dat Daniel aantekeningen in een atlas had gezet.

'Mooi zo. Zonder zegel kan hij toch niks,' zei Chorowski. John hoorde hem grijnzen aan de andere kant van de lijn.

'Dat dacht ik eerst ook. Maar ik ben er niet meer zo zeker van. Op de kaart staat dat het zegel een grote kompasfout heeft.'

'Om die fout te bepalen, heeft Freddy het zegel nodig om het te vergelijken met een ander kompas of met een gyrokompas.'

'Mijn tante Lucinda heeft me ooit verteld dat de magnetische lijnen op Mount Eagle afwijkingen vertonen. Het zegel is gesmeed op Mount Eagle en ik vroeg me af of de afwijking op Mount Eagle hetzelfde is als de afwijking van het kompas.'

'Dat maakt niet uit voor jou, want jij kunt de afwijking gemakkelijk bepalen.'

'Dat bedoel ik niet,' zei John. 'Freddy heeft de kaart en als hij weet dat het zegel op Mount Eagle is gesmeed, kan hij de afwijking op Mount Eagle meten en weet hij welke correctie hij moet toepassen op de kompaspeilingen die op de kaart staan.'

'Hm,' zei Chorowski.

'Ik vroeg me af of de monniken zich er in die tijd van bewust waren dat het magnetische noorden afwijkt van het ware noorden.'

'Ik denk het wel,' zei Chorowski. 'De Ieren voeren eeuwen daarvoor al naar het noorden, ook al vertoonde het kompas op sommige plaatsen heel grote afwijkingen omdat de hoek tussen het ware en magnetische noorden daar groot is.'

'De kaarten in die tijd waren ook onnauwkeurig op hoge noorderbreedte. Ik begin er trouwens steeds meer van overtuigd te raken dat de afwijking van het zegel hetzelfde is als de afwijking op Mount Eagle, en dat de monniken de peilingen aan de hand daarvan hebben vastgelegd.'

'Ben je bang dat Freddy Carter dit nu al weet?'

'Geen idee, captain. Op de kaart stond duidelijk dat de aangegeven kompaspeilingen grote afwijkingen vertoonden.'

'Zou Flower hen verteld kunnen hebben wat voor instrument het zegel is?'

'Dat weet ik niet.'

'Laten we er maar van uitgaan dat hij het weet,' zei Chorowski.

'Captain?'

'Ja.'

'Herinner je je nog dat ik in de prairie stond en jij met een kompas om me heen liep?'

'Je was toen een beetje de weg kwijt.'

'Wat was dat, die magnetische afwijking die je toen op je kompas zag?'

'Komt overal op aarde voor. Op Sachalin hadden we ook zo'n plaats, vlak buiten de haven. Dan begon het kompas als een bromtol rond te draaien. Als je niet blind de weg wist, voer je met schip en al het strand op. Maar het zou me ook niet verbazen als jouw verwarde brein op dat moment ook een soort magnetisme veroorzaakte.'

JAMES HOPKINS

Mount Eagle, 1961

Harry Forsyth had lang golvend haar dat glansde door de Brylcream die hij er elke ochtend in smeerde. Hij had ook het typische smalle gelaat en de geloken bleekgrijze ogen van een Engelse dandy. Gekleed in een corduroy broek, tweedjasje en een blokjesoverhemd met donkergroene wollen stropdas, Windsor geknoopt, keek hij uit het raam van het hoge noordelijke woongedeelte in Eagleton Castle naar buiten. Het grote vertrek besloeg de gehele breedte van het kasteel en liep aan weerskanten over in de twee noordelijke torens. Lange rijen boeken besloegen ingeklemd tussen eiken stellingen de hele achterwand van het vertrek. Duizenden boeken, want Harry's favoriete bezigheid in het leven was het verzamelen en lezen van boeken. Boeken over Ierland, de Noordpool, wolken, de rechtspraak in Zanzibar toen de sultan verordonneerde dat elke blanke met een zwarte moest trouwen en andersom, de taal van walvissen, het prijsverloop van kippen en kalkoenen in de afgelopen twintig jaar, het gedrag van varkens in donkere afgesloten hokken en de geschiedenis van Friesland, aangevuld met filosofische werken van Nietzsche, Wittgenstein in zijn pikzwart geschilderde kamer en Kant. Harry vond Kants werk over de verschillende rassen razend interessant, vooral omdat Kant nooit zijn woonplaats Koningsbergen had verlaten. Dostojevski stond er alleen in het Russisch, wat Harry ten slotte had leren lezen door consequent met een woordenboek de roman *De idioot* door te ploeteren.

Hij las over de grote zeeslagen, over bomen in woestijnen en het koken van schelpdieren in limonade vanwege de bijzondere smaak die het gaf. Kortom, Harry las alles. Hij was ook schrijver. Zijn hele leven was hij al bezig met een boek over zijn familie. De vanuit

Engeland overgestoken adellijke familie die met de legers van Cromwell naar Ierland was gekomen om de opstandige Ierse bevolking een lesje te leren. Een heroïsch boek, waarin Harry de arme afkomst van zijn familie uit Engeland wat vaagjes hield en hun daden in Ierland flink opklopte en uitvergrootte, met als hoofdprijs het geroofde kasteel van de Eagletons.

Midden in het vertrek stond een reusachtig bureau met daarop stapels papier, een schemerlamp en een zwarte telefoon. In de hoek brandde een knapperend vuur in de grote openhaard, met daaromheen een pompeus leren chesterfieldbankstel van minstens een eeuw oud.

In de verte zag Harry Forsyth een Land Rover met hoge snelheid over de smalle slingerende weg in de richting van het kasteel rijden. Hij nam de telefoon van de haak en belde naar het zuidelijke deel, driehonderdelf meter verderop, waar zijn broer Hammer Forsyth woonde.

Hammer leek in de verste verte niet op zijn broer. Bruine ogen, kortgeknipt donker haar en bijna net zo breed als hij lang was. Zijn vertrekken waren het zuidelijke spiegelbeeld van de noordelijke vertrekken, alleen de inrichting was anders. Overal stonden opgezette kippen, eenden, vogels, honden en katten, en hoog aan de muur hingen opgezette koppen van rammen en schapen, vastgezet op ellipsvormige houten borden. Koeienhuiden bedekten de vloer in het vertrek, dat werd bewoond door een kip, twee katten, een hond en Hammer zelf.

Boze tongen beweerden dat Harry en Hammer halfbroers waren als gevolg van een kortstondige liefde tussen hun moeder en een van de pachtboeren die schatplichtig was aan de Forsyths. De verdenking lag voor de hand, want Hammer leek verdacht veel op O'Rourke, die op twee mijl afstand van het kasteel zijn boerderij met schapen en een paar koeien had. Overdag was Hammer meestal op de boerderij te vinden, want schapen waren zijn grote liefde. Die liefde ging zo ver dat Hammer, als ze doodgingen, de koppen opzette en aan de muur van zijn vertrek hing. Een keer had hij een compleet schaap op sterk water gezet, maar dat was mislukt. Het beest begon na een tijdje zo verschrikkelijk te stinken dat zelfs de katten ervan begonnen te janken en de kip met zijn vleugels begon te wapperen, zodat Hammer het hele zaakje uiteindelijk de oceaan in had gedonderd.

De moeder van Harry en Hammer was intussen tachtig jaar oud en ze woonde onder de vertrekken van haar zoon Harry, met wie ze elke ochtend thee met toast en jam deelde. Na het ontbijt stak ze de eerste van haar dagelijkse negentig sigaretten op, gevolgd door een hartverscheurende hoestbui, waarna ze opstond en naar de zuidelijke vertrekken liep. Onderweg over de binnenplaats naar het zuiden kwam ze dan de butler, James Hopkins, tegen in zijn onberispelijke tenue, die net de bende van Hammer aan kant had en op weg was naar het noorden. Violet Forsyth wachtte altijd het kleine hoofdknikje van James af voordat ze hem begroette.

'Good morning, James,' zei ze dan.

'Good morning, madam,' zei James terug met een diepe, deftige baritonstem.

'Did you sleep well?'

'Wonderful, madam. Thank you for asking.'

Meestal werd het tafereel gevolgd door nog een hoestbui en voordat Violet Forsyth de zuidelijke ingang betrad, trapte ze voor de deur haar sigaret uit.

De telefoon rinkelde bij Hammer, die de kip van de hoorn wegjoeg en opnam.

'Er komt een auto naar ons toe,' zei Harry.

'Nieuwsgierigaards?'

'Geen idee.'

'De poorten zijn op slot,' zei Hammer. 'We laten niemand binnen.'

'Dacht ik ook niet. Ik vraag Hopkins wel om ze weg te sturen,' zei Harry.

Met veel lawaai sloegen de losse steentjes op de smalle weg tegen de onderkant van de Land Rover aan. Dan zat achterin en gluurde onder zijn gleufhoed vandaan. Naast hem zat Alfred, met zijn alpinopet op om te vermijden dat zijn haarstukje straks zou wegwaaien. Angel zat achter het stuur, met Freddy op de passagiersstoel.

'Je rijdt als een wildeman,' zei Freddy.

'Had dan vroeger zelf je rijbewijs gehaald,' zei Angel.

Freddy was stil.

De auto kwam tot stilstand bij de noordelijke ingang van het kasteel. Harry Forsyth gluurde behoedzaam door het raam naar beneden.

Freddy zag een touw hangen waar kennelijk aan getrokken moest worden om bezoek aan te kondigen. Het touw liep via een katrol door een gat in de muur, naar de plaats waar vroeger een koperen bel hing. Maar de bel was weg en het touw was vastgeknoopt aan een emmer die in een put onder water hing.

'Danny, bel eens aan,' zei Freddy.

Dan gaf een ruk aan het touw, maar het gaf niet mee. Vervolgens ging hij er met zijn volle gewicht aan hangen, haalde het anderhalve meter naar beneden en liet weer los. In de verte hoorden ze een plons. Dan keek naar Freddy en Alfred en vervolgens naar Angel, die haar revolver trok en in de lucht schoot.

'Volgens mij worden ze nu wel wakker,' zei ze.

Boven zich hoorden ze gestommel en vervolgens het gebonk van iemand die een houten trap af liep. Daarna was het weer stil.

Na vijf lange minuten ging de hoge houten deur open en zagen ze een man in een zwart jacquet verschijnen. Hij glimlachte vriendelijk en vroeg waar hij hen mee van dienst kon zijn.

Freddy stapte naar voren en vroeg met zijn platte New Yorkse accent: 'Are you the boss?'

James glimlachte pijnlijk en schudde zijn hoofd. 'Madam Forsyth, she is the lady of the house. I am the butler of the estate, James Hopkins.'

Freddy knikte.

'En de lady wenst geen bezoek,' zei Hopkins vervolgens.

Achter hem vroeg Violet Forsyth met haar krassende luide stem: 'Komen ze voor mij, James?'

De butler draaide zich om en zei gedecideerd: 'Yes, madam.'

Ook Harry en Hammer waren naderbij gekomen.

'Laat die lieden niet binnen, moeder.'

Maar Violet Forsyth had die ochtend wel zin in een verzetje. Want in de afgelopen twintig jaar, nadat haar man was gestorven en pachtboer O'Rourke het ook wel had gehad met, zoals hij zei, 'dat rokerige, hijgerige kreng', was er niemand meer in het kasteel geweest. In een flits zag ze de knappe Freddy staan in onberispelijk tenue van grijze pantalon, donkerblauwe blazer met gouden knopen en geel zijden pochet. Ongeduldig gebaarde ze met haar knokige witte hand naar James Hopkins, die langzaam de poort verder opendeed.

In één oogopslag overzag Freddy de verhoudingen in de familie. Ma was de baas, Harry de intellectueel met klotsende inhoud in zijn hoofd waardoor hij alles wist maar ook weer niks, Hammer een natuurkracht. James Hopkins was een butler tot in zijn tenen, maar ook onverzettelijk en uiteindelijk degene met de meeste invloed. Freddy had daarnaast het gevoel dat Hopkins niet te vertrouwen was. Hij stapte met zijn meest innemende glimlach op Violet Forsyth af. 'Freddy Carter,' zei hij, en stak zijn hand uit. 'Ik heb groot nieuws voor u.'

De koffie en thee kwamen in oud gebarsten Engels porselein op Harry's kamer. Freddy zat breeduit in een leren fauteuil en besloot maar met de deur in huis te vallen. 'U woont op een schat,' zei hij. 'In het kasteel of er vlakbij ligt goud begraven.'

De butler bleef onbeweeglijk staan. Hammer keek onverschillig, maar Harry en zijn moeder schoten naar voren. Alfred knikte heftig om Freddy's boodschap te onderstrepen.

'Goud? Waar ligt het?' vroeg Harry.

'Dat weet ik niet. Ik weet alleen dat het er is.'

James Hopkins stapte naar voren. 'Vroeger, en daarmee bedoel ik vele generaties geleden, heeft dit verhaal ook de ronde gedaan. Het hele kasteel is doorzocht om die zogenaamde schat te vinden.'

'We zouden best wat goud kunnen gebruiken,' zei Violet Forsyth, 'want de pacht van de boeren levert niets meer op.'

'Valt wel mee,' zei Harry, die zich schaamde voor zijn moeder.

'Valt wel mee? We zijn armer dan kerkratten. Valt helemaal niet mee.'

'Moeder!'

Freddy knikte beleefd naar Violet Forsyth. 'Misschien kan ik u helpen,' zei hij. 'Mag ik zo vrij zijn om te vragen of de familie eigenaar is van dit kasteel?'

'Volledig,' zei Violet Forsyth, terwijl ze een nieuwe sigaret tussen haar roodgeverfde lippen duwde.

'Alles is van ons,' zei Harry. 'Dit kasteel en een twintigtal landerijen. Half Dingle Peninsula is van ons.'

'Het is niet van ons,' zei Hammer, zich voor het eerst in het gesprek mengend.

'Hammer, praat niet alsof je het beter weet,' zei zijn moeder schril.

James Hopkins kuchte beleefd en zei: 'De eerlijkheid gebiedt me te zeggen dat het iets gecompliceerder ligt.'

'Zijn er eigendomspapieren?' vroeg Freddy.

De Forsyths keken elkaar aan en uiteindelijk zei Harry: 'Dat hoeft niet, want onze familie woont hier al sinds 1653. En sinds dat jaar ontvangen wij de pacht van alle boeren.'

James Hopkins zei: 'We betalen sinds dat jaar ook de huur van één pond per jaar aan advocatenkantoor Durkin & O'Brien in Dublin. Die incasseert het geld namens de familie Eagleton sinds 1653.'

'En tot wanneer loopt deze overeenkomst?'

'Eeuwig,' zei Harry.

'Misschien wel,' zei James. 'De familie Eagleton heeft het kasteel tot nu toe niet opgeëist. Sinds 1921, bij de onafhankelijkheid van Ierland, is de familie namelijk gerechtigd om het kasteel weer in bezit te krijgen. Er zijn bewijsstukken die dat mogelijk maken, maar die zijn vermoedelijk verloren gegaan.'

'Maar dat is juridisch toch niet meer hard te maken?' vroeg Freddy.

'Dat heb ik ook vaak gezegd. Die zogenaamde bewijzen stammen bijna uit de middeleeuwen,' zei Harry.

James antwoordde voorzichtig: 'Ik vrees van niet. Er is voor zover ik weet destijds een overeenkomst opgemaakt. Mocht ooit een Eagleton het kasteel met de juiste bewijsstukken opeisen, dan zal de familie Forsyth zwak staan, gezien het feit dat zij het kasteel en de bezittingen eromheen nooit hebben kunnen registreren op hun naam.'

'Binnenkort wel!' riep Harry.

Freddy wilde zaken doen. 'Stel,' begon hij, 'stel dat ik zorg dat de familie nooit meer een beroep zal doen op dit kasteel. Zou dat geruststellend zijn?'

'Heel geruststellend,' zei Harry.

'Vervolgens gaan we op zoek naar het goud en we delen de opbrengst.'

'Veertig om zestig,' zei Harry snuivend.

Dan schoof met zijn voeten en Angels ogen vernauwden zich.

Langzaam draaide Freddy zich om naar Harry. 'Dat is niet wat ik voorstelde.'

Harry besefte dat hij het niet nog een keer moest proberen.

'Mijn advocaat komt morgenochtend bij u om de deal vast te leggen,' zei Freddy.

'Waarom laat je ze de kaart niet alvast zien?' opperde Alfred.

De afgelopen dagen hadden ze geprobeerd uit te vinden wat de aanwijzingen op de oude kaart betekenden. Alfred begreep alleen dat de lijnen een richting aangaven.

Freddy aarzelde een moment en besloot toch de kaart te laten zien. Harry sprong op toen hij het document zag. Samen met Alfred liep hij naar het grote bureau, waar ze de kaart uitrolden. James Hopkins bleef met zijn handen op de rug achter hen staan.

Angel zat in de vensterbank en keek naar buiten. Hammer had haar de hele tijd al met zijn ogen gevolgd. Hij liep naar haar toe en zei: 'Ik woon aan de andere kant van het kasteel. Zin om te kijken?'

Angel keek naar één bonk spieren en fysieke kracht. Ze stond op en knikte.

Door een vergrootglas keek Harry naar de details op de kaart. 'Ongelooflijk,' zei hij zacht. 'Dit is, dit is....' Hij was lijkbleek en keek achterom naar James. 'Ik had nooit gedacht dat dit nog bestond.'

'Wisten jullie hiervan?' vroeg Alfred.

James Hopkins schraapte zijn keel. 'Waarschijnlijk is dit document gemaakt in 1653, toen de familie Forsyth het kasteel overnam van de Eagletons.'

'Volledig legaal, James.'

'Inderdaad, master Harry, volledig legaal volgens de wetten van toen. Monniken hebben dit document meegenomen nadat de Eagletons het kasteel hadden verlaten. Het maakt deel uit van de overeenkomst die de Eagletons in staat stelt het bezit terug te claimen.'

Freddy kwam erbij staan.

'Ik begrijp niets van die monniken,' zei Alfred.

'De monniken waren in dienst van de Eagletons, om ervoor te zorgen dat hun claim niet verloren ging. Ze hadden daarvoor iets bedacht wat wij niet weten, maar feit is wel dat er een poging is ondernomen om de documenten te vernietigen.'

'Dat is dan kennelijk niet gelukt,' zei Freddy.

'Dat weten we niet,' zei Harry. 'Dit is niet het document waar het om gaat. Er moet nog iets zijn waarin de overeenkomst tussen de Eagletons en mijn familie is vastgelegd. Dit is alleen maar een aanwijzing.'

'Er zijn soldaten vanuit het kasteel gestuurd om de monniken te achtervolgen,' zei James Hopkins.

'Waarom gebeurde dat? Er was toch een overeenkomst?' vroeg Alfred.

Harry schudde zijn hoofd. 'We weten niet waarom. Wellicht had die Eagleton op het laatst iets gedaan waardoor onze belangen werden geschaad.'

James vouwde zijn handen voor zijn buik en glimlachte.

'Wat zegt deze kaart?' vroeg Freddy.

Harry had genoeg gelezen over navigatie en haalde uit een bureaula twee driehoeken met gradenboog.

Hammer en Angel renden door de regen over de binnenplaats naar de andere kant van het kasteel. Toen de deur achter hen dichtsloeg, greep ze zijn hoofd en bijtend en grommend gingen ze de trap op. 'Overmeester me,' hijgde ze, 'als je wilt blijven leven.'

Hammer grijnsde, pakte haar op en droeg haar met twee treden tegelijk naar zijn kamer. Verbaasd keek ze rond, maar het volgende moment trokken zijn gretige handen haar de kleren van het lijf. Terwijl hij nog stond, trok hij haar naar zich toe en tilde haar op. Ze sloeg haar benen om hem heen en terwijl haar handen wild aan zijn haren trokken, drong hij met geweld bij haar binnen. Ze ramde met haar vuisten overal waar ze maar kon, maar zijn harde greep was onontkoombaar. Ze duwde haar vuist in zijn mond tot diep in zijn keel en hij geen adem meer kreeg. Maar het geweld van Hammer hield niet op totdat ze verslapte en haar nagels minder diepe sporen trokken over zijn rug. Hij legde haar op de koeienhuiden en ging net zo lang door totdat ze beiden grommend en gillend, te midden van luid gekakel van de kip, explodeerden.

'Hill of Tara,' zei Harry.

Hij had een grote kaart van County Meath, ten noorden van Dublin, uitgespreid. De peiling kwam uit in het gebied van talloze historische plaatsen.

'Er zijn nog andere historische plaatsen,' zei James. 'Waarom daar? Het is zelfs niet in de buurt van de plek waar de lijnen elkaar kruisen.'

'Ik weet het zeker,' zei Harry en hij vloog naar de boekenkast. Razendsnel gingen zijn vingers langs de banden.

'Volgens de geschiedenis zijn de Eagletons voortgekomen uit het machtige geslacht van High King Brian Boroimhe.' Hij greep een boek uit de kast en bladerde erdoorheen. 'Hier staat het. Stone of Destiny. Op de Hill of Tara werden de High Kings van Ierland gekroond. Als er een document is, dan ligt het daar.'

Freddy keek in het boek naar een zwart-witfoto van de steen. 'Je wilt zeggen dat er vroeger koningen bij dit stuk steen op die heuvel werden gekroond? In Amerika hadden we wel iets beters bedacht.'

Harry keek hem plechtig aan en zei: 'Deze steen is eeuwen en eeuwen oud en het meest belangrijke symbool voor de Ieren. Het is een koninklijke steen.'

'En jij denkt dat het document daar ligt.'

'Dat weet ik zeker. Ik ga met je mee.'

'Nee,' zei Freddy kortaf. 'We hebben een afspraak. Jij krijgt die oude rotzooi hier en ik de helft van het goud.'

James Hopkins liep mee naar buiten tot voorbij de poort en zei tegen Freddy: 'Ik heb het vermoeden dat de familie Eagleton nog bestaat.'

Freddy negeerde zijn opmerking. 'Wat zijn dit voor weirdo's?'

'Het is een familie,' zei James, 'net zoals sommige andere families.'
'Werk je al lang voor hen?'
'Heel lang.'
'Kon je geen betere job vinden dan hier in die bende?'
'Ik voel een grote verantwoordelijkheid voor deze familie, meneer Carter.'
Ze stonden in de wind en Freddy keek naar de flapperende broekspijpen van de butler.
'U vindt hier geen goud.'
'Dat vind ik wel. Al moet ik het hele kasteel met een bulldozer tegen de vlakte rijden, dat goud zal ik vinden.'
'Dan zult u het kasteel in bezit moeten hebben.'
'De familie Forsyth heeft het al.'
'Meneer Carter, u zult net als ik ongetwijfeld weten dat de Eagletons weer in Ierland zijn. Zij zullen trachten het kasteel terug te krijgen,' zei James.
Freddy keek hem langdurig aan, alsof hij zich afvroeg hoe de butler het wist. 'Dat zal ik verhinderen.'
'Ook als ze de rechtmatige eigenaar zijn?'
'De Eagletons zijn niet de rechtmatige eigenaars,' zei Freddy.
'Driehonderd jaar geleden is het kasteel hen ontnomen.'
'Dat is driehonderd jaar geleden.'
Freddy keek om zich heen en zag Angel staan bij de Land Rover. Ze keek naar Hammer, die bij de poort stond.
'Goud gaat voor goed, meneer Hopkins,' zei hij en hij liep terug naar de auto.
Op het moment dat Angel instapte, bewogen haar lippen geluidloos. 'I'll be back,' las Hammer.

SPERRY MARK 14

Dublin, 1961

In 1117 ontwikkelde de Chinese geleerde Zhu Yu het eerste magnetische kompas om de richting te bepalen voor schepen op zee. Voor het eerst was de mensheid daarmee in staat om grote oceaanreizen te maken en ook nog eens de weg terug te vinden. De Poolster, die pal in het noorden staat, was weliswaar voor de eerste zeelieden een baken, maar onvoldoende om exacte posities te bepalen. Bovendien was de ster overdag niet zichtbaar en hingen er 's nachts geregeld wolken voor.

Eeuwen later werden de natte kompassen ingevoerd, waarbij de kompasroos was opgesloten in vloeistof zodat het trillen en slingeren van de naald, als gevolg van de bewegingen van het schip, sterk werd gedempt.

Magnetische kompassen zijn evenwel onderhevig aan de verschuivingen van het aardmagnetisme en van omgevingsfactoren. De magnetische polen liggen niet op dezelfde plaats op aarde als de geografische polen, waardoor er correcties op de koersen en peilingen plaatsvinden die afhankelijk zijn van tijd en plaats.

De hoek tussen het geografische of ware noorden en het bewegende magnetische noorden, wordt variatie genoemd. Onder invloed van de omgeving treden er ook nog kompasfouten op die voor elke koers verschillend zijn, zodat het kompas voortdurend gecontroleerd moet worden.

De bouw van het eerste gyrokompas tussen 1905 en 1908 door Hermann Anschütz betekende dat er eindelijk een kompas was dat exact het geografische noorden aanwees en dat, eenmaal ingesteld, vrijwel geen fout meer vertoonde. Gyrokompassen hebben echter met magnetisme niets te maken, maar bestaan uit een sneldraaiende gyroscoop die een vaste stand in de ruimte houdt. Een gyrokompas is dus niets anders dan een vrij hangende, snel draaiende tol, uitgerust met een richtsysteem en een dempingsysteem zodat de gyroscoop als een nauwkeurig kompas kan dienen.

In 1910 kwam de Amerikaanse Elmer Sperry met het eerste Sperry gyrokompas op de markt. Na een serie uitvoeringen werd uiteindelijk na 1950 de Sperry Mark 14 het meest gevraagde model ter wereld. Een bakbeest van een kompas van een meter in doorsnee en minstens een meter twintig hoog dat veel herrie produceerde vanwege de snel draaiende tol die aan een snaar hing. Het voordeel van de Sperry Mark 14 was de grote bedrijfszekerheid van het instrument.

John Hamilton stond bewonderend naar zo'n bakbeest te kijken in de gyrokamer van een schip dat in de haven van Dublin lag. Als stuurman had hij nooit met een dergelijk instrument gevaren. Hij hoorde de elektrisch aangedreven tol van de Sperry zoemen, keek naar de roos en zag dat het schip op 249 graden lag. Vanwege het vele ijzer aan boord was de omgeving ongeschikt om het gyrokompas te vergelijken met de aanwijzing van het zegel. Hij bedankte de stuurman van het schip hartelijk dat hij even had mogen kijken en liep van boord af. Het vrachtschip lag in de hoek van de haven en John ging ver achter het schip staan. Hij plaatste de kleine holling in de onderkant van het zegel op een dunne stok en zag tot zijn verbazing dat het zegel, perfect in evenwicht, begon te draaien. Na een paar slingeringen bleef het trillend staan en John keek over de magneet heen naar de as van het schip. Het zegel wees tweehonderdzeventig graden aan. De totale fout, oftewel de algebraïsche optelling van variatie en deviatie, bedroeg eenentwintig graden. Het betekende dat John van de kompaspeilingen van de drie aangegeven punten in de kaart eenentwintig graden moest aftrekken om de peilingen te corrigeren naar geografisch ware peilingen.

De avond daarvoor had hij met Chorowski uitvoerig gesproken over de peilingen in de kaart.

'Het enige wat we moeten weten, is de afwijking van het zegel ten opzichte van de geografische richting en die passen we toe,' zei Chorowski.

'Ik blijf me afvragen,' zei John, 'hoe ze destijds de posities hebben bepaald.'

'Waarschijnlijk hebben ze de geografische positie van de vindplaats en de drie punten astrologisch bepaald.'

'Maar in 1653 waren er nog geen sextanten.'

'Nee, maar wel andere meetinstrumenten, zoals de Jacobsstaf. Daarmee konden ze de exacte breedtegraad bepalen door de poolshoogte te meten. De lengte was veel moeilijker te bepalen in die tijd omdat er nog geen exacte tijdsaanwijzing was.'

'Misschien hebben ze de posities bepaald door het nemen van de hoogte van de Poolster voor de breedtegraad, en zonnetijd gebruikt om de lengte te bepalen. Stel dat ze erin geslaagd zouden zijn om op de verschillende locaties het tijdstip waarop de zon door de zuidelijke meridiaan ging te bepalen, dan zouden ze een redelijke positie hebben van alle punten en van daaruit de peilingen hebben kunnen berekenen.'

'Maar in die tijd waren er geen betrouwbare uurwerken, waardoor er grote verschillen in tijd waren,' zei Chorowski.

'Misschien was dat op land niet noodzakelijk. Sommige steden, zoals Parijs, hadden hun eigen meridianenstelsel. Vandaar dat men werkte met ware zonnetijd aan de hand van het moment waarop de zon op het middaguur de hoogste stand in het zuiden had. Stel dat er een mogelijkheid was om uurwerken op de verschillende coördinaten met elkaar te vergelijken.'

Chorowski staarde naar de atlas van Daniel Flower. 'De coördinaten in de vroegere kaarten zullen meerdere malen zijn vastgelegd omdat vanuit die posities landkaarten werden gemaakt. Maar jouw opmerking over tijdsbepaling klopt niet. Er waren geen mogelijkheden om uurwerken op grote afstand met elkaar te vergelijken en dus is de lengtepositie van alle punten waarschijnlijk niet correct.'

'Ik herinner me,' zei John, 'dat een leraar mij op de zeevaartschool vertelde dat Galilei een methode ontwikkelde waardoor de lengte op aarde werd bepaald door waarneming van de eclipsen van Jupiters manen. Omdat de beweging overal op aarde op hetzelfde moment wordt waargenomen, geven ze eigenlijk een universele tijd aan.'

'Maar niet de lokale tijd,' zei Chorowski.

'Dat is niet belangrijk, want het verschil tussen deze universele tijd en de tijd van de waarneming laat het verschil in lengte zien. Elk uur is vijftien graden ooster- of westerlengte en negenhonderd zeemijl. En elke minuut dus vijftien zeemijl.'

'En jij denkt dat die monniken die methode hebben gebruikt? Dat geloof ik niet, want deze methode is nooit gebruikt door zeelieden. Eigenlijk zijn we nog maar kort in staat om de lengte te bepalen, sinds er betrouwbare tijdmeters zijn.'

John dacht na. 'Een mogelijkheid zou nog zijn dat men de universele tijd aflas door een nocturlabium. Of een zonnewijzer. Want ik weet zeker dat de monniken een methode hadden die nauwkeurig was. De peilingen zijn immers in graden aangegeven, in plaats van in streken, wat in die tijd gebruikelijk was.' Sinéad kwam de kamer binnen met hete koffie. 'Zo, heren navigators, komen jullie er een beetje uit?'

'John haalt zijn kennis van de zeevaartschool in Halifax weer naar boven,' grijnsde Chorowski.

John rolde de Admirality Chart nummer 1468 van de oostkust van Ierland uit op de tafel. Terwijl hij de kustlijn met zijn ogen volgde, vroeg hij zich af welke conclusies Freddy Carter zou trekken uit de originele kaart uit 1653.

Hij zag ook dat het snijpunt van de drie peilingen buiten het gebied van de kaart viel omdat de Admiralty Chart uiterst nauwkeurig posities bepaalt, maar alleen van de kust. Daarom plakte hij een groot vel papier aan de westelijke kant van de kaart en paste op de opgegeven peilingen de miswijzing toe van -21 graden, zodat de peilingen van Ardgillan Castle een ware peiling van 257 graden werd, Malahide Lighthouse 284 graden en Fairy Castle 306 graden.

Zorgvuldig trok hij met potlood de drie lijnen totdat ze op het witte vel papier kruisten. Alle drie staarden ze naar het minuscule driehoekje binnen de drie lijnen.

Sinéad vroeg: 'Ligt daar het eigendomsbewijs van het kasteel?'

John zei niets maar bepaalde door het extrapoleren van de aangegeven graden van de kaart naar het vel papier, exact de positie van het gevonden punt. Hij noteerde de positie 53° 31' 20" noorderbreedte en 6° 39' 5" westerlengte.

Hij stond licht voorovergebogen over de tafel en Sinéad ging naast hem staan. Chorowski plukte aan zijn snor. John bracht de positie van het vel papier over op een landkaart van de omgeving van Dublin en zei: 'Daar ongeveer.'

'We gaan erheen,' zei Sinéad.

Freddy herinnerde zich dat Angel hem vroeger had verteld dat ze op jonge leeftijd zwanger was geworden tijdens een one-night stand. Zodra ze erachter kwam, probeerde ze alles om de vrucht kwijt te raken. Ze liet zich van hoge trappen vallen, danste op bars tot diep in de nacht en dronk liters whisky om het ongeboren kind te verdrinken. Ze was zo boos dat ze in verwachting was dat ze de vloer in het café met haar woeste voeten bijna kapot trapte. Omdat het allemaal niet hielp, eindigden de avonden in vechtpartijen met jongens van een andere gang. Midden in de nacht werd ze zwetend wakker en besloot de volgende ochtend direct een arts op te zoeken. De politieagent die haar later bloedend en in elkaar gezakt op straat vond, reed haar met grote snelheid naar het ziekenhuis, waar ze meer dood dan levend aankwam.

Half verdoofd lag ze de volgende ochtend bij te komen in het ziekenhuisbed, toen ze de stem van de dokter hoorde zeggen dat ze nooit meer kinderen zou kunnen krijgen. Zonder geluid te maken draaide ze haar hoofd weg in het witte kussen.

Ze reden oostwaarts op weg naar Dublin. Angel zat achter het stuur, Freddy keek op de kaart en Alfred zat zwetend achterin. Naast hem zat Dan, die een grote fout maakte. Want nadat hij een tijdje vanaf de achterbank via de spiegel in haar bloedmooie ogen had gekeken, vroeg hij aan Angel of ze ook een vriend had.

'No boyfriends,' zei Angel, 'just for the fun and the fuck.'

Dan wendde zijn blik naar buiten en keek naar een landschap vol schapen.

'Misschien is dat ook wel beter voor je,' zei hij.

'Wat bedoel je?' vroeg Angel.

'Dat je geen vriend hebt.'

'Wat weet jij daar nou van.'

Grijnzend met gele tanden zei hij: 'Ik zie jou niet als een deftig getrouwde vrouw met man en kind. Niks voor jou. Voor een kind ook niks trouwens, want dat zou het zwaar hebben met zo'n moeder.'

Dat was het moment waarop Freddy zich het verhaal herinnerde, maar het was al te laat. Angel trapte zo hard op de rem dat beide mannen achterin naar voren schoten. Met grommende banden kwam de auto op het gravel tot stilstand. Angel stond meteen buiten, trok het achterportier open en sleurde Dan de auto uit. Met open hand en met haar vingers en nagels naar voren gekromd, sloeg ze hem hard in zijn gezicht. Dan gilde het uit en greep naar zijn wapen, maar de loop van Angels revolver zat al in zijn linkerneusgat.

'Jij weet niks van mij Dan,' siste ze, 'en je zult ook nooit iets van me weten. Als je ooit nog eens zo tegen me praat, strip ik je van top tot teen. Oké, Dan?'

Angel ging weer achter het stuur zitten. Freddy zag dat haar handen licht trilden en legde zijn hand op haar arm. 'It's okay, Angel.'

Ze zei niets en reed verder door een verlaten landschap. Dan zat achterin te kermen en hield een witte zakdoek die hij van Alfred had gekregen, tegen zijn wang. De zakdoek begon rood te kleuren.

Een halve dag later kwamen ze aan in het plaatsje Tara, waar ze stopten om te tanken en wat te eten. Tien mijl zuidwaarts reden John, Chorowski en Sinéad de weilanden in.

'Het zou hier ergens moeten zijn,' zei John. Hij keek om zich heen en zag alleen maar groene weilanden met boomwallen. Overal schapen en een paar koeien. Het zag er troosteloos uit.

'We zitten hier verkeerd,' zei Chorowski.

Gehuld in haar dikke jas keek Sinéad huiverend van de kou naar de captain. 'Zou je geen jas aantrekken?'

'Nee,' zei Chorowski.

'De berekening klopt niet,' zei John. 'We hebben iets fout gedaan.'

'Of het zegel heeft door de tijd een compleet andere afwijking gekregen. We hebben de kompasfout maar op één richting gecontroleerd.'

'Die afwijking is minimaal,' zei John.

Ze reden terug over de smalle weg. Dertig seconden nadat de Land Rover van Freddy vanuit Dublin naar de Hill of Tara reed, kwam John bij de kruising van de weg aan en sloeg rechtsaf op weg naar Dublin.

Ze stopten bij een klein restaurant aan de kant van de weg.

'Van wat voor materiaal is het zegel eigenlijk?' vroeg Chorowski vanachter een bord fish and chips.

'De kern bestaat uit een dunne magnetische schijf en het overige materiaal is witgoud.'

'Hadden ze in 1650 al legeringen van goud met nikkel?'

'Dat heb ik me ook afgevraagd. Ik weet wel dat ze in Syrië al meer dan drieduizend jaar geleden bronzen voorwerpen hadden met nikkel als bestanddeel. Ik vermoed dat de monniken over specifieke kennis beschikten om legeringen te maken.'

'Maar waar haalden ze het goud vandaan?'

'Goud is op verschillende plaatsen in Ierland gevonden,' zei John. 'Bovendien maakten de Kelten al sieraden van goud.'

Hij stak twee sigaretten op en gaf er één aan Sinéad.

Freddy en de anderen stonden te kijken naar het gehavende cementen beeld van St. Patrick bij de Hill of Tara. De rechterhand van de heilige stak naar voren, alsof hij het volk zegende en het hele beeld zat onder de kraaienstront. De staf in de linkerhand van St. Patrick was ribbelig en vertoonde diepe putten in het cement. Alfred boog het hoofd voor de heilige, want hij was katholiek opgevoed.

'Wat doe jij?' vroeg Freddy.

'Beetje respect. Jij ook, Freddy, tenslotte heeft hij ons het geloof gebracht.'

'Ik heb altijd al een hekel aan die achterlijke St. Patrick's Day gehad,' zei Angel, en ze liep de Hill of Tara op.

Ze zagen de Stone of Destiny eenzaam staan op de heuvel, toen het licht al minder werd. Een echtpaar stond ernaast, foto's te maken. De vrouw voor de steen, achter de steen, naast de steen en met haar hand op de steen. Toen Freddy en zijn mensen eraan kwamen, was haar man aan de beurt. Ten slotte vroegen ze aan Dan of hij een foto wilde maken van hen beiden naast de steen.

'Ja,' zei de vrouw, 'een van onze voorvaderen ligt onder deze steen begraven.'

Freddy trok zijn wenkbrauwen op. 'Liggen hier mensen begraven?'

De man knikte heftig. 'Ierse rebellen hebben hier gevochten tegen de Engelsen. Ze hebben hier vierhonderd mensen begraven en daarna hebben ze de steen erop gezet. Daarvoor stond de steen ergens anders op de heuvel. Zonde, eeuwig zonde dat de heilige plaats van de High Kings verloren is gegaan. Maar gelukkig hebben we de steen nog.'

'Wanneer is die steen verplaatst?' vroeg Alfred.

'In 1798,' zei de vrouw. Ze bond een hoofddoekje om omdat het begon te waaien. 'Ik weet dat precies omdat mijn moeder een kleed heeft geborduurd met de steen erop.'

'Dat is na 1653,' fluisterde Alfred tegen Freddy.

'Dat snap ik ook nog wel,' siste Freddy kwaad. Bruusk draaide hij zich om en liep met grote passen terug naar de Land Rover.

'Moeten we niet zoeken?' vroeg Dan.

'Nee, dat document ligt hier niet. Dit is een fucking massagraf! Wat denk je dat er met dat document is gebeurd? Ze hebben die steen zo op die Ieren gezet. Die Harry heeft maar wat uit z'n nek zitten kletsen. Hij weet niet eens dat die steen is verplaatst.' Boos bleef hij staan. 'Ga jij met een schep dit hele gebied omploegen?'

Dan zei maar niets meer.

Met zijn vieren klommen ze weer in de Land Rover. Angel startte de motor, scheurde achteruit, draaide aan het stuur, schakelde en reed de smalle weg af naar beneden. 'We moeten het zegel hebben,' zei ze. 'We hebben niets aan deze kaart.'

'Zij hebben ook niets aan dat zegel zonder kaart,' zei Freddy.

Toch was hij er niet gerust op. Angel had een oplossing. 'We zoeken het hotel op waar ze zitten en gaan naar hun kamer.'

'En dan vragen we of we het zegel mogen hebben?'

'Zoiets ja.'

'Vergis je niet, Angel, hij is dodelijk snel.'

'Ben ik ook.'

'Ja, dat was me al opgevallen,' zei Freddy.

Ze reden langs het restaurant, waar op dat moment net de lege borden van de fish and chips werden opgeruimd.

'Moeten we niet wat eten?' vroeg Dan.

'Doen we wel in Dublin,' zei Freddy.

Angel trapte het gaspedaal verder in.

John, Sinéad en Chorowski arriveerden anderhalf uur later bij hun hotel. Ze gingen in de lounge zitten en bestelden wat te drinken.

'Ik haal de kaart van boven,' zei John. 'Laten we alles nog eens doornemen.'

'Misschien maken we een denkfout,' zei Chorowski.

John ging met de lift vier verdiepingen omhoog en liep over het zachte tapijt naar zijn kamer. Hij stak de sleutel in het slot, draaide en opende de deur. Omdat hij goed in het donker kon zien, deed hij geen licht aan. Hij liet de deur open en liep naar het bureau. De windvlaag in zijn nek van de dichtvallende deur vertelde hem dat er nog iemand in de kamer was. Het licht floepte aan en als een kat draaide John zich om, met zijn hand al bij zijn foedraal.

'Don't even try,' zei Angel, die tegen de muur bij het bed stond met een revolver in haar hand.

Hij bleef doodstil staan en keek haar zonder emotie aan.

'Ze zeggen dat je dodelijk snel bent,' zei ze.

'Ik hoop voor jou dat jij dat ook bent,' zei John.

'Niets met snelheid te maken,' zei ze. 'Ik schiet gewoon als je beweegt.'

Ze zag dat zijn ogen langzaam van kleur veranderden.

'Doe geen poging, John Hamilton,' zuchtte ze.

'Ben jij iemand van Freddy Carter?'

'Doet er niet toe. Trek heel langzaam je jasje uit en kom met je handen niet in de buurt van die messen.'

John deed wat er van hem gevraagd werd.
'Je hebt het zegel bij je,' zei ze. 'Waar?'
'Ik heb het niet bij me,' zei John. 'Het ligt in de hotelkluis.'
'Iemand als jij houdt het bij zich. Ik vraag het nog één keer en als je het dan nog niet bij je hebt, schiet ik je dood.'
Haar ogen vertelden hem dat ze niet zou aarzelen. Langzaam gingen zijn handen naar zijn hals. Hij trok de ketting met het zegel over zijn hoofd en liet het voor zich op de grond vallen.
'Verder achteruit!' commandeerde ze. Uiterst behoedzaam liep ze naar voren en ze raapte het zegel op. 'Oké, we doen het zo. Jij loopt achter mij aan de gang op en blijft voor je kamer staan totdat ik bij de lift ben. Als je naar me toe loopt, schiet ik alsnog.'
John knikte.
Achterwaarts bewoog ze de gang op en John volgde haar zonder zijn ogen van haar af te houden. Op de gang vroeg hij: 'Heb jij Daniel Flower vermoord?'
Ze zei niets en liep verder in de richting van de lift.
'Waarom laat je me eigenlijk leven?'
De lift ging open en Angel drukte alvast op het knopje. 'Noem het maar een herkenning van geesten,' zei ze.
Op het moment dat de liftdeuren dicht waren, vloog John zijn kamer weer in, griste het foedraal met de messen uit zijn jasje en rende naar de brandtrap, die vlak bij zijn kamer lag. Hij sprong over de treden, trapte beneden de buitendeur open en rende op volle snelheid de donkere parkeerplaats achter het hotel op, de smalle straat door naar de voorkant.
De zware Land Rover trok net met gillende banden op toen John de hoek om kwam.
'Jesus christ,' schreeuwde Freddy.
Angel gaf vol gas en reed recht op John af.
Als in een vertraagde film zag ze hem rennen, met grote passen. Zijn hand ging naar het foedraal en het eerste mes kletterde keihard tegen de voorruit. Op het moment dat ze dacht dat hij geschept werd, zat hij al boven op de motorkap. Angel trok scherp naar rechts waardoor John helemaal aan Freddy's kant hing. Met een mes in zijn hand sloeg hij het zijraam aan diggelen en greep naar binnen. Angel trok het stuur naar links en even leek de wagen te kantelen, maar in een ijzeren greep hield John Freddy bij zijn keel. Het volgende moment vloog de deur open. Beide mannen rolden over het asfalt en John zat al op Freddy voordat hij besefte wat er

gebeurde. Met gierende banden kwam de Land Rover tot stilstand. Ziedend van woede stapte Angel uit, haar revolver in de aanslag. Het volgende mes vloog met een enorme knal door de achterruit van de auto en bleef steken in het leer van Dans stoel. Met zijn hand op de keel van Freddy, die op zijn rug op de weg lag, klapte het volgende mes boven op het dak van de auto en gleed recht op Angel af, die net op tijd kon bukken. In blinde woede schoot ze in de richting van John en Freddy.

'Don't shoot,' gilde Dan van de achterbank.

Hoog in de lucht en onzichtbaar schoot een grote eagle recht naar beneden en het volgende moment werd Angel volledig omvergeslagen door de roofvogel, die haar in volle snelheid had geraakt. Als verdoofd stond ze op, wankelend op haar benen. Ze zocht naar haar revolver toen ze stem van John hoorde. 'Hou het zegel hoog boven je.'

Op de een of andere manier voelde ze zich opgelucht, omdat ze vanaf het moment dat ze het zegel van John had afgepakt, wist dat het haar noodlottig zou kunnen worden.

Boven haar hoofd voelde ze de luchtstroom van vleugels en vervolgens pakte een grote snavel voorzichtig het zegel uit haar handen.

John nam het pistool van Freddy af en trok het magazijn eruit. Hij gaf het terug en zei: 'Geef het op Freddy. Er is geen goud op Mount Eagle.'

Freddy trok zijn stropdas recht, keek met ogen vol haat naar John en zei: 'Ik weet dat er goud ligt, Hamilton. Ik ruik het en ik weet het.'

'Dat ze je heeft laten leven,' zei Sinéad, terwijl ze met jodium de schaafplekken op zijn gezicht en zijn handen insmeerde.

John lag op het bed in zijn gescheurde broek en overhemd. Chorowski keek bezorgd.

'Dat ze verdomme het zegel bijna hadden,' gromde hij achter zijn snor.

'Maakt niet uit,' zei John. 'We hebben het niet meer nodig.'

'Maar we kunnen niet meer controleren of er nog een fout is in de peiling.'

John schoot overeind. 'Ik weet het.'

'Wat weet je?' vroeg Chorowski.

'We hebben de variatie verkeerd toegepast. Het kompas is in 1653 gemaakt en daarom klopt waarschijnlijk de fout niet, omdat het magnetische noorden voortdurend verandert. Dat ik daar niet aan heb gedacht! Ik heb alleen maar de kompaspeiling vergeleken met de ware peiling en dat was eenentwintig graden. De variatie is een bestanddeel van de totale fout en die is natuurlijk anders dan in 1653.'

'Maar we kennen de variatie van 1653 niet.'

'Nee, maar misschien moeten we met variabelen gaan rekenen.'

'Dan moeten we in een groot gebied gaan zoeken,' zei Chorowski.

'Misschien valt het mee,' zei Sinéad. 'Ik denk dat de vindplaats toch iets is uit de oudheid.'

'Precies,' zei John. 'Laten we zeggen dat de hoek ten opzichte van het geografische noorden maximaal zal variëren van tien graden west naar tien graden oost. Zet jij nou eens een peiling uit van waar we terecht zouden komen als we nu een variatie zouden hebben van tien graden, zowel west als oost. Misschien dat we de plaats herkennen.'

John liet zich weer achterovervallen in bed. Voorzichtig trok Sinéad zijn kleren uit. Zijn bovenbenen hadden zware schaafwonden. 'Even op je tanden bijten,' zei ze.

John keek naar haar mooie gezicht.

Terwijl ze zijn benen aanstipte met jodium, zei ze: 'Wat doe je, John?'

'Sparkling eyes,' zei hij.

Ze keek hem lange tijd aan. Haar lippen bewogen en het was net alsof ze iets wilde zeggen dat ze nog niet kon zeggen. Met gebogen hoofd zei ze ten slotte: 'Jij hebt dezelfde ogen.'

Chorowski kwam met de kaart naar het bed. Hij had de twee posities in de kaart met een lijn verbonden.

De lijn liep via Dublin ongeveer langs de N3 naar het noorden en boog af tussen de Hill of Tara en een eeuwenoude toren door.

'Als ik tien graden optel bij de peilingen, kom ik uit op respectievelijk 268 graden, 295 graden en 327 graden. Dan zitten we boven op de Hill of Tara.'

'Dat ik daar niet aan heb gedacht,' zei John. 'Het is de heuvel waar ooit een van mijn voorvaderen gekroond is.'

'Hoe krijgen we het zegel terug?' vroeg Sinéad.

'De eagle brengt het wel,' zei John.

Chorowski ging terug naar zijn kamer.

'Ik blijf hier maar vannacht,' zei Sinéad, 'voor het geval die Angel terugkomt. Want dan zal ik je toch moeten beschermen.'

John lachte en Sinéad kwam naast hem op bed zitten. Met haar hand streek ze langs zijn gezicht. 'Wat ben je een bijzondere man,' zei ze.

Hij schudde zijn hoofd. 'Minder dan je denkt, Sinéad.'

John dacht plotseling terug aan zijn laatste gesprek met tante Lucinda, waarbij ze wanhopig met haar kleine vuisten op zijn borst sloeg om hem te laten beloven dat hij geen tweede termijn als gouverneur zou aanvaarden. Bijna wilde hij tegen Sinéad zeggen dat het moment dat ze werden overvallen door Freddy's mannen nadat hij haar uit de gevangenis had opgehaald cruciaal was geweest, omdat zich vanaf dat moment een enorme vastberadenheid in hem had gemanifesteerd. Maar hij zei het niet, want ze hadden al heel lang niet meer gesproken over de tijd dat Sinéad in de gevangenis zat.

Ze bleef naar hem kijken. Zijn donkere ogen verzachtten en hij pakte haar beide handen. Langzaam boog ze voorover en ze begon hem zacht te zoenen.

Het eerste daglicht brak aan met een staalblauwe kleur in koude, vochtige lucht. De mist lag laag over de velden en bedekte het gras en de stenen afscheidingen met een dunne witte deken. De bomen aan weerskanten van de smalle weg staken boven de mist uit in gele, rode en bruine herfstkleuren.

Ze reden een lage heuvel over en even zag John de rode gloed van de zon in het oosten. Toen ze de heuvel over waren reden ze weer door de mist, die als een boeggolf langs de zijkanten van de auto gleed.

'Wat een oud landschap,' zei Sinéad zacht.

Opnieuw begon de weg omhoog te lopen en zagen ze rechts de witte toren van de kerk op de Hill of Tara opdoemen. De hoge vierkante toren van de kerk stak in de verte bijna onheilspellend de lucht in.

John parkeerde de auto onder de boomwal naast de kerk en stapte uit. Instinctief voelde hij op zijn borst, waar eerder het zegel hing. Het was alsof de lege plek gloeide als een brandwond.

Ze liepen langs graven over het smalle stenen pad naar de witte kerk, John voorop. Sinéad voelde dat hij alleen wilde zijn en bleef ver achter hem lopen. Het was nu helemaal licht en in de blauwe lucht dreven wolken als locomotieven, met een platte grijze onderkant en aan de bovenkant witte pluimen als stoomwolken. Om de kerk en het kerkhof stonden in een vierkant eeuwenoude beukenbomen met hun omvangrijke stammen diep in de grond geworteld, als wachters van de doden. Hij liep om de machtige bomen heen en keek naar boven, waar honderden kraaien doodstil op de takken zaten.

Het viel Sinéad op dat de kraaien geen enkel geluid maakten en het volgende moment zag ze waarom. Een grote eagle kwam tussen de bomen door vliegen en landde iets verderop op de hoogste van de twee oude granieten stenen, die de ingang markeerden waar eeuwen geleden de kandidaten voor het koningschap van Ierland met hun karos door het gras reden. Tot hun verbazing zagen ze dat de eagle het zegel in zijn snavel hield. Langzaam liep John naar het dier toe, dat de andere kant op bleef kijken. John bleef staan en keek naar boven. De eagle keek naar boven. Daarna kruisten een fractie van een seconde de ogen van de eagle en John elkaar, maar omdat mens en dier, hoe sterk de verbintenis ook, elkaar niet in de ogen kijken, draaide John zich met zijn rug naar de eagle.

Sinéad zag hoe de eagle bijna onverschillig het zegel op de grond liet vallen, opsteeg en rakelings over Johns hoofd wegvloog, met een boog naar het noorden.

Hij voelde het zegel gloeien en deed het weer om zijn hals. Dreigende, donkergrijze wolken schoven voor het blauw en plotseling kwamen de kraaien met veel herrie uit de bomen en vlogen cirkels boven de toppen. John liep omhoog langs de Mound of the Hostages en keek tussen de tralies door naar binnen. Hij zag de steen staan waarin symbolen waren gegraveerd die verwezen naar de heilige Keltische festivals en vermoedelijk afbeeldingen van de zon, de maan en sterren.

Verder de heuvel op zag hij schapen die allemaal dezelfde kant op stonden, en zag hij de Stone of Destiny, omringd door een cirkel van twee graswallen met daartussen een diepe greppel. Op het moment dat hij door de greppel liep, gloeide het metaal plotseling op tot grote hitte en John moest het van zijn borst af trekken van de pijn. Hij kroop omhoog en de hitte van het zegel nam af. De Stone of Destiny, The Lia Fáil, reikte tot iets boven zijn middel. Zijn vingertoppen gleden over de ronde bovenkant, maar hij wist dat het hier niet was. Niet alleen omdat de steen in 1798 was verplaatst, maar ook omdat er iets verschrikkelijks was gebeurd op deze plek.

Hijgend lag Badb Chulainn tussen twee hoge wallen. De pijl had hem in zijn linkerschouder getroffen en direct greep hij een mes en sneed de pijl eruit. Hij hoorde stemmen van de soldaten en begreep dat Stacks zwaar gewond was. Hevig bloedend kroop hij omhoog en zag hoe de soldaten zich om Stacks hadden verzameld. Het spannen van zijn boog vergde helse pijnen. De soldaten stoven uit elkaar toen opnieuw iemand werd geraakt. Hijgend en zwetend trok Badb zich terug achter de graswal en bleef met gesloten ogen liggen. Hij hoorde het zachte geklop van hoeven te laat. Toen hij opkeek, zag hij een soldaat vanaf de andere kant van de graswal zijn boog spannen. De pijl raakte hem tussen zijn ribben. Met geweld rukte Badb de pijl uit zijn borst en voordat de soldaat opnieuw zijn boog kon spannen, zwiepte hij een kleine bijl over de graswal en spleet het hoofd van de soldaat doormidden.

Badb Chulainn verloor korte tijd het bewustzijn en toen hij bijkwam was het doodstil. Hij vroeg zich af waar de soldaten waren gebleven en kroop moeizaam uit de diepe greppel. In de verte zag hij Stacks' lichaam liggen en Badb vermoedde dat de soldaten vanwege zijn dood waren weggevlucht. Zijn paard liep verderop te grazen en Badb probeerde te fluiten, maar hij kon geen geluid meer uitbrengen. Met zijn hand zocht hij naar zijn tas die om zijn hals hing en kroop over de wal heen. Hij kwam overeind en voorover gebogen door het bloedverlies en de pijn wankelde hij vooruit in de richting van The Mound of the Hostages. Halverwege viel hij opnieuw, omdat zijn benen hem niet meer konden dragen. Hij trok zich op zijn armen voort door het groene gras, een bloedspoor achterlatend.

Badb Chulainn viel opnieuw weg op het moment dat zijn handen The Mound of the Hostages aanraakten. Krijsende kraaien boven zijn hoofd brachten hem weer bij bewustzijn, maar toen hij zijn ogen opende zag hij niets meer. Blind sleepte hij zich voort op weg naar The Lia Fáil, maar hij wist niet meer waar hij moest zoeken. Wanhopig graaide hij om zich heen of hij de steen voelde. Hij probeerde te bepalen waar hij was, maar zelfs zijn zintuigen werkten niet meer. Badb Chulainn was al dood en nog steeds wilde hij van geen opgeven weten. Hij trok zichzelf verder over de grond. Op de tast vond hij de kleine bladeren van een boom. Hij strekte zijn handen uit en voelde de ronding van een jonge stam. Terwijl hij in de grond groef, proefde hij dat het speeksel in zijn mond plaatsmaakte voor bloed. Verbeten ging hij hij door totdat het gat diep genoeg was. Nadat hij zijn laatste opdracht had uitgevoerd, bedekte hij de grond en veegde er bladeren overheen. Zijn lippen bewogen nog, alsof hij zijn laatste woorden tegen de boom fluisterde.

Plotseling brak de zon door het grijze wolkendek en John zag het gras glanzen in het felle licht. Hij liep terug naar The Mound of the Hostages en één ogenblik was het alsof het groen in rood veranderde door het felle witte licht van de zon op het gras. Opnieuw bleef hij staan voor de getraliede ingang en keek achterom naar het zuiden. Hij zag het zonlicht door de tralies vallen en dacht terug aan de woorden van de monnik op de Blue Stack Mountains: dat alles ten noorden van het licht uit het zuiden komt. John liep om de kleine heuvel heen en bleef staan. Links van hem stond The Lia Fáil en hij vermoedde dat hij nu op de plaats stond waar de steen vroeger had gestaan, in 1653. Hij tuurde naar de grond en keek over zijn schouder naar het zuiden.

John keerde terug naar de ingang van the Mound of the Hostages, waar hij opnieuw naar de Keltische tekens keek. Verderop zat Sinéad op een stenen muurtje bij de kerk.

'Waar is Chorowski?' vroeg hij even later.

'Die zit in de auto bij de weg, want hij is bang dat Freddy ook hierheen komt.'

John schudde zijn hoofd. 'Die komt hier niet. Die is op weg naar het kasteel.'

'Hier moet het ergens zijn, toch, John?'

'Ja. Het had moeten liggen op de plaats waar vroeger de steen heeft gestaan, maar ik voel dat het daar niet is. Net alsof het niet is aangekomen. Maar toch is het er.'

Hij stond op en liep achter het muurtje tussen de gigantische beuken door. De plotseling aanwakkerende wind schudde de takken door elkaar en de kraaien krijsten naar hem.

'Ze denken dat je een eagle bent,' zei Sinéad glimlachend, toen ze bij hem kwam staan.

Hij liep doelloos het veld weer in, naar het oosten waar de heuvel naar beneden glooide. Sinéad bleef staan en zag hem naar een kleine boom lopen, die helemaal met krullend grijs mos was bedekt.

Alle kracht vloeide uit hem weg toen hij in een droge sloot vol herfstbladeren de oude stam zag, die als een mangrove uit samengepakte wortels bestond. Vlakbij klonk een geweldige donderslag, direct gevolgd door hevige regen. Hij ging vlak bij de boom op zijn hurken zitten en boog zijn hoofd tussen zijn knieën van vermoeidheid, zwaar ademend alsof de eeuwen op hem drukten. Hij keek opnieuw naar de wortels, die als een stam omhoog waren gegroeid. Beelden van bloed en dood raasden door zijn hoofd en het was alsof hij werd weggezogen naar een ver verleden. In een poging te ontsnappen stond hij op, maar hij gleed weg op de gladde bladeren en viel met zijn hoofd op een grijze steen, die half onder de grond lag. Versuft bleef hij liggen terwijl zijn vingers in de natte modder rondgroeven. Hij hoorde de bezorgde stem van Sinéad, gedempt alsof hij onder water lag. Langzaam dreef hij naar de oppervlakte en rukte met zijn handen aan de steen. Regen doorweekte zijn haren en droop over zijn gezicht. Tranen welden op in zijn ogen toen hij opstond met de steen in zijn hand. Hij hield de steen omhoog in het desolate landschap te midden van de schapen en hij schreeuwde het uit van vreugde.

Ze stonden tussen dikke stammen onder het brede bladerdak van de beuken. John scheurde zijn overhemd van zijn lijf in zijn haast om de modder van de kleine ronde steen te wrijven. De beeltenis van de eagle met samengevouwen vleugels kwam tevoorschijn. Op de rand eromheen stonden oude Keltische tekeningen. Gebeitelde, kleine letters in het steen werden zichtbaar.

THE EAGLETON SEAL

In het midden van de achterkant was een ronde opening. John maakte het zegel los en legde het precies in de uitkeping van de steen. Een stille kracht leek het zegel dieper in de steen te trekken en met een klik sprongen borgpennen uit de stenen binnenkant, waardoor het zegel vast kwam te zitten.

De kraaien waren plotseling doodstil en de wind ging liggen. De regen trok zich terug van het land. Een immens gevoel van vreugde maakte zich van John meester, omdat hij besefte dat de reis was volbracht.

'Het is je gelukt, John,' zei Sinéad zacht. Ze stond achter hem met haar gezicht tegen zijn naakte rug.

Hij zei dat het hem zonder haar nooit zou zijn gelukt en dat hij zonder haar maar een domme gouverneur zou zijn gebleven die dacht dat hij belangrijk werk deed. En dat ze hem had weerhouden van een vluchtpoging naar een nietszeggend leven.

Sinéad drukte haar gezicht nog harder tegen zijn huid en hij voelde haar hete tranen over zijn rug lopen.

Opnieuw keek hij naar de steen met de oude Keltische tekens.

'Is dit genoeg bewijs?' vroeg Sinéad.

'Ja, dit is genoeg.'

'Hoe weet je dat?'

'Als we bij het kasteel komen, zal alles zich openbaren.'

Allebei onder Johns lange jas en in de beschutting van de bladeren van de dikste beukenboom, keken ze naar de eeuwenoude heuvel. Het land rook naar schapen en vochtige herfst. Sinéad rilde, waarna John haar op de grond trok en haar in zijn armen nam.

'Waarom liep het op het strand in Oregon zo verkeerd?' vroeg ze.

'Omdat onze gevoelens verward waren door alles wat er was gebeurd. Misschien ook omdat we elkaar wantrouwden.'

'En toen ik die paar dagen met Freddy was, wantrouwde je me toen?'

'Nee, ik wist dat je uiteindelijk voor de goede zaak zou strijden en dat je dit moest meemaken, als een soort bevrijding.'

Ze zaten dicht tegen elkaar aan.

'Was je jaloers?' vroeg ze zacht.

'Nee, ik miste je alleen verschrikkelijk.'

'Weet je dat je, net als ik, lichtvlekjes in je ogen hebt als het donker is?'

'Al heel lang geleden heb ik je de indiaanse naam Sparkling Eyes gegeven.'

Ze ging half op hem liggen en haar rode krullen vielen om zijn gezicht toen ze hem kuste. Ze bleven elkaar aankijken.

'Gek eigenlijk,' fluisterde ze, 'dat je de eerste man bent bij wie ik me veilig voel.'

'Wanneer wist je dat?'

'Nadat je me vertelde dat je de kinderen had gezien. Ik was toen boos omdat ik niet wilde dat je mijn leven zou binnendringen.'

'Ja, je was nogal fel.'

'Ik vond je eerst een mietje. Nooit boos, altijd beheerst. Later besefte ik dat je soms gewoon verlegen bent.'

Door haar haren heen keek hij naar het witte licht van de maan. Hij snoof haar geur op en zei: 'Ik heb het gevoel dat ik nooit meer zonder je zou kunnen.'

Chorowski werd ongeduldig en liep de heuvel op. Hij zag hen samen zitten en ging weer terug naar de auto. Liggend op de motorkap stak hij zijn maandelijkse sigaar op, die hij eigenlijk al eerder had gehad.

Later die nacht lagen ze tussen twee groene wallen op hun rug naar de hemel te kijken.

'Hier op de Hill of Tara is ooit de geschiedenis van de Eagletons begonnen,' zei John. 'En nu is er niemand meer die de naam van onze familie nog draagt.' Hij vertelde het verhaal van High King Brian Boroimhe en de IJslandse prinses.

Hij zag Sinéads glanzende ogen in het donker toen ze zich naar hem toe draaide. 'I need your son,' zei ze.

EAGLES

Mount Eagle, 1961

De eagles kwamen die ochtend na meer dan driehonderd jaar terug, tegelijk met de zon. Ze draaiden in cirkels naar beneden en een voor een landden ze op de hoge muren van Eagleton Castle.

James Hopkins stond buiten toen hij de grote vogels zag aankomen en glimlachte. De oude muren van de binnenplaats dropen van het water door de vochtige herfstochtend. Schurend ging de poort open. Hammer kwam terug van het koeien melken bij O'Rourke. De oude boer kon het zelf niet meer en daarom ging Hammer elke ochtend om vier uur naar hem toe.

'Morning, James,' zei Hammer. Hij was de enige die hem bij zijn voornaam noemde.

'Morning, Hammer,' zei Hopkins.

'Ik zie dat de eagles zijn teruggekomen,' zei Hammer.

James keek omhoog naar de roofvogels die doodstil op de muren zaten.

'Dat zullen onze gasten niet leuk vinden,' zei Hammer.

De vorige dag waren Freddy, Angel, Dan en Alfred naar het kasteel gekomen. Freddy had de familie verteld dat Amerikanen het zegel hadden waarmee ze dachten het kasteel in handen te krijgen. Harry en zijn moeder trokken wit weg en vroegen of de Amerikanen misschien nazaten waren van de Eagletons.

'Ze hebben een deel van het zegel gestolen van mijn vader,' zei Freddy. 'Waarschijnlijk de andere helft van iemand anders. Ze zitten gewoon achter het goud aan.'

'Maar als ze nu hier komen met bewijzen?' vroeg Harry.

'Ach wat, bewijzen...' zei Freddy. 'Een zegel van honderden jaren oud. Jullie familie woont hier al eeuwen en ze maken geen schijn van kans.'

'Straks staan ze voor de poort,' zei Violet Forsyth.

'Geen probleem,' zei Freddy. 'Ik heb mensen bij me die ze tegen kunnen houden. En mochten ze wel binnenkomen dan zorgen we dat ze geruisloos verdwijnen.'

Hammer zei niets en James Hopkins zei niets.

'Intussen gaan wij op zoek naar de goudschat,' besloot Freddy. 'We hebben tenslotte een prachtige overeenkomst afgesloten.'

James Hopkins keek bezorgd en zei: 'Ik vraag me af of u zomaar in het kasteel kunt gaan zoeken. Het is tenslotte nog geen bezit van de familie Forsyth.'

'Formaliteiten James,' zei Harry op luide toon. 'Allemaal formaliteiten. Meneer Carter heeft gelijk. Niemand kan het bezit aantonen en onze familie woont hier al eeuwen en eeuwen. Ook het gewoonterecht is geldig.'

James Hopkins knikte met zijn hoofd, een tikje scheef en deed een stap terug van het gezelschap.

De hele middag stampten Freddy, Dan en Alfred door het kasteel en zochten naar mogelijke verstopplaatsen. Met omgekeerde bezemstelen tikten ze tegen muren en plafonds en op de stenen van de binnenplaats, op zoek naar holle ruimten.

James Hopkins stond buiten terwijl Freddy op de grond stond te stampen. Toen hij vlak bij de butler stond, vroeg hij: 'Is nergens op dit kasteel een plaats met een verborgen deur of luik?'

'Er is geen goudschat, meneer Carter.'

Freddy keek hem aan terwijl hij over het antwoord van de butler nadacht. 'Werkte jouw vader ook al voor deze familie?'

James Hopkins knikte zwijgend.

'En de vader van jouw vader zeker ook.'

'Ja, die ook, meneer Carter.'

Freddy begon het te begrijpen. Als iemand zou weten waar de goudschat lag, was het James Hopkins. 'Waar is Angel?' vroeg hij plotseling.

Angel lag in de zuidelijke vertrekken samen met Hammer op balen stro. Ze snoof aan zijn naakte lichaam en zei dat hij zo lekker naar koeien rook. Hij vertelde dat hij niets liever wilde dan boer zijn.

'Ik ben ook gek op koeien,' zei Angel. 'Ik ben opgegroeid op een ranch in New York State.'

'Als O'Rourke doodgaat, ga ik op de boerderij wonen,' zei Hammer.

'Wie is O'Rourke?' vroeg Angel.

'De grootste pachtboer op Dingle Peninsula. Ze zeggen dat hij mijn vader is.'

Angel kwam lachend half overeind. 'Heeft-ie het met je moeder gedaan?'

'O, ja, jarenlang, maar later, toen haar man doodging, wilde ze altijd een schaap van hem hebben als hij een nacht kwam slapen. Dat wilde hij niet geven en sindsdien komt hij niet meer. Ze zijn beiden zo koppig als wat.'

'Maar als je boer wilt worden, wat doe je dan nog op dit kasteel?'

'O'Rourke heeft me nooit gevraagd om bij hem te komen wonen. Hij heeft me alleen gevraagd om de boerderij voort te zetten als hij er niet meer is. Misschien wil hij mijn moeder niet te schande maken.'

'Jullie Engelsen zijn gestoord,' zei Angel.

'Ik ben geen Engelsman. Ik ben een Ier.'

'Whatever,' zei ze, terwijl ze hem op zich trok.

Een uur later had Angel een zwak moment, toen ze uitgeteld in zijn oor fluisterde dat hij een beest was en dat er nog nooit een man was geweest die... Toen hield ze op en zei: 'Ach, laat ook maar.'

Hammer zag haar trieste ogen en zei: 'Misschien dat je later weer op een boerderij moet gaan wonen, met koeien en zo.'

'Met jou zeker? Ik dacht het niet. Just for the fun and the fuck, Hammer.' Ze kwam overeind en stapte tussen de strobalen vandaan. 'Geen man meer in mijn leven. Bovendien ben ik te gevaarlijk voor je.'

In één beweging stond hij voor haar en hij klemde haar met zijn sterke armen tegen zich aan. 'Hoe gevaarlijk ben jij, Angel?'

Ze trok haar scherpe nagels van boven naar beneden over zijn rug, maar Hammer gaf geen krimp en trok haar nog harder tegen zich aan, totdat ze bijna geen adem meer kreeg en weerloos in zijn armen hing.

Freddy keek een moment geschrokken naar de eagles, die allemaal hun koppen naar hem toe draaiden toen hij buiten kwam. Onmiddellijk wist hij dat John Hamilton onderweg was naar het kasteel.

Hammer en James stonden op de binnenplaats, vlak bij de noordelijke ingang. Terwijl hij naar de eagles bleef kijken, liep Freddy naar hen toe. 'We krijgen bezoek,' zei hij.

James Hopkins keek naar de lange rij eagles. Het leek alsof hij voor deze dag een splinternieuw zwart jacquet had aangetrokken met een spierwit overhemd en een handgestrikte zijden vlinderdas. 'Eagletons, zo te zien,' zei hij kalm.

'Er zijn geen Eagletons onderweg, Hopkins. Er is een Hamilton onderweg.'

Toen Alfred naar buiten kwam, liep Freddy naar hem toe en zei: 'Zeg tegen Dan en Angel dat John Hamilton eraan komt.'

Tien minuten later kwam Angel de binnenplaats op. Ze had haar blonde haar strak achterover in een staart gebonden. Haar leren jack hing open en er was een revolver zichtbaar die in een schouderholster zat. Dan stond achter haar en droeg een telescoopgeweer.

Harry en zijn moeder kwamen ook gehaast naar beneden. Harry riep hysterisch dat hij ze al had gezien. James Hopkins opende de noordelijke poort en in de verte zagen ze een auto met hoge snelheid over de smalle slingerpaden in hun richting komen.

'Dicht die deur,' snauwde Freddy.

'Waarom laten we ze niet gewoon binnen?' vroeg Hammer. 'We hebben toch niets te vrezen?'

'Bemoei je er niet mee.'

Snel draaiende rotorbladen stuwden harde wind over de binnenplaats en met een geweldig geraas wiekte boven de westelijke muur een helikopter vanuit zee omhoog. Rakelings vloog de machine over de eagles heen en bleef boven de binnenplaats hangen. John Hamilton stond op een van de glijders en liet zich snel langs een touw naar beneden zakken. De helikopter steeg meteen weer op en vloog achterwaarts weg. Midden op de binnenplaats stond John wijdbeens met zijn armen op zijn rug en keek om zich heen.

Het geluid van het doorladen van Dans geweer klonk als een schot. Freddy leunde tegen de muur, met zijn pistool op John gericht. Zijn gezicht was vertrokken in een grimas toen hij op spottende toon zei: 'Indrukwekkende entree, Hamilton, zo met die chopper, maar wel dom.'

John gaf geen antwoord. Er werd hard op de poort gebonkt. Angel haalde haar revolver tevoorschijn.

'Hopkins, laat ons bezoek dan ook maar binnen,' zei Freddy vrolijk.

De butler liep naar de deuren en even later verschenen Sinéad en Chorowski. Sinéad en Freddy keken elkaar één ogenblik aan. Ze zag kille ogen vol haat en wendde haar blik af.

Met trillende vingers opende Violet Forsyth een nieuw pakje sigaretten en zei: 'Ik hoop toch niet dat ze gaan schieten.'

'Misschien dat u beter naar binnen kunt gaan,' zei Freddy.

'Nee, hoor. Ik zou graag willen weten wie die meneer is,' zei ze, knikkend naar John.

'Dat is meneer Hamilton. Hij is van plan uw kasteel af te pakken.'

'Maar het is van ons.'

'Precies. Maar nu we hier met zijn allen zo staan, kan ik twee mogelijkheden bieden. Hamilton, of je tekent meteen een afstandsverklaring waarin je verklaart dat de familie Forsyth de legale eigenaar is, of we blazen je nu het leven uit. Jij mag het zeggen.'

John vestigde zijn ogen op Freddy en zei niets. Hij wist dat Freddy het vuile werk liever door anderen liet opknappen en hij wist ook dat Angel hem niet zomaar zou neerschieten.

Freddy was zich daar kennelijk ook van bewust en zei tegen Dan: 'Als die Hamilton binnen tien tellen niks zegt, schiet je hem neer.'

Het kon Dan niets schelen wie hij neer moest neerschieten.

Op dat moment stapte James Hopkins naar voren. 'Neem me niet kwalijk dat ik mezelf opdring, maar dit is wellicht het moment om uit te zoeken hoe de zaken er werkelijk voor staan.'

'Heel verstandig, James. We zijn tenslotte beschaafde mensen,' zei Violet Forsyth, terwijl ze met haar hak een sigaret uitdrukte op de grond.

'Feit is dat de Eagletons in 1653 het kasteel aan de familie Forsyth hebben verhuurd voor één pond sterling per jaar. De huurovereenkomst was voor eeuwig, tenzij Ierland onafhankelijk zou worden. Dan konden de Eagletons het kasteel terugvorderen indien ze aan bepaalde voorwaarden konden voldoen. In de eerste plaats moeten het nazaten zijn van de Eagletons, die het gouden zegel in hun bezit hebben.'

Freddy's mond viel open. 'Hoe weet jij dat allemaal?'

'Dat zal ik zometeen uitleggen,' zei James Hopkins. 'Eerst zou ik meneer Hamilton willen vragen of hij familie is van de Eagletons.'

'Mijn overgrootvader was John Eagleton. Hij vertrok uit Ierland met de helft van het zegel.'

'En de andere helft van het zegel?'

Zachtjes zei Sinéad: 'Dat had zijn broer, Shay Eagleton. Mijn overgrootvader.'

'Dat bewijst niets,' zei Freddy.

James Hopkins hief zijn hand. 'Een ogenblik, als u mij toestaat, meneer Carter. U vroeg zonet hoe ik over deze kennis beschikte. Feit is dat de familie Hopkins al sinds het begin van de zeventiende eeuw butlers heeft geleverd aan de families die op dit kasteel hebben gewoond. Onze familie bemant, om het zo maar te zeggen, vijf estates in Ierland, en altijd worden uit onze familie de beste mensen geselecteerd. De opdracht die Henry Eagleton aan zijn butler gaf toen hij het kasteel moest verlaten was simpel: wees loyaal aan de familie die hier legaal woont.'

'Wat bazel je nu allemaal,' zei Harry ontsteld.

'Meneer Harry, sinds 1653 hebben wij altijd een grote verantwoordelijkheid gevoeld in het dienen van uw familie. Niet alleen waren we dienstbaar, maar we hebben ook altijd gezorgd voor de veiligheid van u en uw naasten. Wat vandaag aan de orde is, is de vraag wie zich thans de legale eigenaar van Eagleton Castle mag noemen.'

Violet Forsyth zag hoe haar butler, met wie ze in haar hele leven nog nooit een persoonlijk gesprek had gevoerd maar die altijd uiterst dienstbaar was geweest, plotseling veranderde in een man met grote autoriteit. 'Je gaat toch niet weg, James?'

Hij keek haar een tijdje aan en zei: 'Nee, madam, ik heb geen plannen om te vertrekken.' Hij keek naar John en vervolgde: 'Er is nog iets, meneer Hamilton. De familie Hopkins was deelgenoot van het geheim van het zegel en die kennis is van generatie op generatie overgedragen. Met daarbij de strikte opdracht dat wij geenszins de loop der dingen mochten beïnvloeden. Alleen wanneer Ierland onafhankelijk zou zijn en iemand zich zou aandienen als de legale eigenaar, kunnen wij openheid van zaken geven. Meneer Hamilton, mag ik u vragen, heeft u de beschikking over het zegel?'

John knikte.

Het was alsof Hopkins de volgende vraag voorzichtig stelde, alsof hij zich niet kon voorstellen dat John in zijn missie geslaagd was. 'Het zegel leidde naar de plaats waar het thuishoort. Het gaat om een oud Keltisch document van steen. Mag ik vragen, meneer Hamilton, of u ook over deze steen beschikt?'

John nam een kleine tas aan van Chorowski en haalde de oude steen eruit, met daarin het zegel.

James Hopkins hapte naar adem en fluisterde verbijsterd: 'Dat het u gelukt is...'

Freddy richtte zijn pistool op Hopkins. 'Als je dan alles weet, Hopkins, vertel dan ook maar waar het goud ligt.'

James Hopkins glimlachte vriendelijk. 'Meneer Carter, wat u zoekt, is er niet. Ik zal u laten zien wat er wel is. Hammer, misschien dat je me wilt helpen?'

Op aanwijzing van James Hopkins wrikte Hammer met een dunne ijzeren staaf tussen de zware stenen midden op de binnenplaats. Van onder de stenen kwam een zwarte plaat tevoorschijn, en toen Hammer voldoende stenen aan de kant had gesmeten, vroeg Hopkins aan John of hij de Keltische steen mocht hebben. Midden in de zwarte plaat zat een uitholling, waar de Keltische steen precies in paste. James Hopkins legde hem er voorzichtig in en liet los. Iedereen hoorde het schurende geluid onder de Keltische steen, alsof er iets verschoof. Daarna werd het stil en het leek alsof de steen los lag, boven op een pen.

'Wat is dit voor geheimzinnig gedoe?' zei Freddy.

'De steen is het gewicht en als het in de juiste magnetische richting wordt gebracht door het zegel, zal alles zich verder openbaren,' zei Hopkins.

Eerst gebeurde er niets, maar toen begon de steen wiebelend, uiterst langzaam, te draaien, alsof het zegel maar net genoeg magnetische kracht had om de zware steen in beweging te krijgen. Op het moment dat de steen in de juiste richting stilstond, zakte de complete zuil waarin de steen lag helemaal de grond in en begon de zwarte plaat open te schuiven.

Niemand zei iets en niemand bewoog, totdat de hele ruimte open was en de plaat tot stilstand kwam.

De stem van Hopkins klonk plechtig toen hij tegen John zei: 'Meneer Hamilton, mag ik u als nieuwe eigenaar van Eagleton Castle nederig mijn diensten aanbieden.'

Dan keek naar Freddy, die van woede toch zelf zijn pistool op John richtte en schoot. Hij miste in zijn haast. In vrijwel dezelfde seconde klonk nog een schot, waarvan niemand zo snel wist waar het vandaan kwam. Freddy zakte in elkaar en keek naar Hopkins, die met een pistool in zijn hand stond.

Angel werd woest toen ze Freddy zag vallen en wilde iedereen neerschieten. Maar toen ze de haan spande, sprong Hammer voor haar. Ze kneep haar ogen tot spleetjes en siste dat hij aan de kant moest gaan. 'Je weet dat ik het doe,' zei ze.

'Je doet het niet!'

Hij greep naar de revolver. Ze sprong achteruit en schoot hem in zijn linkerbovenarm. Door de heftige klap draaide hij een halve slag om zijn as, maar hij bleef op zijn voeten staan. Ze keek geschrokken en opnieuw kwam hij naar haar toe. Uiterst kalm pakte hij met zijn rechterhand de revolver van haar af en haalde de kogels uit het magazijn.

Sinéad zag Freddy door zijn knieën zakken en vloog naar hem toe. Hij viel opzij en keek haar aan. Met haar hand streek ze over zijn gezicht, dat nat was van het zweet. 'Freddy!'

Zijn mond vertrok moeizaam in een glimlach. 'Weet je, Sinéad, vroeger toen ik klein was was alles zo simpel... Niemand vroeg wat we deden, we waren gewoon jongens die deden wat we moesten doen, voor de familie omdat er niemand anders is dan de familie...'

Met schokkerige bewegingen zocht zijn hand die van haar. 'Was je echt verliefd op me, Sinéad, of was alles maar spel?'

Tranen liepen over haar wangen terwijl ze zacht zijn vingertoppen kuste. 'Wat er tussen ons is geweest, was echt. Je was de eerste die me liet voelen dat ik een vrouw ben.'

Zijn mond verkrampte terwijl hij lachte. 'Great fun we had, right, Sinéad? Maar nadat ik je kwijtraakte, werd ik gek en roekeloos. Ik had Johns dochter nooit wat aangedaan.'

'I know.'

'Ligt er goud in dat gat? Niet kijken, ik weet dat er goud ligt... Dat klotegoud, daar ging het me helemaal niet om. Toen ik voor het eerst jouw foto zag in de krant, toen je samen was met Hamilton... Fuck, Sinéad, ik heb zo'n pijn.'

Onder de zwarte plaat stond een kleine eikenhouten kist. John sloeg het deksel open en zag een dik leren boek, afgezet met gouden hoekstukken, op de bodem liggen. Op de voorkant was een witgouden miniatuur van een zwaard afgebeeld. Het was het zwaard met de kleine blauwe stenen en diamanten op het gevest, dat High King Brian Boroimhe aan zijn zoon, de eerste Eagleton, had geschonken.

Op de titelpagina van het vuistdikke boek stond in sierlijke letters: History of the Eagletons. John herkende de Ierse letters direct. Het boek bevatte de complete geschiedenis van de Eagletons, tot het jaar waarin Henry Eagleton het kasteel had verlaten.

Sinéad zag dat Freddy niet meer ademde en keek in het rond. Iedereen bleef stokstijf staan.

Angel en Hammer liepen als eerste weg om zijn arm te verbinden. Violet liep rokend en huilend van de ene kant van het kasteel naar de andere. Harry ging naar boven, waar hij zich met een diepe zucht in een van de grote fauteuils liet zakken en naar zijn geliefde boeken staarde.

MOUNT EAGLE

Dingle Peninsula, 1975

'Hé pap, kijk wat ik heb gevangen!' Brian Eagleton stond beneden op een rots in de oceaan en hield een grote vis omhoog.

John keek over de rand van de veranda boven de zee naar zijn zoon, die trots zijn vangst toonde. 'Voorzichtig,' riep John, 'het water komt omhoog.'

Het was hoogzomer en de zon stond in het zuidwesten, boven de onmetelijke oceaan. Hij zette zijn zonnebril op, streek zijn grijze, halflange haar naar achteren en keek achterom naar de eagles, die van zee naar het kasteel verderop vlogen. Anna kwam naar buiten met een dienblad waarop glazen en een karaf met koude dranken stonden.

'Wat heeft Brian gevangen?' vroeg ze.

'Volgens mij een joekel van een zalm. Ik begrijp niet hoe hij dat beest hier kan vangen.'

'Brian vangt alles,' zei Anna glimlachend.

Gerinkel van ijsblokjes was te horen toen ze het dienblad neerzette. Het was alsof de jaren geen vat op haar hadden gehad. Haar getinte huid was nog even glad en strak als toen ze jong was. Het enige wat haar leeftijd enigszins verraadde, waren enkele zilverachtige strengen in haar zwarte haar. John ging op de brede schommelbank zitten en Anna kwam naast hem zitten, dicht tegen hem aan. Nog altijd bedwelmde haar geur hem. Flarden Keltische muziek kwamen vanuit het kasteel naar hen toe en verder hoorden ze alleen het geluid van vogels. De oceaan bewoog nauwelijks en lag als een plaat kristalglas die tot de horizon reikte.

'Is Brian aan het vissen?'

Naast de veranda stond Derry, de oudste zoon van Angel en Hammer. Hij was twaalf, maar hij had al het brede gedrongen postuur van zijn vader.

Binnen een maand nadat John en Sinéad het kasteel terug hadden, stierf O'Rourke. Volgens sommigen van liefdesverdriet omdat Violet Forsyth kort daarvoor midden in een nacht het kasteel had verlaten om naar O'Rourke te gaan. Na al die jaren was ze tot de conclusie gekomen dat de mening van de hele wereld haar geen donder meer kon schelen en dat ze nu eindelijk voor haar liefde voor O'Rourke wilde uitkomen. Dat was na de dag waarop O'Rourke van wanhoop alle schapen die hij had midden in een felle regenbui de binnenplaats van het kasteel op had gejaagd. Violet Forsyth keek vanuit een klein raam naar O'Rourke en begreep dat hij haar met al die schapen opnieuw het hof wilde maken. Tranen liepen over haar wangen en ze bleef als verlamd staan, want ze vond zichzelf al veel te oud en krakkemikkig. Maar toen de zon onderging, verfde ze haar lippen rood in het besef dat het nooit meer iets zou worden als ze nu op het kasteel zou blijven. O'Rourke had, staande tussen de natte blatende wolbalen, tegen James Hopkins gezegd dat Violet wat hem betreft al die rotschapen mocht hebben.

Al rokend en hoestend ging ze later in het pikkedonker op weg. De volgende ochtend vond O'Rourke haar tussen de rotsblokken op zijn land. Ze had een kleine wond aan haar hoofd en ze ademde niet meer. Naast haar lag de laatste sigaret die ze had gerookt.

Een maand na de dood van zijn moeder begroef Hammer ook O'Rourke in het graf tussen de boerderij en het kasteel. Hij had zijn vader naast het graf van zijn moeder begraven. Overigens zeer tegen de zin van de pastoor in, want wat in het leven niet door God verbonden is, zal ook niet na de dood verbonden worden. Na de plechtigheid zadelde Hammer op het kasteel zijn paard en zei tegen Angel dat ze mee moest komen.

'Je denkt toch niet dat ik met jou tussen die stinkende schapen ga wonen?'

Hammer zei niets.

'Ik ga mooi terug naar New York want hier is niets meer te beleven. Ik heb helemaal genoeg van die fucking Irish en die regen die nooit ophoudt. En als jij denkt dat je enige indruk op me hebt gemaakt met dat geweld van je in bed, heb je het mooi mis.'

Kalm klom Hammer op zijn paard en zei dat hij dat allemaal best begreep, maar ook weer niet en met één hand trok hij haar omhoog en plantte haar voor zich op het grote Belgische paard. John stond lachend op de binnenplaats toen hij ze zag wegrijden. Angel krijste, schreeuwde, gilde, krabde en vloekte de hemel zowat naar beneden, maar Hammers arm hield haar in een ijzeren greep en ze wist dat ze geen kant op kon.

Vanaf Mount Eagle reden ze de groene vallei in en daar zag ze de prachtige witte boerderij liggen. Hammer droeg haar naar binnen, terwijl ze wild met haar benen schopte. Hij tilde haar over de drempel en ze fluisterde in zijn ruige borsthaar dat naar koeien rook: 'Vuile klootzak, ik zal nooit je vrouw worden.'

Maar Hammer klapte haar op het grote bed van O'Rourke, trok haar alle kleren van het lijf en de middag verstreek met woeste kreten. Tegen de avond, toen de koeien in koor begonnen te loeien, wist Angel niet helemaal zeker meer of ze wel naar New York terug wilde en ze zei: 'Volgens mij moet je de koeien maar eens melken.'

Brian sjouwde de vette zalm de houten trappen op en liet de vis trots aan zijn vader en Derry zien. Hij was veertien jaar en leek sprekend op John in zijn jonge jaren. Alleen zijn huid was veel blanker en zijn ogen lichter.

In de nacht op de Hill of Tara was Sinéad zwanger geworden en negen maanden later kwam Brian. Ze woonden nog op het kasteel, omdat hun huis verderop, pal aan de westkust van Dingle Peninsula, nog in aanbouw was. Brian werd met open ogen geboren en John zei trots dat zijn zoon de ogen van een eagle had.

'Ik zou graag willen dat hij de naam Eagleton krijgt,' zei Sinéad, toen hij naast haar op het bed zat.

'Maar dan heet hij anders dan zijn ouders.'

'Misschien dat jij ook de naam Eagleton terug wilt.'

John schudde zijn hoofd. 'Hoe verbonden ik me ook voel met de Eagletons, ik ben als een Hamilton geboren en ik ben altijd trots geweest op mijn naam. Maar ik zal zorgen dat onze zoon Brian Eagleton heet.'

Ze trok hem naar zich toe. 'Vind je het niet bijzonder John, dat we beiden voortgekomen zijn uit de Eagletons en dat uiteindelijk uit ons weer een zoon wordt geboren die de naam draagt van de eerste Eagleton?'

James Hopkins had een bijzonder geschenk voor de jonge Brian. Het was een langwerpig voorwerp en veel te groot voor een kind dat nog in de wieg lag.

Hij keek bijna verlegen toen hij de katoenen doek van het voorwerp wikkelde.

'Dit is iets waar jullie vast van gehoord hebben. De laatste man die het in bezit had, was Patrick Eagleton, de vader van jullie beider overgrootvaders. Na 1846 leek het te zijn verdwenen.'

Blinkend staal kwam tevoorschijn.

'Dit is,' zei hij met plechtige stem, 'het zwaard van High King Brian Boroimhe, die dit bijna duizend jaar geleden heeft geschonken aan zijn bastaardzoon Brian Eagleton op de Aran Islands. Het behoort nu toe aan de eerste Eagleton die weer op het kasteel wordt geboren.'

Zijn ogen verzachtten toen hij naar het jongetje keek dat naast Sinéad in het bed lag. Voorzichtig legde hij het lange zwaard naast de baby.

Johns adem stokte door de emotie die hem overviel. Met open mond keek hij naar het prachtige zwaard en de ingelegde blauwe stenen. James, altijd het toonbeeld van beheersing, aarzelde in zijn woorden: 'Ik dacht dat het voor jullie zoon wel een passend geschenk zou zijn.'

'James, hoe kom je hier in godsnaam aan?' vroeg John.

'Toen Henry Eagleton het kasteel in 1653 moest verlaten, bleef de butler als enige achter. Dat was James Hopkins, een van mijn voorvaderen.'

'Henry verzocht de familie Hopkins om de bewoners van het kasteel net zo lang te dienen tot de Eagletons zouden terugkeren. Maar in 1847 zocht Patrick Eagleton contact met de toenmalige James Hopkins en overhandigde hem het zwaard, met het verzoek dit aan de eerste Eagleton te geven die weer op het kasteel ging wonen.'

'Nou,' zei John, 'wat mij betreft blijft het contract tussen de Eagletons en de Hopkins' nog eeuwen in stand.'

James Hopkins knikte lichtjes. 'Ik zou niet anders willen, John. Dit is het mooiste kasteel van Ierland.'

Op zijn vierde verjaardag stond Brian op de veranda, tussen John en James in naar de ondergaande zon in het westen te kijken.

'Wat ligt daar verderop, papa?'

'Meer zee,' zei John.

'Maar daarachter dan?'

'Andere landen.'

'Wat voor landen?'

'Amerika en Canada.'

'Ik wil naar Amerika,' zei de kleine Brian.

Zijn wens ging in vervulling, want in het vervolg gingen John, Sinéad en Brian elk jaar in de zomer naar Montana, naar de ranch van Henry en Sylvia vlak bij History. Ook Caroline en Mary uit Friesland zochten de familie in de zomer op. En vanuit Helena reed Johns dochter Jeanne naar History, zodat de hele familie samen was. Brian was gek op zijn drie grote zussen, net als op de oneindig grote vlakten zonder stenen muren of dichte boomwallen en zei dat hij later boer in Montana wilde worden.

Het was op een avond in 1965 dat Chorowski en Henry Hamilton met elkaar spraken. Henry wilde samen met Sylvia in een huisje in History gaan wonen. De volgende dag hoorde John tijdens het ontbijt dat Chorowski de leiding van de boerderij op zich zou nemen.

John verslikte zich bijna in zijn pancakes. 'Dit is helemaal mooi. Jij op je oude dag nog als boer midden in het land. Weet je wel hoe ver de zee hier vandaan ligt?' vroeg hij.

'Russen leven honderd jaar,' zei Chorowski.

Het was bloedheet en ze liepen de prairie in. Chorowski keek om zich heen. 'Nieuwe uitdaging, John. Ik heb verder toch niets te doen. Ierland verveelt me ook... Misschien dat je zoon dit later kan overnemen.'

'Brian blijft in Ierland!'

Sloom en ongeïnteresseerd kwam Joe de voorman naar hen toe rijden. 'Hey old man, ik hoorde dat jij de nieuwe rancher bent,' zei Joe.

Chorowski grijnsde kil. 'Klopt.'

'Heb je eerder een ranch gerund?'

Chorowski schudde zijn hoofd.

'Dacht ik al' zei Joe. 'Ik hoorde dat je vroeger zeeman was.'

Chorowski zei niets.

'Maar dit is wel even wat anders dan op een bootje rondvaren. Ben je een Rus?'

'Nee, Ik ben Amerikaan. Ik ben geboren in Rusland.'

Joe bleef ongeïnteresseerd voor zich uit kijken. 'Yeah... Maar wel een rare naam. Net als al die communisten daar.'

'Misschien dat je even van je paard af kunt komen,' zei Chorowski vriendelijk. 'Kunnen we even netjes kennismaken.'

Joe zuchtte, maar stapte ten slotte van zijn paard en ging met zijn beide handen in zijn zij voor hem staan. Chorowski's vuist trof hem hard in zijn gezicht. Joe vloog door de lucht en landde in het harde zand van Montana.

'Call me captain,' zei hij tegen de verbouwereerde cowboy op de grond.

John en Sinéad hadden besloten om van het kasteel een muziekinstituut te maken voor Ierse muziek. Keltische muziek werd steeds populairder in de hele wereld en omdat Ierse muziek door de Ierse wet op scholen verplicht was, konden vervolgopleidingen in het kasteel worden gevolgd. Ook kwamen veel gezelschappen naar Mount Eagle om zich voor te bereiden voor tournees. De binnenplaats werd geheel overdekt met een koepel van lichtblauw glas, waardoor er een prachtige concertzaal ontstond. De talloze musici die kwamen, vonden dat de Ierse muziek nergens zo vol, tragisch en romantisch klonk als op Mount Eagle.

Harry mocht tussen zijn boeken in de noordelijke bovenvertrekken blijven wonen, met als voorwaarde dat hij administrateur van het kasteel zou worden.

Het boek van de geschiedenis van de Eagletons lag de eerste weken onaangeroerd op de kamers waar John en Sinéad sliepen. Daarna begon John te bladeren en las de ongelooflijke geschiedenis van zijn familie, die begon toen de IJslandse prinses voet aan wal zette. Het boek beschreef ook de eeuwenlange tragiek van de onderdrukking en armoede die de Ierse bevolking had moeten ondergaan.

Samen met Brian en Derry maakte John de grote zalm schoon, die ze daarna roosterden op de buitenhaard naast de veranda. Anna stak toortsen aan en vroeg Derry of hij bleef eten. Derry knikte gulzig en zei dat zijn moeder het vast goed vond. Anna belde toch maar even met Angel, die net te midden van allerlei kinderherrie stond te koken. Nadat haar eerste kind was geboren, huilde ze dagenlang van vreugde en spijt, omdat de herinnering aan haar eerste ongeboren kind ruw naar boven kwam. Ze had vele moorden gepleegd waar ze geen spijt van had, alleen Daniel Flower kreeg ze niet uit haar hoofd.

Hammer wist niet wat hij ermee aan moest en zei tegen Angel dat ze met John moest gaan praten. Angel kwam op een avond langs en zei tegen John dat ze zich wilde aangeven. John dacht terug aan het verhaal van de bootsman op de Montana, die ooit had verteld hoe hij de zoon van de indianenhoofdman ergens op de Mississippi had doodgeschoten.

'Ik heb er ook over gedacht om te biechten bij de pastoor,' zei Angel schuldbewust. 'Maar ik vertrouw die vent voor geen fuck, want hij heeft valse ogen.'

John moest lachen, maar Angel bleef uiterst serieus. 'Wil jij mij de biecht niet afnemen?' vroeg ze. 'Als jij na afloop zegt dat ik me moet aangeven, doe ik dat.'

'Waarom ik?'

'Stel niet van die domme vragen, John. Er zijn drie mannen belangrijk in mijn leven; jij, Freddy en Hammer. 'Bovendien,' zei ze, met haar arm om zich heen zwaaiend, 'ben jij de baas van het hele spul.'

De volgende dag ging John naar de boerderij van Hammer en Angel, waar Angel al klaarzat aan een kant van een zwart gordijn dat ze tussen twee stoelen in had opgehangen. Ze vertelde over alle mensen die ze gedood had en over Daniel Flower. Ten slotte vroeg ze: 'Wat moet ik doen? Want ik zal hier toch voor moeten boeten.'

'Daar heb ik over nagedacht,' zei John zacht. 'Je hebt nu een zoon gekregen, ondanks dat de dokters hadden gezegd dat je nooit meer een kind zou kunnen baren. Dat betekent dat je een tweede kans hebt gekregen. Jouw kind heeft er niets aan als jij de rest van je leven in de gevangenis zou zitten.'

'Ik kan hier toch niet zomaar mee wegkomen?' vroeg ze.

'Dat kom je ook niet,' zei John.

Met een ruk trok Angel het zwarte doek naar beneden. 'Wat bedoel je?'

John pakte haar handen. 'Ik bedoel dat je hiermee zult moeten leren leven, en dat zal zwaarder zijn dan je denkt.'

In de eerste nacht op de boerderij riep ze tegen Hammer dat hij tekeer kon gaan wat hij wilde, maar dat haar moederschoot geen vrucht meer kon voortbrengen, zoals de dokter lang geleden had gezegd. Kennelijk leefde Hammer boven de wetten van de natuur, want na negen maanden werd zijn eerste zoon geboren. In de jaren daarop kwamen er nog vier. De jongste van anderhalf was net bezig een klein katje om zeep te helpen, toen Anna belde om te vragen of Derry bij hen mocht blijven eten.

In de kerstnacht van 1968, toen Sinéad met de zesjarige Brian naar de keuken liep om samen met hem de kerstpudding te halen, struikelde ze plotseling omdat ze de drempel niet zag. Een paar dagen later liep ze hard tegen een deurpost op en ontdekte dat een deel van haar gezichtsvermogen niet meer goed functioneerde. Ze dacht aanvankelijk dat haar ogen achteruit gingen, maar de oogarts zei dat het niet aan haar ogen lag en dat haar wellicht iets anders mankeerde. In het ziekenhuis in Galway onderging ze verschillende onderzoeken die de hele dag duurden. Aan het eind van de dag zei de specialist tegen John dat Sinéad die nacht moest blijven omdat meer onderzoek noodzakelijk was.

'Is het ernstig?' vroeg John.

'We vermoeden dat er een gezwel in het hoofd van uw vrouw zit. Maar we weten nog niet hoe serieus dit is.'

Het duizelde John. Op de terugweg midden in de nacht naar Mount Eagle, was hij voor het eerst in zijn leven bang. Sinéad kwam na een maand terug, want de artsen konden niets meer voor haar doen.

Het voorjaar brak aan en ze wisten beiden dat het de laatste keer zou zijn dat ze haar familie in Montana zou treffen. Mary en Caroline kwamen samen met Shay en Tooske uit Friesland. Ook Jeanne kwam die zomer weer naar History. Het waren prachtige zomermaanden. Sinéad voelde zich nog redelijk goed en genoot met volle teugen van de familie om haar heen. Op de veranda van de boerderij spraken ze over hun zoon.

'Beloof je me dat je Brian nooit tegen zult houden als hij niet op Eagleton Castle wil blijven?'

'Maar hij is mijn opvolger in Ierland,' protesteerde John.

'Nee, John. Hij draagt de geschiedenis met zich mee, maar niet de tragiek van onze familie die jij zo sterk doorleefd hebt. Jij hebt de geschiedenis hersteld, maar hij is een kind van de moderne tijd.'

'Maar als hij weggaat, is alles voor niets geweest.'

'Jij hebt iets belangrijks volbracht in je leven. Je hebt de geschiedenis rechtgezet en nu zal dit prachtige gebied altijd het bezit blijven van de Eagletons. We hebben een nieuwe bestemming gevonden, waardoor jonge mensen in vrijheid een prachtig beroep kunnen leren en later uitdragen aan de wereld. Beloof me John, dat je hem in vrijheid laat kiezen.'

Ze lag die nacht wakker in bed en dacht aan de tijd die na haar dood zou aanbreken. Ze dacht aan haar kleine zoon Brian, die wist dat zijn moeder zou doodgaan. De laatste dagen betrapte ze hem geregeld wanneer hij naar haar keek, alsof hij in zijn hoofd duizenden foto's van haar wilde opslaan.

De volgende ochtend reed ze alleen naar History. Ze was een paar keer eerder in de store geweest, die door de jaren heen was veranderd in een winkel waar indiaanse spullen werden verkocht aan toeristen. Een paar keer had ze Anna achter in het kantoor gezien. Beide vrouwen hadden elkaar steeds enkele seconden aangekeken, tot een jonge man met puisten achter de toonbank vroeg of hij haar kon helpen.

Sinéad tikte tegen het glas van de kantoordeur. Anna keek op en schrok toen ze de sterk vermagerde Sinéad zag staan. Ze stond direct op en opende de deur. Beide vrouwen zochten naar woorden omdat ze al heel lang van elkaars bestaan wisten, maar elkaar nooit hadden ontmoet. Anna zag onmiddellijk dat Sinéad ernstig ziek was.

'Anna?' vroeg Sinéad.

Anna knikte en en beide vrouwen gingen tegenover elkaar zitten.

'Ik heb je hier vorig jaar nog gezien,' zei ze.

'Ik zal niet lang meer leven.'

Anna pakte de handen van Sinéad. 'Wat verschrikkelijk voor je.'

Sinéad keek in de oprecht bezorgde ogen van Anna. 'Vooral voor John en voor de kleine Brian.' Sinéad zuchtte. 'Zo vreemd hoe alles verloopt. Alles leek zo mooi, zo perfect...'

'Wanneer wist je het?' vroeg Anna.

'Tijdens de kerst vorig jaar. Even dacht ik dat het mijn ogen waren, maar diep in mezelf wist ik dat het fout zat.'

Stilte.

'Het spijt me zo dat ik je niet eerder heb leren kennen,' zei Anna.

Sinéad glimlachte kort. 'Zo aardig ben ik niet altijd geweest in mijn leven.'

'Uiteindelijk hebben jullie samen je doel bereikt.'

Opnieuw stilte.

'Is John jouw grote liefde?' vroeg Anna.

'Ja,' zei Sinéad, 'maar ook de jouwe.'

Verbijsterd keek Anna haar aan. 'Heeft John dat gezegd?'

'Nee, maar echte liefde is bijna altijd wederkerig. John heeft zijn leven lang van twee vrouwen gehouden. Hij is je nooit vergeten.'

Plotseling begreep Anna waarom Sinéad haar opzocht. 'Dat heeft hij nooit meer laten merken als ik hem tegenkwam.'

'Mannen volgen hun gevoel niet altijd.'

'Wat wil je van me, Sinéad?' vroeg Anna zacht. Ze zag hoe Sinéad met zichzelf worstelde.

'Ik weet niet hoe ik je dit moet vragen. Maar John droomt nog altijd van je...'

'Net zoals hij nog van jou zal dromen als jij er niet meer bent.'

'Dat is wat anders. Dat is verdriet en verdriet is niet hetzelfde als verlangen. Omdat verlangen altijd blijft en verdriet uiteindelijk zal overgaan.'

'Sinéad, ooit heb ik afscheid genomen van John omdat ik voorzag hoe het zou aflopen. Dat was toen we in de bergen waren. Dagenlang schoot hij met pijl en boog om zichzelf te trainen voor de strijd die hij met jou samen moest voeren. Ik herinner me nog zo goed hoe hij wegging, alsof hij van het ene leven in het andere stapte. Op dat moment wist ik dat ik hem kwijt was.'

'Denk je nog vaak aan hem?'

'Nee,' zei Anna, terwijl ze rechtop ging zitten.

'Ik geloof je niet,' zei Sinéad.

Anna keek naar haar handen. 'Wat wil je eigenlijk van me?'

Sinéad wachtte lang. 'Het gaat niet alleen om John. Ik ben hier ook als moeder...'

'Sinéad, je kunt dit niet van me vragen,' zei Anna, met wanhopige ogen. 'Het is al zo lang geleden.'

Lange tijd zeiden ze niets en uiteindelijk stond Sinéad op. 'Ik zou niemand anders weten aan wie ik mijn man en mijn zoon kan toevertrouwen.'

Na de dood van Sinéad was James Hopkins een grote steun voor John en Brian. Elke dag bracht hij Brian trouw naar school, haalde hem op en zorgde ervoor dat 's avonds het diner op tafel stond. John wierp zich op de studie van de Ierse taal en sloot zich tot 's avonds laat op in zijn studeerkamer. Na zes maanden zag James Hopkins dat John vereenzaamde en hij belde 's middags met Chorowski, die in Montana aan het ontbijt zat. Nadat Chorowski de telefoon had opgehangen, liep hij terug naar de keuken, schonk koffie in en at nadenkend de rest van zijn zes eieren met spek op. Daarna stapte hij in de pick-up en reed het land in, waar de mannen waren begonnen met het brandmerken van jongvee. De hele dag werkte hij zonder iets te zeggen hard door. Ondertussen dacht hij na over Hopkins' woorden, waarbij hij zonder het te merken met zijn ondertanden op zijn snor beet. Aan het einde van de middag was hij terug op de ranch, nam een douche, knipte zijn snor bij, trok een schoon shirt aan en liep weer naar buiten. In het stoffige gele avondlicht ging hij op weg naar History, met een nerveus gevoel alsof hij zijn eerste meisje mee uit vroeg, en stopte bij de store.

'Ik ga niet naar John,' zei Anna.

'Hij was toch jouw grote liefde?'

'Vroeger.'

'Nu niet meer? Mannen als John hebben meerdere grote liefdes in hun leven.'

'Jij weet niet eens wat dat is.'

'Ik heb talloze grote liefdes gekend,' zei Chorowski, 'alleen duurden ze meestal maar een paar nachten... Heb je Sinéad niet beloofd dat je naar hem toe zou gaan?'

'Wat weet jij daar nou van.'

'Dat zei die butler in Ierland, dat Sinéad jou gevraagd heeft.'

'Waarom belt John zelf dan niet?'

'Doet John niet.'

'Ik snap er helemaal niets meer van.'

'Hoeft ook niet,' zei Chorowski, die het gevoel had het langste aanzoek van zijn leven te hebben gedaan. Hij stond op.

'Ik heb een bedrijf te runnen hier,' zei Anna.

'Gewoon de deur op slot doen en weggaan. Ik zoek wel iemand.'

Wijdbeens en met zijn handen op zijn rug stond John op een zondagmiddag te kijken naar drie Ierse jonge vrouwen die onder muzikale begeleiding de prachtige song On Eagle Wings in de muziekhal van het kasteel zongen. De zon scheen zacht door het lichtblauwe glas van het dak en sinds lange tijd had hij het gevoel dat zijn leven weer tot rust kwam.

Hij voelde de lichte windvlaag van de zuidelijke deur die achter hem open ging en hoorde gedempte voetstappen die hij niet direct kon thuisbrengen.

Ze stond vlak achter hem toen hij haar geur herkende. Met gesloten ogen bleef hij staan, vechtend tegen zijn emoties, toen ze van achteren voorzichtig haar arm om zijn middel legde. De muziek hield op, iedereen klapte luid en daarna klonk het geroezemoes van stemmen en het geluid van muziekinstrumenten die werden ingepakt.

John bleef staan, met Anna's hoofd tegen zijn rug en toen hij zich uiteindelijk omdraaide was het alsof de tijd al die jaren had stilgestaan.

De jaren verstreken en in de zomer van 1979 kreeg John op zijn vijfenzestigste verjaardag een hartaanval. Anna was direct bij hem en paste onmiddellijk hartmassage toe. De arts kwam tegelijk met de ambulance, maar John wilde pertinent niet naar het ziekenhuis omdat hij niet tussen witte muren wilde doodgaan.

Een deskundige verpleegster kwam in huis en ze reden John elke dag in die mooie zomer naar buiten, waar hij vanaf de veranda over de oceaan kon kijken.

'Komt Brian nog?' vroeg hij aan Anna.

Brian was die zomer naar Chorowski gegaan, die nu alleen op de ranch woonde. Hij kwam om te helpen, want Chorowski zat de hele dag op zijn stoel op de veranda en wilde daar niet meer weg.

John moest lachen toen hij het hoorde en belde naar Montana vanaf zijn eigen veranda. 'Allebei gekluisterd aan een veranda,' zei John. 'Jij met uitzicht op de prairie en ik met uitzicht op de oceaan.'

'Jij moest zo nodig naar zee vroeger,' zei Chorowski, 'anders had ik hier nooit gezeten.'

'Verveel je je?'

'Nee, geen moment. Zeker niet met die zoon van je erbij. Die vist hier alles uit de rivier, dus we hebben elke avond een feestmaal op de barbecue.'

'Zijn de heuvels nog groen?' vroeg John.

'Beginnen al aardig geel te worden van de droogte.'

'Iwan. Mag ik een keer Iwan zeggen?'

'Eén keer dan,' bromde Chorowski.

'Iwan, ik vind het een eer dat ik je heb leren kennen.'

'Hm,' zei Chorowski vanaf de bloedhete veranda aan de andere kant van de oceaan. Hij keek in de verte en zag Brian in de pick-up rondscheuren. Verderop koeien die loom voortsjokten onder de helblauwe hemel.

'You know John, what makes the grass green in Montana?'

'No idea,' loog John.

'Bullshit, my dear friend, real bullshit,' zei Chorowski en hing op.

's Avonds was John bang dat hij dood zou gaan. Ze lagen in bed dicht tegen elkaar aan. Nog altijd riep Anna een hevig verlangen in hem op als ze vlak bij hem was.

Ze werd wakker en keek naar hem in het donker. 'Waar denk je aan?' vroeg ze.

'Aan jou, aan ons leven samen. Ik ben zo bang dat het eindigt. Misschien niet voor mezelf maar ook voor jou.'

'We hebben zo'n mooie tijd samen gehad, John en je bent zo'n bijzondere man voor me geweest en dat ben je nog steeds. Elke dag.'

'Maar het lijkt allemaal zo zinloos.'

'Jij zult nooit sterven. Jij hebt in je leven duizend jaar geschiedenis in stand gehouden. Je levenslust, je energie en je moed zullen in vele generaties doorleven.' Voorzichtig kuste ze zijn lippen en viel even later weer in slaap.

Plotseling dacht John terug aan Sinéad, in de laatste nacht, toen ze niet meer wilde slapen omdat ze haar einde voelde naderen. Het was herfst en buiten woei een koude noordenwind. John stak fakkels aan en huiverde. Tegen middernacht viel Sinéad in slaap. John legde een deken over haar heen en bleef in een stoel naast haar zitten.

Om vier uur in de ochtend werd ze wakker en zei dat ze koffie wilde omdat ze niet opnieuw in slaap wilde vallen. Alle pijn was verdwenen en ze had geen gevoel meer. Langzaam werd het licht en de mist dreef vanuit de stille, gladde oceaan naar de kust. Het was windstil en zelfs de vogels lieten zich niet horen.

'John, ik wil naar de zee... Draag me naar de zee.'

Hij stond op en voorzichtig tilde hij haar in zijn armen omhoog. Ze woog bijna niets meer. Langzaam liep hij de trappen af naar beneden en stapte op het kleine strand, dat als een inham tussen de rotsen lag.

'Laat me drijven in het water,' zei ze. 'Ik wil nog één keer voelen dat ik alleen kan drijven.'

De kou van het water benam hem de adem. Hij liep verder de zee in en liet haar voorzichtig in het water zakken. Drijvend op haar rug staarde ze naar boven.

'Eagles,' zei ze. 'Ik zie eagles.'

John hoorde gefladder. Boven op de balustrade van de veranda bij hun huis zag hij hoe de eagles een voor een neerstreken en met gebogen koppen naar beneden keken.

'Heb je het koud?' vroeg hij.

'Nee, jij?'

'Nee.'

'Ik voel me zweven, John...'

Ze hadden nooit gesproken over wat er lang geleden in een corral midden in de vlakte van Montana was gebeurd. De grote liefde tussen hen, die heel langzaam tot stand was gekomen, had het niet toegestaan.

'John...'

Hij keek naar haar gesloten ogen en lange tijd zei ze niets, terwijl ze zacht op de deining schommelde. Plotseling gingen haar ogen weer open en haar blik leek op te lichten toen ze zei: 'Het spijt me zo dat ik je heb neergeschoten.'

Enkele seconden keken ze elkaar aan en John zei: 'Je hebt mijn leven erdoor gered.'

Haar hoofd zakte langzaam achterover en haar ogen bleven onder water open, starend naar boven, naar de eagles die de koppen bogen als een saluut en daarna een voor een wegvlogen.

Verantwoording

Als jongen van zestien kwam ik op een coaster voor het eerst in Ierland. Het was in de winter en ik zag kinderen op blote voeten in Belfast en later in Cork. Het regende die dagen. Geen gewone regen maar van die langzame trage druppels waar geen eind aan komt. Ieren geven niets om regen want die is er altijd.

Daarna ben ik er veertig jaar lang niet geweest totdat mijn vriend en zakenpartner Rein Gerlofs de Ierse muziekindustrie ontdekte en zei dat ik mee moest. In het vliegtuig ernaartoe zag ik de oceaan tegen de zuidelijke kusten slaan en rolden alle beelden uit mijn jeugd mijn hoofd weer naar binnen.

De Ierse geschiedenis is er één van onderdrukking en armoede en geheimen. Nergens in Europa vluchtten mensen zo massaal van de honger het land uit naar Amerika en Canada.

Het concept voor dit boek kwam op een zondagmiddag toen ik het nummer Lilly Of The West van The Chieftains hoorde, waarin een Engelse Lord of High Degree, in een omhelzing van een Iers meisje dat aan een ander toebehoorde, werd doodgestoken en het verhaal me in één keer door het hoofd schoot.

De geschiedenis van de Eagletons is merendeels fictie. Maar wel geplaatst in de geschiedenis en sommige van de personages hebben werkelijk geleefd. Daarnaast heeft een aantal personen mij op het gebied van kennis en geschiedenis zeer geïnspireerd. Zo kocht ik jaren geleden in Amerika een oude uitgave van Stephen Crane die rond 1880 al op heel jonge leeftijd verbijsterend mooie boeken schreef, onder meer over de Amerikaanse Burgeroorlog. Het gaf me veel inzicht over de wijze waarop de oorlog werd gevoerd en over de wreedheid van de veldslagen.

Ook het verhaal van de O'Connors in Canada is op onderdelen

waar gebeurd en beschreven door Gerard Keegan in zijn boek *Famine Diary*. Verder hebben Ellen Keane, het eerste meisje op de dodenlijst van Grosse Ilse, Dr. Douglas, de arts op Grosse Isle, Dr. Benson, die aankwam uit Ierland en niet langer kon toekijken naar de vreselijke toestanden op Grosse Isle en omkwam zonder ooit een voet op Canadese bodem te hebben gezet, immigratieofficier Buchanan, en een aantal belangrijke personen uit de geschiedenis, werkelijk geleefd.

De familie Eagleton bestaat geheel uit fictieve personen. Met uitzondering van de High King Brian Boroimhe die vier keer trouwde. De IJslandse prinses is fictie.

Mijn familie Grilk op Schiermonnikoog is ook historisch. Kees Grilk was een broer van mijn grootmoeder en getrouwd met Trijntje. Kees schreef jongensboeken waarvan ik er nog één in mijn kast heb staan.

De beschrijvingen van mijn tante Nan en tante Pita komen redelijk overeen met de werkelijkheid. Van mijn tante Nan kreeg ik zangles, al hield dat al snel op bij gebrek aan talent en het wanhopige gejank van de poedel die geen enkel respect had voor mijn zangkunsten. Mijn betovergrootvader was kapitein op de grote zeilvaart en is op een oudejaarsnacht de lucht ingevlogen omdat een kist afgekeurde vuurpijlen ontplofte.

Voorts zijn de plaatsnamen soms verzonnen, en soms werkelijkheid. History is fictief en ook de beschrijvingen van bestaande plaatsen is fictief. Met uitzondering van New York en Dublin.

De beschrijving van historische gebeurtenissen zijn in grote lijnen juist, maar waar het aangepast moest worden aan het verhaal, is dat zo gebeurd.

Dit boek is in twee talen tegelijk geschreven. Zowel in het Nederlands als in het Fries. Dat heeft ermee te maken dat het in mijn hoofd ook zo gaat. Als mijn zoontje van de stoel valt reageer ik in het Fries en in de liefde denk ik in het Nederlands. Mijn Nederlandse uitgever Heleen Buth zegt dat mijn schrijverij vol frisismen zit en mijn Friese uitgever Abe de Vries zegt het net andersom.

Daarom ben ik Heleen Buth ook zo dankbaar dat ze veel heeft bijgedragen aan de structuur van het boek want aanvankelijk liepen de verhalen nog meer door elkaar. Dat heeft te maken met het feit dat ik alleen maar beelden in mijn hoofd zie die ik opschrijf en het liefst in alle talen, zonder komma's en punten omdat mijn ogen altijd struikelen over dat soort dingen.

Mede dankzij het enthousiaste team van The House of Books is dit boek tot stand gekomen.

De opdracht in dit boek is voor mijn vrouw Tjarda. Ze heeft een grote rol gespeeld door de vele zijlijnen die ze bedacht. Zij was het die de rol van de eagles bedacht en ze liet vliegen. Niet alleen in dit boek, maar ook in mijn hoofd.

Arjen Terpstra

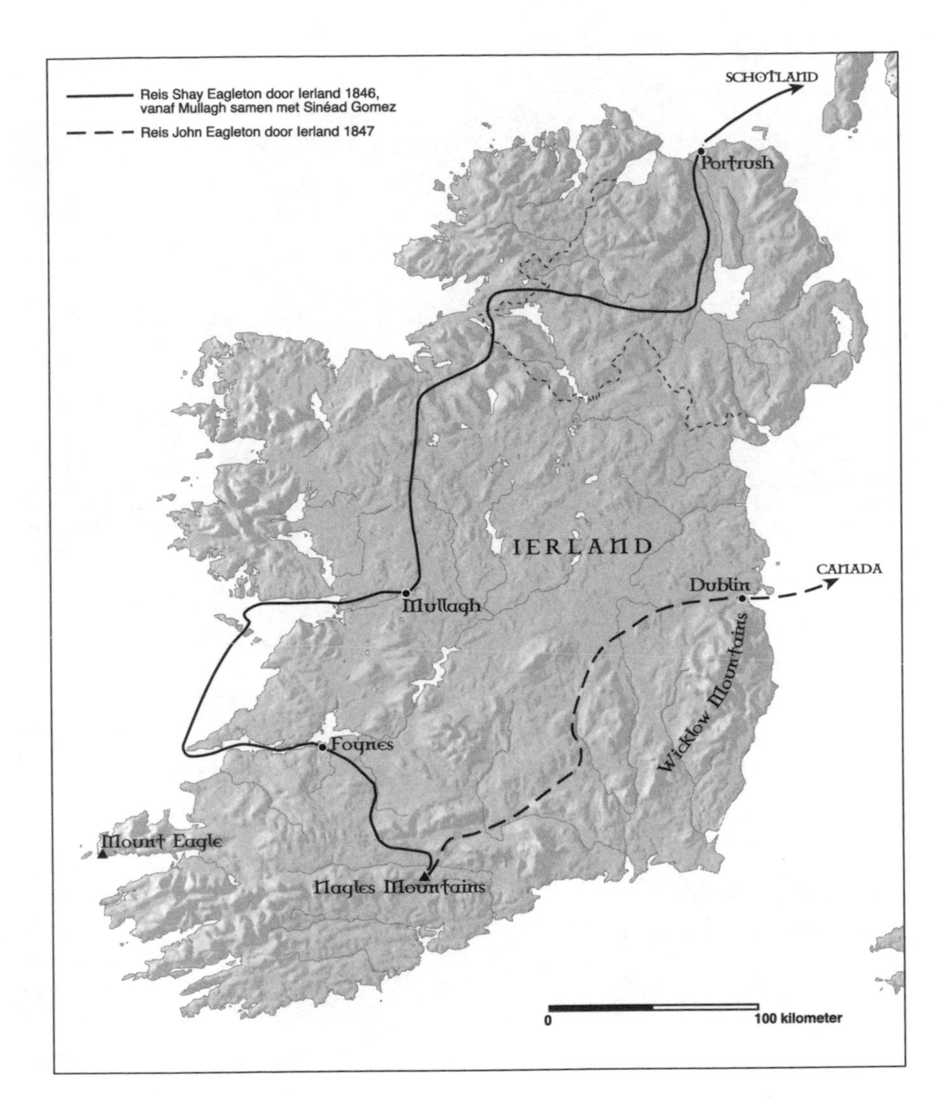
Reis Shay Eagleton door Ierland 1846,
vanaf Mullagh samen met Sinéad Gomez
Reis John Eagleton door Ierland 1847
SCHOTLAND
Portrush
IERLAND
CANADA
Dublin
Mullagh
Wicklow Mountains
Foynes
Mount Eagle
Nagles Mountains
0
100 kilometer

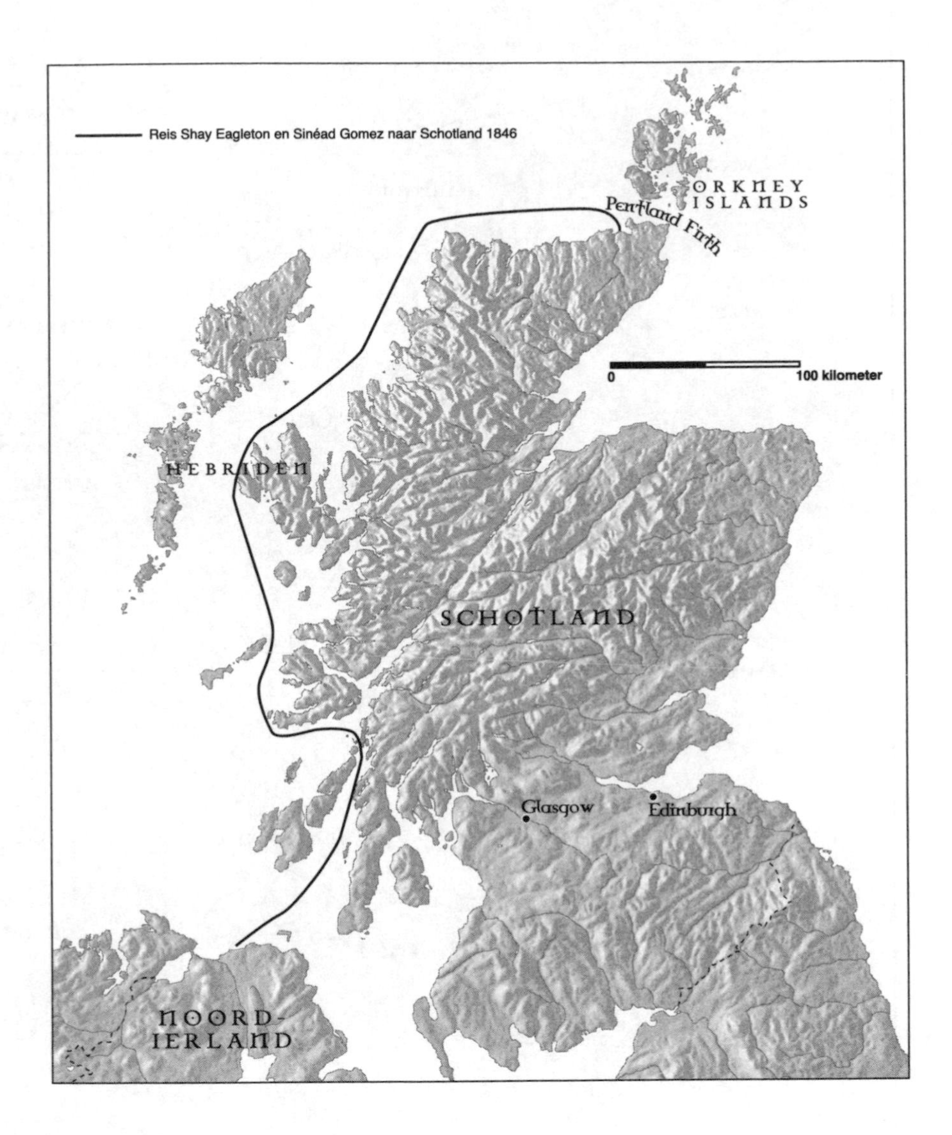

Reis Shay Eagleton en Sinéad Gomez naar Schotland 1846
ORKNEY ISLANDS
Pentland Firth
0
100 kilometer
HEBRIDEN
SCHOTLAND
Glasgow
Edinburgh
NOORD-IERLAND

BRITISH COLUMBIA
ALBERTA
C A N A
SASKATCHEWAN
MANITOBA
WASHINGTON
History
NORTH DAKOTA
MONTANA
OREGON
SOUTH DAKOTA
IDAHO
WYOMING
NEBRASKA
NEVADA
UTAH
V E R E N I G D
COLORADO
KANSAS
CALIFORNIA
ARIZONA
OKLA
NEW MEXICO
TEXAS
MEXICO

ONTARIO
QUEBEC
NEW BRUNSWICK
NOVA SCOTIA
MAINE
VERMONT
NEW HAMPSHIRE
MASSACHUSETTS
RHODE ISLAND
CONNECTICUT
New York
NEW YORK
NEW JERSEY
WISCONSIN
MICHIGAN
PENNSYLVANIA
DELAWARE
MARYLAND
INDIANA
OHIO
ILLINOIS
WEST VIRGINIA
VIRGINIA
S T A T E N
KENTUCKY
MISSOURI
NORTH CAROLINA
TENNESSEE
SOUTH CAROLINA
ARKANSAS
GEORGIA
MISSISSIPPI
ALABAMA
LOUISIANA
FLORIDA
0
500 kilometer
Reis John Eagleton
Ierland - Canada 1847
Canada via New York naar Virginia 1861-1862
Virginia - Montana 1865-1869
Reis Sinéad van der Zee 1954